ALLEN COUNTY PUBLIC LIBRARY
ACPL ITEM
DISCARDED
S0-BWT-329

Нора
Робертс

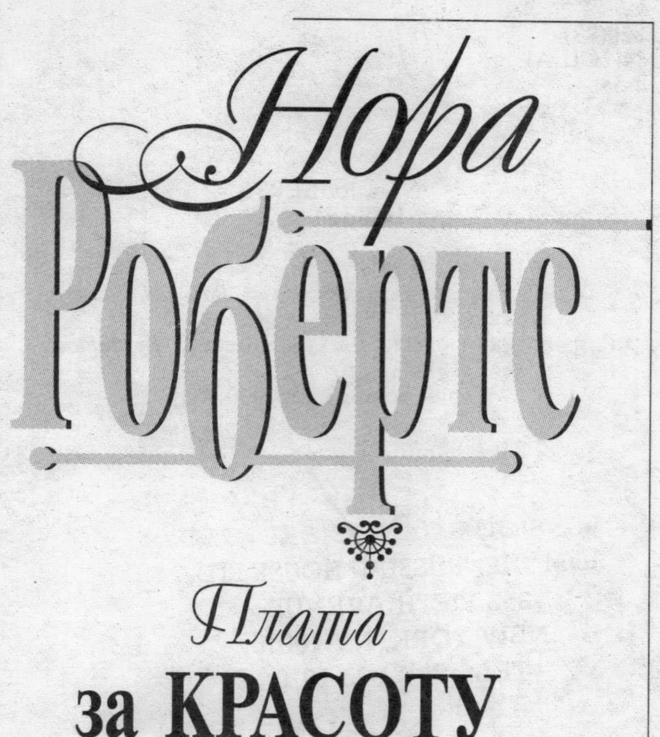

Плата за КРАСОТУ

Роман

МОСКВА
«ЭКСМО-ПРЕСС»
2000

УДК 820(73)
ББК 84(7США)
Р 58

Nora ROBERTS
HOMEPORT

Перевод с английского *Э. Вороновой*

Разработка оформления художника *С. Курбатова*

Серия основана в 2000 году

Робертс Н.

Р 58 Плата за красоту: Роман / Пер. с англ. Э. Вороновой. — М.: Изд-во ЭКСМО-Пресс, 2000. — 448 с.

ISBN 5-04-005482-3

Упорядоченная жизнь Миранды Джонс — известного специалиста по антиквариату, без всяких видимых причин рушится прямо на глазах. То у самого дома на нее нападает грабитель и отнимает сумку с документами, то Миранда при исследованиях совершает одну за другой серьезные ошибки, отчего страдает ее профессиональная репутация, то в ее жизни появляется обольстительный авантюрист, перед которым она не может устоять... Что это — череда случайностей или чей-то злой умысел? Почему под угрозой оказывается и жизнь Миранды? Развязка оказывается неожиданной...

УДК 820(73)
ББК 84(7США)

ISBN 5-04-005482-3

ЧАСТЬ I

Отчий дом

Красота не нуждается в объяснениях.

Эмерсон

ГЛАВА 1

Сырой холодный ветер пронизывал до костей. В начале недели выпал снег, и по обе стороны шоссе громоздились снежные завалы. Небо было синим, без единого облачка. Темные деревья тянули вверх черные голые ветви, словно грозили небу поднятыми в возмущении рпуками, к узловатым стволам клонилась бурая, мертвая трава.

Так в штате Мэн выглядит месяц март.

Миранда включила печку на полную мощность, вставила в плейер диск с «Богемой» и понеслась вперед на волнах волшебной музыки Пуччини.

Домой! После десятидневного лекционного тура, после утомительных переездов из гостиницы в университетский кампус, оттуда в аэропорт, а оттуда снова в гостиницу Миранда поняла, что очень соскучилась по дому.

Честно говоря, она терпеть не могла читать лекции. Один вид людей, жадно впитывавших каждое ее слово, вызывал у нее панику. Но работа есть работа, а нервозность и застенчивость — твоя личная проблема.

Ведь она не кто-нибудь, а доктор Миранда Джонс, из тех самых Джонсов, что живут в Джонс-Пойнте. Попробовала бы она только об этом забыть...

Город некогда был основан самым первым из Джонсов — Чарльзом Джонсом, прибывшим покорять Новый Свет. Миранда хорошо знала, что ожидает род Джонсов от своих отпрысков: сохранять положение самого влиятельного семейства в городе, способствовать развитию общества, а главное, достойно вести себя — так, как и полагается Джонсам из Джонс-Пойнта, штат Мэн.

Довольная тем, что аэропорт остался позади, Миранда поддала газу и вскоре свернула на дорогу, тянувшуюся вдоль побережья. Быстрая езда — одна из маленьких радостей жизни. Миранда вообще обожала скорость, ей нравилось перемещаться во времени и пространстве с максимальной скоростью. Хотя любые перемещения такой женщины не могли остаться незамеченными: нечасто встретишь столь импозантную особу шести футов ростом да при этом еще с волосами цвета пожарного автомобиля. Как бы незаметно ни старалась держаться Миранда в обществе, со стороны казалось, что именно она — самая главная.

Если же Миранда неслась по шоссе со скоростью и непреклонностью баллистической ракеты, путь впереди расчищался, словно по мановению волшебной палочки.

Голос у нее тоже был особенный. Один ее поклонник сравнил ее голос со звуком напильника, обернутого в бархат. С бременем наследственности Миранда справлялась так, как считала нужным, — всегда и во всем была четкой, деловитой и немножко чопорной.

Это сочетание работало безотказно.

Фигуру она, должно быть, унаследовала от какого-нибудь кельтского воина, своего далекого предка. Но лицо было чисто новоанглийским: узкое, бесстрастное, с длинным прямым носом, заостренным подбородком и точеными, словно высеченными изо льда, скулами. Крупный неулыбчивый рот; глаза синевой могли бы соперничать с июльским небом, однако солнце проглядывало в них нечасто.

Но сейчас, несясь на бешеной скорости вдоль присыпанных снегом скал, Миранда блаженствовала, и лицо ее было озарено улыбкой. По другую сторону шоссе сумрачно поблескивало серо-стальное море. Миранда любила море — переменчивость его нрава, магическую способность то будоражить, то успокаивать душу. Дорога петляла, повторяя линию берега, и Миранда слышала, как волны с размаху бьются о камень, а потом оттягиваются назад, словно занесенный для удара кулак.

Тусклое солнце искрилось на снежном насте, порывы ветра взметали снежинки над асфальтом. Склоненные деревья были похожи на скрюченных стариков — это постарались штормы и ураганы. Когда Миранда была маленькой и любила фантазировать, ей казалось, что деревья не просто скрипят, а жалуются друг другу на своеволие ветра.

Фантазировать Миранда давно разучилась, но по-прежнему любила смотреть на кривые крепкие стволы, только теперь они напоминали ей уже не стариков, а закаленных в сражениях солдат.

Полоса меж скалами и морем сузилась, дорога пошла вверх. Холодное неугомонное море вгрызалось в сушу, словно никак не могло утолить ненасытный голод. Мыс воткнулся в океан ревматическим пальцем, увенчанный старым викторианским домом, который был далеко виден и с моря, и с берега. Ниже дома, у самой кромки воды, белела башня маяка.

В детстве этот дом казался Миранде воплощением уюта и радости благодаря женщине, жившей в нем. Амелия Джонс отвергала семейные традиции и жила так, как хотела; говорила, что вздумается, и всегда, всегда в ее любящем сердце находилось место для ее двух внуков.

Миранда ее обожала. До сей поры в ее жизни не было большего горя, чем смерть Амелии. Бабушка скончалась тихо, просто уснула и не проснулась, это случилось восемь лет тому назад.

Свой дом, свое состояние, аккуратно скопленное за долгие годы, и свою художественную коллекцию Амелия завещала внукам — Миранде и Эндрю. Своему сыну, отцу Миранды, она оставила пожелание стать хотя бы отчасти таким, каким она хотела бы его видеть, прежде чем они снова встретятся на небесах. Невестке досталась нитка жемчуга, потому что ожерелье было единственным, что Элизабет нравилось у ее свекрови.

Как типичны для Амелии все эти мелкие уколы в завещании, подумала Миранда. Амелия Джонс прожила одна в этом большом каменном доме много лет, более чем на десять лет пережив своего мужа.

Миранда ехала вдоль берега и вспоминала бабушку.

Старый дом видел много безжалостных бурь, суровых зим

и изнуряюще жарких летних дней. А сейчас, вздохнула Миранда, ему пришлось узнать и запустение.

Ни она, ни Эндрю никак не могли выкроить время и договориться с малярами и садовниками. Когда Миранда была маленькой, дом был похож на картинку, не то что сейчас: сплошные следы ветхости и увядания. Словно стареющая женщина, не пытающаяся скрыть своего возраста, с внезапным приливом нежности подумала Миранда. Дом не жаловался, стоял прямо, словно по стойке «смирно», серые камни дышали достоинством, башни величественно устремлялись в небо.

С южной стороны к дому примыкала чудная беседка, вся увитая глицинией, которая весной пышно расцветала. Миранда каждый год давала себе слово, что обязательно найдет время и посидит на мраморной скамейке в этом цветущем шатре, наслаждаясь ароматом, тенью, тишиной. Но весна быстро сменялась летом, лето — осенью, и Миранда вспоминала о своем обете лишь зимой, глядя на голые ветки деревьев.

Некоторые доски на широком переднем крыльце прогнили. А перила и перекладины, давно превратившиеся из голубых в серые, следовало покрасить. И глицинию в беседке не мешало бы привести в порядок.

Надо обязательно все привести в порядок, пообещала себе Миранда. Обязательно.

Окна особняка сияли, из-под края крыши выглядывали свирепые физиономии каменных грифонов. С длинных террас и узких балконов открывались чудесные виды. Будь сейчас кто-нибудь дома, трубы дымили бы вовсю — самое время топить камины. Вокруг росли древние дубы и стройные высокие сосны, защищающие дом от пронизывающего северного ветра.

Миранда с братом прекрасно уживались здесь до тех пор, пока пьянство не вошло у Эндрю в привычку. Но Миранде сейчас не хотелось об этом думать. Они так близки с братом, любят друг друга, ей нравится жить с ним вместе.

Порыв ветра растрепал ее волосы, когда она открыла дверцу машины. Миранда раздраженно откинула волосы, взяла с заднего сиденья портфель и «ноутбук». Под финальные аккорды Пуччини Миранда направилась к багажнику.

И снова под порывами ветра пряди волос упали на лицо

Миранды, но ее преувеличенно возмущенный вздох внезапно превратился в сдавленный стон: кто-то больно схватил ее за волосы и резко дернул голову назад. От резкой обжигающей боли перед глазами Миранды замелькали красные точки. И в ту же секунду она почувствовала у своего горла холодное лезвие ножа.

Ослепляющий страх, первобытный ужас огнем взорвался где-то в животе и поднялся к горлу. Ничего не соображающую женщину развернули и прижали к машине так, что от боли в боку помутилось в глазах, а ноги стали ватными. Рука, сжимавшая ее волосы, снова резко дернула ее голову. Словно куклу, мелькнуло в голове у Миранды.

Лицо мужчины было ужасно. Мертвенно-бледное, все в шрамах и какое-то неопределенное. В первые секунды окоченевшая от страха Миранда не поняла, что на нем раскрашенная резиновая бесформенная маска.

Сопротивляться было бессмысленно. Да она и не смогла бы. Ее мысли и чувства были сосредоточены на одном: на прижатом к горлу смертоносном лезвии. Острие впивалось в шею при каждом вдохе, заставляя Миранду трепетать от боли и ужаса.

Мужчина был высокий, шесть футов четыре дюйма. Или пять? Она сознательно старалась сосредоточиться на деталях, а сердце готово было выпрыгнуть из груди. Вес — примерно двести пятьдесят фунтов, широкие плечи, короткая шея.

О господи!

Карие глаза, мутновато-карие. Это все, что она могла заметить в прорези жуткой маски. Глаза, холодные, как у акулы, даже не моргнули, когда он слегка чиркнул ножом по горлу женщины.

Миранда дернулась от жгучей боли, тонкая струйка крови потекла на воротник пальто.

— Пожалуйста!

Слово вырвалось само собой, так же инстинктивно рука дернулась к кулаку, сжимающему нож. Сознание было вытеснено страшной картиной: вот сейчас он запрокинет ей голову и резанет по горлу уже сильней. Быстрый и точный удар рассечет артерию, во все стороны брызнет кровь. И, зарезанная, как овца, Миранда упадет на землю.

— Пожалуйста, не надо. У меня есть триста пятьдесят долларов наличными.

Хоть бы он оказался грабителем, с отчаянием взмолилась она. Пусть это будут всего лишь деньги. А если он насильник, она найдет в себе мужество бороться, хотя едва ли сможет с ним справиться.

Если же он убийца, то пусть смерть будет быстрой.

— Я отдам вам деньги, — начала она и задохнулась, когда он молча отшвырнул ее, словно тряпичную куклу.

Она упала на четвереньки, разбив в кровь колени и локти о мелкий гравий, которым была усыпана подъездная дорога к дому. Миранда заплакала, ненавидя себя за беспомощность, за парализующий страх, который не позволял ей действовать. Единственное, что она могла, — это следить затуманенными глазами за тем, что он делает.

И еще — смотреть на лезвие ножа, посверкивающее на тусклом солнце. Разум кричал, что надо бежать, сопротивляться, а она неподвижно съежилась на земле, парализованная страхом.

Мужчина взял ее сумочку, портфель, наклонился и проткнул ножом заднюю шину. Выдернув нож, он сделал шаг в сторону Миранды, и тогда она поползла к дому.

Каждую секунду она ждала, что он снова набросится, разорвет одежду и тем же самым движением, каким протыкал шину, вонзит нож ей в спину. Но она упрямо продолжала ползти по колкой пожухлой траве.

Добравшись до крыльца, она медленно обернулась, и с губ ее сорвался хриплый возглас безграничного удивления.

Она была одна, мужчина исчез.

Задыхаясь, чувствуя, как легкие горят огнем, она вскарабкалась по ступенькам. Надо попасть внутрь, спрятаться в доме, запереться. Пока он не вернулся. Пока не вернулся и не зарезал ее этим острым ножом.

Миранда дважды дернула ручку, прежде чем сообразила, что дверь заперта. Заперто. Ну конечно же, в доме никого нет. Никого, кто мог бы помочь.

Какое-то мгновение она безвольно сидела под дверью; ее бил озноб от пережитого кошмара и пронизывающего ветра, дувшего с холмов.

«Вставай, — приказала себе Миранда. — Ты должна встать. Возьми ключи, войди в дом, вызови полицию».

Она затравленно зашарила глазами по сторонам, словно заяц, убегающий от волков; зубы громко стучали. Уцепившись за ручку двери, она попыталась подняться. Ноги подкашивались, левое колено нещадно горело, но она все же пошла к машине заплетающимся шагом, как пьяная. Лихорадочно разыскивая сумочку, Миранда вдруг вспомнила, что мужчина забрал ее.

Молясь и ругаясь, проклиная и умоляя, она влезла в машину и зашарила рукой в отделении для перчаток. Спасительно звякнули запасные ключи, и Миранда накрепко зажала их в кулаке. Прихрамывая, она направилась к дому, долго возилась с замком — руки дрожали, и Миранда никак не могла попасть ключом в замок.

Оказавшись внутри, Миранда захлопнула за собой дверь, дважды повернула ключ в замке. Она прижалась спиной к крепкой деревянной двери, ключи выскользнули из пальцев и, звонко звякнув, ударились о пол. Голова закружилась, и Миранда закрыла глаза. Оцепенело не только тело, но и разум. Надо было взять себя в руки, начать действовать, а она никак не могла сообразить — что же делать?

В ушах звенело, к горлу подкатывала тошнота. Крепко сжав зубы, она шагнула вперед, стараясь удержать равновесие.

Подойдя к лестнице, она поняла, что звенит не у нее в ушах. Это надрывался телефон. Миранда механически, как автомат, прошла в гостиную, где все было таким знакомым, таким привычным, и подняла трубку.

— Алло? — Голос взорвал тишину гостиной, словно удар по деревянному барабану. Слегка покачиваясь, Миранда не отрываясь смотрела на пол, где рисовало узоры солнце, светившее сквозь окна. — Да. Да, понимаю. Я приеду. Я... Что? — Миранда потрясла головой, пытаясь сосредоточиться. — Мне нужно сначала кое-что сделать. Нет, я скоро приеду. Да-да, как только смогу.

Она настолько отупела, что не почувствовала, как накатывает истерика.

— Я уже собираю вещи, — сказала она и расхохоталась.

Она продолжала смеяться еще долго после того, как повесила трубку. Смеясь, она безвольно плюхнулась в кресло, свернулась в клубочек и не заметила, как смех перешел в рыдания.

* * *

Она крепко сжимала обеими руками чашку с горячим чаем, но не пила, зная, что не сможет донести ее до рта, не расплескав. Держать горячую чашку было приятно, тепло разливалось по заледеневшим пальцам, смягчало боль ободранных ладоней.

Еще минуту назад она была собранной, говорила ясно, четко — именно так, как и надо, когда звонишь в полицию, чтобы сообщить о происшествии.

Как только Миранда более или менее пришла в себя, она сделала несколько необходимых телефонных звонков. Потом рассказала о случившемся приехавшему офицеру полиции. Но сейчас, снова оставшись одна, она тщетно пыталась сосредоточиться, но все мысли ускользали из головы.

— Миранда!

Громко хлопнула входная дверь. В гостиную ворвался Эндрю и с ужасом уставился на сестру.

— О господи!

Он подбежал к ней, присел на корточки перед креслом и провел своими длинными пальцами по ее бледной щеке.

— Дорогая.

— Сейчас уже лучше. Просто несколько синяков. — С таким трудом восстановленное спокойствие вновь улетучилось. — Я не ранена, я больше напугана.

Он увидел разорванные на коленях брюки, засохшую кровь на ткани.

— Сукин сын! — Его светло-голубые, намного светлее, чем у сестры, глаза наполнились ужасом. — Он... — Эндрю взял ее руки в свои — теперь получалось, что они держат чашку с чаем вместе. — Он тебя изнасиловал?

— Нет-нет, ничего такого не произошло. Он просто украл мою сумочку. Ему нужны были деньги. Извини, что тебе позвонила полиция. Мне следовало самой это сделать.

— Ничего, все нормально. Ты только не волнуйся. —

Эндрю крепче сжал ее руки и тут же отпустил, когда она поморщилась. — О, прости, детка! — Взял чашку из рук Миранды, поставил на столик, повернул к себе ее ободранные ладони. — Поехали, я отвезу тебя в больницу.

— Не нужно никакой больницы. У меня только ссадины и синяки.

Миранда сделала глубокий вдох. Господи, как хорошо, что он здесь!

Брат порой выводил ее из себя, часто разочаровывал, но он был единственным человеком, который в трудную минуту всегда оказывался рядом.

У Эндрю было худое скуластое лицо и волосы, как у сестры, — рыжие, только чуть темнее, цвета красного дерева. Эндрю нервно расхаживал по комнате, сжав кулаки в бессильном гневе.

— Ах, почему меня здесь не было! Черт подери, я должен был находиться рядом!

— Ты не можешь быть со мной ежеминутно. Разве тебе могло прийти в голову, что кто-то нападет на меня на пороге нашего дома? Я считаю — и полиция тоже так думает, — что этот тип собирался взломать дверь, но тут подъехала я, и он изменил свои планы.

— В полиции сказали, что у него был нож.

— Да. — Она осторожно дотронулась до неглубокого пореза на горле. — С детства боюсь режущих предметов. Мне достаточно взглянуть на лезвие, и я вся холодею.

Эндрю внимательно посмотрел на сестру и сел рядом с ней:

— Что он тебе сделал? Ты можешь мне рассказать?

— Он появился ниоткуда. Я доставала вещи из багажника. Он схватил меня сзади за волосы, приставил к горлу нож. Я думала, он собирается меня убить, но он отшвырнул меня, взял сумку и портфель, проткнул шину и исчез. — Ей удалось выдавить из себя подобие улыбки. — Я не совсем так представляла себе возвращение домой.

— Мне следовало быть здесь, — повторил брат.

— Эндрю, перестань. — Она взглянула ему в глаза. — Ты же сейчас здесь. — Его присутствие вселяло в нее спокойствие. — Звонила наша мать.

— Что? — Он резко повернулся к Миранде.

— Когда я оказалась наконец в доме, звонил телефон. Господи, я так и не пришла в себя, — пожаловалась Миранда, сжимая пальцами виски. — Мне же нужно завтра лететь во Флоренцию.

— Не говори глупостей. Ты ранена, ты вся дрожишь, тебе надо отлежаться. Неужели она просила тебя приехать, несмотря на то, что произошло?

— Я ей ничего не сказала, — пожала плечами Миранда. — Я ничего не соображала. Толком и говорить-то не могла. Она сказала, что мне надо вылетать как можно скорее. Нужно заказать билет.

— Миранда, не говори глупостей, тебе надо лечь в постель. Я сам ей позвоню. — Эндрю сделал глубокий вдох, как человек, которому надо выполнить неприятную обязанность. — Я ей все объясню.

— Ты мой спаситель! — Она благодарно поцеловала брата в щеку. — Нет, я все равно поеду. Горячая ванна, аспирин — и я приду в норму. Пожалуй, мне даже необходимо отвлечься после этого приключения. Она хочет, чтобы я дала экспертную оценку какой-то бронзовой статуэтке. — Чай остыл, и Миранда поставила чашку на столик. — Она бы не стала вызывать меня без серьезной причины. Ей нужен специалист, и как можно быстрее.

— У матери в «Станджо» есть собственные специалисты.

— Разумеется. — На этот раз улыбка Миранды была искренней. — «Станджо» — сокращение от фамилий Станфорд и Джонс. Элизабет не только свою девичью фамилию поставила на первое место, но и позаботилась о том, чтобы в семейном бизнесе соблюдались прежде всего ее собственные интересы. И раз она посылает за мной, это что-нибудь да значит. Она, я думаю, хочет, чтобы это не выходило за пределы семьи. Элизабет Станфорд-Джонс, директор «Станджо», Флоренция, вызывает специалиста по итальянской бронзе эпохи Возрождения и хочет, чтобы фамилия эксперта была Джонс. Разве я могу ее подвести?

* * *

Заказать билет на следующее утро не удалось и пришлось согласиться на вечерний рейс с пересадкой в Риме.

Итак, она задержится на целый день.

Ну и достанется ей за это от матери.

Лежа в горячей ванне, Миранда прикинула разницу во времени и решила, что звонить бессмысленно — Элизабет наверняка уже спит.

Ничего не поделаешь, сказала себе Миранда. Утром она позвонит на фирму. Один день не имеет большого значения, даже для Элизабет.

Надо будет заказать такси, чтобы ехать в аэропорт. Колено сильно болело, так что, если бы даже удалось заменить шину, Миранда все равно не смогла бы сесть за руль. Надо будет...

Миранда вдруг резко выпрямилась, и вода едва не выплеснулась через край ванны.

Паспорт! Ее паспорт, водительские права, служебное удостоверение. Этот грабитель забрал портфель, в котором лежали все ее документы.

— Черт! — Это было все, что она могла сказать. Только этого не хватало!

Миранда выдернула затычку на цепочке. Ванна была старинная — на выгнутых ножках в виде лап. Миранда вся кипела от возмущения, и прилив энергии помог ей стремительно встать и растереться полотенцем, прежде чем боль в колене дала о себе знать. Охнув, Миранда схватилась за стену и присела на край ванны. Полотенце упало в воду.

На глаза навернулись слезы. Боль, отчаяние, страх накатили с новой силой. Миранда сидела голая на краю ванны и всхлипывала, не в силах сдержать рыдания.

Но слезами горю не поможешь, и Миранда решительно смахнула слезы, выжала полотенце. Осторожно, вцепившись в край, вылезла из ванны. От сильного напряжения она покрылась мелкими капельками пота, а слезы боли снова брызнули из глаз. Но Миранда выпрямилась, оперлась о раковину и взглянула в зеркало, висевшее на двери.

Руки покрыты синяками. Она уже не могла вспомнить, хватал ли он ее за руки, но, судя по лиловым отметинам, так оно и было. На бедре синел огромный кровоподтек, он ужасно болел. Это результат удара о машину.

Колени ободраны, а левое заметно распухло. Ладони горели от ссадин, оставленных мелким гравием.

А при взгляде на длинную тонкую полоску на шее кружилась голова и к горлу подступала тошнота. Словно зачарованная, Миранда коснулась пальцами шеи. В каком-нибудь миллиметре от артерии, с ужасом подумала она. В миллиметре от смерти.

Она вдруг поняла, что если бы он *хотел* ее убить, он бы ее убил.

Но было кое-что похуже синяков и боли. Больнее всего Миранду мучила мысль, что совершенно посторонний, даже незнакомый ей человек держал в руках ее жизнь.

— Никогда! — Она отвернулась от зеркала, резко дернула халат с вешалки. — Никогда больше со мной не случится ничего подобного!

Она замерзла и поплотнее запахнула на себе халат. Завязывая пояс, она вдруг краем глаза уловила какое-то движение за окном, и сердце ее бешено заколотилось.

Он вернулся!

Убежать, спрятаться, позвать Эндрю. Закрыться на замок и замереть за дверью. Миранда стиснула зубы и бесшумно подошла к окну.

Это был Эндрю. От облегчения закружилась голова. Одетый в теплую куртку, в которой он обычно гулял по лесу или ходил в горы, с фонарем в руке, он вышагивал по двору.

Озадаченная, Миранда прижалась носом к стеклу.

Почему у него в руках клюшка для гольфа? Почему он расхаживает с ней по двору? Тут Миранда все поняла, и теплая волна любви, словно болеутоляющее, унесла прочь ее боли и страхи. Брат ее охраняет. Из глаз сами полились слезы. Тут Эндрю остановился, достал что-то из кармана. И она увидела, как он сделал большой глоток из бутылки.

Ах, Эндрю, подумала Миранда и закрыла глаза. Даже сейчас не может не приложиться.

* * *

Миранда проснулась от боли в колене. Она нащупала выключатель, вытряхнула из бутылочки, предусмотрительно поставленной на ночной столик, таблетки. Надо было послушаться Эндрю и поехать в больницу. Врач выписал бы ей сильное болеутоляющее.

Взглянув на светящийся в темноте циферблат часов, она увидела, что еще три часа ночи. Ну что ж, коктейль из ибупрофена и аспирина даровал ей три часа облегчения и сна. А теперь, раз уж она проснулась, надо взяться за дела.

Время как раз подходящее, Элизабет у себя в кабинете. Миранда набрала номер. Слегка постанывая от боли, она привалила подушку к изголовью и с облегчением откинулась.

— Миранда? А я собиралась звонить в гостиницу, хотела оставить сообщение к твоему завтрашнему прибытию.

— Я задерживаюсь. Я...

— Задерживаешься? — Слово упало как острый осколок льда.

— Извини.

— Мне казалось, я достаточно подробно объяснила тебе всю важность этого проекта. Я дала правительству все гарантии, что работы по экспертизе начнутся сегодня.

— Можно вызвать Джона Картера. Я...

— Я вызвала тебя, а не Джона Картера. Перепоручи свои дела кому-нибудь другому. Я же тебе все объяснила!

— Да. — На этот раз не таблетки, а холодная ярость, зашевелившаяся в душе, заглушила боль. — Я прекрасно все поняла.

— Тогда почему ты еще не вылетела?

— Вчера у меня украли паспорт и все документы. Я восстановлю их как можно скорее и тут же вылечу. Но вряд ли мне удастся получить документы раньше следующей недели.

Ей ли не знать, как работает бюрократическая машина! Она же сама выросла в этой среде.

— Даже в таком относительно спокойном месте, как Джонс-Пойнт, довольно глупо оставлять машину незапертой.

— Документы были не в машине, они были у меня. Я тебе сообщу, на какой день закажу билет. Извини за задержку. Поверь, ма, я отношусь к проекту со всей серьезностью. До свидания, мама.

Она испытала некое мстительное удовлетворение, повесив трубку прежде, чем Элизабет успела что-нибудь сказать.

* * *

Сидя в своем просторном кабинете за три тысячи миль от Джонс-Пойнта, Элизабет смотрела на телефон со смешанным чувством раздражения и любопытства.

— Что-то случилось?

Элизабет рассеянно взглянула на свою бывшую невестку. Элайза Уорфилд сидела, положив на колени блокнот; в огромных зеленых глазах удивление, чувственные губы чуть раскрылись в полуулыбке.

Брак Элайзы и Эндрю распался довольно быстро, и это очень огорчило Элизабет. Но развод сына нисколько не помешал ее деловым и личным отношениям с невесткой.

— Да. Миранда задерживается.

— Задерживается? — Элайза подняла брови, так что они исчезли под густой челкой. — Не похоже на Миранду.

— У нее украли паспорт и все документы.

— О, какая неприятность! — Элайза встала.

При маленьком росте и довольно пышных формах ей удавалось казаться миниатюрной. Гладко зачесанные черные волосы, огромные глаза с длинными ресницами, молочно-белая кожа и яркие сочные губы делали ее похожей на фею — решительную и одновременно очень привлекательную.

— Ее ограбили?

— Я не знаю подробностей, — сухо поджала губы Элизабет. — Она восстановит документы и перезакажет билет. На это уйдет несколько дней.

Элайза хотела поинтересоваться, не пострадала ли сама Миранда, но вопрос замер у нее на губах. По лицу Элизабет она поняла, что та или не знает, или не придает большого значения тому, что произошло с дочерью.

— Я знаю, вы хотели начать экспертизу сегодня. Это можно организовать. Я перепоручу часть своей работы комунибудь и начну работу сама.

Элизабет встала и подошла к окну. Ей всегда лучше думалось, когда она смотрела на город. Флоренция была ее домом, стала ее домом с первого дня, как Элизабет сюда приехала впервые. Она тогда была восемнадцатилетней студенткой, обожавшей искусство и жаждавшей приключений.

Она отчаянно влюбилась в этот город, с его красными крышами, величественными куполами, кривыми улочками и шумными площадями.

И еще она отчаянно влюбилась в молодого скульптора, а он быстро и изящно затащил ее в постель и научил понимать собственное сердце.

Разумеется, он был ей совсем не пара — бедный и невероятно страстный. Как только ее родители узнали об этом романе, они немедленно увезли дочь обратно в Бостон.

И, конечно же, оказались абсолютно правы.

Элизабет тряхнула головой, недовольная тем, что воспоминания так далеко увели ее от сегодняшних проблем. Она смогла сделать в жизни правильный выбор и никогда об этом не пожалела.

Сейчас она возглавляет Флорентийский научно-исследовательский институт искусств — один из самых крупных и весьма уважаемых во всем мире. «Станджо», конечно, часть мощной империи Джонсов, но все же институт принадлежит лично ей. Ее имя на первом месте, и она здесь — самая главная.

Она стояла на фоне окна, стройная привлекательная женщина пятидесяти восьми лет. Пепельные волосы чуть подкрашены и уложены в лучшем салоне Флоренции. Элегантный лиловый костюм от Валентино с золотыми пуговицами, изящные кожаные туфли — в тон костюму. У Элизабет был безупречный вкус.

Великолепный цвет лица делал почти незаметными те морщинки, которые осмелились появиться вокруг ее голубых глаз — острых, умных и, казалось, не знающих жалости. Холодная современная женщина в расцвете своих творческих сил и на вершине профессиональной карьеры.

На меньшее Элизабет и не согласилась бы.

Да, подумала она, не согласилась бы. Ей нужно все только самое лучшее.

— Подождем, — сказала она, оборачиваясь к Элайзе. — Это ее специализация, она в этом разбирается лучше всех. Я лично свяжусь с министром и объясню причину задержки.

Элайза улыбнулась.

— Никто не относится к опозданиям так снисходительно, как итальянцы.

— Ты права. С отчетами разберемся позже, Элайза. Сейчас мне нужно позвонить.

— Хорошо.

— Да, вот еще. Завтра приезжает Джон Картер. Он будет

работать под началом у Миранды. Дай ему пока какую-нибудь другую работу. Нечего ему болтаться без дела.

— Джон приезжает? Буду рада его увидеть, а работа в лаборатории всегда найдется. Я с этим разберусь.

— Спасибо, Элайза.

Оставшись одна, Элизабет снова села за стол. Взгляд ее упал на сейф, напомнив о том, что лежит там, внутри.

Миранда возглавит проект. Элизабет решила это, как только увидела статуэтку. Акцию проведет фирма «Станджо», во главе — Джонс. Так она задумала.

Так и будет.

ГЛАВА 2

Пять дней спустя Миранда стремительно вошла в высокие двери средневекового здания Флорентийского института искусств «Станджо» и быстрым шагом пересекла вестибюль. Каблучки ее строгих классических туфель дробно застучали по белому мраморному полу, точно пулеметная очередь.

На ходу прицепляя к лацкану пиджака пластиковую карточку со своей фамилией, которую ей выдала секретарша, она миновала великолепную бронзовую копию работы Челлини «Персей побеждает Медузу».

Миранда часто думала о том, что выбор этой скульптуры характерен для ее матери. Победить врага одним ударом меча — как раз в духе Элизабет.

Миранда подошла к стойке, повернула к себе книгу посетителей, вписала туда свою фамилию и, взглянув на часы, время.

Сегодня она оделась очень тщательно, даже стратегически, выбрав костюм строгого покроя из плотного голубого шелка. Сочетание строгих линий и неофициального цвета она находила элегантным.

Когда идешь на встречу с главой археометрической лаборатории — одной из самых солидных в мире, — необходимо тщательно продумать все детали. Даже если глава — твоя собственная мать.

Едва заметная усмешка тронула губы Миранды. *Особенно* если это твоя мать.

Миранда вызвала лифт и, ожидая его, нетерпеливо переминалась с ноги на ногу. Ее снедало нетерпение. Радостное предвкушение горячило кровь. Но показывать этого матери ни в коем случае нельзя.

Шагнув в лифт, Миранда достала помаду, раскрыла пудреницу и подкрасила губы. Одного тюбика помады ей обычно хватало на год, а иногда и больше, потому что подобной мелкой ерундой она занималась, только когда без этого невозможно было обойтись.

Удовлетворенная своим видом, Миранда убрала пудреницу, провела рукой по волосам. Затейливая прическа стоила ей времени и усилий. Она поправила шпильки в волосах и была абсолютно готова, когда двери лифта снова раскрылись.

Огромный бесшумный холл Миранда про себя называла святилищем. Жемчужно-серые стены, ковер цвета слоновой кости, старинные стулья с жесткими прямыми спинками. Все здесь напоминает саму хозяйку: красивое, нарядное, холодное. Стол секретаря вписывался в этот стиль: мощный компьютер, несколько телефонов. Деловитость, сухость, совершенство.

— Buon giorno. Sono la Dottoressa Jones. Ho un appuntamento con la Signora Stanford-Jones[1], — на безупречном итальянском сказала секретарше Миранда.

— Si, Dottoressa. Un momento[2].

Миранда мысленно окинула себя придирчивым взглядом, расправила плечи. Это помогло сдержать нервную дрожь. Секретарша улыбнулась и предложила ей войти.

Миранда прошла сквозь двойные стеклянные двери и очутилась в небольшом светлом холле, из которого вела дверь в кабинет «синьоры директора».

Она постучалась. Никто не смел заходить сюда без стука. Тут же за дверью послышалось:

— Войдите.

Элизабет сидела за элегантным деревянным столом; хеп-

---

[1] Здравствуйте. Я доктор Джонс. У меня назначена встреча с синьорой Станфорд-Джонс (*ит.*).

[2] Да, доктор. Подождите, пожалуйста (*ит.*).

плуайтовская мебель идеально подходила к ее типично новоанглийской внешности. За огромным окном во всем своем великолепии сияла на солнце Флоренция.

Женщины оценивающе посмотрели друг на друга.

Элизабет нарушила молчание первой:

— Как долетела?

— Без происшествий.

— Хорошо.

— Ты замечательно выглядишь.

— Спасибо. Как твои дела?

— Прекрасно.

Миранда представила себе, как отбивает чечетку в этом строгом кабинете, и вытянулась, словно солдат на плацу.

— Хочешь кофе? Или просто воды?

— Нет, спасибо. — Миранда чуть подняла бровь. — Ты не спросила об Эндрю.

Элизабет жестом предложила Миранде сесть:

— Как поживает твой брат?

Паршиво, подумала Миранда. Слишком много пьет. Раздраженный, обиженный, в постоянной депрессии.

— Нормально. Посылал тебе привет. — Ложь не вызвала у нее ни малейших угрызений совести. — Ты уже сообщила Элайзе о моем прибытии?

— Конечно. — Поскольку Миранда так и не села, Элизабет поднялась. — Все начальники отделов, все причастные к делу сотрудники оповещены, что ты временно здесь поработаешь. Бронза Фиезоле для нас сейчас — задача номер один. Разумеется, ты будешь в полной мере пользоваться лабораторией и оборудованием; для своей команды можешь отобрать любых специалистов.

— Я вчера разговаривала с Джоном. Вы еще не начинали тесты.

— Нет. Твое опоздание отняло у нас время, поэтому, я надеюсь, ты приступишь к работе немедленно.

— Я готова.

Элизабет наклонила голову:

— Что с твоей ногой? Ты прихрамываешь.

— Меня ограбили, ты не забыла?

— Но ты не говорила, что пострадала при этом.

— Ты не спрашивала.

Элизабет издала некий звук, отдаленно похожий на вздох.

— Ты могла бы мне сказать, что была ранена во время нападения.

— Могла бы. Но не сказала. Тебя ведь интересовали только потеря документов и мое опоздание. — Миранда наклонила голову, повторяя движение матери. — Это было абсолютно ясно.

— Уверяю тебя... — Элизабет оборвала себя на полуслове, махнула рукой — не то раздраженно, не то огорченно. — Почему бы тебе все же не сесть, пока я буду вводить тебя в курс дела?

Ага, значит, будет целая лекция. Миранда ждала этого. Она села, положила ногу на ногу.

— Человек, обнаруживший статуэтку...

— Сантехник.

— Да. — Впервые за все время разговора Элизабет улыбнулась. Улыбка не выражала веселья, а скорее констатировала абсурдность бытия. — Карло Ринальди. Художник по зову сердца, если не по призванию. Вряд ли бы он смог прокормить семью на доходы от своих картин, если бы свекор не взял его к себе в водопроводный бизнес...

Миранда дернула бровью, что означало легкую степень удивления.

— Эти подробности существенны?

— Только в связи с тем, что он имеет отношение к находке. Впрочем, ты права, прямой связи нет. Судя по его рассказу, он наткнулся на статуэтку совершенно случайно. Он нашел ее под обломками лестницы в подвале виллы делла Донна-Оскура.

— Его подробно расспросили? Не возникло сомнений в том, что статуэтка или рассказ — фальшивка?

— Министра ответы Ринальди полностью удовлетворили.

Элизабет постучала по столу тщательно наманикюренными пальцами. Она сидела прямая, как палка. Миранда, не отдавая себе в этом отчета, машинально выпрямила спину.

— Тот факт, что, найдя статуэтку, он вынес ее в своем ящике для инструментов, поначалу вызвал кое-какие подозрения, — продолжила Элизабет.

Миранда встревоженно подалась вперед:

— Сколько времени она у него пробыла?

— Пять дней.

— Он не нанес никаких повреждений? Ты смотрела?

— Я внимательно ее осмотрела. Но я не хочу ничего говорить, пока ты сама на нее не взглянешь.

— Что ж, — нетерпеливо мотнула головой Миранда. — Давай взглянем.

Элизабет подошла к стене и открыла небольшую дверцу, за которой обнаружился маленький стальной сейф.

— Ты хранишь ее здесь?

— У меня она в полной безопасности. К сейфам в лаборатории имеет доступ достаточное количество людей, а в данном случае это было бы нежелательно. Да и тебе будет удобнее произвести первичный осмотр здесь, по крайней мере никто не будет отвлекать.

Элизабет набрала код, подождала секунду, потом снова набрала серию цифр. Открыв толстенную дверцу, она достала из сейфа небольшой металлический ящик. Поставила на стол, откинула крышку и вынула нечто, завернутое в кусок бархата.

— Мы сделаем анализ и ткани, и дерева ступеньки.

— Естественно. — У Миранды руки чесались от нетерпения, но она спокойно поднялась и медленно шагнула вперед, не отрывая глаз от свертка, который Элизабет положила на белоснежную салфетку.

— Насколько я понимаю, документов никаких нет?

— Разумеется. История виллы тебе известна.

— Да. Резиденция любовницы Лоренцо Великолепного Джульетты Буэнодарни, известной также под именем Смуглая Дама. Считается, что после смерти Лоренцо она была подругой и других Медичи. В разное время у нее побывали многие знаменитости, жившие во Флоренции и за ее пределами.

— Значит, тебе понятна ценность этого предмета и возможные перспективы.

— Мне нет дела до перспектив, — сухо заметила Миранда.

— Именно поэтому ты здесь.

Миранда осторожно потрогала потертый бархат.

— Что еще? — вопросительно посмотрела она на мать.

— Я требую полнейшей секретности. Если информация о

статуэтке станет доступной, такое поднимется! А наша фирма «Станджо» не может рисковать своей репутацией. Правительство не хочет никакой шумихи до тех пор, пока не будет закончена самая тщательная экспертиза.

— Да этот сантехник, наверное, уже раззвонил всем своим приятелям.

— Не думаю. — Элизабет сдержанно улыбнулась. — Он вынес бронзовую статуэтку из здания, принадлежащего государству. Так что он прекрасно понимает, что в случае чего запросто может угодить за решетку.

— Что ж, страх заткнет рот кому угодно.

— Да. Но это не наша забота. Нам поручили провести экспертизу и дать правительству полный квалифицированный отчет. Нужны только строгие, научно обоснованные факты и никакой романтики.

— В науке нет места для романтики, — проговорила Миранда, осторожно разворачивая бархат.

Сердце ее заколотилось. Опытным взглядом она сразу определила, что это произведение искусства выполнено рукой мастера. Но восхищение ее тут же сменилось скептицизмом:

— Задумано и исполнено великолепно — определенно это Ренессанс.

Миранда надела очки, взяла статуэтку в руки, осмотрела со всех сторон.

Совершеннейшие пропорции, замечательно передающие чувственность оригинала. Мельчайшие детали: ногти, пряди волос, лодыжки — исполнены с необыкновенной точностью.

Это была фигурка женщины в расцвете своей красоты, отдающей отчет в силе этой красоты. Гибкое тело чуть откинуто назад, руки подняты, но уж никак не в молитвенном порыве, отметила про себя Миранда. Глаза полузакрыты от чувственного удовольствия, губы изогнуты в лукавой улыбке.

Она стояла на цыпочках, будто собиралась прыгнуть в душистую воду бассейна. Или упасть в руки любовника.

Статуэтка буквально дышала чувственностью, и на какое-то мгновение Миранде показалось, что фигура женщины излучает тепло, словно живая.

Патина, покрывавшая бронзу, свидетельствовала о почтенном возрасте статуэтки, но ведь патина может иметь и искусственное происхождение. Миранда прекрасно это знала. Но стиль художника подделать невозможно, разве только сымитировать.

— Это, несомненно, знаменитая Смуглая Дама, — наконец сказала Миранда. — Да, это — Джульетта Буэнодарни. В этом нет никаких сомнений. Я видела множество ее портретов и скульптурных изображений. Но об этой статуэтке я никогда прежде не слышала. Вряд ли я могла пропустить сведения о ней.

Элизабет же внимательнейшим образом изучала не статуэтку, а лицо дочери. Волнение, радость, вспыхнувшие на нем, были тут же спрятаны под маской невозмутимости. Все шло именно так, как и предполагала Элизабет.

— Но ты ведь не сомневаешься относительно возраста статуэтки?

— Я-то не сомневаюсь. Но сейчас у меня еще нет достаточных оснований утверждать, что она относится к пятнадцатому веку. — Миранда, прищурившись, разглядывала статуэтку. — Любой одаренный студент школы живописи мог скопировать это лицо. Я сама это делала неоднократно. — Она поскребла ногтем сине-зеленую патину. Поверхностный слой был достаточно плотный, но этого мало для окончательного вывода.

— Я начну прямо сейчас.

* * *

В лаборатории звучала музыка Вивальди. Стены помещения были выкрашены в бледно-салатовый цвет, на полу — белый, без единого пятнышка линолеум. Как в больнице. Каждое рабочее место в идеальном порядке, на столах — микроскопы, компьютерные мониторы, склянки, банки, лотки с образцами. Никаких личных вещей вроде семейной фотографии в рамочке или безделушек.

Все сотрудники в белых накрахмаленных халатах, с черной вышитой эмблемой «Станджо» на нагрудном кармане.

Разговоры велись тихо и только при крайней необходимости. Лаборатория работала как единый, прекрасно отлаженный механизм.

Элизабет требовала неукоснительного соблюдения порядка, а ее бывшая невестка Элайза знала, как этого добиться.

В доме, где Миранда выросла, была примерно такая же атмосфера. Для теплого семейного очага она не очень подходила, а вот для нормального рабочего процесса — в самый раз.

— Ты давно здесь не была, — сказала Элизабет. — Но Элайза напомнит тебе, как у нас организована работа. Разумеется, у тебя свободный доступ во все отделы лаборатории. Я дам тебе коды и пропуск. А сейчас за дело.

Миранда изобразила вежливую улыбку, когда оторвавшаяся от микроскопа Элайза поднялась им навстречу.

— Рада тебя видеть, Миранда, добро пожаловать во Флоренцию.

Элайза говорила негромко, но сразу было слышно, что голос у нее — звучный и глубокий.

— Привет, Элайза. Как поживаешь?

— Прекрасно. Много работаю. — Элайза ослепительно улыбнулась и энергично тряхнула руку Миранды. — Как Дрю?

— Не то чтобы прекрасно, но — много работает. — Миранда невольно поморщилась, когда Элайза пожимала ее руку.

— Извини, ради бога. — Элайза повернулась к Элизабет. — Вы сами проведете экскурсию или это сделать мне?

— Не надо никаких экскурсий, — ответила вместо матери Миранда. — Все, что мне нужно, это халат, микроскоп и компьютер. И еще фотографии и рентгеновские снимки, конечно.

— А, вот и ты!

К ним устремился Джон Картер. Менеджер лаборатории Миранды выглядел очаровательно потрепанным среди всей этой холодной атмосферы. Нелепый галстук с улыбающимися коровами сбился набок. Джон уже успел за что-то зацепиться нагрудным карманом халата, так что тот висел на одной нитке. На подбородке краснел порез, очевидно оставшийся после утреннего бритья, за ухом торчал огрызок карандаша, а на очках явственно виднелись жирные пятна.

И впервые за все это время Миранда сразу почувствовала себя спокойно и уверенно.

— Как ты? — Джон похлопал ее по руке. — Колено болит? Эндрю мне рассказал, что тот бандит швырнул тебя на землю.

— Швырнул на землю? — быстро переспросила Элайза. — Мы не знали, что ты пострадала.

— Да нет, я просто упала. Все нормально. Я в полном порядке.

— Ничего себе «в порядке»! Он приставил ей нож к горлу, — сообщил Картер.

— Нож?! — Элайза невольным жестом подняла руки к горлу. — Какой кошмар!

— Все нормально, — повторила Миранда. — Ему были нужны только деньги. — Она встретилась глазами с матерью. — И хватит об этом. Мы и так уже потеряли из-за этого типа уйму времени, а я ведь приехала сюда работать.

Элизабет прочла в глазах дочери вызов и поняла, что сейчас не время для сочувствий.

— Тогда приступайте прямо сейчас. Вот твое удостоверение и пропуск. — Она протянула Миранде конверт. — Элайза ответит на все твои вопросы. И в любой момент ты можешь связываться со мной. — Она взглянула на свои изящные наручные часы. — У меня назначена встреча, так что начинайте без меня. К концу дня мне хотелось бы получить предварительный отчет.

И Элизабет удалилась.

— Она даром времени не теряет, — улыбнулась Элайза. — Бедная Миранда! Какой кошмар тебе пришлось пережить! Но, может быть, к лучшему, что ты приехала сюда — работа поможет тебе забыть об этом ужасном происшествии. Я приготовила для тебя кабинет. Статуэтка Фиезоле — наша первостепенная задача. Ты можешь подобрать себе команду из сотрудников с допуском категории «А».

— Миранда!

В густом, экзотично-певучем голосе с характерными итальянскими нотками звучала искренняя радость. Миранда заулыбалась еще до того, как оглянулась и протянула руки для поцелуев.

— Джованни! Ты совсем не изменился.

Ну разумеется, он был таким же сногсшибательно красивым, как и прежде. Смуглый, стройный, с глазами, похожими на горячий шоколад, и очаровательной улыбкой. Джованни был чуть ниже Миранды, но рядом с ним она всегда чувствовала себя женственной и беззащитной. Свои блестящие черные волосы он собирал сзади в хвост; и Элизабет терпела это пижонство, потому что Джованни Бередонно был не только красивым мужчиной, но и гениальным специалистом-профессионалом.

— А вот ты переменилась, bella donna[1]. Стала еще красивее. Тебе еще больно? — Он осторожно коснулся пальцами ее лица.

— Все прошло, забудем об этом.

— Хочешь, я кого-нибудь разорву на части ради тебя? — Он нежно поцеловал ее в одну щеку, потом в другую.

— Я непременно воспользуюсь твоим предложением.

— Джованни, Миранде надо работать.

— Да-да. — Он беззаботно отмахнулся от Элайзы, как от надоедливой мухи, и Миранда снова расплылась в улыбке. — Я все знаю. Грандиозный проект, все на ушах стоят. — Он округлил глаза. — Когда direttrice посылает в Америку за экспертом, это что-нибудь да значит. Итак, понадобятся ли тебе мои услуги?

— Ты — первый в моем списке.

Он крепко стиснул ее руки, не обращая ни малейшего внимания на недовольно поджатые губы Элайзы.

— Когда начинаем?

— Сегодня. Мне нужны результаты анализов по коррозийным слоям и по металлу.

— С этим тебе поможет Ричард Хоуторн. — Элайза похлопала по плечу человека, склонившегося над клавиатурой.

Миранда обернулась к лысеющему мужчине.

Он захлопал подслеповатыми глазами, как филин, потом сдернул очки. Его лицо показалось Миранде смутно знакомым, и она напрягла память.

— Доктор Джонс. — Он застенчиво улыбнулся и от этого стал намного симпатичнее. У него был скошенный подбородок, блекло-голубые глаза, но все компенсировала обаятельная мальчишеская улыбка. — Рад снова вас видеть. Мы все... э-э... счастливы, что вы приехали. Я читал вашу работу по раннефлорентийскому гуманизму. Она великолепна.

---

[1] Красавица (*ит.*).

— Спасибо. — Да, теперь она вспомнила. Он стажировался в институте несколько лет назад.

Какое-то мгновение Миранда колебалась, и то только потому, что рекомендация шла от Элайзы. Но потом сказала:

— Элайза приготовила для меня кабинет. Может быть, пройдете с нами? Я хочу видеть, что у вас уже есть.

— С удовольствием. — Он снова нацепил очки, быстро пробежался по клавишам и встал.

— Здесь не очень просторно, — начала извиняться Элайза, открывая дверь в кабинет. — Но я постаралась разместить все, что, по моему мнению, может тебе понадобиться. Разумеется, если нужно еще что-то, дай знать. Любая твоя просьба будет исполнена.

Миранда окинула быстрым взглядом кабинет. Стол с компьютером. Широкая белая стойка с микроскопом, стеклышками и необходимыми инструментами. Диктофон для устных наблюдений. Окон нет, а когда в комнате четыре человека, как сейчас, в ней не развернуться.

Но имеется кресло, телефон и остро отточенные карандаши. Так что все в порядке.

Она положила на стойку портфель и металлический ящик. Осторожно вынула сверток.

— Мне бы хотелось знать ваше мнение об этой бронзовой статуэтке, доктор Хоуторн. Пока чисто визуальное.

— Конечно, вы его услышите.

— Все только и говорят, что об этом проекте, — заметил Джованни, глядя, как Миранда разворачивает сверток. — Ах! — воскликнул он, когда она поставила статуэтку на стойку. — Bella, molto bella![1]

— Прекрасная работа! — Ричард сдвинул очки на лоб и прищурился. — Просто. Изысканно. Чудесные форма и детали. Отличная композиция.

— А сколько чувства! — Джованни наклонился поближе к стойке. — Женщина во всей своей силе — надменная и соблазнительная.

Миранда покосилась на Джованни, потом обратилась к Ричарду:

---

[1] Красота, какая красота! (*ит.*).

— Вы ее узнали?

— Это, несомненно, Смуглая Дама.

— Я того же мнения. Стиль?

— Ренессанс, без сомнения. — Ричард потер переносицу. — Причем объект изображает не мифологическую или религиозную фигуру, а вполне конкретную особу.

— Да. Женщина как она есть, — согласилась Миранда. — Художник изобразил ее именно такой, какой она была. Можно предположить, что он знал ее лично. Необходимо начать поиск документов. Здесь ваша помощь будет неоценима.

— Буду счастлив помочь. Если мы сможем точно датировать статуэтку и если она действительно создана в пятнадцатом веке, — это будет большое достижение для «Станджо». И лично для вас, доктор Джонс.

Миранда уже думала об этом. Конечно, думала. Но сейчас она холодно улыбнулась.

— Цыплят по осени считают. Если статуэтка хоть какое-то время провела там, где ее нашли — а, очевидно, так оно и есть, — это должно сказаться на коррозии. Мне нужны результаты анализов, — добавила она, обращаясь уже к Джованни. — Но и этого еще недостаточно.

— Будешь проводить сравнительный анализ на термолюминесценцию?

— Да. — Миранда перевела взгляд на Ричарда. — И ткань, и дерево ступеньки также необходимо протестировать. Но лишь документы позволят нам сделать окончательный вывод.

Миранда оперлась о край маленького дубового стола.

— Статуэтка была найдена под обломками лестницы в подвале виллы делла Донна-Оскура. Вы трое получите детальные описания. Вы и Винсент, — тут же добавила она. — Директор требует от нас строжайшего соблюдения секретности. Мы можем пользоваться только услугами сотрудников с допуском категории «А». И то старайтесь сообщать им минимум информации.

— Итак, теперь она наша, — подмигнул ей Джованни.

— Она — моя, — поправила Миранда, серьезно глядя на него. — Мне необходима вся имеющаяся информация о дворце и о женщине. Я хочу знать о ней все.

Ричард кивнул:

— Я приступлю к поискам немедленно.

Миранда обернулась к бронзовой статуэтке.

— Что ж, посмотрим, из чего ты сделана, — пробормотала она себе под нос.

* * *

Через несколько часов Миранда расправила затекшие плечи и откинулась на спинку стула. Статуэтка стояла перед ней, коварно улыбаясь. В слое патины и в самой бронзе, взятой на пробу, не было даже намека на примесь меди, кремния, платины или какого-либо другого металла, не использовавшегося в эпоху Ренессанса. Сердцевина статуэтки была глиняной, что типично для того периода. Предварительные анализы коррозийных слоев позволяли датировать работу концом пятнадцатого века.

Не торопись, приказала себе Миранда. Результатов предварительных тестов недостаточно. Пока работа идет от противного. Пока она не нашла ничего, что противоречило бы мнению, сложившемуся при первичном осмотре. Но негатива мало, понадобятся и позитивные доказательства.

Итак, леди, вы подлинник или фальшивка?

Миранда сделала перерыв, чтобы выпить чашку кофе с печеньем, которое Элайза принесла ей вместо завтрака. Сказывалась разница во времени, но Миранда не желала поддаваться усталости. Кофе — черный, крепкий и такой вкусный, какой умеют варить только итальянцы, взбодрил ее, прикрыв разбитость и утомление кофеиновой завесой. Бодрость эта продержится недолго, но пока хватит.

Миранда застучала по клавиатуре, печатая предварительный отчет для матери. Отчет был сухим и сдержанным, как старая дева, — никаких предположений, никаких личных комментариев. Сама Миранда могла считать бронзовую статуэтку загадочной и великолепной, но в отчете не должно быть и тени романтики.

Послав отчет по электронной почте, она сохранила его на жестком диске, закодировав своим личным паролем. Потом снова повернулась к статуэтке. Еще один, последний на сегодня, анализ.

Лаборантка очень плохо говорила по-английски и слишком уж трепетала перед директорской дочкой, чтобы Миранда чувствовала себя комфортно. Она с радостью воспользовалась предлогом и отослала девушку за кофе, чтобы в одиночестве провести сравнительный анализ на термолюминесценцию.

Ионизирующая радиация пошлет электроны в глиняную сердцевину статуи, и нагретые кристаллы глины начнут светиться. Миранда установила оборудование, записывая поэтапно все свои действия в блокнот. Замерила свечение, записала результаты, перенесла их в блокнот для полноты картины. Затем увеличила уровень радиации, замерила, насколько податлива глина на обработку электронами. Записала результаты.

Следующим шагом был анализ на уровень радиации образцов с того места, где была обнаружена бронза. Миранда протестировала образцы пыли и дерева.

Теперь дело за вычислениями. Хотя точность метода не стопроцентна, это все же еще один аргумент за или против.

Все! Конец пятнадцатого века! Теперь она в этом не сомневалась.

Настоятель монастыря доминиканцев во Флоренции, ярый религиозный фанатик, Савонарола проповедовал отказ от роскоши и язычества в искусстве. Эта бронзовая статуэтка являлась настоящим вызовом воинствующему мракобесу. А тем временем зарождалась эпоха Ренессанса, менялись цели и формы искусства.

Следующее поколение, творившее в начале шестнадцатого века — Леонардо, Микеланджело, Рафаэль, — находилось в постоянном поиске новых форм.

Миранда узнала художника. Узнала сердцем, внутренним чутьем. Еще ни одну его вещь не изучала она со столь пристальным, столь всепоглощающим интересом; так женщина вглядывается в лицо любовника.

Но лаборатория — не место для чувств, напомнила себе Миранда. Необходимо еще раз сделать все тесты. А потом и в третий. Надо сверить известную формулу бронзы того периода с формулой сплава статуэтки.

И тогда она сделает окончательный вывод.

ГЛАВА 3

Лучи восходящего солнца золотили крыши и купола Флоренции, подчеркивая волшебную прелесть древнего города. Такое же золотистое сияние заливало город и в те времена, когда все эти роскошные дворцы и великолепные башни только строились, когда их облицовывали добытым в горах мрамором и украшали изображениями святых.

Еще недавно усыпанное звездами ночное небо постепенно приобрело жемчужно-серый оттенок; силуэты огромных пихт на тосканских холмах проступали все отчетливее.

Город еще спал, утро едва занималось, и было так непривычно смотреть на пустынные тихие улицы, обычно шумные и многолюдные. Загрохотали железные жалюзи газетного киоска, это хозяин, зевая во весь рот, начинал рабочий день. Немногие окна светились в этот ранний час. Одним из них было окно Миранды.

Уже одетая, она стояла у окна гостиничного номера, глядя на потрясающую картину пробуждающегося города. Однако мысли Миранды были заняты работой.

Она собрала волосы в узел на затылке, надела туфли на низком каблуке и синий костюм.

Ранний приход в лабораторию гарантировал как минимум два часа работы в одиночестве. Разумеется, помощь других экспертов необходима, но «Смуглая Дама» принадлежит только ей. Миранда считала своим долгом контролировать каждый шаг в исследованиях.

Через стеклянную дверь она показала свое служебное удостоверение угрюмому охраннику. Неохотно прервав свой завтрак, он отставил чашку с кофе, подошел к двери, хмуро посмотрел на удостоверение, потом на Миранду, потом снова на удостоверение. Вздохнул и отпер дверь.

— Вы очень рано, доктор Джонс.

— У меня срочная работа.

— Распишитесь в книге прихода-ухода.

Подойдя к стойке, Миранда ощутила запах свежего кофе. Быстро расписалась, поставила время прихода.

«Первым делом сделаю себе кофе, — решила Миранда. — Голова плохо соображает, если не начать с кофе».

Дверь на нужный этаж она открыла при помощи пластикового пропуска, на следующей двери набрала несколько цифр кодового замка, чтобы пройти в лабораторию. Войдя, Миранда включила свет, замигали флюоресцентные лампы. Быстро окинув взглядом помещение, она увидела, что все в идеальном порядке.

Этого всегда требовала ее мать: идеального порядка и безусловного подчинения. От своих сотрудников. От своих детей. Миранда тряхнула головой, словно пытаясь стряхнуть с себя раздражение.

Через мгновение уже кипел кофе, гудел, загружаясь, компьютер.

Миранда замурлыкала от удовольствия, отхлебнув первый глоток горячего крепкого кофе. Она откинулась на спинку стула, закрыла глаза и мечтательно улыбнулась. Пять минут она может позволить себе побыть женщиной, наслаждающейся маленькими радостями жизни. Ноги выскользнули из удобных туфель, строгое выражение лица смягчилось. Как же хорошо!

Миранда встала, налила вторую чашку кофе, надела белый халат и приступила к работе.

Когда начали прибывать сотрудники лаборатории, Миранда сидела, внимательно глядя на экран монитора. Подошел Джованни с чашкой кофе и свежим рогаликом.

— Скажи-ка мне, что ты видишь? — не оборачиваясь, спросила его Миранда.

— Я вижу женщину, которая не умеет отдыхать. — Джованни положил руки ей на плечи, слегка помассировал. — Миранда, ты работаешь как проклятая уже целую неделю и совсем не отдыхаешь.

— Взгляни на дисплей, Джованни.

— О-хо-хо. — Не переставая массировать ей плечи, он склонился, так что их головы соприкоснулись. — Процесс первичного распада. Белая линия отмечает, где начинается непосредственно сама бронза.

— Верно.

— На поверхности коррозийный слой толще. Ржавчина вросла в металл, что типично для бронзы четырехсотлетней давности.

— Нужно рассчитать темпы накопления ржавчины.

— Нет ничего проще. Статуэтка лежала в сыром подвале, ржавчина накапливалась быстро.

— Я это учитываю. — Она сдвинула очки, потерла переносицу. — Температура, влажность. Вычислим среднюю величину. Никогда не слышала, чтобы такой уровень коррозии можно было подделать. Ведь внутри тоже имеются следы коррозии, Джованни.

— Бархатной тряпке не более ста лет. А то и меньше.

— Сто лет? — Миранда стремительно развернулась вместе с креслом. — Ты уверен?

— Да. Можешь перепроверить, но ты убедишься, что я прав. От восьмидесяти до ста. Не больше.

Миранда снова повернулась к компьютеру. Не может же она не верить собственным глазам!

— Ну хорошо. Значит, статуэтку завернули в бархатную ткань и спрятали в подвале лет восемьдесят-сто назад. Но все тесты подтверждают, что сама статуэтка много старше.

— Возможно. Ты бы поела, Миранда.

— Угу. — Она с отсутствующим видом взяла рогалик и надкусила. — Восемьдесят лет назад — начало века. Первая мировая война. Во время войны ценности всегда стараются спрятать подальше.

— Логично.

— Но где она хранилась до того? Почему о ней нет никаких упоминаний? Значит, все это время она тоже была спрятана. — Миранда словно разговаривала сама с собой. — Когда Пьетро Медичи изгнали из города. Возможно, во время Итальянских войн. Да-да, скорее всего ее спрятали. А потом про нее забыли? — Миранда покачала головой. — Это не поделка дилетанта, Джованни. Это работа мастера. А значит, должны существовать документы, в которых о ней упоминается. Мне нужно знать как можно больше об этой вилле, о ее хозяйке. Кому она оставила дом? Кто жил там после ее смерти? Были ли у нее дети?

— Я всего лишь химик, — улыбнулся Джованни, — а не историк. Об этом спрашивай Ричарда.

— Он уже пришел?

— Да, он всегда весьма пунктуален. Погоди. — Джованни

удержал за руку готовую сорваться с места Миранду. — Давай сегодня вместе поужинаем.

— Джованни! — Она благодарно сжала его пальцы, но свою руку решительно высвободила. — Спасибо, что ты обо мне заботишься, но у меня все нормально, правда. Я слишком занята, чтобы тратить время на ужин.

— Ты совсем о себе не думаешь. Я твой друг, и мне это небезразлично.

— Торжественно клянусь: сегодня закажу себе в номер множество всякой вкусной еды. Буду есть и работать.

Миранда коснулась губами его щеки, и в этот момент Элайза распахнула дверь. Она с подчеркнутым недоумением подняла бровь, неодобрительно поджала губы.

— Доброе утро! Извините за вторжение. Миранда, шеф хочет сегодня в четыре тридцать выслушать отчет о том, как продвигается работа.

— Хорошо. Ты не знаешь, Ричард сейчас свободен?

— Мы все в полном твоем распоряжении.

— Вот и я ей то же самое говорю. — Не обращая ни малейшего внимания на холодный тон обеих женщин, Джованни хмыкнул и выскользнул из кабинета.

— Миранда. — Слегка поколебавшись, Элайза закрыла за собой дверь. — Надеюсь, ты на меня не обидишься, если я... я хочу предупредить тебя насчет Джованни...

Миранда улыбнулась, увидев, как смутилась Элайза.

— Он, конечно, блестящий специалист, настоящая находка для «Станджо». Но как человек... Словом, он самый настоящий бабник.

— Я бы так не сказала. — Миранда посмотрела на Элайзу поверх очков. — Бабник только берет. А Джованни — дает.

— Ну, может быть, тебе виднее. Но факт остается фактом: он не пропустит ни одной юбки.

— Ты тоже в его списке?

Элайза раздраженно нахмурилась:

— Временами и мне приходится это терпеть. И все же лаборатория — не место для заигрываний и поцелуев.

— Господи, ты говоришь прямо как моя мать. — А мало что могло раздражить Миранду больше. — Но я приму к сведению твой совет, Элайза, и в следующий раз мы с Джованни десять раз подумаем, прежде чем заниматься любовью в лаборатории.

— Я тебя обидела? — Элайза с огорчением всплеснула руками. — Я только хотела... Понимаешь, он может быть таким обаятельным. Я сама в него чуть не влюбилась, когда сюда переехала. Мне тогда было очень одиноко.

— Да что ты говоришь?

Миранда произнесла эти слова таким издевательски-ледяным тоном, что Элайза вздрогнула как от удара.

— Что бы ты там ни думала, я вовсе не прыгала от счастья, когда развелась с твоим братом, Миранда. Решение далось мне нелегко, и единственной моей надеждой было, что оно правильное. Я любила Дрю, но он... — Ее голос дрогнул, и она решительно помотала головой. — В общем, этого оказалось недостаточно.

Слезы в ее глазах заставили Миранду устыдиться.

— Прости меня, — пробормотала она. — Ваш развод произошел очень уж стремительно. Я не думала, что для тебя все это было так серьезно.

— Да, было. И осталось. — Элайза вздохнула и смахнула слезинку. — Мне очень хотелось, чтобы все у нас было по-другому, но раз уж так случилось... Надо жить дальше.

— Ну конечно. — Миранда пожала плечами. — Эндрю может быть таким несносным, мне трудно тебя осуждать. Я прекрасно понимаю, что в разводе всегда виноваты обе стороны.

— Да, наверное, мы оба были плохими супругами. Так что лучше и честнее было разойтись, чем притворяться всю жизнь.

— Как мои родители?

Глаза Элайзы испуганно расширились.

— Я вовсе не имела их в виду.

— Все правильно. Я с тобой согласна. Мои родители не живут под одной крышей уже больше двадцати пяти лет, но им не приходит в голову, что лучше и честнее было бы разойтись. Эндрю тяжело пережил ваш развод, но вы действительно поступили честно по отношению друг к другу.

Она и сама, наверное, поступила бы так же, если бы совершила такую глупость и вышла замуж. Лучше развод, чем жалкое подобие семейной жизни.

— Значит, я должна извиниться за то, что плохо думала о тебе весь последний год.

Элайза натянуто улыбнулась:

— Ничего ты не должна! Я знаю, как ты любишь Дрю. Я всегда восхищалась вашими отношениями. Вы ведь очень близки.

— Вместе мы еще кое-как можем выжить; разделенные — бежим к психоаналитику.

— А мы с тобой так и не подружились. Сначала — коллеги, потом — родственники, но не друзья. Может, попробуем? Кто знает, а вдруг получится?

— У меня не так много друзей. Боюсь заводить слишком тесные связи, — с неудовольствием признала Миранда. — Так что глупо отказываться от твоего предложения.

Элайза открыла дверь кабинета.

— У меня тоже друзей немного, — проговорила она. — Я буду рада включить тебя в их число.

Искренне тронутая, Миранда посмотрела ей вслед. Потом собрала распечатки и образцы и заперла их в сейф.

Ричарда Хоуторна она нашла уткнувшимся в компьютер, вокруг стопками лежали книги. Он был похож на охотничью собаку, вынюхивающую след.

— Нашел что-нибудь подходящее? — спросила Миранда.

— Что? — отозвался он, но глаз от экрана не оторвал. — Вилла была построена в 1489 году. Архитектора нанял Лоренцо Медичи, но принадлежал дворец Джульетте Буэнодарни.

— Так она была влиятельной женщиной! — Миранда придвинула себе стул. — В те времена любовницам обычно такие владения не принадлежали. Она себя дорого ценила.

— Прекрасные женщины во все времена имеют влияние, — пробормотал Хоуторн. — Если они к тому же умны, то знают, как этим влиянием пользоваться. А сохранились свидетельства, что Джульетта Буэнодарни была женщиной незаурядной.

Заинтригованная Миранда достала из папки фотографию статуэтки.

— По ее лицу видно, что эта женщина знает себе цену. А что еще ты можешь о ней рассказать?

— Время от времени ее имя упоминается в разных источниках, но очень скупо, без подробностей. Например, ее происхождение неясно. Я ничего не смог найти. Первое упоминание о ней относится к 1487 году. Имеются кое-какие свидетельства, что она имела отношение к семейству Медичи — возможно, была двоюродной сестрой Клариче Орсини.

— Итак, получается, что Лоренцо взял в любовницы кузину своей жены? Так сказать, все по-родственному, — рассмеялась Миранда.

Ричард серьезно кивнул:

— Это объясняет, откуда он мог ее знать. А по другим источникам, получается, что она была незаконной дочерью одного из членов Неоплатонической академии, созданной Лоренцо. И в этом случае их знакомство вполне объяснимо. Итак, как бы то ни было, в 1489 году он поселяет ее на вилле делла Донна-Оскура. По всем свидетельствам, выходит, что она, так же как и Лоренцо, любила искусство и использовала собственное положение, чтобы собирать под крышей своего дома всех выдающихся мастеров своей эпохи. Умерла Джульетта Буэнодарни в 1530 году во время осады Флоренции.

— Интересно. — Весьма подходящее время прятать ценности, подумала Миранда. Она задумчиво вертела в руках очки. — Значит, она умерла до того, как стало известно, что Медичи удержат власть.

— Получается, что так.

— Дети у нее были?

— Я ничего об этом не нашел.

— Дай-ка мне несколько твоих книжек, — попросила Миранда. — Я помогу тебе искать.

* * *

Винсент Морелли был Миранде как родной дядя; он знал ее с самого рождения. Когда-то он в течение многих лет заведовал отделом рекламы и прессы в Институте искусств штата Мэн.

Когда его жена-итальянка заболела, он привез ее в родную Флоренцию и здесь же похоронил двенадцать лет назад. Три года он погоревал, а потом, ко всеобщему удивлению, неожиданно женился на начинающей актрисе. Тот факт, что Джина была на два года моложе его дочери, привел семью в некоторое замешательство, а у коллег вызвал ехидные насмешки.

Винсент был толстым, как бочка, с широкой грудью, как у Паваротти, и короткими ногами. Жена его была удивительно похожа на юную Софи Лорен — чувственная красавица с пышными формами. Она обожала драгоценности и всегда носила на себе не меньше килограмма итальянского золота.

И Винсент, и его молодая жена были энергичными, шумными, а порой и резкими людьми. Миранда искренне любила их обоих, но постоянно удивлялась, как это ее чопорная, холодная мать общается с такой экстравагантной парой.

— Я послала наверх копию отчета, — сообщила Миранда Винсенту, когда он втиснул в ее крошечный кабинетик свою огромную тушу. — Думаю, тебе интересно следить за развитием событий, так что, когда придет время для заявления в прессе, ты сумеешь подготовить надлежащий текст.

— Да-да. С фактами мне все понятно. Но расскажи-ка, что ты сама об этом думаешь. Мне нужно расцветить мой рассказ интригующими деталями.

— Я думаю, что надо продолжать работать.

— Миранда, — медленно заговорил Винсент, опираясь на стул. Стул заскрипел. — Твоя очаровательная матушка связала меня по рукам и ногам и велела молчать до тех пор, пока, как она выразилась, «не будут поставлены все точки над «i». А в истории, которую я намерен представить прессе, должны быть страсть, романтика и сенсация.

— Если будет доказано, что бронза подлинная, сенсация обеспечена.

— Да, но мне нужны эффектные подробности. Красивая талантливая дочь синьоры директора прилетела из-за океана. Одна дама прибыла к другой. Что ты о ней думаешь? Какие чувства к ней испытываешь?

Миранда состроила гримаску и постучала карандашом по столу.

— Об этой бронзе я думаю следующее: высота — 49,4 см, вес — 11,68 кг. Изображает обнаженную женщину, — продолжала она, делая вид, что не замечает, как Винсент с отчаянием закатил глаза к потолку. — Сделана, несомненно, в эпоху Ренессанса. Тесты показывают, что отлита скульптура в последней декаде пятнадцатого века.

— Ты совсем как твоя мать.

— Я не чувствительна к оскорблениям, — парировала Миранда, и они оба хмыкнули.

— Ты затрудняешь мне работу, детка.

Когда придет время, пообещал себе Винсент, он уж постарается разрисовать эту историю!

* * *

Элизабет пробежала глазами отчет. Миранда старалась быть крайне осторожной в выражениях, придерживалась только фактов, цифр и формул. Но все равно было ясно, к какому выводу она склонялась.

— Значит, ты считаешь, что она подлинная?

— Все тесты подтверждают, что ее возраст — от четырехсот пятидесяти до пятисот лет. К отчету приложены фотографии, компьютерные расчеты и результаты химических анализов.

— Кто их проводил?

— Я.

— А термолюминесцентный тест?

— Я.

— Определила стиль тоже ты. Основную часть документальных свидетельств отыскала ты. Ты руководила проведением химических анализов, лично исследовала патину и металл, сама сверяла формулы.

— Ты ведь за этим меня сюда вызвала?

— Да, но в твое распоряжение был предоставлен целый штат сотрудников. Я думала, ты воспользуешься их помощью.

— Если я лично провожу анализы, я могу контролировать их ход, — сухо ответила Миранда. — Таким образом, меньше вероятность ошибки. Я специалист. Я определила подлинность пяти произведений искусства этого периода, три из них — бронза, одна из них — Челлини.

— Авторство Челлини подтвердили безупречные документы и другие свидетельства, найденные при раскопках.

— И тем не менее, — вскипела Миранда. Усилием воли она не взмахнула руками, не сжала кулаки. — Эту скульптуру я подвергла тем же самым тестам, чтобы исключить всякую возможность подделки. Я проконсультировалась с Лувром, со Смитсоновским институтом. Мои знания и опыт тоже чего-нибудь да стоят.

Элизабет устало откинулась на спинку стула.

— Никто не сомневается в твоей квалификации. Иначе я не пригласила бы тебя.

— Тогда почему ты задаешь мне подобные вопросы теперь, когда я приступила к работе?

— Я констатирую тот факт, Миранда, что ты не умеешь работать в команде. И меня тревожит, что твое мнение о бронзе сложилось в первый же момент, когда ты ее только увидела.

— Я узнала стиль, период, автора. — Как и ты, сердито подумала Миранда. Да, черт тебя побери, как и ты. — Однако, — сдержанно продолжала она, — я провела все необходимые тесты один раз, потом второй, задокументировала ход проведения анализов и результаты. Исходя из полученных данных, я сделала следующий вывод: запертая в сейфе бронза — это изображение Джульетты Буэнодарни, отлитое около 1493 года, работа молодого Микеланджело Буонарроти.

— Тут я с тобой согласна, стиль — школы Микеланджело.

— О какой школе ты говоришь? Ему самому и двадцати тогда не исполнилось. А скопировать гениальную работу может только гений.

— Насколько я знаю, не существует документальных подтверждений, что авторство принадлежит ему.

— Значит, их еще не нашли или же они вовсе не существуют. У нас имеется множество документов о произведениях, давно утерянных. Так почему не может быть наоборот? Набросок к фреске «Битва при Кашине» утерян. Бронзовая фигура папы Юлия II переплавлена. Множество рисунков он сжег собственной рукой незадолго до смерти.

— Однако мы знаем, что они существовали.

— «Смуглая Дама» существует. Возраст определен, стиль — тоже. Когда он ее делал, ему было лет восемнадцать. К тому времени его уже называли гением.

Выдержанная Элизабет ограничилась благосклонным кивком.

— Никто не спорит: бронза — истинный шедевр, и как раз в его стиле. Но это еще не доказывает авторства.

— Он жил во дворце Медичи, Лоренцо относился к нему как к родному сыну. И он был с ней знаком. Об этом существуют документальные свидетельства. Она часто позировала художникам. Весьма вероятно, что он тоже использовал ее в качестве модели. И ты прекрасно об этом знала, посылая за мной. Я ведь не ошибаюсь?!

— Возможность и конкретный факт — вещи разные, Миранда.

— Факты тебе уже известны. Ты видела все материалы. Как опытный эксперт, глубоко и всесторонне изучивший это произведение искусства, я утверждаю, что это работа Микеланджело. Отсутствует лишь его подпись. Да он и не подписывал свои работы, за исключением одной — «Пиеты» в Риме.

— Я не оспариваю результаты проведенных тобой анализов. — Элизабет покачала головой. — Однако от заключений, в отличие от тебя, пока воздержусь. И прошу тебя, дорогая: не говори пока об этом никому из сотрудников и, разумеется, — ни единого слова за пределами лаборатории. Если журналисты что-нибудь пронюхают, у нас могут быть большие неприятности.

— Я не собираюсь заявлять газетам, что установила авторство Микеланджело. Но на самом деле так оно и есть! — Миранда оперлась руками на край стола. — Я уверена. И рано или поздно ты будешь вынуждена со мной согласиться.

— Ничто не доставит мне большего удовольствия. Но пока будем помалкивать.

— Я работала не ради славы. — Хотя сладостная дрожь от ее предвкушения то и дело охватывала Миранду.

— Мы все работаем для славы, — с улыбкой поправила ее Элизабет. — Зачем же притворяться? Если твои выводы подтвердятся, слава тебе обеспечена. Если же ты поторопишься со своим заявлением, а потом окажется, что ты ошиблась, — вот тогда твоя репутация пострадает. И моя, кстати, тоже. И института. А я этого никогда не допущу, Миранда. Продолжай искать документы.

— Я это и собираюсь делать.

Миранда развернулась и пошла прочь. Надо будет взять с собой в отель побольше книжек.

* * *

В три часа ночи, когда зазвонил телефон, она сидела в кровати, со всех сторон обложенная книгами. Резкий звонок оборвал цветные картинки то ли ее сна, то ли фантазий: залитые солнцем холмы, мраморные дворцы, музыкальные фонтаны, звуки арфы.

Еще не окончательно пришедшая в себя, Миранда захлопала глазами от яркого света лампы и схватила трубку.

— Доктор Джонс. Алло?

— Миранда, это я. Ты немедленно должна ко мне приехать.

— Мама? — Миранда посмотрела на часы. — О чем ты говоришь? Сейчас три часа ночи.

— Я прекрасно знаю, который час. Так же, как и заместитель министра, которого среди ночи разбудил журналист. Он, видите ли, пожелал немедленно узнать подробности о недавно обнаруженной бронзовой статуэтке Микеланджело.

— Господи! Неужели им что-то стало известно?!

— Я не намерена обсуждать это по телефону. — Голос Элизабет вибрировал от едва сдерживаемой ярости. — Ты хорошо помнишь дорогу?

Миранде послышалась насмешка в голосе матери.

— Да, конечно.

— Жду тебя через полчаса, — отчеканила Элизабет и положила трубку.

Миранда приехала через двадцать минут.

Элизабет жила в небольшом двухэтажном особняке, очень типичном для Флоренции — с желтыми стенами и красной черепичной крышей.

Сквозь опущенные жалюзи пробивался яркий свет. В особняке было достаточно места, но ни матери, ни дочери не пришло в голову, что Миранда может остановиться здесь.

Дверь распахнулась прежде, чем она успела постучать. Ей открыла сама Элизабет — причесанная, в роскошном халате персикового цвета.

— Что произошло? — взволнованно спросила Миранда.

— Мне тоже хотелось бы это знать. — Лишь выдержка удерживала Элизабет от того, чтобы не сорваться на крик. — Если таким образом ты хотела доказать свою правоту, блеснуть ученостью и доставить мне серьезные неприятности, то тебе удалось только последнее.

— Я не понимаю, о чем ты. — Миранда нетерпеливо отбросила упавшие на глаза пряди. — Ты сказала, что позвонил журналист...

Прямая как палка, Элизабет молча повернулась и направилась в гостиную. Камин только что затопили. Сияла люстра, отбрасывая цветные блики на полированное дерево. На камине стояла ваза с длинными белыми розами. Комната была выдержана в бледных холодных тонах.

Гостиная, как и остальные комнаты в этом доме, больше похожа на витрину мебельного магазина, чем на дом, в котором живут.

— Разумеется, репортер отказался назвать источник информации. Но ему известно достаточно.

— Винсент не мог сделать заявление для прессы раньше времени.

— Ты права, — холодно подтвердила Элизабет. — Винсент действительно не делал никакого заявления.

— Мог тот сантехник проговориться — как там его зовут?

— Вряд ли бы он смог передать журналисту фотографии и результаты тестов.

— Результаты тестов? — У Миранды внезапно подкосились ноги, и она села. — Моих тестов?

— Тестов института «Станджо», — процедила сквозь зубы Элизабет. — Хотя анализы проводила ты, отвечает за них моя лаборатория. И это в моем институте произошла утечка секретной информации.

— Но как?.. — И тут до нее дошло. Глядя матери в глаза, она медленно встала. — Так ты думаешь, что это я позвонила журналисту и снабдила его информацией, фотографиями и передала результаты тестов?

Какое-то мгновение Элизабет молча смотрела на изумленную дочь, потом все же задала жесткий и определенный вопрос:

— Так ты это сделала или нет?

— Нет. Даже если бы мы с тобой предварительно не обсуждали возможные последствия, я ни за что бы не поступила

подобным образом. Я, как ты знаешь, дорожу своей профессиональной репутацией.

— А может быть, все наоборот?

Миранда внимательно посмотрела на мать и поняла, что Элизабет уже составила собственное мнение и ее не разубедишь.

— Ты несешь какой-то бред!

— Почему же бред? Журналист цитировал твой отчет.

— Иди ты к черту! И свою драгоценную лабораторию с собой прихвати. Она всегда значила для тебя больше, чем собственные дети!

— Моя «драгоценная лаборатория» научила тебя всему, что ты знаешь, и помогла достигнуть высот в твоей карьере. А теперь из-за твоего ущемленного самолюбия, нетерпения и упрямства оказались под угрозой моя профессиональная честь и безупречная репутация института. Сегодня бронзу перевезут в другое место.

— Перевезут?

— С нами разорвали контракт, — зло бросила Элизабет и сняла трубку трезвонившего телефона. Лицо ее окаменело. — Никаких комментариев, — по-итальянски сказала она и повесила трубку. — Еще один репортер. Третий, кому, оказывается, известен мой личный номер.

— Пусть статуэтку смотрят где угодно. — Внутренне дрожа, Миранда старалась говорить спокойно. — Пусть перевозят. Любая солидная лаборатория только подтвердит мое заключение. В сущности, это главное.

— Из-за твоей самоуверенности мы и попали в эту историю. Зачем было называть автора? — Глаза Элизабет метали молнии. — Я работала не покладая рук, чтобы институт заслужил самую высокую репутацию в мире.

— Ничего не изменилось. Утечки случаются где угодно.

— В «Станджо» они не должны случаться. — Элизабет ходила по комнате, полы персикового халата развевались. Мягкие тапочки и пушистый ковер делали ее шаги совершенно беззвучными. — Я начну действовать немедленно, чтобы исправить то, что произошло. Надеюсь, ты не будешь общаться с прессой и первым же самолетом вылетишь в Мэн.

— Я никуда не уеду, пока эта история не закончится.

— Для тебя она уже закончилась. Институт «Станджо» не нуждается более в твоих услугах. — Элизабет развернулась, посмотрела на дочь в упор. — Кстати, твой допуск аннулирован.

— Ясно. Приговор без суда и следствия. Меня это не удивляет, — обращаясь не столько к матери, сколько к себе самой, произнесла Миранда. — Только объясни одно: почему я? Почему ты так уверена, что это я — источник утечки информации? Кроме меня, в лаборатории есть и другие люди!

— Сейчас не время устраивать сцены.

Элизабет подошла к бару, достала коньяк. Тупая боль в затылке отвлекала ее, мешала владеть собой.

— Придется основательно потрудиться, чтобы встать на ноги после такого удара. И ответить на множество вопросов. — Стоя спиной к Миранде, она плеснула в бокал немного коньяку. — Для тебя же лучше, если тебя к этому времени не будет в стране.

— Я готова ответить на любой вопрос, ты же знаешь, скрывать мне нечего. — Миранду начала охватывать паника. Ее отсылают, у нее отбирают «Смуглую Даму». В ее работе сомневаются, ее честь запятнана. — Я не сделала ничего противозаконного или неэтичного! И продолжаю настаивать на своем заключении. Потому что оно верно.

— Очень на это надеюсь, ради твоего же блага. Прессе известно твое имя. Поверь мне, они обязательно будут склонять его на все лады.

— Ну и пусть.

— Какая самоуверенность! — прошипела Элизабет. — Ты что, не понимаешь, что твои поступки отражаются на мне — на твоей матери, на директоре института?!

— Раньше надо было об этом думать, — парировала Миранда, — когда ты вызвала меня, чтобы я подтвердила твои собственные подозрения. Хоть ты и возглавляешь «Станджо», но тебе не хватает для этого квалификации. А тебе понадобилась слава — ведь такой случай может больше и не повториться. Ну как же им не воспользоваться! Я и понадобилась тебе для подстраховки. — Сердце ее колотилось как бешеное. — Ты послала именно за мной, потому что я ношу твое имя, являюсь твоей дочерью. Но мы обе об этом сожалеем, не так ли?

Глаза Элизабет сузились. Обвинение было справедливым, но и ей было что сказать.

— Раз в жизни я дала тебе возможность показать, на что ты способна. Да, ты права, я вызвала именно тебя, потому что ты носишь фамилию Джонс. Ты же не только упустила свой шанс, но и сумела скомпрометировать мой институт.

— Я делала только то, ради чего меня сюда пригласили. Я не говорила ничего и никому, я не разговаривала об этом даже с сотрудниками, не имеющими допуска!

Элизабет не шелохнулась. Она приняла решение, и нет смысла дальше обсуждать все это.

— Ты сегодня же уедешь из Италии. Ты не вернешься в лабораторию и ни с кем не будешь контактировать. Если ты не подчинишься, я добьюсь твоего увольнения.

— Ни ты, ни отец формально больше не управляете институтом. Его возглавляем мы с Эндрю.

— Если ты хочешь, чтобы все так и оставалось, делай как я сказала. Хочешь верь — хочешь не верь, но я пытаюсь спасти твое доброе имя.

— Неужели?! С чего это такая забота обо мне? Тебя ведь заботит только твой собственный престиж.

Ее выгнали, с отчаянием повторяла про себя Миранда. Отобрали любимую работу и теперь выгоняют, словно наказанного ребенка.

— Выбирай, Миранда. Если ты останешься, окажешься в полной изоляции. И больше не будешь работать ни в «Стандж», ни в его филиалах.

Выбора у Миранды как раз и не было. Ей хотелось кричать, но она старалась говорить спокойно.

— Я никогда тебе этого не прощу. Никогда. Да, я уеду, потому что дорожу своей работой. Но когда вся эта история закончится, тебе придется передо мной извиняться. А вот тогда я пошлю тебя ко всем чертям. Это последние слова, которые ты от меня слышала.

Она взяла бокал из руки Элизабет, залпом выпила содержимое и с размаху швырнула на пол. Потом повернулась и вышла, не оглянувшись.

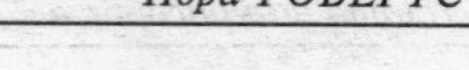

ГЛАВА 4

Эндрю Джонс думал о своей неудачной женитьбе и пил виски. Он прекрасно понимал, что давно уже пора забыть о разводе и начать новую жизнь. Но он не находил в себе сил для новой жизни. Куда как проще было потихоньку спиваться.

Решиться на брак для Эндрю было делом нелегким, он долго обдумывал этот шаг, хотя и был безумно влюблен. Скрепить любовь документом с печатью — скольких бессонных ночей ему это стоило! Ведь в семье Джонс еще не бывало счастливых браков.

Над ними с Мирандой будто висело проклятие рода Джонсов.

Его бабушка пережила своего мужа больше чем на десять лет и никогда — во всяком случае, Эндрю никогда не слышал — не помянула добрым словом человека, с которым прожила тридцать лет своей жизни.

Наверное, ее можно было понять: покойный Эндрю Джонс печально прославился своим неуемным интересом к молоденьким блондинкам и виски.

Внук, его тезка, прекрасно понимал, что дед был сукиным сыном — умным и удачливым, но тем не менее сукиным сыном.

Отец Эндрю домашнему очагу предпочитал раскопки и большую часть времени проводил вне дома, отыскивая следы древней цивилизации. Находясь дома, он неизменно соглашался со всем, что говорила его жена, подслеповато щурился на собственных детей, словно не понимая, откуда они вообще взялись, и часами просиживал, запершись в своем кабинете.

Чарльза Джонса не интересовали женщины и выпивка. Своей семье он изменял с наукой.

Не то чтобы доктору Элизабет Станфорд-Джонс было до этого дело, угрюмо размышлял Эндрю над стаканчиком-другим (как он это называл) в баре «У Энни». Воспитание детей его мать переложила на плечи слуг и управляла домом, абсолютно не считаясь с мужем. Он платил ей той же монетой.

Эндрю каждый раз передергивался, когда задумывался о том, что по крайней мере дважды эти холодные, эгоистичные люди провели в постели достаточно времени вместе, чтобы завести двоих детей.

Мальчиком Эндрю часто фантазировал, что Чарльз и Элизабет купили их с сестрой у какой-нибудь бедной семейной пары, и те горько плакали, отдавая своих детей.

Став старше, он стал склоняться к мысли, что они с Мирандой были зачаты искусственным путем — своего рода «дети из пробирки». А секс тут совсем ни при чем.

Но, к сожалению, приходилось признать, что в нем самом слишком уж много фамильных черт Джонсов. Тридцать три года назад Чарльз и Элизабет все-таки переспали и таким образом зачали следующее поколение уродов.

Но, видит бог, он старался, сказал себе Эндрю, ощущая, как виски горячей волной распространяется по пищеводу. Он сам честно старался стать хорошим мужем, сделать Элайзу счастливой и разорвать эту цепь несчастливых семейных браков.

Ничего у него не получилось.

— Налей мне еще, Энни.

— Хватит с тебя.

Эндрю заерзал в кресле, шумно вздохнул. Он знал Энни Маклин всю жизнь и знал, как себя с ней вести.

В то чудесное лето, когда им было семнадцать, они занимались любовью на грубом одеяле, разложенном на песке, под шум волн Атлантического океана.

Какими они тогда были неумелыми — ведь у обоих это случилось впервые. Все произошло довольно неожиданно. Огромное количество пива, ночь, опьянение юности — все это подействовало не менее сильно, чем вспышка страсти.

И оба не подозревали, что сделает с ними обоими эта ночь, эти несколько часов, полные страсти.

— Да ладно тебе, Энни, налей мне еще.

— Ты и так выпил две порции.

— Ну так пусть будет и третья.

Энни неодобрительно покачала головой, налила в кружку пиво, ловко подтолкнула ее по деревянной стойке к дожидавшемуся клиенту. Деловито вытерла руки о фартук.

Рослая, крупная Энни Маклин не оставляла сомнений в том, что с ней шутки плохи.

Коротко подстриженные густые пшеничные волосы обрамляли ее лицо — скорее миловидное, чем хорошенькое: четко очерченный подбородок, слегка вздернутый нос, весь в веснушках. Говорила Энни с типичным новоанглийским выговором, проглатывая гласные. И запросто могла собственноручно выкинуть из своего бара подвыпившего гуляку, что порой и проделывала.

Она создала бар «У Энни» из ничего. Экономила каждый пенни, работая официанткой в коктейль-баре, — каждый пенни, который не успел утащить подлый изменник-муж, теперь уже бывший. Остальное пришлось занять. Она работала день и ночь, чтобы превратить маленький подвал в уютный бар для местных жителей.

Она знала всех своих посетителей, их семьи, их проблемы. Знала, когда подлить пива, когда подать кофе, а когда решительно отобрать ключи от машины и вызвать такси.

Энни посмотрела на Эндрю и покачала головой. Сейчас напьется до помрачения рассудка, если его не остановить.

— Эндрю, говорю тебе, иди домой. Поешь как следует.

— Я не голоден. — Он улыбнулся, зная, как ей всегда нравились его ямочки на щеках. — На улице холодно, льет дождь. Я просто хочу немного согреться.

— Прекрасно. — Она повернулась к кофеварке и наполнила кружку горячим кофе. — Это тебя согреет и освежит.

— О господи! Я могу пройти несколько шагов по улице и безо всяких проблем выпить в другом заведении.

Она придвинула к нему кружку.

— Пей кофе и перестань ныть. — И занялась другими посетителями.

Из-за дождя большинство постоянных клиентов сидели этим вечером по домам. Но зато уж те, кто пришел, словно приклеились к своим стульям. Кто смотрел спортивный канал, кто вел неторопливую беседу с приятелями.

В камине пылал огонь, в музыкальный автомат кто-то бросил монетку, и запела Элла Фицджеральд.

Именно о таких уютных вечерах мечтала Энни, когда собирала по грошам деньги на бар, когда собственными руками приводила помещение в порядок, когда ночей не спала от беспокойства. Мало кто верил, что у нее получится — у двадцати-

шестилетней неопытной женщины, которая только и умела, что кружки с пивом подавать да чаевые считать.

Через шесть лет бар «У Энни» стал самым образцовым заведением в Джонс-Пойнте.

Эндрю был как раз из тех, кто верил. Он одолжил ей денег, когда банк отказал в ссуде. Он приходил и приносил бутерброды, когда она красила стены и полировала деревянные панели. Он выслушивал ее рассказы о будущих успехах, когда другие лишь смеялись.

Энни знала: он считал, что в долгу перед ней. А Эндрю был порядочным человеком и всегда платил свои долги.

Ничто не могло стереть из ее памяти ту ночь, пятнадцать лет назад, когда он забрал ее невинность и отдал ей свою. Никогда ей не забыть, что жизнь, которую они вместе создали, продлилась так недолго.

Она помнила выражение его лица, когда с радостью и ужасом она сообщила ему, что беременна. Он побледнел, сел на камень на берегу и стал смотреть в небо.

Потом ровным холодным голосом предложил ей выйти за него замуж.

Привык платить долги. Ни больше ни меньше. И, предложив ей то, чего она хотела больше всего на свете, он разбил ей сердце.

Две недели спустя она потеряла ребенка. Это был знак судьбы, Энни и сейчас так считала. Это избавило их обоих от принятия тяжкого решения. Но она уже успела полюбить то, что росло в ней, почти так же сильно, как любила Эндрю.

Потеряв ребенка, она потеряла любовь. Для Эндрю это было таким же облегчением, как и для нее.

Под музыку дружбы намного легче танцевать, чем под страстные недолговечные аккорды любви, — это Энни хорошо знала.

* * *

Чертовы бабы вечно отравляют существование. К такому выводу пришел Эндрю, открыв дверцу автомобиля и сев за руль. Постоянно указывают, что тебе надо делать, как надо делать, а чаще всего говорят, что ты все делаешь неправильно.

Слава богу, он теперь не имеет с ними дела.

Как хорошо: днем — работа в институте, вечером — виски. Никому никакого вреда.

Сейчас он почти трезв, так что впереди долгая ночь.

Он ехал через дождь, размышляя: а что, если вот так ехать и ехать. Пока не кончится бензин. А с той точки начать новую жизнь. Поменять имя, найти другую работу. Он вполне может работать на стройке — у него крепкие мускулы, хорошие руки. Может, тяжелый физический труд — решение всех проблем?

Его никто не будет знать, от него никто ничего не будет ждать.

Но Эндрю знал, что все это праздные разговоры. Он никогда не уйдет из института, ведь именно там его дом.

Кажется, дома есть бутылка. Кто запретит ему выпить пару стаканчиков перед сном?!

Но, подъезжая к дому, он с удивлением увидел пробивавшийся сквозь шторы свет. Миранда. Он не ожидал ее так скоро. Пальцы непроизвольно сжали руль, когда он подумал о Флоренции, об Элайзе. Пришлось посидеть несколько минут в машине, прежде чем он успокоился и разжал руки.

Едва Эндрю открыл дверцу машины, как сильный порыв ветра чуть не сшиб его с ног, а в лицо ударили сильные струи дождя.

Ну и ночка! Он представил, как Миранда сидит у камина и с наслаждением прислушивается к завываниям ветра. Она любит такую погоду. Эндрю же предпочитал тишину и спокойствие.

Войдя внутрь, он отряхнулся, как собака, повесил на вешалку плащ, пригладил руками волосы перед старинным зеркалом. Из гостиной доносились звуки моцартовского «Реквиема».

Если Миранда слушает «Реквием», значит, ее поездка была неудачной.

Она сидела, свернувшись калачиком, в кресле перед камином, закутанная в свой любимый серый халат, и пила чай из бабушкиной фарфоровой чашки.

Собраны все средства утешения, отметил про себя Эндрю.

— Ты вернулась раньше?

Миранда кивнула. Она изучающе посмотрела на брата. Похоже, что он пил, но, видимо, совсем немного.

Эндрю не терпелось немедленно выпить, но он заставил себя опуститься на стул. Невооруженным глазом было заметно, что Миранда вернулась в паршивом настроении. Но под раздражением Эндрю сумел разглядеть горечь и обиду.

— Ну, что молчишь, сестричка? Рассказывай, как слетала? И зачем ты так срочно понадобилась нашей матери?

— Она приготовила для меня одну работу. Совершенно невероятное предложение. Мне нужно было дать заключение по бронзовой статуэтке, обнаруженной в подвале виллы делла Донна-Оскура. Ты знаешь историю этого дворца?

— Напомни-ка.

— Это был дом Джульетты Буэнодарни.

— Ах да! Смуглая Дама, любовница одного из великих Медичи.

— Все верно. Ее любовником был Лоренцо Великолепный. Во всяком случае, он был ее первым покровителем, — уточнила Миранда. То, что Эндрю хорошо знал этот период истории, обрадовало ее — по крайней мере, не придется пересказывать все подробности. — Я совершенно уверена, что это изображение самой Джульетты. Наша мать хотела, чтобы я провела анализы, определила автора и все такое — ведь вынести заключение должен был именно ее институт. Мать очень гордилась этим.

— Но это могла проделать и Элайза.

— У Элайзы более широкий профиль. — Эндрю уловил в голосе сестры нотки раздражения. — А я специалист по Ренессансу, и именно по бронзе. Элизабет понадобился самый лучший эксперт.

— Естественно, ей всегда нужно все лучшее. И что, ты провела тесты?

— Да, провела, и даже дважды. В моем распоряжении были лучшие специалисты лаборатории.

— Не тяни резину! Что ты обнаружила??

— Это подлинная вещь, Эндрю. — Лицо Миранды порозовело. — Конец пятнадцатого века.

— Невероятно! Здорово! Почему же мы не празднуем? — Эндрю оживленно потер руки.

— Ты не дослушал. — Миранда сделала глубокий вдох и произнесла: — Это Микеланджело.

— Господи боже! — Эндрю приподнялся со стула. — Ты не ошибаешься? Я что-то не помню, чтобы в источниках упоминалась такая работа великого Микеланджело.

У Миранды между бровями появилась упрямая морщинка.

— Ставлю свою репутацию ученого. Это его ранняя работа, великолепно исполненная, в духе пьяного «Вакха». Ты прав, я тоже рылась в документах, но упоминаний о ней не нашла.

— Значит, никаких свидетельств?

Миранда сокрушенно покачала головой.

— Возможно, сама Джульетта прятала статуэтку. Или, по крайней мере, не выставляла на всеобщее обозрение. Из политических соображений. Понимаешь, все сходится, — настаивала она. — Я бы нашла неопровержимые доказательства, если бы мне дали еще немного времени.

— А что произошло?

Взволнованная Миранда не усидела на месте. Она направилась к камину и поворошила кочергой угли.

— Дело в том, что чиновники из правительства поставили жесткое условие: никакая информация о бронзовой статуэтке не должна проникнуть в прессу. А кто-то проболтался журналистам. Мы в тот момент были не готовы делать официальное заявление. Люди из правительства занервничали, и контракт со «Станджо» был разорван. Наша мамочка не стала разбираться: она обвинила меня в том, что это я сообщила все прессе. — Миранда раздраженно обернулась. — Я, по ее мнению, так жаждала славы, что не остановилась ни перед чем и поставила под угрозу всю работу. Ты-то хоть веришь мне?! Никогда в жизни я бы так не поступила!

— Господи, конечно, нет! — Эндрю ни секунды не сомневался, что сестра говорит правду. — Надо же, разорвали с ней контракт?! — Эндрю не удержался от усмешки, хотя понимал, что это мелочно. — То-то наша мамочка взбесилась!

— Она просто кипела от бешенства. При других обстоятельствах меня бы это только порадовало. Но сейчас... Меня отстранили. Я не просто потеряла возможность участвовать в интереснейшем проекте. Я теперь смогу увидеть эту статуэтку только в музее. Господи, Эндрю, я была так близка к открытию, такой шанс дается раз в жизни.

— Уверяю тебя, когда статуэтку предъявят публике, наша матушка найдет возможность пристегнуть к ней «Станджо». — Он искоса глянул на сестру. — А в этом случае ты должна позаботиться о том, чтобы тебя не обошли.

— Разве я об этом мечтала?! Ее у меня отобрали — вот единственное, что меня по-настоящему волнует.

— Бери, что дают. — Он тоже встал, подошел к бару. И только тогда решился спросить: — Ты видела Элайзу?

Миранда сунула руки в карманы халата, помедлила минуту.

— Да. Она прекрасно выглядит. Думаю, она идеально подходит для заведования лабораторией. Она спрашивала о тебе.

— И ты, конечно, сказала, что я в полном порядке.

Миранда, прищурившись, смотрела, как он пьет.

— А ты хотел, чтобы я рассказала ей, как ты превращаешься в мрачного алкоголика и губишь себя?

— Я всегда был мрачным. — Он поднял бокал, сделав вид, что чокается с ней, и выпил. — У нас вся семья мрачная, так что никуда не денешься. У нее есть кто-нибудь, как ты думаешь?

— Не знаю. Мы с ней не обсуждаем нашу личную жизнь. Эндрю, ты должен перестать пить.

— Почему?

— Потому что это глупо и бессмысленно. Элайза мне нравится, но если уж совсем честно — она этого не стоит. — Миранда пожала плечами. — Да, честно говоря, никто этого не стоит.

— Я любил ее, — пробормотал он, угрюмо глядя в свой бокал. — Старался, как мог, чтобы стать лучше.

— А тебе никогда не приходило в голову, что, может быть, она недостаточно старалась? Может, она тебя не стоила?

Эндрю удивленно взглянул на сестру:

— Я не думал об этом.

— А ты подумай на досуге. Браки часто распадаются. Приходится с этим мириться.

— Если бы люди с этим так легко не мирились, может, браки распадались бы не так часто.

— А если бы некоторые люди не воображали, что главное

в этом мире — любовь, может, они с большим умом выбирали бы себе партнеров.

— И все-таки главное в этом мире — любовь, Миранда. Может, поэтому наш мир — такое паршивое место.

Эндрю поднял бокал и залпом осушил его.

ГЛАВА 5

Занимался серый холодный рассвет. Мрачное море, вспенивая волны, без устали швыряло их на скалы. Весне придется постараться, прежде чем зима уступит ей место.

Ничто не радовало Миранду.

Она стояла на утесе, и внутри ее все клокотало и бурлило, так же как море у подножия скалы. Миранда смотрела, как взметается пенящаяся масса, вдыхала холодный морской воздух.

Спала она плохо, бессильная ярость не покидала ее и во сне. Было еще темно, когда она проснулась и поняла, что все равно не уснет, и решительно встала с кровати. Надела теплый свитер и брюки, насыпала в кофейник несколько ложек молотого кофе.

Миранда пила крепкий черный кофе из большой белой кружки и смотрела на хмурое небо. Дождь прекратился, но похоже, что скоро пойдет опять. За ночь похолодало, может быть, и снег выпадет. Ну что ж, это Мэн.

Флоренция, с ее ярким солнцем и теплым ветром, была далеко, по ту сторону океана. Однако Миранда всеми помыслами, всем своим ожесточенным сердцем была там.

«Смуглая Дама» была ее пропуском к славе. В конце концов, трудно не согласиться с утверждением Элизабет, что главная цель в жизни всегда — стремление к славе. Учась в университете, Миранда грызла гранит науки, в то время как ее сверстницы порхали с вечеринки на вечеринку и меняли приятелей.

В ее жизни не было периода, когда рушатся устои, отрицаются правила и традиции, не было сумасшедших влюбленностей. Соседка по комнате в общежитии однажды назвала ее дефективной, подруга обзывала ее занудой. В глубине души соглашаясь с ними, Миранда решила проблему следующим образом: сняла себе маленькую квартирку и переехала из общежития.

Так лучше. У нее никогда не было тяги к общению. Под внешним спокойствием и невозмутимостью скрывалась глубокая застенчивость; Миранде куда приятнее было иметь дело с книгами и учебниками.

Ее честолюбие имело одну цель: стать самой лучшей. А добившись успеха, увидеть, как гордятся дочерью ее родители, как они, потрясенные, одобрительно улыбаются и качают головами. Ее саму злило, что именно это стремление лежит в основе ее успехов, она так никогда и не смогла отбросить эти мысли.

Сейчас ей под тридцать, она возглавляет солидный институт, считается талантливым ученым. И до сих пор в ней живет жалкая надежда услышать слова одобрения из уст ее родителей. Сколько можно, пора наконец избавляться от этого комплекса.

Конечно, ее заключение обязательно подтвердится, и тогда к ней придет заслуженная слава. Она напишет работу о «Смуглой Даме». Но никогда в жизни, никогда не простит она Элизабет того, что мать так грубо и несправедливо отстранила ее от работы. В глубине души она не могла простить Элизабет того, что у нее была на это власть.

Ветер пробирал до костей, пошел снег. Миранда начала спускаться.

Яркий луч мощного прожектора с маяка шарил по воде, хотя в обозримых пределах не было видно ни одного судна. Он светит от заката до рассвета, год за годом, думала Миранда, безо всяких сбоев. Многие видят в маяке одну лишь романтику, для Миранды же маяк был воплощением надежности. В отличие от людей, на которых далеко не всегда можно положиться.

Отсюда их дом казался темным и сонным, его причудливый силуэт был словно выгравирован на сером небе.

Покрытая инеем прошлогодняя трава похрустывала под ногами. Место, где когда-то был любимый бабушкой сад, казалось теперь шрамом на теле.

В этом году, пообещала себе Миранда, она соберет почерневшие листья и высохшие стебли и займется наконец садом.

Сделает садоводство своим хобби — она же давно хотела заиметь себе какое-нибудь хобби.

Она с удовольствием вернулась в теплый дом. Подогрела остатки кофе и, обжигаясь, сделала несколько глотков. Миранда решила поехать сегодня в институт пораньше, пока дороги свободны.

* * *

Сидя в тепле взятого напрокат «Мерседеса», он наблюдал, как «Лендровер» плавно проехал по заснеженной улице и свернул к месту парковки Новоанглийского института истории искусств. Прямо как танк в наступлении.

Не женщина, а картинка, подумал он, наблюдая, как она выходит из машины. Футов шесть, не меньше. Закутана в серое пальто — не столько модное, сколько удобное и теплое. Ярко-рыжие пряди волос (такой сексуальный цвет!) упрямо выбивались из-под черной вязаной шапочки. В руках у нее был толстый, набитый бумагами портфель; походка ее была решительной и целеустремленной, она вполне подошла бы какому-нибудь боевому генералу.

Но за этой независимой поступью скрывалась неистребимая сексуальность женщины, которая убедила себя, что может обходиться без мужчин. Бедная овечка!

Даже в этом тусклом утреннем свете он узнал ее безошибочно. Такую женщину, подумал он с улыбкой, ни с кем не спутаешь.

Он сидел здесь уже около часа, развлекаясь ариями из «Кармен», «Богемы», «Женитьбы Фигаро». Вообще-то он уже сделал все, что намеревался, но теперь был рад, что дождался ее появления.

Ранняя пташка. Так любит свою работу, что приезжает холодным снежным утром раньше всех остальных. Ему нравились люди, любящие свою работу. Видит бог, он свою любил.

Какова она, доктор Миранда Джонс? Он представил, как она входит в здание, проводит пластиковой карточкой по кодовому замку, набирает свой личный шифр. Он ни минуты не сомневался, что, войдя внутрь, она аккуратно включит сигнализацию.

Во всех отчетах повторялось, что она женщина практичная и осторожная. Ему нравились практичные женщины. Их так приятно сбивать с пути.

Он мог обойтись без нее, мог воспользоваться ею. Так или иначе, свою работу он выполнит. Но с ней это будет... интереснее. Поскольку это будет его последнее дело, неплохо было бы к материальной заинтересованности прибавить и развлечение.

Надо бы познакомиться с Мирандой Джонс, побаловать себя. Прежде чем взяться за дело.

На третьем этаже зажегся свет. Сразу за работу, подумал он, увидев в окне ее силуэт.

Ему тоже пора приниматься за работу. Он завел машину, развернулся и поехал переодеваться.

* * *

Новоанглийский институт истории искусств был построен прадедом Миранды. Но только ее дед, Эндрю Джонс, развернул дело в полную силу. Он всегда испытывал живейший интерес к искусству и даже почитал себя художником. Во всяком случае, он довольно прилично владел карандашом и кистью для того, чтобы убеждать молоденьких моделей позировать ему обнаженными.

Эндрю нравилось водить дружбу с художниками, развлекаться с ними, некоторым — покровительствовать (особенно если это были хорошенькие особы женского пола). Он всегда был бабником и любителем выпить, но он также был человеком щедрым, с воображением, никогда не боялся рисковать и вкладывал деньги в понравившиеся ему предметы антиквариата.

Здание института из серого гранита с его колоннами, арками и пристройками растянулось на целый квартал. Когда-то здесь располагался музей, перед которым был разбит ухоженный сад с огромными тенистыми деревьями.

Эндрю же хотелось большего. Он желал превратить институт в место, где произведения искусства будут выставлять, реставрировать, изучать, анализировать. Поэтому он велел спилить деревья, сровнял сад с землей и пристроил к основному зданию два элегантных, хотя и несколько затейливых флигеля.

Здесь располагались аудитории для студентов, с огромными светлыми окнами, прекрасно оборудованные лаборатории, просторные мастерские, бессчетное количество кабинетов. Выставочная площадь была таким образом увеличена более чем втрое.

Учиться сюда принимали только способных студентов. Те, кто мог позволить себе плату за обучение, платили дорого. Тем же, кто не мог, но кого считали перспективными, давали стипендию.

Над главным входом были выбиты слова Лонгфелло:

«Жизнь быстротечна, искусство вечно».

Изучать, сохранять, представлять искусство — вот что институт считал своей главной задачей.

Эта концепция Эндрю Джонса не претерпела изменений и спустя пятьдесят лет, когда руководить институтом стали его внуки. Исследовательская работа в институте и теперь считалась приоритетной, важнее проведения выставок и учебного процесса.

Миранда поднялась в свой кабинет на третьем этаже. Поставив портфель на большой письменный стол, она подошла к столику у окна и включила кофеварку. В эту минуту заработал факсовый аппарат. Миранда подняла жалюзи и поднесла к глазам страничку.

Добро пожаловать домой, Миранда. Как тебе понравилась Флоренция? Как жаль, что твое путешествие было так неожиданно прервано. Как ты думаешь, где ты допустила ошибку? Или ты по-прежнему уверена в своей правоте?

А теперь приготовься, тебя ждет тяжелый удар.

Ожидание было долгим, наблюдение — терпеливым. Я продолжаю наблюдать, но мое терпение на исходе.

Руки Миранды дрожали. Она стала судорожно сжимать пальцы, но дрожь не прошла.

Без подписи, без номера. Господи, да что же это такое?!

Не текст, а какое-то злобное шипение. Издевательский тон, зловещая угроза. Но почему? Кто?

Мать? Миранде стало стыдно за то, что именно о матери

она подумала в первую очередь. Хотя, конечно же, женщина с таким характером и положением, как Элизабет, не опустится до подобных анонимных посланий.

Она и так уже нанесла Миранде жестокую обиду. Дальше некуда.

А может, это какой-нибудь обиженный сотрудник в «Станджо» или в институте; кто-нибудь, кого не устраивает ее руководство или еще что-то?

Да, скорее всего именно так. Миранда попыталась взять себя в руки. Может, это лаборантка, получившая выговор, или студент, недовольный оценкой. Несомненно, ее хотят вывести из себя. Нет уж, не на ту напали — ничего не выйдет.

Миранда лихорадочным движением сунула листок в ящик стола и повернула ключ.

Постаравшись выкинуть это странное послание из головы, Миранда приступила к работе. Она составила список обязательных дел — просмотр почты, ответы, необходимые телефонные звонки.

В дверь постучали.

— Миранда?

— Да, заходи. — Бросив взгляд на часы, она убедилась, что ее секретарша как всегда пунктуальна.

— Я увидела твою машину на стоянке. Я не знала, что ты вернулась.

— Да... это произошло несколько неожиданно.

— Как там во Флоренции? — Лори быстро двигалась по кабинету: сложила разбросанные бумаги, поправила жалюзи.

— Тепло, солнечно.

— Как хорошо. — Удовлетворенная тем, что все теперь лежит на своих местах, Лори села, положив на колени блокнот.

Секретарша Миранды была хорошенькой миниатюрной блондинкой с кукольным личиком; разговаривала она энергично и деловито.

— Рада, что ты приехала, — улыбнулась она.

— Спасибо. — Зная, что слова эти искренни, Миранда улыбнулась в ответ. — Я тоже рада, что вернулась. Надо наверстывать упущенное. В данный момент меня интересует, как продвигаются дела с «Обнаженной» Карбело и с реставрацией картины Бронзино.

Рабочий день начался. Дел было так много, что на ближайшие два часа Миранда и думать забыла обо всем, кроме работы. Наконец, оставив Лори договариваться о встречах и переговорах, Миранда отправилась в лабораторию.

По дороге она решила заглянуть к Эндрю. Его кабинет был в противоположном крыле, поближе к помещениям, открытым для посетителей. Сферой Эндрю было устройство выставок, покупка новых работ — все, что требовало внешних контактов. Миранда же предпочитала держаться в тени.

Она торопливо шла по коридору.

Какая-то секретарша, шедшая ей навстречу с пачкой бумаг в руках, бросила на Миранду затравленный взгляд, смущенно пробормотала: «Доброе утро, доктор Джонс» — и поскорее прошмыгнула мимо с видимым облегчением.

«Я что, такая страшная? — подумала Миранда. — Меня боятся?» Она вспомнила о факсе, обернулась и посмотрела в спину удалявшейся женщине.

Миранда замедлила шаги. Она, конечно, не идеал, и персонал, возможно, не пылает к ней большой любовью, как к Эндрю, но все же она не... не внушает неприязни. Или она заблуждается на свой счет?

Неужели ее внутренняя сдержанность воспринимается окружающими как холодность, огорченно подумала Миранда.

Ведь именно так воспринимают люди ее мать.

Нет, не может быть. Тот, кто знает ее лучше, так не думает. У нее прекрасные отношения с Лори, они почти дружат с Джоном Картером. А уж ее лаборатория совсем не похожа на казарму, где никто не смеет пошутить или высказать собственное суждение.

Пожалуй, она не припомнит случая, чтобы она посмеялась над какой-нибудь шуткой своих подчиненных.

Ты начальница, тут же сказала она себе. Это нормально.

Миранда пошевелила плечами, чтобы расслабиться. Совсем расклеилась: из-за какой-то застенчивой секретарши устроила себе сеанс психоанализа.

Сегодня у Миранды не было назначено никаких деловых встреч, поэтому она пришла на работу в тех же брюках и сви-

тере, в которых выходила пройтись рано утром. Собранные назад волосы заплела в косу, но непослушные волосы уже растрепались.

В Италии сейчас середина дня. Значит, бронзовую статуэтку усиленно исследуют. Миранда снова почувствовала тревогу.

Она вошла в приемную. Массивный викторианский стол, два неудобных стула с прямыми спинками, серые шкафы с картотекой; и посреди всего этого неуютного, но определенно делового мирка — его хозяйка.

— Доброе утро, мисс Пердью.

Секретарше Эндрю — аккуратной, как монашка, и такой же строгой — было под пятьдесят. Прямые волосы цвета соли с перцем она собирала в неизменный узел и всегда была одета в безликий темный костюм и белоснежную накрахмаленную блузку.

Никогда не меняющаяся мисс Пердью.

Секретарша кивнула, сняла пальцы с клавиатуры и сложила руки перед собой.

— Доброе утро, доктор Джонс. Я не знала, что вы вернулись из Италии.

— Я приехала вчера. — Миранда изобразила улыбку. Если уж надо быть поприветливее с подчиненными, почему бы не начать прямо сейчас? — Так непривычно было вернуться в наш холод. — Мисс Пердью отреагировала коротким сухим кивком, и Миранда с облегчением отказалась от идеи немного поболтать. — Мой брат у себя?

— Доктор Джонс спустился вниз встретить гостя. Он сейчас вернется. Вы подождете или ему что-нибудь передать?

— Нет, ничего. Я зайду позже.

С лестницы донеслись мужские голоса. Если бы не наблюдавшая за ней мисс Пердью, Миранда поспешила бы уйти, лишь бы не встречаться с посетителем.

Не надо было сюда заходить, злилась Миранда. Тем не менее она торопливо откинула волосы, упавшие на лицо, и изобразила вежливую улыбку.

На пороге появился брат, за ним следовал высокий мужчина — его гость.

— Миранда, как кстати! — просиял Эндрю. Миранда окинула его быстрым взглядом: никаких следов вчерашних излишеств. — А я собирался тебе звонить. Разреши представить тебе Райана Болдари из галереи Болдари.

Мужчина шагнул вперед, взял руку Миранды и поднес к губам.

— Рад наконец познакомиться с вами.

Его красивое, с крупными чертами лицо словно сошло с одного из портретов, висевших в залах института. Энергичный блеск темных глаз слегка приглушался серым, изысканного покроя костюмом и безупречно завязанным шелковым галстуком. Густые черные как смоль волосы лежали красивыми волнами. Смуглое лицо с высокими скулами, с интригующим маленьким шрамом в виде полумесяца над левой бровью.

В темно-карих глазах, смотревших на Миранду, поблескивали золотые искорки. Красивый, сейчас улыбающийся рот, несомненно, заставлял женщин задуматься: а каков он в поцелуе?

Миранда вдруг осознала, что вместо того, чтобы ответить дежурной фразой, она продолжает внимательно изучать Райана Болдари, и поспешила стряхнуть с себя это наваждение.

— Добро пожаловать в наш институт, мистер Болдари.

— Спасибо.

Он продолжал держать ее руку в своей, потому что ее это явно смущало. Но она вежливо улыбалась, хотя между бровей появилась сердитая морщинка.

Ей хотелось отнять руку, но потом она решила, что это будет как-то очень по-детски.

— Проходите в мой кабинет. — Явно не замечая того, что творится перед его носом, Эндрю распахнул дверь. — Миранда, у тебя есть немного времени?

— Вообще-то я собиралась...

— Я был бы вам очень признателен, доктор Джонс, если бы вы уделили нам немного времени. — Райан ослепительно улыбнулся и взял Миранду под локоть. — У меня есть предложение к вашему брату, и, уверен, вас оно тоже заинтересует. Ваша специальность — эпоха Возрождения, не так ли?

Озадаченная Миранда дала ввести себя в кабинет:

— Верно.

— Великолепный период, наполненный красотой и гениями. Вам знакомо имя Джорджо Вазари?

— Конечно. Поздний Ренессанс, маньерист, типичное для той эпохи стремление к элегантности.

— У Райана есть три Вазари. — Эндрю жестом пригласил всех сесть на стулья, которые благодаря стараниям мисс Пердью были освобождены от обычно громоздившихся на них книг и папок.

— Правда?

Миранда села и снова вежливо улыбнулась. Кабинет Эндрю был намного меньше, чем ее, но его это устраивало. Повсюду вперемешку лежали разные безделушки, черепки, осколки. Милый, уютный беспорядок. Миранда предпочла бы вести этот разговор на своей территории — в холодной сдержанности ее строгого кабинета.

— Да. — Прежде чем опуститься на стул с высокой кожаной спинкой, Райан поддернул брюки, чтобы не смялась складка. — Вы не находите его работы несколько неестественными? Слишком нарочитыми?

— Типично для его школы, — пожала плечами Миранда.

— Согласен, — обезоруживающе улыбнулся Райан. Он махнул рукой — сильной, красивой формы рукой, отметила Миранда. Широкая ладонь, длинные пальцы.

То, что она это заметила, ее рассердило. Но она чуть не вспыхнула от стыда, когда на одно-единственное мгновение представила, как эта рука касается ее кожи.

Она отвела взгляд от его рук и тут же встретилась с ним глазами. Он снова улыбнулся, взгляд его из сдержанно-доброжелательного стал насмешливым.

Ледяным тоном Миранда спросила:

— Так что же вы намерены предложить нашему институту?

Он посмотрел ей прямо в глаза и с удовлетворением увидел, как ее щеки медленно наливаются румянцем. Женщины, способные краснеть, нечасто встречаются в наши дни.

Поразительная женщина. Тело богини, манеры ханжи, одевается как беженка, в синих глазах — очаровательное смущение.

Интересно, как она выглядит в этих очках в тонкой металлической оправе, которые сейчас висят на цепочке на ее свитере?

Весьма возвышенно и сексуально.

— Я познакомился с вашим братом несколько месяцев назад в Вашингтоне на благотворительном аукционе для женщин-художниц. Насколько я знаю, отправиться туда должны были вы.

— Да, я не смогла вырваться.

— У Миранды было дел по горло в лаборатории, — хмыкнул Эндрю. — А я не такой незаменимый. — Он развалился в кресле. — Райана интересует наша «Мадонна» Челлини.

Миранда подняла брови:

— Это один из наших самых ценных шедевров.

— Она действительно великолепна. Мы с вашим братом уже успели поговорить об условиях.

— Челлини? — Она метнула на брата удивленный и одновременно сердитый взгляд. — Эндрю, как это понимать?

— Речь идет не о продаже, — торопливо вмешался Райан, не пытаясь скрыть усмешки: его развеселил ее испуг. — Трехмесячный обмен — к нашей взаимной выгоде. Я планирую устроить в нашей нью-йоркской галерее выставку работ Челлини, и, если вы дадите нам напрокат «Мадонну», для меня это будет большая удача. А вашему институту на те же три месяца достанутся три моих Вазари.

— Ты сможешь сделать выставку «Три эпохи Ренессанса». Ты давно о ней говоришь, — торопливо вставил Эндрю.

Это и вправду была ее давняя мечта.

Она молчала в раздумье, но в душе ее все пело от восторга.

— Да, пожалуй. — Сердце колотилось, как сумасшедшее, но в голосе ее звучали сдержанно-холодные нотки, когда она обратилась к Райану: — Подлинность Вазари должна быть подтверждена документально, господин Болдари.

Райан согласно наклонил голову, и они оба сделали вид, что не слышали громкого стона, который издал Эндрю.

— Да, разумеется. Вы получите копии документов, прежде чем мы подпишем договор. А вы покажете мне документы на Челлини.

— Я сегодня же сделаю для вас копии. Моя секретарша пришлет их вам в гостиницу.

— Замечательно.

— Что ж, оставлю вас проработать все детали.

Но вместе с ней поднялся Райан и снова взял ее за руку.

— Не откажите мне в любезности — проведите для меня экскурсию. Эндрю сказал, что лаборатория и реставрационные мастерские — ваши владения. Мне бы очень хотелось их увидеть.

— Я...

Прежде чем она успела промямлить вежливый отказ, подошедший Эндрю легонько стиснул ее локоть.

— Лучшего экскурсовода вам не найти. Увидимся через пару часов, Райан. А потом — обещанный суп из креветок.

— Мои галереи носят чисто функциональный характер, — заговорил Райан, поддерживая Миранду под руку, когда они шли по коридору в другое крыло здания. — В них выставляются произведения искусства. В исследовательской и научной сфере я не силен. Как вам только удается сочетать исследования и проведение выставок?

— Одно без другого невозможно. — Ответ прозвучал резковато. Этот мужчина нервировал ее до такой степени, что она не могла этого скрыть. А это было не в ее характере. Миранда всегда гордилась своей выдержкой. — Институт и создан для того, чтобы сочетать и развивать оба направления.

— Я всегда был отстающим студентом, — сказал он с такой очаровательной улыбкой, что Миранда невольно улыбнулась в ответ.

— Значит, у вас есть другие сильные стороны.

— Я надеюсь.

Как наблюдательный человек, он замечал все: расстояние между противоположными крыльями здания, расположение лестниц, кладовок, окон. И, конечно же, глазки видеокамер. Все в точности соответствовало полученной им информации. И все же надо будет потом записать результаты своих наблюдений. А сейчас он просто все запоминал, наслаждаясь нежным ароматом ее духов.

В ней нет ничего напоказ. Она не стремится казаться женственной. И этот лесной запах, столь ей подходящий, скорее похож на свежий запах дорогого мыла, чем на аромат духов.

В конце коридора Миранда свернула направо, остановилась, вставила пластиковую карточку в щель в массивной стальной двери. Раздался щелчок. Райан бросил быстрый взгляд на камеру в углу.

— У нас надежная система безопасности, — объяснила Миранда, заметив его взгляд. — В эту часть здания никто не может пройти без специального пропуска или сопровождения. Мы должны думать о таких гарантиях безопасности предметов искусства, ведь мы часто делаем независимую экспертизу для частных лиц и различных музеев.

Они вошли в лабораторию. Сотрудники работали за компьютерами, склонились над микроскопами, деловито проходили в соседнее помещение. У всех на белых халатах были таблички с фамилиями.

Миранда подошла к лаборанту, работавшему с заскорузлым горшком, приглашая Райана следовать за ней.

— Стенли, что вы можете о нем сказать?

— Ваш отец прислал это с раскопок в Юте, вместе с другими находками. Возможно, это племя анасази, двенадцатый век. Горшок использовался для приготовления пищи.

Стенли кашлянул, быстро взглянул на Миранду и, заметив ее легкий одобрительный кивок, уверенно продолжил:

— Главное — он почти целый, только крошечные щербинки по краям.

— А почему вы решили, что он использовался для приготовления пищи? — поинтересовался Райан.

— Форма, размер, толщина, оттенок, — заморгал глазами лаборант.

— Спасибо, Стенли. Ну что ж, господин Болдари...

Миранда повернулась и чуть не налетела на Райана — так близко он стоял. Она резко отпрянула, но успела заметить, что он на добрых два дюйма выше ее. И еще заметила яркий дразнящий блеск в его глазах — не просто чувственный, а явно сексуальный.

Минутная слабость лишила Миранду возможности продолжить, но, справившись с ней, она громче обычного уверенно произнесла:

— Прежде всего нас интересует искусство, но, поскольку мой отец занимается археологическими раскопками, у нас есть и секция археологии. Но я этим не занимаюсь. А теперь...

Миранда подошла к одному из шкафов и достала маленький коричневый ящичек. Вынув пинцетом крошечные кусочки краски из одной из ячеек и перенеся их на стеклышко, положила его под микроскоп.

— Взгляните, — пригласила она Райана. — Скажите, что вы видите?

Он послушно наклонился к окуляру.

— Что-то цветное, яркое, неопределенное — совсем как на картине Поллока. — Он выпрямился и обратил к ней свои глаза. — А на что я смотрел, доктор Джонс?

— На пробу краски с картины Бронзино, которую мы реставрируем. Краска, безусловно, шестнадцатого века. Мы берем образцы краски до начала работ и после их завершения. Таким образом мы можем быть уверены, что получаем у владельца подлинник и, соответственно, его же и возвращаем.

— А откуда вы знаете, что это краски шестнадцатого века?

— Вы хотите прослушать лекцию, мистер Болдари?

— Зовите меня Райан — тогда и я смогу называть вас по имени. Миранда — такое красивое имя. — Он произнес это так, что Миранде стало не по себе. — Я с удовольствием послушаю лекцию, которую читает такой замечательный специалист.

— Тогда вам следует записаться в группу.

— Неспособным ученикам лучше все объяснять один на один. Поужинаете сегодня со мной?

— Из меня вряд ли выйдет хороший учитель.

— Все равно давайте вместе поужинаем. Поговорим о науке и искусстве, я расскажу вам о своих Вазари. — Ему ужасно хотелось потрогать выбившийся из ее прически рыжий завиток. «Она, наверное, отпрыгнет в сторону, как перепуганный кролик», — подумал он вдруг. — Назовем это деловым ужином, если вам так станет легче.

— Я не больна, чтобы мне стало легче.

— Вы правы, я выразился неудачно. Я заеду за вами в семь. Знаете, — сказал он, снова намереваясь взять ее под руку, — мне бы очень хотелось взглянуть на Бронзино. Меня всегда восхищала аскетическая строгость его линий.

Миранда еще только прикидывала, как бы ей высвободиться, а Райан уже сжал ее локоть и уверенно повел к двери.

ГЛАВА 6

Она и сама толком не знала, зачем согласилась на этот ужин. Хотя, прокрутив в голове их беседу, Миранда так и не вспомнила, дала ли она свое согласие. И тем не менее собиралась Миранда очень тщательно.

Он всего лишь деловой партнер, напомнила она себе. Галерея Болдари отличается элегантностью и изыском, у нее блестящая репутация. В тот единственный раз, когда Миранде удалось выделить час — в Нью-Йорке у нее всегда был очень жесткий график — для посещения этой галереи, величественность здания и экспозиции произвели на нее впечатление.

Корпорации Джонсов совсем не повредит, если Новоанглийский институт истории искусств завяжет партнерские отношения с одной из самых прославленных галерей.

Предположим, он пригласил ее на ужин, чтобы обсудить деловые вопросы. Она уверена, что сумеет удержать беседу в этих рамках. Хотя от его улыбки за милю несло похотью.

Если ему хочется с ней заигрывать — пожалуйста. Екает там у нее в груди или не екает, неважно. Она не впечатлительная самочка, в конце концов. Такие уверенные в себе мужчины, как Райан Болдари, умеют кружить голову. Довольно сомнительный талант. Но ей, Миранде Джонс, нечего беспокоиться — у нее врожденный иммунитет на подобных мужчин. Но нельзя не признать, глаза у него совершенно потрясающие. Словно он смотрит и видит только тебя одну.

Миранда вздохнула и застегнула «молнию» на платье. Лишь вопрос о профессиональной чести и привычка заставили ее внимательно отнестись к своему гардеробу. Когда он увидел ее в первый раз, она была больше похожа на строгого преподавателя. Сегодня вечером Райан Болдари увидит зрелую женщину, спокойно ведущую беседу за деловым ужином.

Черное платье из шелковистого трикотажа элегантно подчеркивало ее красивую фигуру. Низкий вырез слегка обнажал грудь. Из украшений Миранда выбрала узорчатый византийский крестик, волнующе спускавшийся в ложбинку между грудей.

Волосы она подняла наверх и заколола шпильками. Результат получился что надо — сексуально, но не вызывающе.

Да, теперь она выглядит как следует, не то что в колледже — долговязый синий чулок. Взглянув на эту красивую, уверенную в себе женщину, никто не подумает, что у нее поджилки трясутся из-за обычного делового ужина. Хотя нет, надо честно признаться, что она боится беседы, которая, возможно, будет ему предшествовать.

Посторонний глаз должен видеть лишь ее спокойную уверенность и элегантность.

Миранда взяла сумочку; выгнув шею, попыталась рассмотреть себя в зеркале сзади и, уверившись, что все в порядке, спустилась вниз.

В гостиной Эндрю пил уже второй бокал виски. Увидев сестру, он поставил бокал и присвистнул:

— Ни хрена себе!

— Как поэтично, Эндрю. У меня задница не толстая в этом платье?

— Нет на свете такого мужчины, который бы смог правильно ответить на этот вопрос. Во всяком случае, я воздержусь.

— Трус несчастный!

Чтобы хоть чуть-чуть успокоиться, Миранда налила себе белого вина.

— Что это ты так разоделась для делового ужина?

Она отпила. Вино слегка ослабило напряжение.

— А кто мне сегодня днем двадцать минут без остановки внушал, как важно для нас завязать отношения с галереей Болдари?

— Верно, — кивнул Эндрю, но продолжал хмуриться. Нечасто его сестра так потрясно выглядит. Сногсшибательная женщина, с некоторым беспокойством подумал он. — Он что, произвел на тебя впечатление?

— Опомнись, Эндрю, ты же хорошо знаешь меня.

— И все-таки?

— Нет. — Ну, может быть, совсем немножко, поправилась она про себя. — А если даже и так, то я достаточно взрослая женщина и в случае чего сумею отразить удар. А то и нанести ответный.

— Куда вы идете?

— Я не спрашивала.

— Дороги довольно скользкие.

— Конечно, дороги скользкие, это же март, это же Мэн. Не строй из себя заботливого старшего братца, Эндрю. — Миранда похлопала его по щеке, чувствуя, что он недоволен. — Это Райан, — встрепенулась она, услышав звонок в дверь. — Веди себя прилично.

— Ради трех Вазари — можно, — проворчал он, скептически глядя вслед сестре. Он просто забыл, какой она может быть красивой, если уделит своей внешности хоть чуточку внимания. Но то, что она уделила своей внешности столько внимания, его не на шутку встревожило.

Эндрю разволновался бы еще больше, если бы увидел, как вспыхнули глаза Райана, когда Миранда распахнула дверь.

Прямо как удар под дых, пронеслось в голове у Райана. К такому он не был готов.

— Вы словно сошли с картины Тициана.

Он взял ее за руку, но на этот раз коснулся губами ее щеки, потом другой — по-европейски.

— Спасибо. — Миранда закрыла дверь и едва удержалась, чтобы не прислониться к стене — у нее закружилась голова. Ее одновременно возбуждало и нервировало, что на этих высоких каблуках она оказалась с ним вровень: глаза в глаза. Губы тоже на одном уровне — очень удобно целоваться. Господи, что за бред лезет ей в голову.

— Эндрю в гостиной, — произнесла она. — Не зайдете на минутку?

— С удовольствием. У вас замечательный дом. — Он оглядел холл, бросил взгляд на лестницу и проследовал за Мирандой в гостиную. — Мрачноватый немного, но в то же время уютный. Он достоин быть запечатленным на полотне.

— Мой дедушка сделал картину маслом. Честно говоря, не очень удачную, но нам нравится. Выпьете чего-нибудь?

— Ничего, спасибо. Привет, Эндрю. — Райан протянул руку. — Я намерен похитить вашу сестру на сегодняшний вечер. А может быть, вы захотите присоединиться к нам?

Райан привык рисковать, но тут чуть не откусил себе язык — Эндрю задумался всерьез. Райан не видел, что за его спиной Миранда сделала брату страшные глаза, и с облегчением перевел дух, когда Эндрю отрицательно помотал головой.

— Спасибо, но у меня другие планы. Веселитесь вдвоем.

— Я пойду надену пальто.

Эндрю смотрел им вслед, потом тоже достал пальто из стенного шкафа. Его планы изменились. Ему не хотелось пить в одиночестве. Он тоже подыщет себе компанию.

* * *

— Вы всегда так галантны во время деловых встреч?

— Нет. — Райан придвинул свое кресло ближе, вынул из вазы белую розу и протянул Миранде. — Но мне очень хотелось выпить с вами шампанского, а в этом случае я не смог бы сесть за руль, поэтому я нанял машину с шофером. — В подтверждение своих слов он достал из ведерка со льдом заранее открытую бутылку и разлил вино по бокалам.

— Деловой ужин нечасто начинается розой и шампанским.

— Почему же, иногда бывает. Особенно когда ужинаешь с потрясающей женщиной. — Они чокнулись. — За начало увлекательных отношений.

— Взаимовыгодных, — поправила Миранда и отпила из бокала. — Я еще не говорила вам — я ведь была в вашей нью-йоркской галерее.

— Правда? И что вы о ней скажете?

— Уютная. Обаятельная. Настоящая жемчужина.

— Весьма польщен. Галерея в Сан-Франциско больше. Там много света, простора; в ней мы выставляем главным образом современное искусство, в котором хорошо разбирается мой брат Майкл. Я же предпочитаю классику и... уют.

Райан говорил тихо и откровенно обольщающе. Красноречивый признак, подумала Миранда. И очень опасный.

— Значит, у вас семейный бизнес.

— Как и у вас.

— В общем, да, — пробормотала Миранда, слегка поеживаясь. Веди светскую беседу, не поддавайся на его приемчики, приказала она себе. Будь уверенной в себе женщиной. — Как вы решили заняться бизнесом?

— Мои родители художники. По большей части они преподавали, но у моей матери замечательные акварели. Отец —

скульптор, но, по-моему, никто ничего не понимает в его сложных металлических конструкциях, кроме моего брата Майкла. Однако отцу нравится этим заниматься.

Он говорил это, не отрывая от нее глаз и ничуть не скрывая сверкавшего в глазах желания.

— А вы художник или скульптор? — спросила Миранда.

— Ни то ни другое. У меня нет способностей, да и, честно говоря, душа не лежит. Для моих родителей было огромным разочарованием, что ни один из их шестерых детей не обладает художественным талантом.

— Шестерых? — изумилась Миранда. — Шестеро детей, ничего себе.

— Моя мать ирландка, отец итальянец. — Райан хохотнул. — Что им еще было делать? У меня два брата, три сестры. Я — старший. У вас роскошные волосы, — неожиданно произнес он и коснулся завитка пальцем. Он не ошибся. Она вздрогнула от его прикосновения. — Что вы с ними делаете?

— Мало того, что они рыжие, они еще и непослушные, и если бы я не была такой долговязой, я бы их отрезала.

— Первое, на что я обратил внимание, это волосы. Потом — глаза. Вы вся состоите из смелых цветов и форм.

Ей ужасно захотелось схватить его за лацканы, притянуть к себе и не отрываться. И пусть все идет в тартарары. Она задрожала, хотя отчаянно старалась держаться невозмутимо.

— Как современное искусство?

Он хмыкнул:

— Нет, в вас слишком много практицизма. Мне нравится на вас смотреть. Надеюсь, мы неплохо проведем сегодняшний вечер.

* * *

Она сама не помнила, когда наконец спало сковывавшее ее напряжение. Наверное, после третьего бокала шампанского. Надо признать, Райан ловок, даже чересчур ловок. Но — у него получалось. Давно уже Миранда не сидела за столом с зажженными свечами рядом с мужчиной, чье лицо напоминало портрет эпохи Возрождения.

И еще он умел слушать. Он мог сколько угодно прикиды-

ваться ничего не понимающим в науке, но вопросы задавал толковые и с интересом выслушивал ответы. Может, он специально навел беседу на интересующую ее тему, чтобы Миранда расслабилась. Ну и что? Все равно спасибо.

Когда она в последний раз рассказывала собеседнику, почему так любит свою работу?

— Самое главное — постижение. Изучать произведение искусства, узнавать его историю, исследовать все тонкости.

— Предпочитаете разбирать красоту на элементы?

— Если хотите, да. — Как приятно сидеть в этом уютном ресторане, смотреть на пылающий огонь в камине или на темное небо за окном.

— А может быть, ответ прост: перед вами Искусство, и этим все сказано?

— Без истории, без надлежащих анализов это просто краски на холсте.

— Когда перед вами красота, этого вполне достаточно. Если бы я стал анализировать ваше лицо, я начал бы с глаз. Синева летнего неба, живой ум, немного печали. И некоторая подозрительность, — добавил он со смехом. — Рот: мягкий, крупный, улыбчивый. Высокие скулы, очень аристократичные. Нос тонкий, изящной формы. Анализируя все черты лица по отдельности, я прихожу к заключению, что вы — потрясающая женщина. Но ведь ровно то же самое я мог сказать и безо всякого анализа.

Она ковыряла рыбу в тарелке, стараясь выглядеть не слишком польщенной.

— Логично.

— Логика — мое сильное место, а вы мне почему-то не доверяете.

Она подняла на него глаза:

— А почему я должна доверять вам? Я вас совсем не знаю.

— Что же вам еще рассказать? Я происхожу из большой шумной семьи, вырос в Нью-Йорке, без особого энтузиазма окончил Колумбийский университет. Художником не стал, но остался в искусстве заниматься бизнесом. Никогда не был женат, и это сильно огорчает мою маму — так сильно, что однажды я даже собрался было, но передумал.

— Отвергли саму идею? — вопросительно подняла бровь Миранда.

— Нет, женщину. В ней не было страсти. — Он наклонился ближе, ему нравились испуганные искорки, вспыхнувшие в ее глазах. — Вы верите в страсть, Миранда?

— Да, она способствует привязанности, но вспышка страсти проходит, а одной вспышки для долгого горения недостаточно.

— Циничное замечание, — отозвался он. — А я романтик. Вы анализируете, я любуюсь. Занятное сочетание, не находите?

Она повела плечами. Давно уже она не чувствовала себя так свободно и раскованно. Райан то и дело касался ее руки, лежащей на столе. Миранда каждый раз вздрагивала от приятного покалывания внутри.

Ее безумно к нему тянуло, и это было опасно, а главное — нелогично. Звучал лишь голос плоти, а ее разум молчал.

Значит, решила Миранда, этот голос можно контролировать.

— Я не понимаю романтиков. Они принимают решения, основываясь на чувствах, а не на фактах. — Эндрю романтик, подумала Миранда, и много радости ему это принесло? — А потом они удивляются, что совершили ошибку.

— Но зато нам живется веселее, чем циникам. — Она нравилась ему намного сильнее, чем он сам того ожидал. И не только внешне. Ему нравилась ее практичность, глубоко запрятанная неуверенность в себе.

И, конечно, ее огромные печальные глаза.

— Десерт? — спросил Райан.

— Нет, спасибо. Прекрасный ужин.

— Кофе?

— Слишком поздно для кофе.

Он усмехнулся, совершенно очарованный.

— Вы дисциплинированная женщина, Миранда. Мне это нравится. — Он сделал знак официанту, чтобы принесли счет. — Прогуляемся? Покажете мне набережную.

* * *

— Джонс-Пойнт тихий городок, — начала Миранда, когда они под пронизывающим ветром вышли к набережной. Лимузин полз следом; это обстоятельство одновременно поражало

ее и смущало. Хотя она сама была из весьма состоятельной семьи, Джонсы никогда не нанимали машин, которые бы следовали за идущими пешком пассажирами. — Здесь приятно гулять. Много парков. Весной и летом они просто великолепны. Деревья, море цветов. Вы никогда здесь раньше не были?

— Нет. Ваша семья происходит отсюда?

— Джонсы всегда жили в Джонс-Пойнте.

— Так вы поэтому здесь живете? — Они шли держась за руки. — Потому что от вас этого требует семейная фамильная традиция?

— Дело не в этом. Я же родилась здесь, это мое место на земле. — Ей было трудно объяснить это даже самой себе. Слишком уж крепко связана она душой с этими местами. — Я с удовольствием путешествую, но и возвращаюсь с радостью. Здесь мой дом.

— Расскажите мне о Джонс-Пойнте.

— Тихий, мирный город, который вырос на месте рыбачьей деревни. Основной упор делается на туризм и культурные ценности. Жители кормятся в основном морем. То, что вы называете набережной, на самом деле главная торговая улица. Ловить омаров прибыльно, продукция местного завода расходится по всему миру.

— Вы когда-нибудь этим занимались?

— Чем?

— Ловлей омаров?

— Нет. — Она улыбнулась. — Я люблю смотреть на лодки со скалы, что рядом с нашим домом.

Предпочитает наблюдать, а не участвовать, отметил он про себя.

— Мы сейчас в районе старого порта, — продолжала свой рассказ Миранда. — В этой части города много художественных галерей. Если интересно, зайдите кое в какие перед отъездом.

— Может быть.

— Город хорош весной, когда он весь в цвету. Вид на бухту и острова просто изумительный. А вот зимой — все равно что на открытку смотришь. В парке «Атлантик» замерзает пруд, многие катаются на коньках.

— А вы? — Он полуобнял ее за плечи, защищая от холодного ветра. Теперь они шли, плотно прижавшись друг к другу. — Катаетесь?

— Да. — У Миранды внезапно пересохло во рту. — Это замечательно поддерживает физическую форму.

Он рассмеялся и положил руки ей на плечи. Ветер трепал его волосы.

— Значит, вы катаетесь на коньках ради физической формы, а не ради удовольствия?

— Почему же, мне нравится. Зима почти прошла, сейчас уже поздно кататься.

Райан чувствовал, как она напряжена. Заинтригованный, он прижал ее еще крепче.

— А чем вы занимаетесь для поддержания физической формы в другое время года?

— Я много гуляю. Плаваю, когда есть время. — Сердце готово было выскочить из груди, и этот симптом она уже не могла игнорировать.

— А это у вас не считается физическим упражнением?

Он не собирался ее целовать — вернее, собирался, конечно, но, во всяком случае, не так скоро. Да, значит, он и в самом деле романтик. Так уж вышло.

Он припал к ее губам, не закрывая глаз. Настороженный взгляд, крепко сжатые губы. Райан предпринял вторую попытку. Он считал, что в любимом деле нужно достигать совершенства. Он терпеливо согревал ее губы, и наконец они разжались, ответили ему, длинные ресницы затрепетали.

Может, это и глупо, но кому от этого плохо? Разум быстро умолк под напором чувств. Сейчас для нее существовал только его горячий мягкий рот, только его крепкое гибкое тело. От Райана возбуждающе пахло вином.

Она вцепилась руками в его пальто, перед глазами все поплыло.

Вдруг он обхватил руками в перчатках ее лицо.

— Давай-ка попробуем еще раз.

На этот раз Миранда едва не потеряла сознание. В этом поцелуе была властная сила, и, хотя Миранда ни в чем не терпела напора, ее губы сами ответили на поцелуй.

Райан знал, что такое желание. Он много чего желал в этой жизни и работу свою выполнял именно ради осущест-

вления собственных желаний. Он желал Миранду. Но удовлетворить это желание сейчас было бы опасно. Хотя Райан умел рисковать, он все же предпочитал избегать ненужного риска.

Он и так зашел слишком далеко и в наказание за это проведет сегодня ночь в одиночестве. Но позвать к себе Миранду он не мог. Сначала должна быть выполнена работа, тем более срок уже установлен. И вообще это глупо. Ради пешки проиграть всю партию.

А он никогда не проигрывал.

Райан слегка отстранил от себя Миранду. Ее щеки горели от возбуждения, глаза затуманила страсть. Он погладил ее по плечам, на лице Миранды промелькнуло удивление, но она ничего не сказала.

— Я отвезу тебя домой.

Хотя про себя он грубо выругался, улыбка его была легкой и беззаботной.

— Да. — Ей хотелось посидеть, успокоиться. И подумать. — Уже поздно.

— Еще минута — и было бы совсем поздно, — пробормотал себе под нос Райан и, уже громче, обратился к Миранде: — Ты часто бываешь в Нью-Йорке?

— Время от времени. — В животе плавился жаркий ком, но Миранду трясло от холода и злости.

— Дай мне знать, когда соберешься приехать.

— Хорошо, — словно со стороны услышала она свой голос.

* * *

В душе она пела. Никогда прежде она этого не делала. Хотя ей никто не говорил, что у нее нет голоса, Миранда знала это прекрасно. Но нынешним утром она, заглушая шум льющейся воды, распевала «Чудесный месяц май» и с удивлением обнаруживала, что знает и мелодию, и слова.

И, вытираясь, тоже пела.

Она обмотала голову полотенцем и покрутила бедрами в такт мелодии. Танцевала Миранда неважно, хотя знала все па. Члены худсовета, танцевавшие с ней на институтских приемах чопорные вальсы, были бы шокированы, увидев, как доктор Джонс скачет по своей ванной комнате.

Подумав об этом, Миранда хихикнула. И вдруг остановилась: она внезапно поняла, что именно сделало ее такой счастливой. По-настоящему счастливой. А это ощущение было для Миранды весьма необычным. Она бывала довольна, увлечена, удовлетворена, охвачена честолюбием. Но истинно счастливой чувствовала себя крайне редко.

Как это чудесно!

Но почему она счастлива? Миранда надела махровый халат, намазала руки и ноги лосьоном для тела. Ей нравится очень привлекательный мужчина, и она нравится ему. Он восхищается и ее внешностью, и ее умом.

Его не пугает (как других) занимаемое ею положение или ее характер. Сам он обаятелен, удачлив (если не сказать: великолепен); и он достаточно воспитан, чтобы не тащить женщину в постель после первого же свидания.

А что бы делала в этом случае она? — спросила себя Миранда, протирая запотевшее зеркало. Прежде на этот вопрос она бы, не сомневаясь, ответила отрицательно. Миранда не признавала безрассудных любовных приключений, да еще с мужчиной, которого едва знаешь. Ни при каких обстоятельствах. Со своим последним любовником она рассталась два года назад, и все кончилось так некрасиво, что Миранда с тех пор решила избегать случайных связей.

Но прошлой ночью... Пожалуй, она дала бы себя уговорить. Не устояла бы, вопреки здравому смыслу. Но Райан слишком серьезно относится к ней, чтобы настаивать.

Одеваясь, она продолжала напевать. Сегодня она выбрала темно-голубой костюм с короткой юбкой и длинным жакетом. Сделала макияж, волосы оставила распущенными. И достала изящные и очень непрактичные туфли на каблуках.

Темным морозным утром Миранда ехала на работу и напевала.

* * *

Эндрю с трудом разлепил веки. Не в силах выносить собственные стоны, он зарылся головой в подушку. Но даже измученному похмельем организму свойственна воля к жизни, поэтому очень скоро Эндрю перевернулся на спину, хватая ртом воздух и сжимая руками раскалывающуюся от боли голову.

Он попытался встать, сделал шаг вперед. Ноги дрожали, преступная слабость расползлась по всему телу.

Это Энни виновата. Она разозлилась вчера на него и позволила напиться до чертиков. Он-то рассчитывал, что она его остановит, как это обычно бывало. Но Энни молча ставила перед ним стакан каждый раз, когда он заказывал.

Эндрю смутно помнил, как она усадила его в такси и ехидно высказала надежду, что завтра утром он будет чувствовать себя не самым лучшим образом.

Ее пожелание полностью исполнилось, думал Эндрю, с трудом ковыляя вниз по лестнице. Хуже он просто не мог бы себя чувствовать.

Увидев побулькивавший в кофеварке кофе, он чуть не расплакался от чувства благодарности. Умница, сестричка! Дрожащими руками он достал четыре таблетки экседрина и запил их обжигающим черным кофе.

Никогда больше, пообещал себе Эндрю, сжимая пальцами виски. Никогда больше он не будет превышать свою норму. Но в ту же самую секунду ему непреодолимо захотелось выпить. Всего один стаканчик. Так, чтобы руки перестали трястись, а в животе все успокоилось.

Нет, приказал себе Эндрю. Есть разница между пьяницей и алкоголиком. Если пьешь в семь утра — ты алкоголик. А в семь вечера — ничего. Он подождет. Обязательно подождет. Осталось двенадцать часов.

От звонка в дверь голова дернулась, как от удара. Эндрю едва не вскрикнул. Он даже и не подумал встать, просто уронил голову на стол, моля о забытьи.

Но стукнула дверь черного хода, и в кухню ворвались свежий морозный воздух и рассерженная женщина.

— А я думала, ты лежишь в кровати и жалеешь себя, — проворчала Энни, ставя большую хозяйственную сумку на стол. — Посмотри на себя, Эндрю. Жалкая развалина. Раздетый, небритый, глаза красные, несет от тебя. Отправляйся-ка в душ.

Он с трудом приподнял голову и тупо взглянул на нее:

— И не подумаю!

— Отправляйся немедленно, а я пока приготовлю завтрак. — Когда он попытался снова опустить голову на стол, Энни схватила его за волосы и резко дернула вверх. — Ты получил то, что заслужил.

— Господи, Энни, ты мне чуть голову не оторвала!

— Ты бы тогда чувствовал себя намного лучше, чем сейчас. Поднимай свою тощую задницу и марш в ванную. И захвати стиральный порошок — нелишне будет.

— Господи всемогущий! Чего ты сюда приперлась? — Он думал, что похмелье заглушило все остальные чувства, как бы не так: от беспощадных слов Эндрю вспыхнул от стыда, да так, что краска разлилась и по лицу, и по груди. — Убирайся.

— Выпивку продавала тебе я. — Она разжала пальцы, и его голова со стуком упала на стол. Эндрю взвыл от боли. — Ты меня разозлил, и я позволила тебе напиться. Поэтому я пришла, чтобы приготовить приличный завтрак и отправить тебя на работу. Иди в душ, а то я возьму тебя за шкирку и сама туда отволоку.

— Хорошо, хорошо. — Все, что угодно, только бы не слышать, как она его пилит. Трудно сохранять достоинство, когда сидишь в одних трусах. — Но есть я не буду.

— Ты съешь все, что я тебе дам. — Она отвернулась и стала разгружать сумку. — Иди. От тебя несет, как из помойки.

Она подождала и, услышав шум воды, прикрыла глаза и прислонилась к шкафу.

Какой же он жалкий. Такой грустный, больной и глупый. Ей хотелось обнять его, приласкать, отвести от него все беды. В сегодняшнем его состоянии она сама виновата — дала ему вчера напиться.

Но дело не только в выпивке. Рана — в его сердце, и она, Энни, не может ее залечить.

Смогла бы, если бы любила его чуть меньше.

Услышав, как загудели трубы, она невольно улыбнулась. Эндрю похож на свой дом: такой же потрепанный, давно не ремонтированный, но все еще на удивление крепкий.

Эндрю никак не мог понять, что Элайза, при всем ее уме и красоте, ему не подходила. Они были замечательной парой, яркой и красивой, но только внешне. Она его не понимала, а он нуждался в ласке, страдал от того, что считал себя недостойным ее любви.

За ним надо было ухаживать. Вот этим и следует заняться, решила Энни, засучивая рукава. Надо привести его в чувство. В конце концов, друзья познаются в беде.

Когда Эндрю вернулся, по кухне плыли умопомрачительные ароматы. Душ помог, таблетки притупили самые тяжелые последствия безудержного возлияния. Голова, правда, все равно гудела, в желудке было паршиво, но сейчас Эндрю уже верил, что сможет выкарабкаться.

Он кашлянул и виновато улыбнулся:

— Вкусно пахнет.

— Садись, — не оборачиваясь, приказала она.

— Ага. Извини, Энни.

— У меня нечего просить прощения. Ты перед собой извиняйся. Вредишь-то ты только самому себе.

— Все равно прости. — Он опустил глаза на поставленную перед ним тарелку. — Овсянка?

— Она защитит твой желудок.

— Миссис Пэтч всегда кормила меня овсянкой, — сказал Эндрю, вспомнив строгую неулыбчивую кухарку, служившую в их доме, когда он был мальчиком. — Каждый день на завтрак была овсянка — осенью, зимой и весной.

— Миссис Пэтч знала, что это полезно.

— Она обычно поливала кашу кленовым сиропом.

Помимо ее воли губы Энни расползлись в улыбке. Она открыла шкафчик и достала сироп. Эту кухню она знала как свою собственную. Рядом с сиропом поставила тарелку с поджаренным хлебом.

— Ешь.

— Да, мэм. — Эндрю осторожно положил в рот первую ложку каши, словно боясь, что его сейчас вывернет наружу. — Вкусно. Спасибо.

Наконец его щеки слегка порозовели. Энни села за стол напротив него. Друзья познаются в беде, подбодрила она себя. И они должны быть честными друг с другом.

— Эндрю, тебе пора остановиться.

— Знаю. Мне не следует так много пить.

Она подалась вперед, взяла его за руку:

— Если ты выпиваешь первую рюмку, то следом выпиваешь вторую, а потом — третью.

Эндрю раздраженно пожал плечами:

— Нет ничего ужасного, если человек выпивает время от времени. И нет ничего ужасного, если он время от времени напивается.

— Да, но только в том случае, если этот человек алкоголик.

— Я не алкоголик.

Она выпрямилась:

— Я работаю в баре, и я была замужем за пьяницей. Я знаю все симптомы. Существует большая разница между теми, кто знает свою норму, и теми, кто не может остановиться.

— Я могу остановиться. — Он поднес к губам чашку с кофе. — Вот ведь сейчас я не пью, верно? Я не пью в институте. А то, что я изредка выпиваю, на моей работе никак не сказывается. И потом, я же не напиваюсь каждый вечер.

— Но ты каждый вечер пьешь.

— Так же, как половина человечества. Ну какая разница: выпить два бокала вина за ужином или пропустить два стаканчика перед сном?

— Ты сам все прекрасно понимаешь. Так же, как и я. Мы с тобой оба были пьяны в ту ночь... — Она не могла дальше говорить. Ей казалось, что она сможет, но у нее не получилось.

— Господи, Энни. — Он взъерошил руками волосы. Воспоминание заставило его вспыхнуть от стыда. — Мы же были совсем детьми.

— Мы были достаточно взрослыми, чтобы сделать себе ребенка. Правда, ненадолго. — Энни стиснула губы. Во что бы то ни стало она должна это проговорить. Хотя бы частично. — Мы были глупыми, невинными, безответственными. Я понимаю. — Как будто такое можно понять, подумала она. — Но после той истории я крепко усвоила урок: нельзя терять над собой контроль, иначе попадешь в беду. А ты, Эндрю, контроль над собой утратил.

— Разве то, что произошло пятнадцать лет назад, имеет какое-то отношение ко мне сегодняшнему? — воскликнул он и тут же пожалел о сказанном, но было поздно — Энни отшатнулась, как от удара. — Нет, я не в том смысле. Я просто хотел сказать...

— Лучше помолчи. — Голос ее был холодным, отстраненным. — Давай лучше делать вид, что между нами ничего не было. Я бы не заговорила о той истории, если б ты не оказался в такой ситуации. Еще тогда, в семнадцать лет, ты увлекался выпивкой. А я не пью и никогда не пила. До сих пор ты более или менее держался, но теперь пересек черту. Не ты пьешь спиртное, а оно высасывает из тебя душу. Нужно вернуть контроль над положением. Говорю тебе это как твой друг. — Она встала, погладила его по лицу. — И не приходи больше ко мне в бар. Я тебя обслуживать не стану.

— Да брось ты, Энни...

— Захочешь поговорить — приходи, а выпивки не получишь.

Она взяла пальто и быстро вышла.

ГЛАВА 7

Райан осматривал Южную галерею и восхищался распределением источников света, умелым использованием пространства. Да, Джонсы свое дело знают. Экспозиции были устроены просто замечательно, с обязательными пояснительными текстами — ненавязчивыми, но информационно насыщенными.

Вполуха он слушал, как голубоволосая экскурсоводша рассказывала небольшой группе посетителей о великолепных мадоннах Рафаэля.

Рядом шумная толпа школьников слушала хорошенькую брюнетку. Вскоре, к большому облегчению Райана, их увели к импрессионистам.

Не то чтобы он не любил детей. Он безбожно баловал своих многочисленных племянников и племянниц, обожал с ними возиться. Но работе дети, как правило, мешают. А Райан очень ответственно относился к своей работе.

Охранники не мозолили глаза, но их было достаточно. Он замечал, где они стоят; а по осторожному взгляду, который один из охранников бросил на часы, он понял, что скоро будет смена.

Со стороны казалось, что Райан бесцельно бродил, останавливаясь перед тем или иным экспонатом. На самом деле он считал шаги. От двери до камеры в южном углу, от камеры до арки, от арки до следующей камеры, оттуда — до цели.

Перед бронзовой статуэткой пятнадцатого века он постоял ничуть не дольше, чем перед любой другой картиной или скульптурой. Бронзовый «Давид» был истинным шедевром: юный, дерзкий, стройный, праща готова сделать исторический бросок.

Художник был неизвестен, но стиль — явно школы Леонардо. Как гласила табличка, работа принадлежала одному из его учеников.

Один из клиентов Райана был одержим Леонардо. Месяцев шесть назад он увидел в институте Джонсов эту статуэтку и заказал ее Райану.

Клиент будет счастлив, и довольно скоро. Надо поторопиться. Сделать дело и смыться, пока он всерьез не связался с Мирандой. Райан уже чувствовал некоторую неловкость от того, что придется доставить ей столько неприятностей.

Но ведь статуэтка застрахована. Да и вряд ли этот «Давид» — главное сокровище Новоанглийского института искусств.

Если бы Райан выбирал для себя, он предпочел бы взять Челлини. Или тициановский портрет женщины, напоминавшей ему Миранду. Но клиенту нужна статуэтка, которая легко помещается в кармане. Так что с ней будет куда проще, чем с Челлини или Тицианом.

После внезапной вспышки страсти, удивившей его самого, он отвез Миранду домой, а потом, сменив вечерний костюм на более подходящую одежду, провел два продуктивных часа в огромном институтском подвале. Там, как он уже выяснил, проходила проводка сигнализационной системы — всех пультов, камер, датчиков.

Райан немного поколдовал над проводкой, кое-что чуть-чуть подправил. Основная работа займет не меньше нескольких часов, но кое-какие осторожные изменения значительно облегчат ее.

Сейчас он, следуя своему плану, делал замеры, проводил предварительную проверку. Райан улыбнулся голубоволосой женщине, проводившей мимо него свою группу. Держа руки в карманах, он задумчиво изучал висящую перед ним картину.

Нажал кнопочку крошечного аппарата, спрятанного в руке, и отключил ту видеокамеру, что находилась справа.

Райан, рассеянно улыбаясь, разглядывал картину, но краем глаза заметил, как мигнул красный огонек.

Господи, какая замечательная штука — технический прогресс!

Рукой в другом кармане он нажал на секундомер. И стал ждать.

Прошло почти две минуты, прежде чем запищало переговорное устройство ближайшего охранника. Райан снова нажал на секундомер, а другой рукой отключил блокировку камеры.

Более чем удовлетворительный результат, подумал Райан. Он вышел из галереи и достал мобильный телефон.

— Кабинет доктора Джонс. Могу я вам помочь?

— Надеюсь. — Звонкий голосок секретарши развеселил его. — Могу ли я поговорить с доктором Джонс? Мое имя Райан Болдари.

— Одну минуту, мистер Болдари.

Ожидая ответа, Райан подошел к окну. Красивый город. Интересная архитектура, красивые здания из кирпича и гранита. Прогуливаясь сегодня по улицам, он набрел на памятник Лонгфелло и решил, что этот и другие памятники придают городу особое очарование.

Нью-Йорк, с его напором и ритмом, был, конечно, ближе Райану. Но он бы не возражал пожить некоторое время в этом городишке. Не сейчас, разумеется. После завершения работы лучше не застревать на месте.

— Райан? — Она слегка задыхалась. — Извини, что заставила тебя ждать.

— Ничего. У меня выдалось свободное время, и я прошелся по вашей галерее.

Пусть знает. Все равно они потом будут пленку крутить.

— О-о. Надо было сказать мне. Я бы тебя сама поводила.

— Не хотел отрывать тебя от работы. Но должен сказать, что у моих Вазари будет чудесное временное обиталище. А тебе надо приехать в Нью-Йорк и увидеть, где будет помещен твой Челлини.

А вот этого не следовало говорить. Черт! Он переложил трубку в другую руку. Надо какое-то время подержать дистанцию.

— С удовольствием. Хочешь подняться? Я распоряжусь, чтобы тебя пропустили.

— Очень бы хотелось, но у меня назначено несколько встреч, которые нельзя пропустить. Я думал, мы с тобой пообедаем вместе, но не знаю, сколько времени у меня займут эти разговоры. Так что сегодня вряд ли что-нибудь получится. А если мы пообедаем вместе завтра?

— Годится. Когда тебе удобно?

— Чем раньше, тем лучше. Я хочу видеть тебя, Миранда. — Он очень хорошо представлял себе, что она сейчас делает: сидит за столом, наверное, в белом халате, надетом на какой-нибудь мешковатый свитер. Да, он хотел ее видеть, очень даже хотел. — Скажем, часов в двенадцать?

Он услышал шорох переворачиваемых страниц. Листает ежедневник, подумал Райан, и почему-то ему это показалось восхитительным.

— В двенадцать нормально. Да, документы на Вазари уже на моем столе. Ты быстро работаешь.

— Красивую женщину нельзя заставлять ждать. До завтра. Я буду думать о тебе ночью.

Он отключился и испытал вдруг странное, редкое для него чувство. Он понял, что это чувство вины, только потому, что прежде никогда его не испытывал — разумеется, когда дело касалось женщин или его работы.

— Ничего не поделаешь, — тихо сказал себе Райан и сунул в карман телефон. Щелкнув секундомером, он направился на автомобильную стоянку. Сто десять секунд.

Достаточно. Более чем достаточно.

Он посмотрел на окно на третьем этаже, где, как он знал, находился кабинет Миранды. Для этого тоже время найдется. Потом. Прежде всего дело. Он был уверен, что такая практичная женщина, как Миранда, согласилась бы с этим утверждением.

* * *

Райан уже несколько часов сидел, запершись в своем гостиничном номере. Он заказал обед в номер, нашел на стереоприемнике станцию, передающую классическую музыку, и достал свои записи.

Большой план-чертеж он разложил на столе, прижав по углам солонкой, перечницей и бутылочками с горчицей и кетчупом, которые ему принесли вместе с обедом.

Схема сигнализационной системы была выведена на экран портативного компьютера. Райан ел жареную картошку, пил воду «Эвиан» и работал.

План-чертеж он добыл легко. Деньги и связи делают чудеса. С компьютером Райан обращался очень ловко, это он освоил в колледже.

Когда-то его мать настояла, чтобы он научился печатать — ибо никогда не знаешь, что ждет тебя в жизни, — но Райан умел проделывать с клавиатурой гораздо более интересные вещи, чем печатание писем.

Он сам собрал свой лэптоп, добавив туда кое-какие усовершенствования, не вполне легальные. Но он ведь так или иначе все равно работал на незаконной ниве.

Галереи Болдари являлись абсолютно чистым заведением, они сами себя окупали и даже приносили некоторый доход. Но созданы они были на деньги, скопленные сообразительным мальчиком с ловкими руками.

Одни рождаются художниками, другие — бухгалтерами. Райан Болдари был прирожденным вором.

Поначалу он шарил по карманам и таскал побрякушки из-за того, что ему вечно не хватало денег. Преподаватели искусствоведения зарабатывают немного, а в семействе было много ртов.

Позже он стал лазить по квартирам, в чем весьма преуспел. К тому же это его очень возбуждало. Он до сих пор помнил свою первую прогулку по чужому спящему дому. Напряжение, лихорадочное волнение от того, что он там, куда его никто не звал, острое ощущение опасности — Райану все это очень понравилось.

Все равно что заниматься сексом в каком-нибудь общественном месте среди бела дня с чужой женой.

Но у него было строгое предубеждение против адюльтера, поэтому Райан ограничил свои острые ощущения воровством.

Сейчас, почти двадцать лет спустя, он каждый раз испытывал то же самое, когда вскрывал замок и проникал в чужие владения.

Он отточил свое мастерство до виртуозности и последние десять лет специализировался в искусстве. Искусство он любил, разбирался в нем и в душе считал, что оно принадлежит всем людям. Так что если Райан крал картину из Смитсоновского института — а он это проделывал, — он просто оказывал услугу некоему представителю народа, который готов был за это заплатить.

А Райан на эти деньги покупал другие произведения искусства и выставлял в своих галереях, чтобы публика могла ими насладиться.

Получалось очень мило.

А раз у него имелись способности к электронике и всяким техническим приспособлениям, так почему же их не использовать во благо дарованного господом таланта воровать?

Он занес в компьютер данные по Южной галерее и вывел на экран трехмерный поэтажный план. Камеры были помечены красным. Несколькими ударами по клавишам Райан дал компьютеру задание рассчитать углы, расстояния и наилучшие подходы.

Да, думал Райан, он сильно продвинулся с тех пор, как совершал квартирные кражи. Тогда он выбирал дом, забирался в окно, обшаривал квартиру и набивал сумку безделушками. Это занятие для глупого, безрассудного мальчишки. В наши беспокойные времена многие завели у себя дома оружие и не раздумывая палят из него, если обнаруживают у себя в квартире ночью незнакомца.

С такими психами лучше не связываться.

Надо, воспользовавшись достижениями науки и техники, быстро сделать свое дело — и прыг-скок дальше.

По привычке он проверил батарейки своего карманного блокатора. Это было его собственное изобретение; Райан соорудил блокатор из деталей телевизионного пульта, мобильного телефона и пейджера.

Поскольку он изучил сигнализационную систему — ее Райану гостеприимно показал Эндрю, — то было совсем нетрудно подогнать диапазон и частоту. Пришлось немного повозиться с проводкой. Утренняя проверка показала, что все получилось как надо.

Попасть внутрь будет посложнее. Если бы имелся партнер, он бы попросту отключил камеры, сидя в подвале. Но

Райан работал один, поэтому ему и требовался блокатор для камеры.

Замки — это просто. Райан неделю назад добыл схему и уже расколол ее. За две ночи пребывания на месте он уже подготовил боковой вход и подделал карточку-ключ.

Сам секретный код ему опять-таки любезно предоставил Эндрю. Райана поражало, как беспечно люди хранят секретную информацию в собственных бумажниках. Последовательность цифр была записана на листке бумаги, аккуратно сложенном и засунутом под водительские права. Райану потребовалось несколько секунд, чтобы вынуть бумажник, мгновение — чтобы проглядеть его содержимое, найти секретный код и запомнить его; а чтобы положить бумажник обратно, всего и нужно-то было дружески хлопнуть Эндрю по спине.

Райан подсчитал, что на подготовку ему потребовалось приблизительно семьдесят два часа. Плюс час на исполнение. Минус кое-какие расходы. Ожидаемая прибыль — восемьдесят пять тысяч долларов.

Неплохо, если все получится, подумал он, стараясь не жалеть о том, что это его последнее приключение. Он дал слово, а своих обещаний он не нарушал. А тем более обещаний, данных своей семье.

Он взглянул на часы: осталось восемь часов. Он провел их с пользой: уничтожил все записи, сжег в камине план-чертеж, сложил свои электронные приспособления в водонепроницаемый чемоданчик, поставил дополнительный пароль на компьютере и убрал его подальше.

Осталось время на гимнастику, ванну и сон. Райан прекрасно знал, что необходимо быть в форме, когда идешь на дело.

* * *

В шесть вечера Миранда все еще сидела у себя в кабинете, составляя письмо, которое она предпочла печатать собственноручно. Хотя официально они с Эндрю возглавляли институт, существовала стандартная процедура, когда каждый из их

родителей должен был одобрить продажу, покупку того или иного произведения искусства, даже обмен экспонатами.

Миранда собиралась написать сухое деловое письмо, кислое, как уксус, но вполне профессионально исчерпывающее.

Мамочке и так придется скоро проглотить пилюлю покислее любого уксуса.

Миранда составила текст и приступила к его шлифовке, когда зазвенел телефон.

— Новоанглийский институт, доктор Джонс.

— Миранда, слава богу, я тебя поймал!

— Алло, кто это?

— Это Джованни.

— Джованни? — Миранда посмотрела на часы. — У вас же сейчас глубокая ночь. Что-то случилось?

— Да, случилась катастрофа. Раньше я не мог тебе позвонить, но, мне кажется, ты должна все узнать до того, как... до утра.

У Миранды похолодело внутри. Она сдернула клипсу, мешавшую прижимать трубку к уху.

— Моя мать? С моей матерью что-то случилось?

— И да, и нет. Она здорова. Извини. Я ужасно расстроен.

— Ничего. — Миранда закрыла глаза, сделала глубокий вдох. — Расскажи спокойно, что произошло.

— Бронза Фиезоле. Она оказалась подделкой.

— Чушь какая-то. — Миранда выпрямилась, голос ее стал жестким. — Конечно же, это не подделка. Кто это сказал?

— Сегодня пришли результаты тестов из Рима. Из лаборатории «Аркана-Джаспер». Руководил проведением анализа доктор Понти. Ты его знаешь?

— Конечно. Ужасные новости, Джованни.

— Говорю тебе, я видел результаты собственными глазами. Доктор Станфорд-Джонс вызвала нас — меня, Ричарда и Элайзу, поскольку мы работали вместе. Она даже Винсента не пощадила. Миранда, она была в ярости. А еще было видно, как она унижена и перепугана. Бронза — подделка. Сделана несколько месяцев назад. Формула правильная, патина безупречная, так что ошибиться было нетрудно.

— Я не могла так ошибиться, — настаивала Миранда, но по ее спине поползли ледяные мурашки.

— Тесты по коррозийным слоям — неправильные, все до одного. Ума не приложу, как это у нас так получилось.

— Но ты же видел результаты наших анализов, компьютерные фото, рентгеновские снимки.

— Видел. Я так и сказал твоей матери, но...

— Что «но», Джованни?

— Она спросила меня, кто делал рентген, кто программировал компьютер, кто делал анализ на уровни радиации. Прости, дорогая.

— Да ничего. — Миранда с трудом понимала смысл слов. — Все это действительно делала я: проводила тесты, писала отчет.

— Если бы не утечка информации, дело удалось бы замять.

— Понти мог ошибиться. — Миранда потерла занемевшие пальцы. — Он ошибся. Я не могла проглядеть такую важную вещь, как коррозийные слои. Дай мне время, я должна все обдумать, Джованни. Я очень тебе признательна за звонок.

— Мне неприятно об этом говорить, Миранда, но, я надеюсь, ты меня поймешь. Твоя мать не знает, что я тебе обо всем рассказал, что я вообще тебе звоню. Она сама собиралась с тобой связаться завтра утром.

— Не беспокойся, я ей ничего не скажу о твоем звонке. Я больше не могу говорить, я просто в себя прийти не могу. Мне нужно подумать.

— Хорошо. Мне очень жаль, очень жаль, дорогая.

Она медленно положила трубку на рычаг и застыла, как каменное изваяние, глядя в пространство. Она пыталась восстановить по памяти все данные, упорядочить их, сделать такими же очевидными, какими они были во Флоренции. Но в голове шумело, и Миранда уткнулась лицом в колени.

Подделка? Не может быть. Невозможно. Миранда задыхалась, руки ее дрожали.

Она старалась быть предельно аккуратной, точной, все делала как надо. Внезапно закололо сердце.

Господи, неужели она могла допустить ошибку, но где, в чем?!

Значит, ее мать была права? Значит, Миранда составила свое мнение о бронзе в тот момент, когда ее увидела? Невзирая на все ее уверения в обратном. Выходит, желаемое она приняла за действительное? Ей очень хотелось, чтобы статуэтка оказалась шедевром: вот и поверила сама и заставила поверить других. Самоуверенность. Вот как назвала это Элизабет. Самоуверенность и амбиции. Миранда допустила, чтобы ее нахальство, ее жажда славы повлияли на ее профессиональное суждение.

Нет, нет, нет. Миранда сжала кулаки. Она же видела фотографии, изучала результаты анализов. Факты не могут лгать. Каждый тест подтверждал ее мнение. Ошибки быть не могло. В противном случае это хуже, чем профессиональная неудача. Доктору Джонс теперь никто не будет доверять. Она сама перестанет себе доверять.

Вошедший через двадцать минут Эндрю увидел, что сестра неподвижно сидит, закрыв глаза и откинув голову на спинку кресла.

— Я сегодня заработался, смотрю, у тебя тоже свет горит... — Он умолк на полуслове. Миранда сидела белая как мел, а когда она открыла глаза, в них была такая боль, что Эндрю опешил. — Ты что, заболела?

Он подошел и приложил руку к ее лбу.

— Ты холодная как лед. — Он взял ее руки в свои и стал растирать ледяные пальцы. — Простудилась? Я отвезу тебя домой. Тебе надо лечь.

— Эндрю... — Она должна сказать это, должна проговорить вслух. — «Смуглая Дама». Она оказалась подделкой.

— Что? — Он погладил ее по голове. Теперь и Эндрю похолодел. — Бронза? Во Флоренции?

— Были проведены повторные тесты. Получены результаты. Тесты по коррозийным слоям неправильные, анализы на уровни радиации тоже. Проводил профессор Понти из Рима. Самолично.

Эндрю присел на край стола, потрясенный услышанным.

— А как ты узнала?

— Джованни позвонил. Хотя и не должен был. Если мать узнает, она его просто уволит.

— Ага. — Сейчас его меньше всего тревожил Джованни. — Ты уверена, что у него точная информация?

— Очевидно, да, как бы мне ни хотелось думать иначе. —

Миранда прижала руки к груди. — Вряд ли бы он мне позвонил, если бы не был уверен. Мать вызвала к себе его, Элайзу и Ричарда Хоуторна. И даже Винсента. Представляю себе, что она им устроила. Она собирается во всем обвинить меня. — Голос Миранды дрогнул, и она отчаянно замотала головой, словно пыталась отогнать нахлынувшие эмоции. — Она меня предупреждала.

— Ты считаешь, что действительно виновата?

Она открыла рот, чтобы яростно воскликнуть «нет!», но, осекшись, сжала губы. Держи себя в руках, приказала она.

— Я ничего не понимаю, Эндрю. Я проводила тесты строго по всем правилам, очень внимательно и тщательно, записывала результаты. Но, признаюсь тебе, Эндрю, мне так хотелось оказаться правой, Эндрю, мне так этого хотелось! Может быть, в этом разгадка? Но ручаюсь тебе, что не стала бы подтасовывать результаты.

— Никогда еще не случалось, чтобы желания заслоняли от тебя реальность. — Он не мог видеть ее такой несчастной. Из них двоих Миранда всегда была сильнее. Они оба так считали. — Может, какой-нибудь технический ляп или неисправное оборудование?

Миранда чуть не рассмеялась:

— Эндрю, о чем ты говоришь! Это же царство Элизабет.

— Машина может разладиться.

— Или же люди вводят данные, из-за которых машина делает ошибку. Это могло случиться и с самим Понти. — Миранда резко встала и, хотя ноги плохо ее слушались, начала медленно расхаживать по комнате. — Это так же вероятно, как то, что могла ошибиться и я. Мне нужно снова взглянуть на мои расчеты, результаты моих анализов. Мне нужно увидеть «Смуглую Даму».

— Тогда тебе надо поговорить с Элизабет.

— Знаю. — Она остановилась, повернулась к темному окну. — Я бы позвонила ей прямо сейчас, но не хочу подводить Джованни. Подожду, пока она сама со мной свяжется.

— Ты всегда глотала лекарство залпом. А вот я предпочитаю всякие неприятные дела откладывать на потом.

— Все равно никуда не денусь. В любом случае, когда результаты экспертизы станут достоянием гласности, разразится скандал. Меня будут считать либо профаном, либо мошенницей. Винсент, конечно, постарается смягчить все это в своем заявлении для прессы, но разве журналистов удержишь? Элизабет была права. Это бросит тень на «Станджо», на нее, на меня. — Миранда повернулась к брату. — Это бросит тень на наш институт.

— Переживем и это, сестренка.

— Это моя вина, Эндрю. Мне и расхлебывать.

Он подошел, положил ей руки на плечи.

— Нет, — просто сказал он. У Миранды навернулись слезы на глаза. — Мы будем расхлебывать вместе. Как всегда.

Она вздохнула и уткнулась лицом ему в грудь. Миранда знала, что больше мать никогда не даст ей шанса. Если придется выбирать между дочерью и репутацией института, Миранда знала, в чью пользу будет сделан выбор.

ГЛАВА 8

Пронизывающий ночной ветер был похож на оскорбленную женщину — злой и беспощадный. Но Райан не обращал внимания на ветер и даже находил его освежающим. Машину он оставил в трех кварталах от института и дальше пошел пешком.

Все, что ему было нужно, лежало в карманах пальто и в маленьком чемоданчике, который он нес в руке. Если бы по какой-либо причине Райана остановили полицейские и пожелали бы осмотреть содержимое его карманов и чемоданчика, то он оказался бы за решеткой, прежде чем успел позвонить своему адвокату. Что ж, риск — тоже издержка его работы.

Господи, как же ему будет ее не хватать, подумал Райан, шагая торопливыми шагами, словно спеша на свидание к возлюбленной. Скоро подготовительный период жизни окажется позади — это его последнее дело. Райану хотелось запечатлеть в памяти малейшую деталь; так, чтобы, став стариком и качая на коленях внуков, он мог возвращаться в свою молодость — яркую и захватывающую.

Он окинул внимательным взглядом улицу. Голые ветки деревьев дрожали на ветру, машин почти не было, из-за туч

изредка проглядывала луна, ее тусклый свет был почти незаметен на фоне зыбкого мерцания фонарей. Райан миновал бар с ярко-голубой неоновой вывеской в виде стакана мартини и улыбнулся. Может, он зайдет сюда пропустить стаканчик после работы. Поднять тост за благополучное завершение целого жизненного этапа.

Дождавшись зеленого света семафора, он перешел улицу — законопослушный гражданин, который даже ночью не ходит на красный свет. По крайней мере, не тогда, когда несет с собой набор инструментов для взлома.

Впереди показался внушительный силуэт гранитного здания института. Райан с удовольствием подумал, что его последним делом будет проникновение в столь солидное и гордое старинное здание.

Не горело ни одно окно, но светились огни сигнализации в вестибюле. Как забавно и даже трогательно, что люди оставляют свет, чтобы отпугнуть воров. Профессионал украдет среди бела дня с такой же легкостью, как и под покровом ночи.

А он был профессионалом.

Он снова осмотрел улицу, потом взглянул на часы. Райан заранее проверил график полицейских патрулей. Если не будет вызова, до проезда полицейской машины еще добрых пятнадцать минут.

Он направился к южному входу, походка была энергичной, но неторопливой. Под длинным пальто угадывался солидный животик, из-под широкополой шляпы, затенявшей лицо, виднелись седоватые волосы. Прохожий принял бы его за элегантного пожилого, чуть полноватого джентльмена.

В двух ярдах от двери и вне видимости наружной видеокамеры он достал из кармана блокатор и направил его на камеру. Мигнул красный огонек, и Райан бросился к двери.

С поддельной пластиковой карточкой-ключом пришлось немного повозиться, но с третьей попытки все получилось. Он снова включил камеру — зачем понапрасну тревожить бдительную охрану, — запер за собой дверь.

В вестибюле он снял пальто, повесил его около автомата, продающего напитки, сунул в карман черные лайковые перчатки, а вместо них надел тонкие резиновые — такие можно купить в любой аптеке. На голову натянул черную шапочку.

В последний раз проверил свои инструменты.

И только теперь Райан позволил себе замереть на мгновение, наслаждаясь моментом.

Он стоял в темноте и слушал тишину, которая в действительности вовсе не была тишиной. Любое здание говорит на своем языке, поскрипывает, покряхтывает. Райан слышал шуршание вентиляторов, завывание ветра за окнами.

Помещение для охранников находилось этажом выше, а полы были толстые. Райан ничего не слышал, значит, и охрана его не слышит. Глаза привыкли к темноте, и он подошел к следующей двери. В ней был отличный сложный замок, пришлось воспользоваться отмычками и тонким, как карандаш, фонариком, зажатым в зубах. Примерно через тридцать секунд замок легонько щелкнул.

Райан улыбнулся, услышав этот щелчок, и проскользнул в холл.

Первая камера висела в конце коридора, она поворачивалась влево и вправо. Но Райана это не заботило. Он был тенью среди теней, а камера к тому же была нацелена на галерею. Он бесшумно двинулся вдоль стены, свернул за угол.

Пещера Аладдина, подумал он, остановившись у входа в Южную галерею. Лондонский Тауэр, сокровища пиратов, страна чудес — без этого не обходилась ни одна сказка, которые ему читали в детстве.

Предвкушение сладостного мига, восторг, охватывающий все его существо, вседозволенность — дивные ощущения. Бери что хочешь. Как легко в подобные минуты поддаться корысти. А корысть до добра не доведет.

Он снова посмотрел на часы. Американцы — парни обстоятельные, а значит, совершают свои дежурные обходы аккуратно, несмотря на камеры и датчики. Хотя его присутствие здесь доказывало, что этих самых камер и датчиков явно недостаточно. Если бы Райан отвечал за безопасность института, он бы удвоил охрану и приказал совершать обходы в два раза чаще.

Но у каждого своя работа.

Фонарик он не включал. Во-первых, нет надобности, а вовторых, датчики могут среагировать даже на самый тонкий лучик. Благодаря своим расчетам и отличному зрению в темноте Райан благополучно прошел по галерее, заблокировал камеру.

Двигаясь очень быстро, он в то же время методично считал секунды. Когда он остановился перед витриной, в его руке уже был зажат резак для стекла. Сделав аккуратную окружность, чтобы свободно пролезал кулак, Райан прижал по центру присоску, с легким чмокающим звуком вынул стеклянный круг и аккуратно положил его на столик.

Он действовал быстро, но движения его были расчетливыми и осторожными. Райан не разглядывал свою добычу, не раздумывал, а не взять ли что-нибудь еще. На это пусть тратят время дилетанты. Он просунул руку, достал статуэтку и сунул ее в карман.

Поскольку он всегда ценил порядок и юмор, он вставил стеклянный круг на место. Потом прокрался за угол и снова включил видеокамеру.

По его подсчетам, все это заняло семьдесят пять секунд.

В коридоре он переложил бронзовую статуэтку в чемоданчик, со всех сторон обложив пенопластовыми шариками. Снял шапочку, стянул перчатки, аккуратно скатал их и положил в карман.

Надев пальто, Райан отпер дверь, вышел, снова запер на замок и зашагал прочь. С момента проникновения в здание института не прошло и десяти минут.

Быстро, чисто, результативно. Красивое завершение карьеры. Увидев бар, он уже почти остановился, чтобы зайти. Но в последнюю минуту передумал и решил вернуться в отель и заказать в номер бутылку шампанского.

Такие события лучше отмечать в одиночку.

* * *

В шесть часов утра Миранду разбудил резкий телефонный звонок. Ничего не понимая спросонья, морщась от головной боли, она схватила трубку.

— Доктор Джонс. Слушаю. — Звонили не из Италии. Звонок был местный. — Алло, кто говорит?

— Доктор Джонс, это Кен Скуттер, охранник.

— Мистер Скуттер? — Она не помнила его в лицо, да и вообще сейчас соображала с трудом. — В чем дело?

— У нас кое-что случилось.

— Случилось? — В голове немного начало проясняться. Миранда стремительно села в кровати. Ноги запутались в простыне, она чертыхнулась сквозь зубы, рывком высвободилась. — Что именно?

— Обнаружилось это только что, когда менялась смена, но я решил связаться с вами незамедлительно. Взлом.

— Взлом? — Миранда окончательно проснулась. — В институте?

— Да, мэм. Вы, наверное, захотите сразу приехать.

— Есть ли какие-нибудь повреждения? Что-то пропало?

— Повреждений, в общем, никаких, доктор Джонс. Украден один экспонат из Южной галереи. Согласно каталогу, это бронзовая статуэтка пятнадцатого века, автор неизвестен, называется «Давид».

Бронза, подумала Миранда. Просто наваждение какое-то с этой бронзой!

— Я сейчас выезжаю.

Не надевая халата, прямо в голубой пижаме, она помчалась в комнату брата. Ворвалась и затрясла его изо всех сил.

— Эндрю, вставай. У нас взлом.

— Что? — Он отпихнул ее, потер глаза, широко зевнул. — Какой взлом? Где? Когда?

— В институте. Пропала бронзовая статуэтка из Южной галереи. Одевайся скорее, и поехали.

— Бронзовая статуэтка? — Он покрутил головой. — Миранда, ты бредишь?

— Ничего я не брежу! — крикнула она. — Позвонил Скуттер из охраны. У тебя десять минут, Эндрю, — бросила она, выходя из комнаты.

* * *

Через тридцать минут Миранда и Эндрю уже стояли в Южной галерее, тупо глядя на стеклянный круг и пустое место за ним. Миранду вдруг замутило, задрожали колени.

— Вызовите полицию, мистер Скуттер.

— Да, мэм. — Он сделал знак одному из своих людей. — Я приказал прочесать здание, но не обнаружено никаких следов и ничего больше не украдено.

Эндрю кивнул:

— Я хочу просмотреть видеозаписи за последние двадцать четыре часа.

— Да, сэр. — Скуттер шумно вздохнул. — Доктор Джонс, ночной дежурный сообщил, что были небольшие проблемы с двумя камерами.

— Проблемы? — переспросила Миранда. Теперь она вспомнила Скуттера. Это был невысокий коренастый человек, бывший полицейский, решивший сменить свою беспокойную профессию на более мирную работу охранника. Его послужной список был безупречным. Эндрю лично принимал его на работу.

— Вот с этой камерой, — показал Скуттер. — Она погасла вчера утром примерно на девяносто секунд. Ничего особенного — камеру проверили, и все. А нынешней ночью, около двенадцати, камера при входе тоже отключилась приблизительно на минуту. Дежурные решили, что виноват сильный ветер. С внутренней камерой произошло то же самое: погасла секунд на восемьдесят где-то между полуночью и часом. Точное время можно будет установить после просмотра кассет.

— Ясно. — Эндрю сунул руки в карманы брюк и от злости сжал кулаки. — Ваше мнение, мистер Скуттер?

— Полагаю, взломщик — профессионал, хорошо разбирающийся в электронике. Он проник через южный вход, отключив предварительно сигнализацию и камеру. Он четко знал, за чем пришел, по сторонам не пялился — извините, доктор Джонс, — Скуттер смущенно покосился на Миранду. — Все это дает основания утверждать, что он хорошо знает музей, его расположение, охранное устройство.

— Что же это получается? — заговорила Миранда, едва сдерживая рвущуюся наружу ярость. — Он спокойно проникает в институт, берет то, что ему надо, уходит — и все это несмотря на целый комплекс мер безопасности и полдюжины вооруженных охранников?

— Да, мэм. — Скуттер опустил глаза и крепко сжал губы. — Выходит, что так.

— Спасибо. Не могли бы вы пройти в холл и встретить полицию? — Она подождала, пока шаги охранника затихнут, повернулась к брату и дала вырваться накопившемуся бешенству. — Сукин сын! Каков сукин сын, Эндрю. — Она с ненавистью посмотрела на камеру. — Этот тип хочет нас уверить, что кто-то отключил сложнейшую сигнализацию, проник сюда, украл один из экспонатов — и все это меньше чем за десять минут!

— Это наиболее вероятная версия; если, конечно, ты не подозреваешь охрану в заговоре и во внезапно вспыхнувшей страсти к маленьким бронзовым мальчикам.

Эндрю было очень больно. Он так любил «Давида», его чистоту линий, жизненную силу.

— Могло быть и хуже, Миранда.

— Наша система безопасности — пустой звук. Что может быть хуже?

— Этот взломщик мог набить целый мешок экспонатами и вынести половину музея.

— Одна вещь или несколько, какая разница? Нас ограбили. Господи! — Миранда закрыла лицо руками. — Из института ничего не воровали с пятидесятых годов. А из украденных тогда шести картин четыре были найдены.

— Ну так, может, уже подошла наша очередь, — устало пошутил Эндрю.

— Чушь! Мы столько денег потратили на систему сигнализации.

— У нас нет детекторов движения, — пробормотал Эндрю.

— Да, ты хотел их установить.

— Для этого пришлось бы вскрывать полы. — Он посмотрел на толстый мрамор. — А начальство не согласилось.

Начальством были их родители. Отец пришел в ужас при одной мысли о том, что драгоценные полы могут быть испорчены. А услышав о стоимости сигнализации, и вовсе замахал руками.

— Наверное, это все равно бы не помогло, — пожал плечами Эндрю. — Раз взломщик профессионал, он бы с любой системой справился. Черт, Миранда, за охрану института отвечаю я.

— Ты не виноват.

Он вздохнул. Отчаянно, до дрожи, хотелось выпить.

— Всегда кто-нибудь виноват. Я сам им скажу. Я даже не знаю, как связаться с отцом в Юте.

— Сказать, разумеется, придется, но не будем торопиться. Дай-ка мне подумать. — Миранда прикрыла глаза. — Как ты правильно заметил, могло быть и хуже. Мы потеряли только один экспонат. Может быть, его найдут. В любом случае он застрахован. Так что пусть пока этим занимается полиция. Это их работа.

— А я должен делать свою. Я позвоню во Флоренцию. — Он криво улыбнулся. — Посмотри на это дело иначе: может быть, наша маленькая пропажа отодвинет на задний план твою неудачу.

Она фыркнула:

— Если бы это было возможно, я сама стащила бы что-нибудь из нашего музея.

— Доктор Джонс. — В комнату вошел мужчина. Лицо его покраснело от холода, узкие зеленые глаза цепко смотрели из-под густых седых бровей. — Мистер Джонс. Детектив Кук. — Он показал значок. — Слышал, у вас пропажа?

К девяти часам голова у Миранды разболелась так, что она обессиленно уронила ее на стол. Дверь она закрыла и едва удержалась, чтобы не запереть. Может она хотя бы десять минут пожалеть себя и попереживать?

Попереживать удалось только пять минут.

— Миранда, извини. — В голосе Лори звучали тревога и сомнение. — На проводе доктор Станфорд-Джонс. Сказать, что я не смогла тебя найти?

Соблазнительно, конечно. Но Миранда сделала глубокий вздох, выпрямилась.

— Нет-нет, я подойду. Спасибо, Лори. — Чуть откашлявшись, она подняла трубку. — Здравствуй, мама.

— Тесты по бронзе Фиезоле завершены, — без малейших предисловий начала Элизабет.

— Очень хорошо!

— Ничего хорошего! Твое заключение оказалось неправильным.

— Не могу в это поверить.

— Веришь ты или нет, оно опровергнуто. Бронзовая статуэтка — всего лишь умелая подделка стиля и материалов эпохи Возрождения. Власти допрашивают Карло Ринальди, человека, который якобы нашел статуэтку.

— Я хочу видеть данные последних анализов.

— Это невозможно.

— Ты можешь это устроить. Я имею право...

— Миранда, ты ни на что не имеешь права. Уясни для себя ситуацию. Сейчас главное — минимизировать ущерб. Мы провалили уже второй государственный проект. Твоя репутация, а следовательно и моя, под угрозой. Кое-кто считает, что ты намеренно подтасовала результаты тестов, желая стяжать себе славу.

Миранда тщательно стерла пятнышко, оставленное на столе чашкой с чаем.

— Этот «кое-кто» — ты?

Короткое молчание, последовавшее за вопросом, было красноречивее слов.

— Я считаю, что твоя самоуверенность заглушила в тебе разум и логику. Ты поторопилась и ошиблась. А поскольку тебя пригласила я, то я несу за это ответственность.

— Я сама могу за себя ответить. Спасибо за поддержку.

— Сарказм здесь неуместен. Средства массовой информации непременно попытаются связаться с тобой в ближайшие дни. Ты должна воздержаться от любых комментариев.

— У меня масса комментариев.

— Ты все будешь держать при себе. А еще лучше — возьми отпуск и уезжай куда-нибудь.

— Да? — У Миранды задрожали руки. — Это будет пассивное признание собственной вины, которой я за собой не чувствую. Я хочу видеть результаты тестов. Если я допустила ошибку, я хочу по крайней мере знать: где и когда.

— Не могу тебе в этом помочь.

— Прекрасно. Обойдусь без тебя. — Она с раздражением посмотрела на внезапно запищавший факс. — Я сама свяжусь с Понти.

— Я с ним уже говорила. Ему нет до тебя дела. Все, вопрос закрыт. Соедини меня с кабинетом Эндрю.

— О, с удовольствием. У него есть для тебя новости. — Она в бешенстве нажала на кнопку и приказала: — Лори, переключи на кабинет Эндрю.

Миранда старалась справиться с дыханием. Она даст Эндрю несколько минут, а потом пойдет к нему. И будет спокойной и уверенной. «Ты справишься, — сказала она себе. — Забудь о своих проблемах и сосредоточься на краже».

Чтобы отвлечься, она взяла выползшую из факса страничку.

Кровь застыла в ее жилах.

Ты была так в себе уверена, правда? А оказалось, что ты ошиблась. Как ты это объяснишь?

Твоя репутация рухнула, Миранда, и что у тебя осталось? Ничего. Ведь единственное, что у тебя было, это репутация, имя, заслуги.

Теперь ты жалкое существо. У тебя ничего нет.

А у меня есть все.

Каково, Миранда, когда тебя выставляют мошенницей, объявляют некомпетентной? Каково быть неудачницей?

Читая, она прижимала руки к груди. Потом пошатнулась и схватилась за стол, чтобы не упасть.

— Кто ты? — не удержавшись, яростно воскликнула она. — Кто ты, черт тебя возьми?!

Это неважно, остановила она себя. Еще не хватало, чтобы на нее так действовали подобные пакости. Это ровным счетом ничего не значит.

И все же она порывисто схватила факс, сунула его к первому и заперла ящик стола.

Она непременно выяснит, кто это пишет. Найдет способ. Прижав руки к пылающим щекам, Миранда старалась успокоиться.

А сейчас нет времени заострять внимание на собственных неприятностях. Она глубоко вздохнула, потерла руки, чтобы согрелись.

Она нужна Эндрю. Она нужна институту. Миранда крепко стиснула зубы. У нее есть не только имя и заслуги.

У нее есть кое-что еще. И она намерена это доказать.

Миранда расправила плечи и двинулась к двери. Пора идти к Эндрю.

По крайней мере, двое членов их семьи всегда поддержат друг друга.

У стола Лори стоял детектив Кук.

— Уделите мне немного времени, доктор Джонс.

— Конечно. — Хотя на душе у нее скребли кошки, Миранда попыталась сделать лицо поприветливее и распахнула дверь своего кабинета. — Заходите, пожалуйста, присаживайтесь. Лори, ни с кем меня не соединяй. Хотите кофе, детектив?

— Нет, спасибо. Я с этим завязываю. Кофеин и табак — самые настоящие убийцы. — Он сел на стул, достал блокнот. — Доктор Джонс — я имею в виду брата — сказал мне, что украденная статуэтка была застрахована.

— Да, на случай кражи и пожара.

— Пятьсот тысяч долларов. Не слишком ли много за такую маленькую вещь? Там ведь даже авторство не установлено.

— Художник действительно неизвестен, но это, несомненно, кто-то из учеников Леонардо да Винчи. — Ей очень хотелось прижать пальцы к ноющим вискам, но она удержалась. — Это великолепное изображение Давида, датировано примерно двадцатыми годами шестнадцатого века.

Она сама проводила тесты, горько усмехнулась про себя Миранда. И никому не пришло в голову проверять ее результаты.

— Пятьсот тысяч — нормальная сумма, — продолжила она. — На аукционе или при продаже мы получили бы за нее примерно столько же.

— А вы здесь этим занимаетесь? — поджал губы Кук. — Продаете?

— Время от времени. И покупаем тоже. Это часть нашей работы.

Полицейский окинул взглядом кабинет.

— Нужно много денег, чтобы содержать такой институт.

— Да. Мы берем плату за обучение, за консультации, за посещение музея. Имеется также денежный фонд, оставленный еще моим дедом. Часто коллекционеры жертвуют свои коллекции или отдельные произведения искусства безвозмездно. — В голове мелькнуло, что, пожалуй, было бы лучше позвонить адвокату. — Детектив Кук, нам не нужны пятьсот тысяч долларов страховки, чтобы поправить пошатнувшиеся дела.

— Да я так спросил, на всякий случай. Для многих людей

это довольно крупная сумма. Особенно для тех, кто любит азартные игры, сильно задолжал или захотел купить роскошный автомобиль.

Плечи Миранды мгновенно напряглись, но она смело встретила его взгляд.

— Я не играю, у меня нет долгов и у меня есть машина, которая меня вполне устраивает.

— Извините, что я так говорю, доктор Джонс, но вы как будто не особенно огорчены этой кражей.

— Мое огорчение помогло бы вам в вашем расследовании?

Он прищелкнул языком.

— Тут вы правы. Вот ваш брат переживает куда сильнее.

Она отвела глаза и посмотрела на стоявшую на столе чашку с чаем.

— Он чувствует свою ответственность за происшедшее и принимает это близко к сердцу.

— А вы нет?

— Что вы имеете в виду — не чувствую ответственности или не принимаю близко к сердцу? — сухо осведомилась она. — Ни то ни другое.

— Так, только для порядка, не скажете, где вы были вчера вечером?

— Пожалуйста. — Миранда внутренне вся напряглась, но отвечала спокойно: — Мы с Эндрю работали часов до семи. Секретаршу я отпустила примерно в шесть. Вскоре после этого мне позвонили.

— Кто?

— Из Флоренции. Мой итальянский коллега. — В животе горело огнем, словно при язвенном приступе. — Мы беседовали минут десять, может, меньше. Вскоре после этого ко мне зашел брат. Мы поговорили и около семи вместе ушли из института.

— Вы всегда вместе приходите на работу и уходите вместе?

— Нет. Наши часы работы не всегда совпадают. Просто я не очень хорошо себя чувствовала вчера, и он отвез меня домой. Мы живем в доме, который достался нам от бабушки. Потом мы поужинали, и я около девяти поднялась к себе.

— И оставались в своей комнате всю ночь?

— Да. Я уже сказала, что плохо себя чувствовала.

— Ваш брат тоже всю ночь был дома?

Она понятия не имела.

— Да, конечно. Я разбудила его после того, как мне позвонил мистер Скуттер из охраны, где-то в шесть утра. Мы приехали в институт вместе, оценили ситуацию и попросили мистера Скуттера вызвать полицию.

— Эта бронзовая статуэтка... — Кук опустил блокнот на колени. — У вас ведь имеются куда более ценные вещи. Забавно, что вор взял только ее, хотя мог нанести вам куда больший ущерб.

— Да, — ровным голосом подтвердила она. — Я сама все время об этом думаю. Как вы это можете объяснить, детектив?

Он улыбнулся. Отличный ответный удар.

— Очевидно, ему нужна была именно эта статуэтка. Больше ничего не пропало?

— Экспозицию тщательно осмотрели. Все на месте. Больше я ничего не могу вам сказать.

— А мне пока больше ничего и не нужно. — Он встал, закрыл блокнот. — Мы побеседуем с вашим персоналом, а потом, возможно, снова придется побеспокоить вас.

— Мы искренне готовы помочь полиции всем, что в наших силах. — Она тоже поднялась. Ей хотелось, чтобы он ушел. — Вы всегда сможете найти меня или здесь, или дома. — Она говорила это и шла к двери. Выйдя в приемную, она с удивлением увидела в ней Райана Болдари.

— Миранда! — Он бросился к ней и сжал ее руки. — Я уже слышал.

Слезы вдруг подступили к глазам, но Миранда сдержалась.

— Плохой день, — только и сумела выговорить она.

— Мне так жаль! Что украдено? У полиции есть какие-нибудь версии?

— Я... Райан, это детектив Кук. Он ведет расследование. Детектив, это Райан Болдари, наш коллега.

— Детектив! — Райан за три мили даже со спины узнал бы в нем полицейскую ищейку.

— Мистер Болдари, добрый день. Вы работаете здесь?

— Нет, я владелец галерей в Нью-Йорке и Сан-Францис-

ко. Сюда приехал на несколько дней по делу. Миранда, могу я чем-то помочь?

— Нет, спасибо. Я не знаю. — У нее снова задрожали руки.

— Тебе надо посидеть, успокоиться.

— Мистер Болдари, одну минутку? — Кук поднял палец, когда Райан взял Миранду под руку и повел обратно в ее кабинет. — Как называются ваши галереи?

— Болдари, — высокомерно подняв брови, ответил Райан. — Галереи Болдари, разумеется. — Он достал серебряный футляр и вынул оттуда визитную карточку. — Вот, здесь есть адрес обеих галерей. Извините, детектив, я отведу доктора Джонс в ее кабинет.

Он с чувством огромного удовлетворения захлопнул дверь прямо перед носом у полицейского.

— Сядь, Миранда. Сядь и расскажи мне, что случилось.

Она послушно начала рассказывать. Ей было приятно, что он крепко держит ее руки в своих.

— Похитили одну статуэтку, — задумчиво произнес Райан, когда она закончила. — Странно.

— Какой-то странный вор, — отозвалась она. — Он мог очистить весь зал, однако не сделал этого.

Райан чуть не обиделся.

— А если он просто разборчив, а не глуп? С трудом верится, что, как ты выражаешься, странный вор или воровка — ведь это могла быть и женщина — так легко справился с вашей сигнализацией.

— Ну, может быть, он и разбирается в электронике, но ничего не смыслит в искусстве. — Миранде не сиделось, она встала и включила кофеварку. — «Давид» — очаровательная вещица, но далеко не лучшая в нашей коллекции. Господи, что я говорю, — махнула она рукой. — Получается, будто я жалею, что он не взял что-нибудь получше. А меня просто бесит сам факт кражи из института.

— Я бы тоже злился. — Он подошел и поцеловал ее в висок. — Уверен, полиция отыщет и вора, и «Давида». Кук производит впечатление человека энергичного.

— Даже слишком. Надеюсь, скоро он вычеркнет нас с

Эндрю из списка подозреваемых и займется поисками настоящего вора.

— Это формальность, они всегда начинают с владельцев. — И снова Райан почувствовал себя виноватым. — Тебя это не должно тревожить.

— Нет, конечно. Просто меня это раздражает. Спасибо, что ты пришел, Райан. О господи, обед! — вдруг вспомнила она. — Я, наверное, не смогу.

— Не бери в голову. Мы пообедаем, когда я приеду в следующий раз.

— В следующий раз?

— Я должен уехать сегодня вечером. Думал побыть еще пару дней, но... По некоторым причинам надо возвращаться уже сегодня.

— О! — А она-то думала, что несчастнее, чем сегодня утром, быть уже невозможно.

Он поднес к губам ее руки. Глаза печальные, но она справится.

— Может, и к лучшему, если ты по мне поскучаешь. Хоть немного отвлечешься от других забот.

— Да, в ближайшее время забот у меня будет по горло. Но мне очень жаль, что ты уезжаешь. Скажи... Наш договор не будет расторгнут из-за того, что произошло?

— Миранда! — Он наслаждался моментом, изображая надежного и верного товарища. — Не говори глупостей! Вазари прибудут к вам в течение месяца.

— Спасибо. Сегодня я больше, чем когда-либо, признательна тебе за доверие.

— Ты будешь по мне скучать?

Ее губы дрогнули, едва слышно она произнесла:

— Да.

— Теперь попрощаемся.

Она собралась было сказать «до свидания», но он закрыл ей рот поцелуем. И побаловал себя — преодолел ее защиту и систему охраны, как и подобает вору.

Он знал: пройдет много времени, прежде чем они снова увидятся — если вообще увидятся когда-нибудь. Их жизненные пути расходятся, но ему хотелось кое-что взять с собой.

Он забрал с собой ее едва пробудившуюся страсть. Он забрал с собой ее нежность и ее надежду.

Райан чуть отстранился, внимательно посмотрел в ее лицо, коснулся пальцами ее щеки.

— До свидания, Миранда, — с бóльшим сожалением, чем сам от себя ожидал, сказал он.

И вышел, уверенный, что она сумеет справиться с теми небольшими неудобствами, которые он внес в ее жизнь.

ГЛАВА 9

Когда Эндрю после разговора с матерью повесил трубку, он готов был все отдать за глоток «Джека Дэниелса». Да, конечно, это его вина, и он сам это прекрасно понимает. Он руководит институтом, лично отвечает за охрану и безопасность.

Мать, как всегда жестко, напомнила ему об этом — сухо, коротко, определенно.

Напрасно они с Мирандой утешались тем, что вор, хоть и проник в музей, взял только один экспонат. Для Элизабет взлом был личным оскорблением, а потерю маленького «Давида» она воспринимала так, словно вынесли все экспонаты до единого.

И это он тоже мог понять и принять. Груз ответственности, общение с полицией и страховой компанией, с прессой. Но чего он никак не мог понять (и из-за этого ему жутко хотелось выпить) — так это того, что у матери не нашлось ни единого слова утешения или поддержки.

Выпить было нечего. Он считал, что держать у себя в кабинете бутылку — значит перейти за грань; уже одно это позволяло ему утешать себя мыслью, что никаких проблем с пьянством у него нет.

Он пил дома, в баре, на вечеринках. На работе он не пил. Значит, он все-таки может держать себя в руках.

Одно дело мечтать о стаканчике, который поможет продержаться трудный день, и совсем другое — выпить этот самый стаканчик.

Эндрю нажал кнопку интеркома:

— Мисс Пердью.

— Да, доктор Джонс?

«Сгоняйте-ка в винный, мисс Пердью, милочка, и принесите мне бутылочку «Джека Дэниелса». У нас в семействе другое виски не признают», — мысленно произнес он.

— Зайдите ко мне.

— Сию минуту, сэр.

Эндрю встал из-за стола и подошел к окну. Руки не дрожат, так ведь? В животе тяжелый горячий ком, по спине стекает холодный липкий пот, но руки не дрожат. Он в порядке.

Вошла секретарша, аккуратно притворив за собой дверь.

— В одиннадцать придет следователь из страховой компании, — не оборачиваясь, сказал Эндрю. — Отмените все остальные встречи.

— Я уже отменила все, кроме самых важных, доктор Джонс.

— Хорошо, спасибо. И... — Он потер переносицу, желая облегчить ломоту в висках. — Необходимо собрать производственное совещание, только начальники отделов. Как можно быстрее.

— В час дня, доктор Джонс.

— Прекрасно. Сообщите моей сестре. Попросите ее подготовить сообщение для прессы. Всем журналистам, которые будут к вам обращаться, сообщите, что мы опубликуем заявление к концу дня. А до этого — никаких комментариев.

— Да, сэр. Доктор Джонс, детектив Кук хотел бы с вами поговорить, как только вы сможете. Он внизу.

— Я сейчас спущусь. Еще нам с вами нужно сочинить письма доктору Станфорд-Джонс и доктору Чарльзу Джонсу с детальным описанием происшедшего. Они... — В дверь постучали, и в кабинет вошла Миранда.

— Можно, Эндрю? Если ты занят, я зайду попозже.

— Проходи. Сэкономим мисс Пердью время. Ты составишь заявление для прессы?

— Сейчас же им займусь. — Она видела, что брат напряжен до предела. — Ты говорил с Флоренцией?

Эндрю криво усмехнулся:

— Скорее Флоренция со мной говорила. Я намерен составить подробное письмо с описанием всей этой печальной истории для нее и отца.

— Давай лучше это сделаю я. — Какие глубокие тени у него под глазами, подумала Миранда, какие резкие морщины. — Побереги нервы и время.

— Весьма признателен. Скоро прибудет следователь страховой компании, и Куку я снова зачем-то понадобился.

— О! — Она сжала руки. — Мисс Пердью, не могли бы вы нас оставить на минутку?

— Разумеется. Я займусь совещанием, доктор Джонс.

— Я собираю начальников отделов, — пояснил Эндрю Миранде, закрывая за секретаршей дверь. — В час дня.

— Хорошо. Эндрю, насчет Кука. Он будет тебя спрашивать о вчерашней ночи. Где ты был, с кем, что делал. Я ему сказала, что мы уехали отсюда вместе около семи и всю ночь были дома.

— Правильно.

Она наклонила голову:

— А ты действительно был?

— Дома? Да. — Он прищурился. — А почему ты спрашиваешь?

— Потому что я не знаю, был ты дома или нет. — Она прижала руки к горящим щекам. — Просто я подумала, будет лучше, если я скажу, что был.

— Тебе совершенно незачем выгораживать меня, Миранда. Я ничего такого не делал — наша мать считает, что именно в этом вся проблема.

— Я знаю. Я не то имела в виду. — Она подошла ближе, коснулась его руки. — Просто я решила, что проще будет сказать, будто ты провел ночь дома. Потом я начала думать, а вдруг ты куда-нибудь выходил, вдруг кто-нибудь видел...

— ... Как я нажирался в баре? — с обидой закончил он. — Или слонялся по институту?

— О, Эндрю. — Она огорченно посмотрела на брата и присела на ручку кресла. — Давай не будем кидаться друг на друга. Разговор с Куком подействовал мне на нервы, и мне было бы неприятно, если бы он поймал меня на вранье, пусть даже самом невинном.

Он вздохнул и сел.

— Похоже, мы по уши в дерьме.

— Я — выше, чем по уши, — усмехнулась Миранда. — Она велела мне уехать в отпуск, исчезнуть. А я отказалась.

— Собираешься побороться или просто артачишься?

Миранда хмуро изучала свои ногти. Каково это быть неудачницей? Нет уж, она не сдастся.

— И то и другое.

— Только ты поосторожней, не рассыпься. Еще вчера вечером я бы с ней согласился, хотя и совсем по другой причине, — отпуск тебе не помешал бы. Но сегодня все переменилось. Ты нужна мне здесь.

— Я никуда и не собираюсь уезжать.

Эндрю похлопал ее по коленке и встал.

— Пойду побеседую с Куком. Пришли мне копии пресс-релиза и письма родителям. Она дала мне адрес отца в Юте. — Он вырвал из лежащего на столе блокнота листок и протянул Миранде. — Письма пошли срочной почтой. И чем скорее ты их напишешь, тем лучше.

— Увидимся в час. Да, Эндрю, Райан заходил попрощаться.

Он замер, взявшись за ручку двери.

— Попрощаться?

— Он должен вернуться в Нью-Йорк сегодня вечером.

— Он был здесь? Черт! Он знает о краже? Значит, Вазари...

— Он выразил полную поддержку. Сказал, что эта история никак не повлияет на нашу сделку. Знаешь, я, может быть, съезжу в Нью-Йорк через пару недель. — Ей только сейчас пришло это в голову. — Ну... договориться о процедуре обмена.

Слегка сбитый с толку Эндрю кивнул.

— Давай, почему нет. Потом поговорим. Новая экспозиция действительно поможет нам оправиться от всех этих неприятностей.

Спускаясь по лестнице, он посмотрел на часы. Надо же, всего десять часов. А такое чувство, что весь кошмар продолжается целую вечность.

На первом этаже кишмя кишели полицейские — в форме и в штатском. На витрине виднелся белый порошок — наверное, они пытаются найти отпечатки пальцев. Стеклянный круг исчез; видимо, забрали в качестве вещественного доказательства.

Эндрю спросил у полицейского, где найти детектива Кука. Полицейский направил его к южному входу.

Идя по коридору, Эндрю пришел к выводу, что вор шел этим же путем. Одетый в черное, с грубым лицом. Наверное, шрам на лице. Нес ли он пистолет? Или нож? Да, скорее нож, решил Эндрю. Чтобы в случае необходимости убить быстро и бесшумно.

Господи, а ведь Миранда часто работает в лаборатории или у себя в кабинете допоздна. Эндрю яростно выругался.

Кипя от бешенства, он вышел в холл и увидел детектива Кука возле автомата с едой.

— Так вот как вы ищете этого сукина сына? — раздраженно поинтересовался Эндрю. — Грызете томатные чипсы?

— Вообще-то я не собирался брать чипсы. Ограничиваю калории. — Кук нажал на кнопку, и на металлический поднос шлепнулся пакетик. Кук открыл дверцу, достал его.

— Превосходно. Полицейский, следящий за своим здоровьем.

— Здоровье — главное, — провозгласил Кук и надорвал пакетик. — Если у вас есть здоровье — за остальным дело не станет.

— Я хотел бы знать, что вы делаете для того, чтобы отыскать негодяя, проникшего в здание института.

— Делаю свою работу, доктор Джонс. Посидите со мной? — Он указал на один из столиков. — У вас такой вид, будто вы хотите выпить. Я имею в виду кофе.

Глаза Эндрю блеснули холодным голубоватым блеском, отчего лицо его сразу стало жестким и решительным. Столь разительная перемена заставила Кука изменить первоначальное мнение о докторе Джонсе.

— Я не хочу сидеть, — процедил Эндрю, — и я не хочу никакого кофе. — Он готов был убить этого полицейского. — Моя сестра часто работает допоздна, детектив. И, соответственно, остается одна в пустом здании. Если бы вчера вечером она не почувствовала себя плохо, она могла бы быть здесь во время взлома. И я мог бы потерять кое-что поценнее бронзовой статуэтки.

— Я понимаю вашу тревогу.

— Боюсь, что не вполне.

— У меня самого есть семья. — Несмотря на отказ, Кук повернулся к автомату с напитками. — Вы какой пьете?

— Я... черный, — буркнул Эндрю. — Просто черный.

— Раньше я тоже пил черный кофе. Мне его недостает, — вздохнул Кук, глядя, как кофе льется в пластиковый стаканчик. — Позвольте вас немного успокоить, доктор Джонс. Обычно взломщик — особенно умный — не нападает на случайных свидетелей. Понимаете, он лучше вообще откажется от дела, чем влипнет в такую историю. Он даже оружие с собой не носит, потому что, если его сцапают, это автоматически увеличит срок на несколько лет.

Кук поставил кофе на столик, сел и выжидательно посмотрел на Эндрю. И Эндрю сдался. Он сел, глаза потухли, лицо смягчилось.

— Может, этот тип не типичный вор.

— Да, возможно, но если он так умен, как я думаю, то соблюдал все правила. Никакого оружия, никаких контактов. Туда и обратно. Если бы ваша сестра оказалась в институте, он постарался бы с ней не столкнуться.

— Вы не знаете мою сестру. — Кофе подействовал на него умиротворяюще.

— Сильная женщина ваша сестра?

— Дело не в этом. На нее недавно напали, прямо перед нашим домом. У грабителя был нож, а она безумно этого боится. Ее буквально парализовало от страха.

— Когда это произошло? — быстро взглянул на него Кук.

— Пару недель назад. — Эндрю запустил руку в свою шевелюру. — Грабитель швырнул ее на землю, забрал бумажник, сумочку. — Он отхлебнул кофе. — На нее это сильно подействовало, да и на меня тоже. И при одной мысли о том, что она могла оказаться здесь, когда вор...

— Этот тип воров не бьет женщин и не ворует кошельков.

— Может быть. Но того грабителя так и не поймали. Он напугал ее, забрал ее вещи и спокойно скрылся. Слишком уж много на Миранду свалилось — и это, и Флоренция... — Эндрю осекся, поняв, что расслабился и выболтал то, чего не следовало. — Но вы хотели со мной о чем-то поговорить.

— Нам полезна любая информация, доктор Джонс. — Кук сопоставил: нападение и грабеж менее месяца назад, и жертва

та же... — Вы сказали, ваша сестра вчера вечером себя неважно чувствовала. Что с ней случилось?

— У нее был трудный разговор с Флоренцией, — коротко пояснил Эндрю. — Конфликт с нашей матерью. Сестру это здорово расстроило.

— Ваша мать в Италии?

— Она живет и работает там. Возглавляет «Станджо». Лабораторию по тестированию и исследованию произведений искусства. Это одно из отделений нашего института.

— Вы и ваша сестра не очень-то ладите со своей матерью?

Эндрю выпил кофе, выпрямился и взглянул на Кука. Глаза его вновь посуровели.

— Наши семейные отношения полиции не касаются.

— Да это я так, для полноты картины. Кроме того, институт — это ваш семейный бизнес. Знаете, а следов взлома нет.

У Эндрю дернулась рука, и он пролил кофе на столик.

— Простите?

— Следов взлома ни на одной из дверей нет. — Кук показал пальцем на наружную и внутреннюю двери. — Обе были заперты. Чтобы войти, нужен ключ и код, верно?

— Да. Этим входом пользуются только начальники отделов. У нас отдельные входы для руководства и для рядовых сотрудников.

— Мне нужен список начальников отделов.

— Да, конечно. Вы думаете, это кто-то из работающих здесь?

— Я ничего не думаю. Чем больше думаешь, тем больше ошибаешься. — Он добродушно улыбнулся. — Просто обычная процедура.

* * *

Кража в институте была главной новостью в одиннадцатичасовом выпуске местных новостей. В Нью-Йорке ей уделили тридцать секунд в конце получасового выпуска. Растянувшись на диване в своей квартире с окнами, выходящими на Центральный парк, Райан потягивал коньяк, наслаждался ароматом толстой кубинской сигары и внимательно слушал сводку, отмечая детали.

Их было немного. В Нью-Йорке полно своих преступлений и скандалов. Если бы Джонсы не были таким известным семейством, а институт не славился бы далеко за пределами Новой Англии, нью-йоркское телевидение о краже и не упомянуло бы.

Полиция ведет расследование. Райан хмыкнул, вспомнив о Куке. Райан знал такой тип полицейских. Потрепанный, въедливый, всегда стремится во что бы то ни стало закрыть дело. Приятно, что именно такой детектив будет расследовать его последнее дело. Достойное завершение карьеры.

Следствие разрабатывает несколько версий. Это означало, что версий никаких нет, просто полиции неохота терять лицо.

На экране возник кадр: из здания института выходит Миранда. Райан сел. Ее волосы были собраны в тугой узел на затылке. Это она специально для камеры, подумал он, вспомнив, какой она выглядела потерянной и несчастной, когда он поцеловал ее на прощание. Лицо Миранды на экране было спокойным, она держалась с достоинством. Холодная как лед. Так и подмывает растопить этот лед. Он бы это сделал, будь у него побольше времени.

Ему нравилось, что она стойко переносит неприятности. Миранда сильная. При всей своей застенчивости и склонности к унынию она справится. Еще денек-другой — и ее жизнь вернется в обычную колею. Потрясение сгладится, страховку выплатят, полицейские закроют дело и забудут о нем.

«А у меня, — размышлял Райан, пуская колечки дыма в потолок, — в результате довольный клиент, прекрасное завершение карьеры и масса свободного времени впереди».

А может быть, он нарушит свои правила и возьмет Миранду с собой в Вест-Индию на пару недель. Солнце, песок и секс. Ей это, несомненно, пойдет на пользу.

Да и ему будет невредно.

* * *

Вся квартира Энни Маклин могла поместиться в гостиной Райана Болдари, но из ее окна тоже был виден парк. Если выглянуть из спальни, повернуть голову и хорошенько всмотреться в даль. Однако Энни и этого было довольно.

Мебель, может, и старая, зато цвета все еще яркие. Ковер куплен на распродаже, но Энни вычистила его как следует шампунем — выглядел как новый. И эти огромные розы по краям ковра ей очень нравились.

Полки она сама сколотила, покрасила их темно-зеленой краской и расставила книги, купленные, когда библиотека распродавала свое имущество, перед тем как закрыться.

По большей части здесь стояли классические произведения. Книжки, которые она не удосужилась прочесть в школе, зато с удовольствием читала сейчас. Энни всегда выкраивала часок-другой для чтения. Устраивалась под сине-зеленым полосатым пледом, связанным матерью, и погружалась с головой в мир Хемингуэя, Стейнбека или Фицджеральда.

Два года назад она решила себя побаловать и на Рождество купила проигрыватель. С тех пор у нее набралась общирная коллекция дисков.

В молодости она слишком много работала, так что времени на книги и музыку вечно не хватало. Неудачная беременность, разбитое сердце ожесточили ее: она дала себе твердое обещание добиться чего-то в этой жизни.

Но в один несчастливый день она поддалась чарам Бастера. Этого сукина сына с хорошо подвешенным языком и замашками прожигателя жизни.

Желание завести свою семью, свой дом настолько застили ей глаза, что она очертя голову выскочила за механика, постоянно сидевшего без работы, но имевшего дорогие привычки и неуемный интерес к блондинкам.

Ей хотелось ребенка. Она надеялась, что господь даст ей другого, взамен того, что она потеряла.

Век живи, век учись, часто повторяла Энни. Она и училась. Сейчас она независимая женщина с собственным крепким делом; и у нее достаточно времени и желания, чтобы развивать свои мозги.

Энни любила слушать разговоры посетителей, их мнения и суждения она сравнивала со своими собственными. Она была уверена, что за шесть лет в баре «У Энни» узнала куда больше о политике, религии, сексе и экономике, чем если бы проучилась в колледже.

Ну а если и бывали ночи, когда ей отчаянно хотелось, чтобы ее кто-то выслушал, обнял, прижал к себе, посмеялся ее шуткам, — что ж, такова плата за независимость. Ничего не поделаешь.

По собственному опыту она знала, что мужчины не любят слушать, они предпочитают сами чесать языком да бездельничать. Или трахаться.

Уж лучше жить одной.

Однажды, мечтала Энни, она купит себе дом, может быть, даже с садом. И еще она не прочь завести собаку. Работать станет меньше, наймет бармена, даже отдыхать поедет. Сначала, разумеется, в Ирландию. Ей очень хотелось посмотреть на горы — ну и на пабы, конечно.

Она достаточно настрадалась от унижения, когда ей отказывались дать в долг и говорили, что она затеяла слишком уж рискованное дело.

Нет, такое с ней больше не повторится.

Всю прибыль Энни вкладывала в дело, кое-что вкладывала в надежные акции. Богатства ей не нужно, но и нищей она больше не будет.

Родители Энни всю жизнь балансировали на грани бедности. Они старались, как могли, но у ее отца — благослови его господь — деньги утекали между пальцев как вода.

Когда три года назад родители переезжали во Флориду, Энни крепко поцеловала их, немного поплакала и потихоньку сунула матери пятьсот долларов. Эти деньги достались ей нелегко, но зато матери хватит, чтобы залатать дыры на первых порах.

Энни звонила им раз в неделю, по воскресеньям, когда включался пониженный тариф, а каждые три месяца посылала чек. Она постоянно обещала себе навестить их, но за все время удалось выбраться только два раза, да и то ненадолго.

Энни думала о родителях, когда, отложив книгу, смотрела последние новости. И отец, и мать обожали Эндрю. Они, конечно, ничего не знали о той ночи на пляже, о зачатом, а потом потерянном ребенке.

Энни тряхнула головой, отгоняя от себя эти мысли. Выключила телевизор, взяла чашку с остывшим чаем и пошла в каморку, которую домовладелец называл кухней.

И тут вдруг в дверь постучали. Энни глянула на дробовик, который всегда стоял возле двери; другой, точно такой же, она

держала в баре под стойкой. Ей, слава богу, никогда не приходилось ими воспользоваться, но так она чувствовала себя спокойнее.

— Кто там?

— Это Эндрю. Пусти меня скорей. Твой хозяин плохо топит подъезд, я совсем окоченел.

Хотя ей совсем не хотелось принимать у себя позднего гостя, Энни скинула дверную цепочку, отперла замок и открыла дверь.

— Уже поздно, Эндрю.

— Разве? — спросил он, хотя и видел, что она — в махровом халате и толстых шерстяных носках. — А я увидел у тебя свет и зашел. Ладно, Энни, будь человеком, пусти меня.

— Пить я тебе не дам.

— Ничего. — Шагнув в комнату, он вытащил из кармана пальто бутылку. — У меня с собой. Поганый сегодня денек, Энни. — Он смотрел на нее глазами побитой собаки, и у Энни сжалось сердце. — Мне так не хочется идти домой.

— Ладно. — Злясь одновременно и на него, и на саму себя, Энни пошла на кухню и вернулась с широким стаканом. — Ты взрослый человек, хочешь пить — пей.

— Хочу. — Он налил себе, выпил. — Спасибо. Ты новости смотрела?

— Да. Сочувствую. — Она села на кушетку и засунула «Моби Дика» поглубже за подушки. Она не могла бы объяснить почему, но ей стало бы стыдно, если бы он увидел, чтó она читает.

— Полицейские считают, что это кто-то из своих. — Он выпил, усмехнулся. — Дикость какая-то. Одни из главных подозреваемых — мы с Мирандой.

— Господи, с чего бы это вы стали красть у самих себя?

— Так бывает. Страховая компания тоже ведет свое расследование. Наши действия тщательно изучаются.

— Это обычная процедура. — Встревоженная, Энни взяла его за руку и усадила рядом с собой.

— Да. Обычная процедура. Я любил эту бронзовую статуэтку.

— Какую? Которую украли?

— Было в ней что-то такое... Юный Давид, идущий на великана с камнем против меча. Мужество. Как раз то, чего мне всегда не хватало.

— Что ты с собой делаешь? — звенящим от раздражения голосом спросила она.

— Я никогда не бился с великанами, — задумчиво сказал Эндрю и налил себе еще. — Я плыл по течению и выполнял указания. Пора тебе заведовать институтом, Эндрю, говорят мои родители. И я спрашиваю: когда приступать к работе?

— Ты любишь свой институт.

— Счастливое совпадение. Если бы они велели мне ехать на Борнео и изучать местные обычаи, я бы поехал. Нам пора пожениться, говорит Элайза, и я назначаю число. Я хочу развестись, говорит она, а я: да, дорогая, мне заплатить адвокату?

«Я беременна, говорю я, — подумала Энни, — и ты говоришь: давай поженимся».

Эндрю внимательно изучал содержимое своего стакана.

— Я никогда не восставал против системы, потому что считал: да ладно, какая разница, чего там. Это характеризует Эндрю Джонса далеко не с лучшей стороны.

— Значит, легче пить, чем пытаться что-то сделать?

— Может быть. — Но Эндрю отставил стакан, чтобы доказать самому себе, что может обойтись и без него. — Я не сделал того, что должен был сделать тогда, много лет назад, Энни, не поддержал тебя. Потому что боялся. Их боялся.

— Я не хочу об этом говорить.

— Мы никогда об этом не говорили, потому что я был уверен — ты не хочешь. Но ты же сама об этом заговорила на днях.

— Не надо было. — В голосе ее звучала легкая паника. — Дела прошлые.

— Это наши дела, Энни. — Он говорил мягко, потому что тоже услышал панические нотки.

— Все, хватит. — Она отодвинулась, крепко обхватила себя за плечи руками.

— Ладно. — Почему старые раны кровоточат, когда есть совсем свежие? — Мы беседовали о жизненном кредо Эндрю Джонса. Так что я сижу и терпеливо жду, когда полицейские скажут: вы свободны, в тюрьму садиться не надо.

Он потянулся за бутылкой, но на этот раз она вырвала ее, унесла в кухню и вылила виски в раковину.

— Черт, Энни!

— Тебе не нужно виски, чтобы растравлять себе душу, Эндрю. Ты и без него прекрасно справляешься. Твои родители тебя не любили. Это, конечно, хреново. — Накопившееся раздражение наконец вырвалось наружу. — Мои меня любили, но я все равно оплакиваю по ночам свое разбитое сердце. Твоя жена тебя недостаточно любила. Тоже хреново. А мой муж надувался пивом и трахал меня, когда вздумается, не спрашивая на то моего согласия.

— Господи, Энни. — Он не знал, даже не представлял себе, что дело обстояло именно так. — Извини.

— Нечего извиняться! — взорвалась она. — Обойдусь. Я справилась. И с тобой, и с муженьком, которого выгнала, как только поняла, что совершила ошибку, выйдя за него замуж.

— Не говори так. — Теперь начал злиться Эндрю. Он встал, глаза гневно засверкали. — Не надо сравнивать то, что было у нас с тобой, и то, что было у тебя с твоим мужем.

— Тогда и ты не сравнивай то, что было между нами, с твоим браком с Элайзой.

— Я и не сравниваю. Это совсем разные вещи.

— Конечно, черт возьми! Она же такая красивая, такая великолепная! — Энни ткнула Эндрю пальцем в грудь, так что он отступил на шаг. — И, может быть, ты недостаточно сильно ее любил. Иначе бы ты ее не отпустил. Если ты чего-то действительно хочешь, ты этого добиваешься. Ты, может, с великанами и не сражаешься. Но все, что тебе надо, получаешь.

— Она хотела уйти! — заорал Эндрю. — Нельзя заставить кого-то насильно любить тебя!

Она оперлась руками на стол, закрыла глаза и, к его великому удивлению, начала смеяться.

— Это уж точно. — Сейчас она сама не знала, плачет или смеется. — Может, ты и заработал ученую степень, доктор Джонс, но ты — полный дурак. Ты дурак, а я устала. Я хочу спать. Уходи.

Она прошла мимо него, в глубине души надеясь, что он схватит ее. Но он этого не сделал, и она ушла в спальню одна. Услышав, как хлопнула дверь, Энни зарылась головой в подушку и, уже не сдерживаясь, разрыдалась.

ГЛАВА 10

Кука всегда восхищали всякие технические чудеса. Когда двадцать три года назад он зеленым юнцом пришел в полицию, он обнаружил, что работа детектива — это многочасовое сидение на телефоне, кипы бумажек и хождение от двери к двери. Никаких захватывающих приключений, которые расписывает Голливуд и о которых он — молодой и горячий — мечтал, выбирая себе профессию.

В выходные Кук собрался порыбачить. Погода была в самый раз. Но по дороге он вдруг завернул в участок — так, по наитию. Он верил в эти свои внезапные интуитивные желания.

На его столе среди вороха других бумаг лежал отчет, напечатанный на компьютере симпатичным молодым офицером по имени Мэри Чейни.

Сам Кук относился к компьютеру с уважительной осторожностью. Так полицейский приближается к наркоману в темном переулке. Ты выполняешь свою работу, делаешь все, как надо, но может случиться все, что угодно, если ты допустишь хоть один неверный шаг.

Главным сейчас было дело Джонсов, потому что они богатые и у них личные связи в правительстве. Постоянно держа в голове это дело, Кук попросил Мэри исследовать сходные преступления и составить по ним отчет.

Обычным способом он собирал бы эту информацию не один день. А компьютер взял и выдал: раз — и готово. Кук откинулся на спинку стула и углубился в отчет. О рыбалке он и думать забыл.

За последние десять лет шесть аналогичных случаев, а совпадающих в некоторых деталях — вдвое больше.

Нью-Йорк, Чикаго, Сан-Франциско, Бостон, Канзас-Сити, Атланта. Во всех этих городах из музеев или галерей были совершены кражи одного экспоната. Их стоимость варьировалась от нескольких сотен тысяч долларов до миллиона. И везде одно и то же: никакого беспорядка, сигнализация не потревожена, все чистенько. Каждая украденная вещь была застрахована, и во всех шести случаях взломщика не нашли.

Ловок, подумал Кук. Очень ловок.

В следующих двенадцати случаях имелись кое-какие вариации. Было украдено две или более вещей; в одном случае в кофе охранника подмешали снотворное, а сигнализацию просто отключили на тридцать минут. По другому делу преступника арестовали: один из охранников попытался стащить камею шестнадцатого века. Он во всем сознался, но утверждал, что взял камею уже после взлома. Украденные портреты Ренуара и Мане так и не нашли.

Интересно, подумал Кук. Образ мошенника, который потихоньку складывался в его голове, как-то не предусматривал неосторожные визиты в магазины, торгующие произведениями искусства. Может, он подкупает кого-то из охраны? Надо будет проверить.

И еще надо будет проверить, где находились Джонсы во время этих краж. Что ж, тоже своего рода рыбалка.

* * *

Первое, о чем подумала Миранда, открыв глаза воскресным днем, было: «Смуглая Дама». Она должна снова ее увидеть, еще раз протестировать. Иначе как еще она узнает, почему так чудовищно ошиблась?

По прошествии дней Миранда пришла к печальному выводу: да, она действительно ошиблась. Какие еще могут быть объяснения? Миранда слишком хорошо знала свою мать. Репутация «Станджо» ей дороже всего, так что можно не сомневаться: Элизабет дотошно и въедливо изучила каждую деталь повторного анализа. Уж она бы не пропустила даже малейшей неточности.

Впрочем, она всегда так поступала.

Оставалось лишь принять ситуацию в целом, постараться сохранить остатки гордости, ни о чем не спрашивать и ждать, пока улягутся страсти. Упорствовать бессмысленно.

Решив, что, чем хныкать, лучше провести время с большей пользой, Миранда натянула свитер. Часок-другой в тренажерном зале поможет справиться с депрессией.

* * *

Два часа спустя она вернулась домой, где обнаружила мучимого похмельем Эндрю. Она направлялась к лестнице, чтобы подняться к себе наверх, когда позвонили в дверь.

— Давайте я повешу ваше пальто, детектив Кук, — услышала она.

Кук? В воскресенье днем? Миранда пригладила волосы и села.

В комнату вошли Эндрю и Кук. Миранда изобразила вежливую улыбку:

— У вас новости для нас?

— Ничего такого, доктор Джонс. Так, имеются кое-какие ниточки.

— Садитесь, пожалуйста.

— Замечательный дом. — Серые глаза под кустистыми бровями окинули комнату внимательным взглядом. — Здорово смотрится на скале. — «У старинных домов всегда свой собственный запах, — подумал он, — здесь вот пахнет пчелиным воском и лимоном. И еще старые богатые дома отличаются особым шармом: антикварная мебель, слегка выцветшие обои, окна от пола до потолка, пурпурный шелковый водопад портьер. Традиции, отменный вкус — вот что делает дом уютным».

— Чем мы можем вам помочь, детектив?

— Я получил кое-какую информацию, над которой сейчас работаю. Не могли бы вы мне сказать, где находились в ноябре прошлого года. В первой половине ноября.

— Прошлый ноябрь. — Как странно! Эндрю почесал в затылке. — Я был здесь, в Джонс-Пойнте. Я вообще прошлой осенью никуда не уезжал. Так ведь? — обратился он к Миранде.

— Да я не помню толком. Это что, так важно, детектив?

— Ну, необходимо прояснить некоторые детали. Вы тоже находились здесь, доктор Джонс?

— В начале ноября я на несколько дней летала в Вашингтон. Консультировала в Смитсоновском институте. Я могу для верности посмотреть в своем ежедневнике.

— Будьте так добры, если нетрудно, — с извиняющейся улыбкой попросил Кук. — Так, чтобы уж прояснить до конца.

— Пожалуйста. — Она в этом не видела никакого смысла, но и вреда тоже никакого. — Он у меня в кабинете.

— Да, сэр, — обратился Кук к Эндрю, когда Миранда вышла. — Большой у вас дом. Наверное, протопить непросто.

— Здесь много каминов, — пробормотал Эндрю.

— Вы много путешествуете, доктор Джонс?

— Я редко оставляю институт. А Миранда часто летает. Она много консультирует, читает лекции. — Эндрю постучал пальцами по колену и заметил, что взгляд Кука задержался на бутылке «Джека Дэниелса», стоящей на столике у дивана. Эндрю несколько напрягся. — Какое отношение имеет ноябрь прошлого года к нашему делу?

— Я еще ни в чем не уверен, так, тяну ниточку. Вы рыбак?

— Нет, у меня морская болезнь.

— Жалко.

— Согласно моим записям, — с порога начала Миранда, — я была в Вашингтоне с третьего по седьмое ноября.

А кража в Сан-Франциско была совершена в ночь на пятое, вспомнил Кук.

— Рейс у вас тоже, наверное, записан?

— Да. — Она открыла ежедневник. — Рейс номер 408, вылет из Джонс-Пойнта в 10.50, прибытие в аэропорт Нэшнл в 12.59. Я останавливалась в гостинице «Времена года». Этого достаточно?

— Более чем. Вы настоящий ученый, ведете подробные записи.

— Да. — Она подошла к креслу, в котором сидел Эндрю, и опустилась на подлокотник. Теперь они словно объединились вдвоем против Кука. — А зачем вам это?

— Так, проясняю кое-что для себя. А вы не поглядите в вашей книжечке, что там у вас записано в июне? Скажем, вторая половина месяца.

— Пожалуйста. — Она успокаивающе похлопала брата по колену и перелистнула страницы. — В июне я была здесь. Лабораторные работы, летние занятия. Ты тоже провел пару занятий, помнишь, Эндрю?

— Ага. — Эндрю закрыл глаза, припоминая. — Это было в конце июня. Восточное искусство двенадцатого века. — Он открыл глаза и хмыкнул. — Точную дату мы вам обязательно скажем, детектив. У нас в институте отчеты составляются безукоризненно.

— Замечательно. Буду весьма признателен.

— Мы с вами откровенны, — внушительно и строго сказала Миранда. — И ждем того же от вас. Украдена наша собственность, детектив. Мне кажется, мы вправе знать, как продвигается расследование, почему вы задаете нам все эти вопросы.

— Разумеется. — Кук сложил руки на коленях. — Я расследую серию краж, весьма сходных с вашей. Может, вы что-нибудь слышали о пропаже в Бостоне в июне прошлого года?

— Музей искусств Гарвардского университета. — У Миранды по спине пробежал холодок. — Куанг — статуэтка из китайской гробницы, конец тринадцатого — начало двенадцатого века до нашей эры. Тоже бронза.

— У вас прекрасная память.

— Да. Это была огромная потеря для музея. Одна из лучших существующих китайских статуэток, к тому же прекрасно сохранившаяся. Намного ценнее нашего «Давида».

— Еще одна кража в ноябре в Сан-Франциско. На этот раз картина.

Не бронза, с облегчением, удивившим ее саму, подумала Миранда.

— Это было в Мемориальном музее де Янга.

— Верно.

— Американская живопись, — вмешался Эндрю. — Колониальный период. И где тут связь?

— Пока не знаю, но думаю, что связь есть. Возможно, мы имеем дело с вором, у которого разносторонние вкусы. Мне лично нравится Джорджия О'Кифф. Краски яркие, то что надо. Спасибо, что уделили мне время. — Он направился к выходу, потом остановился. — Доктор Джонс, а не могли бы вы дать мне на время ваш ежедневник? И еще: не затруднит ли вас обоих написать, куда вы ездили в позапрошлом году. Так, чтобы уж все окончательно прояснить.

Миранда вновь засомневалась: а не позвонить ли ей адвокату? Но она горделиво тряхнула головой и протянула полицейскому пухлую тетрадь в кожаном переплете.

— Пожалуйста. А в институте в моем кабинете хранятся ежедневники за три последних года.

— Замечательно. Я дам вам расписку. — Он вырвал листок из блокнота, нацарапал несколько слов и размашисто расписался.

Эндрю тоже встал.

— Список моих передвижений вы тоже получите.

— Вы оказываете неоценимую помощь следствию.

— Согласитесь, все это довольно оскорбительно, детектив.

Кук был почти одного роста с Мирандой.

— Прошу прощения, доктор Джонс, но я не могу с вами согласиться. Я просто делаю свою работу.

— Понимаю. Но чем скорее вы вычеркнете нас с братом из числа подозреваемых, тем эффективнее будет продвигаться ваша работа. Имейте в виду: только по этой причине мы терпим все это безобразие. Я провожу вас к выходу.

Кук кивнул Эндрю и проследовал за Мирандой в холл.

— Я не хотел вас обидеть, доктор Джонс.

— Очень даже хотели, детектив. — Она открыла дверь. — Всего хорошего.

— Мэм. — За четверть века в полиции он так и не научился равнодушно относиться к рассерженным женщинам. Поэтому, когда дверь с грохотом закрылась, он огорченно покачал головой и поморщился.

— Похоже, этот человек считает нас ворами. — Миранда вернулась в гостиную, клокоча от бешенства. Она с раздражением, но безо всякого удивления смотрела, как Эндрю наливает себе виски. — Он считает, что мы носимся по стране и грабим музеи.

— По-моему, это даже забавно.

— Да?

— Я просто стараюсь расслабиться. — Он поднял стакан. — И тебе советую.

— Это не игрушки, Эндрю. Я не желаю, чтобы полиция разглядывала меня под микроскопом.

— Он просто пытается найти преступника.

— Меня беспокоит, что он считает преступниками нас! А представь, если об этом разнюхает пресса?

— Миранда, — укоризненно улыбнулся Эндрю. — Ты сейчас очень похожа на нашу мать.

— Ну вот, и ты меня оскорбляешь!

— И в мыслях не было, извини.

— Пойду приготовлю мясо в горшочке, — заявила Миранда и отправилась на кухню.

— Мясо в горшочке, — трагическим голосом повторил он. — С картошкой и морковкой?

— Картошку почистишь ты. Пошли, Эндрю, составишь мне компанию. — Ей не хотелось оставаться в одиночестве. И еще ей хотелось увести его от бутылки. — Одной мне как-то не по себе.

— Пошли. — Он поставил почти пустой стакан и обнял ее за плечи.

* * *

Возня на кухне помогла расслабиться. Миранда любила готовить и считала кулинарию настоящей наукой. Многому ее научила миссис Пэтч, которую радовало, что девочка проявляет интерес к кухне. Здесь было тепло, интересно — это и привлекало Миранду. Во всем доме царили холод и строгий порядок. Но на кухне полновластной хозяйкой была миссис Пэтч. Даже Элизабет не вмешивалась в ее дела. Главным образом, конечно, потому, что ей не было до этого никакого дела.

Ложась спать, Миранда вдруг подумала, что никогда не видела, как готовит ее мать. И этот факт ее радовал, ибо доказывал, что сама она на мать совсем не похожа — ведь она любит готовить.

Мясо в горшочке сделало свое дело. Вкусный ужин и беседа с Эндрю подействовали умиротворяюще. Возможно, он пил за ужином больше вина, чем ей бы хотелось, но, по крайней мере, он не напивался в одиночестве.

Почти счастливый вечер. Они следовали безмолвному уговору и не обсуждали ни происшествие в институте, ни проблемы во Флоренции.

Они всегда спорили о том, что им нравилось, думала Миранда, надевая пижаму. Всегда обсуждали новые книги, дис-

кутировали, вместе мечтали. Разве она смогла бы выжить в этой семье без него, особенно в детстве? Сколько Миранда помнила, они с братом были друг для друга якорем в холодном море окружающей действительности.

Ей очень хотелось убедить Эндрю в необходимости лечиться. Но стоило заикнуться о его пьянстве, как он мгновенно замыкался в себе. И пил еще больше. Она могла только быть рядом и ждать, когда он наконец сорвется, ибо он давно уже опасно балансировал на самом краю пропасти. Тогда она постарается ему помочь, будет собирать его по кусочкам.

Миранда забралась в кровать, обложилась подушками, взяла с ночного столика книгу.

Около полуночи она отложила томик и выключила свет. И мгновенно уснула.

Она спала так глубоко, что не слышала, как открылась и снова закрылась дверь. Не слышала, как скрипнул замок, не слышала шагов человека, приблизившегося к ее кровати.

Миранда проснулась, когда ее горло сжала рука в перчатке, а мужской голос зловеще прошептал в самое ухо:

— Я тебя задушу.

ЧАСТЬ II

Вор

> Все люди любят присваивать чужое — это всеобщее пристрастие. Различна лишь манера присвоения.
>
> *Ален Рене Лесаж*

ГЛАВА 11

Она похолодела от ужаса. Нож. Она чувствовала на своем горле не руку в перчатке, а острое лезвие ножа. Все тело онемело.

Это сон, ночной кошмар. Но она чувствовала запах кожи и запах мужчины, ощущала, как сдавливает горло его рука, не давая дышать. Другая рука закрывала ей рот, чтобы она не могла крикнуть. Миранда видела в темноте силуэт склонившегося над ней человека.

Несколько секунд, прошедших после пробуждения, показались ей вечностью.

«Никогда больше со мной не случится ничего подобного». Это ее собственные слова.

Она резко выбросила вперед правую руку. Но он оказался проворнее и перехватил занесенный кулак. Ее рука безвольно повисла.

— Лежи спокойно и не дергайся, — прошипел незнакомец и для пущей убедительности слегка ее встряхнул. — Мне бы очень хотелось двинуть тебя как следует, но я не стану этого делать. Твой брат похрапывает на другом конце дома, так что он вряд ли услышит твои крики. Да ведь ты и не будешь кричать, правда? — Он пошевелил пальцами, сжимавшими ее горло. — Это ведь так унизительно для гордого янки.

Она что-то сдавленно пробормотала. Он ослабил хватку, но руки не убрал.

— Что вам нужно?

— Я хочу надрать тебе задницу. Черт, доктор Джонс, ну и наделали вы дел!

— Я не понимаю, о чем вы говорите. — Она задыхалась, но старалась говорить спокойно. — Отпустите меня. Я не буду кричать.

Конечно, не будет. Услышит Эндрю, ворвется сюда. А тот, кто прижимал ее к кровати, возможно, вооружен.

Но ведь и у нее есть оружие, мелькнуло в голове у Миранды. Только бы дотянуться до ночного столика и достать пистолет.

Не отпуская ее, мужчина сел на кровать и включил лампу. Миранда заморгала от яркого света и, совершенно ошарашенная, уставилась на мужчину широко раскрытыми глазами.

— Райан?

— Как ты могла допустить такую идиотскую, такую нелепую ошибку, ты, профессионалка чертова?

Он был одет в черные обтягивающие джинсы, высокие ботинки, водолазку и охотничью куртку. Лицо по-прежнему красиво, но в глазах нет и тени привычной теплоты и приязни. В них лишь нетерпение, злость и явная угроза.

— Райан, — удалось ей наконец выговорить его имя. — Что ты здесь делаешь?

— Расхлебываю кашу, которую ты заварила.

— А-а. — Очевидно, у него что-то вроде... нервного срыва. Сейчас важно оставаться спокойной, не волновать его. Она медленно сняла его руку со своего горла. Потом села на кровати, инстинктивно сжимая воротник пижамы. — Райан! — Она попыталась изобразить на своем лице нечто похожее на успокаивающую улыбку. — Ты в моей спальне, среди ночи? Как ты сюда попал?

— Так же, как я обычно попадаю в дома, которые мне не принадлежат. Я воспользовался отмычкой. Тебе следовало бы завести замки получше.

— Воспользовался отмычкой? — Она заморгала. Он совсем не похож на человека, у которого поехали мозги. Скорее он смахивает на того, кто едва сдерживается от ярости.

— Ты вломился в мой дом! — Какая нелепая фраза, пронеслось у нее в голове. — Вломился в мой дом! — повторила она.

— Ты абсолютно права. — Он потрогал пряди волос, рассыпавшиеся по ее плечам. — Нет, положительно, от таких волос можно с ума сойти. Именно это я и сделал.

— Но ты бизнесмен, владелец галерей. Подожди, ты не Райан Болдари, что ли?

— Я Райан Болдари собственной персоной. — В первый раз он улыбнулся, и глаза его сразу заискрились. — С того самого мига, когда моя благословенная матушка дала мне это имя тридцать два года назад в Бруклине. И до сих пор мое имя звучало гордо. — Улыбка превратилась в оскал. — Оно было гарантией надежности и исполнительности. Эта чертова бронза — фальшивая!

— Бронза? — Кровь отхлынула от ее лица. — Откуда ты знаешь про бронзу?

— Знаю. Потому что именно я украл этот драгоценный кусок дерьма. — Он наклонил голову. — А ты, наверное, подумала про ту бронзу, во Флоренции, — еще одну, которую ты подменила? Я узнал об этом вчера, когда мой клиент устроил мне скандал из-за того, что я подсунул ему подделку. Подделку, господи боже мой!

Райан до того распалился, что вскочил с кровати и забегал по комнате.

— Двадцать лет безупречной репутации, и вот вам — пожалуйста! А все потому, что я, дурак, доверился тебе.

— Доверился мне? — Страх Миранды улетучился, так она была взбешена. — Ты обворовал меня, сукин ты сын!

— Ну и что? То, что я взял, стоит не дороже стодолларового пресс-папье. — Он шагнул к кровати. Когда у нее вот так блестят глаза и пылают щеки, она невероятно привлекательна. — Сколько всего вещей в музее ты подменила?

Она, не раздумывая, пулей выскочила из кровати и бросилась на него. С ее ростом и комплекцией толчок получился довольно ощутимым, к тому же злость придала ей сил. Райан, конечно, мог отступить в сторону, но из симпатии к женскому полу принял удар на себя. Они упали и покатились по ковру.

— Ты меня обокрал! — Она рычала и брыкалась, не желая уступать. — Ты меня использовал! Сукин сын, ты меня обманывал! — И это было хуже всего. Ухаживал, говорил комплименты, чуть в кровать не уложил.

— Это было совмещение приятного с полезным. — Он сжал ее запястья и навалился на Миранду всей тяжестью своего тела. — Ты крайне привлекательная женщина. Это было совсем нетрудно.

— Ты вор. У меня не может быть ничего общего с вором.

— Если ты полагаешь, что оскорбляешь меня, ты ошибаешься. Я очень хороший вор, я просто потрясающий специалист! А теперь мы сядем и все обсудим. Впрочем, можно и лежа на полу. Но должен предупредить, что даже в этой дурацкой пижаме ты кажешься невероятно соблазнительной. Так что решай, Миранда.

Она лежала неподвижно, и он с восхищением (против своей воли!) наблюдал, как огонь в ее глазах сменяется ледяным холодом.

— Слезь с меня. Немедленно слезь, к чертовой матери!

— Хорошо. — Он ловко встал на ноги. Она тоже поднялась, брезгливо оттолкнув протянутую руку.

— Если ты хоть пальцем тронул Эндрю...

— На что мне сдался Эндрю? Бронзу тестировала ты.

— А ты ее украл! — Она надела халат, лежавший в ногах кровати. — Ну и что ты намерен делать дальше? Убить меня и обчистить дом?

— Я не убиваю людей. Я же сказал, я — вор, а не убийца и не грабитель.

— Тогда ты полный идиот. Как ты полагаешь, что я сделаю в первый же момент, когда ты уйдешь? — Она потуже запахнула халат. — Позвоню в полицию, попрошу к телефону детектива Кука и расскажу ему, кто обворовал мой институт.

Он сунул руки в карманы джинсов. Халат такой же уродливый, как пижама. Совершенно непонятно, почему он должен сдерживаться, когда ему так хочется добраться до ее тела.

— Ты, конечно, можешь позвонить в полицию, но это будет довольно глупо. Во-первых, тебе никто не поверит. Меня здесь нет, Миранда. Я в Нью-Йорке. — Он широко улыбнулся, самоуверенно глядя на нее. — И есть люди, которые с огромным удовольствием подтвердят это.

— Преступники?

— Не надо называть так моих друзей и родственников. Особенно если ты их не знаешь. Во-вторых, — продолжал он, — тебе придется объяснить полиции, почему украденный экспонат застрахован на крупную сумму, когда на самом деле он стоит гроши.

— Ты лжешь! Я сама проверяла статуэтку. Это шестнадцатый век, это подлинник!

— Ага, а бронза Фиезоле — работа Микеланджело, да? — скривился Райан. — Что, заткнулась? А теперь сядь, и я скажу тебе, что мы будем делать дальше.

— Я хочу, чтобы ты ушел. — Миранда вздернула подбородок. — Я хочу, чтобы ты немедленно убрался из моего дома.

— Или?

Повинуясь мгновенному импульсу, она бросилась к ночному столику и схватила пистолет. Но Райан, двигаясь столь же стремительно, сжал ее запястье словно тисками и с легкостью завладел пистолетом. Другой рукой он толкнул ее на кровать.

— Известно ли тебе, сколько происходит несчастных случаев из-за того, что люди хранят в доме оружие?

Он оказался сильнее, чем она думала. И двигался быстрее.

— Это не было бы несчастным случаем.

— Ты могла поранить себя, — укоризненно проговорил он и вынул обойму. Положил ее в карман, а пистолет сунул обратно в ящик. — Итак...

Миранда сделала попытку встать, но Райан не дал ей подняться.

— Сиди спокойно. И слушай. Ты кое-что должна мне, Миранда.

— Я?.. — От изумления она не сразу нашлась, что сказать. — Должна тебе?

— У меня был безупречный послужной список. Каждый раз, когда я выполнял свою работу, клиент был мною доволен. А это было мое последнее дело. Черт! Мне в голову не могло прийти, что какая-то рыжая профессорша бросит тень на мою репутацию. Я должен был отдать клиенту вещь из моей личной коллекции и возместить расходы, дабы соблюсти условия нашего контракта.

— Репутация? Клиент? Контракт? — взвизгнула Миранда. — Господи боже, ты вор, а не агент по продаже произведений искусства.

— У меня нет желания обсуждать с тобой это. — Он говорил спокойно, как человек, полностью владеющий ситуацией. — Я хочу маленькую «Венеру» Донателло.

— Что, прости, ты хочешь?

— Маленькую «Венеру», выставленную в той же витрине, что фальшивый «Давид». Я мог бы вернуться и взять ее сам, но это было бы нечестно. Я хочу, чтобы ты взяла ее и отдала мне. И если она подлинная, будем считать, дело закрыто.

Миранда ахнула. Тут никакой выдержки не хватит.

— Ты спятил?!

— Если ты этого не сделаешь, я устрою так, что «Давид» появится на художественном рынке. А когда страховая компания его обнаружит и протестирует — ибо такова обязательная процедура, — обнаружится твоя вопиющая некомпетентность. — По изумленному выражению лица Миранды Брайан понял, что она очень внимательно слушала его, следила за его словами. — И в сочетании с провалом во Флоренции это будет означать полный и бесславный конец вашей карьеры, доктор Джонс. Я же предлагаю тебе, даже не знаю почему, избежать столь постыдной участи.

— Я не нуждаюсь в твоих одолжениях. Тебе не удастся меня шантажировать. Ничего ты не получишь, ни Донателло, ни чего-то другого. Бронза не была подделкой. А ты в скором времени отправишься в тюрьму.

— Ты не допускаешь, что могла ошибиться, да?

— Когда я делаю ошибку, я это честно признаю.

— Как, например, во Флоренции? — поинтересовался он и увидел, как гневно сверкнули ее глаза. — Новость об этом провале прогремела на весь художественный мир. Мнения разделились ровно наполовину: одни говорят, что ты подделала анализы, другие уверяют, что ты просто-напросто ошиблась.

— Мне наплевать, что там говорят. — Но Миранду вдруг охватила странная слабость, и она прижала руку к сердцу.

— Если бы я узнал обо всем этом раньше, я бы не стал рисковать и брать вещь, подлинность которой устанавливала ты.

— Я не могла ошибиться. — Она закрыла глаза. Оказывается, есть вещи хуже, намного хуже, чем досада на то, что тебя использовали. — Никак не могла.

Ее тихий голос был полон отчаяния. Райан, сунув руки в карманы, с интересом смотрел на нее. Какой она вдруг стала хрупкой, невыразимо несчастной и слабой.

— Все люди делают ошибки, Миранда. От ошибок никто не застрахован.

— Только не в моей работе. — К горлу подступили рыдания. Миранда открыла глаза и взглянула на него. — Я всегда так осторожна, никогда не делаю поспешных заключений. Я так скрупулезно провожу все процедуры... — У нее перехватило дыхание, и она умолкла на полуслове. Миранда изо всех сил боролась со слезами, готовыми хлынуть из глаз неудержимым потоком.

— Ладно, надо держаться. Не принимай все так близко к сердцу.

— Я не буду плакать. Я не буду плакать, — твердила она как заклинание.

— Вот и славно! Дело есть дело. — Ее огромные влажные глаза, сверкавшие как бриллианты, мешали ему сосредоточиться. — Веди себя по-деловому, и нам обоим будет легче.

— Дело. — Абсурдность его слов помогла ей справиться со слезами. — Отлично, Болдари. Дело так дело. Ты говоришь, что статуэтка фальшивая, я говорю, что — нет. Ты говоришь, что я не позвоню в полицию, я говорю — позвоню. И что ты на это скажешь?

Он изучающе рассматривал ее несколько мгновений. В его профессии (в обеих его профессиях) требовалось умение быстро и точно составлять суждение о людях. Он видел, что Миранда будет до конца отстаивать свою правоту и что она и вправду позвонит в полицию. Второе его не слишком тревожило, но все это ему было ни к чему.

— Ладно, одевайся.

— Зачем?

— Мы поедем в лабораторию, ты снова проведешь анализы, у меня на глазах, удостоверишься.

— Сейчас два часа ночи!

— Отлично, значит, нам никто не помешает. Если ты не собираешься ехать в пижаме, переодевайся.

— Я не могу устанавливать подлинность того, чего у меня нет.

— «Давид» у меня с собой. — Райан кивнул на кожаную сумку у двери. — Я прихватил его, чтобы запихнуть тебе в глотку. Но рассудок возобладал. Одевайся потеплее, — посоветовал он, поудобнее устраиваясь в кресле. — На улице холодно.

— Я не возьму тебя с собой в институт.

— Ты же здравомыслящая женщина. Будь до конца логичной. Твоя бронза и твоя репутация в моих руках. Ты хочешь получить назад первую и спасти остатки второй. Я даю тебе этот шанс. — Он дал ей время осознать смысл сказанного. — Ты проведешь идентификацию еще раз, но я буду стоять у тебя за спиной, следить за каждым твоим движением. Вот так, доктор Джонс. Будь умницей. Соглашайся.

Ведь в самом деле, ей же нужно знать наверняка? Удостовериться. А когда удостоверится, она сдаст его полиции. Она сообразит, как это будет лучше сделать.

Она примет предложение, решила Миранда. Кроме всего прочего, еще и из гордости.

— Я не намерена переодеваться в твоем присутствии.

— Доктор Джонс, если бы я имел намерение заняться любовью, я бы осуществил его, когда мы так мило катались по полу. Дело есть дело, — повторил он. — Я с тебя глаз не спущу, пока мы не разберемся, что к чему.

— Я тебя ненавижу.

Она произнесла это с таким чувством, что никто бы не смог усомниться в ее словах. Но когда она рывком распахнула дверцу шкафа и загрохотала вешалками, Райан улыбнулся.

* * *

Она была довольно известным ученым, образованной, воспитанной женщиной с незапятнанной репутацией, ее работы публиковались в серьезных газетах и научных журналах, она читала лекции в Гарварде и провела три месяца в Оксфорде в качестве приглашенного профессора.

В ее голове совершенно не укладывалось, что это она едет по Мэну морозной ночью в одной машине с вором, чтобы тайком пробраться в свою собственную лабораторию и тайком протестировать украденную вещь.

На повороте Миранда нажала на тормоз.

— Нет. Кроме того, что это нелепо, это еще и незаконно. Я все же вызову полицию.

— Прекрасно. — Райан безразлично пожал плечами, когда она достала телефон. — Вызывай, дорогуша. Только учти: тебе придется объяснить им происхождение куска металла, который ты пыталась выдать за произведение искусства. Потом объяснишь страховой компании — ведь вы уже подали заявление о выплате страховки, не правда ли? — почему это они должны заплатить тебе пятьсот тысяч за подделку. Подлинность которой удостоверяла ты сама, между прочим. Я же, кажется, все уже тебе объяснил!

— Это не подделка, — процедила она сквозь зубы, но телефон отложила в сторону.

— Докажи. — В темноте сверкнула его белозубая улыбка. — И мне, и себе. Если докажешь — мы договоримся.

— Черта с два мы договоримся! Ты прямиком отправишься в тюрьму, — пообещала она и повернулась к нему, — уж я об этом позабочусь.

— Не все сразу. — Он дружески похлопал ее по плечу. — Позвони охране. Скажи, что вы с братом приедете поработать в лаборатории.

— Я не хочу вмешивать в это Эндрю.

— Эндрю уже и так замешан. Звони. Придумай что-нибудь. Скажи, что не спится, что ты решила поработать в тишине. Давай, Миранда. Ты ведь хочешь знать правду?

— Я знаю правду. А ты не видишь очевидных вещей.

— Когда ты злишься, с тебя слетает эта светская чопорность. — Он наклонился и поцеловал ее, прежде чем она оттолкнула его. — Мне это нравится.

— Убери руки.

— Руки я в ход еще не пускал. — Он взял ее за плечи. — Вот мои руки. Звони.

Она пихнула его локтем и стала набирать номер. Камеры-то все равно включены, подумала она. За Эндрю он никак не сойдет, так что все кончится, не начавшись. Охранник, если у него глаза не на затылке, позвонит в полицию. Миранда объяснит, в чем дело, а Райану Болдари наденут наручники, посадят за решетку. И он исчезнет из ее жизни.

— Это Миранда Джонс. — Она сбросила руку, которую Райан ободряюще положил ей на колено. — Мы с братом едем в институт. Да, хотим поработать. Со всей этой суматохой в последние дни я совсем забросила дела в лаборатории, надо кое-что доделать. Мы будем через десять минут. У главного входа. Спасибо.

Она разъединилась и фыркнула. Вот он и попался, злорадно подумала она. Попался в собственную ловушку.

— Они отключат сигнализацию, когда я подъеду.

— Отлично. — Он вытянул ноги вперед. — Заметь, я делаю это только для тебя.

— Не могу выразить, до какой степени я признательна.

— Не стоит благодарности, — небрежно отмахнулся он, видя, как зло она сжала губы. — Правда. Несмотря на то что ты доставляешь мне массу проблем, ты мне нравишься.

— О, я польщена.

— Правда? В тебе есть стиль. А твой рот... я мог бы целовать его ночь напролет. Как жаль, что у меня нет времени им заняться.

Она крепко вцепилась в руль. Дыхание участилось. Заткнется он когда-нибудь?

— У тебя будет достаточно времени, Райан, — почти ласково сказала она. — Мой рот разжует тебя и выплюнет, не успеешь оглянуться.

— Жду с нетерпением. Здесь очень красивые места. — Он решил сменить тему. — Простор, дикая природа, но цивилизация и культура совсем рядом. Ты прекрасно вписываешься в пейзаж. И ваше родовое гнездо мне нравится.

Она не ответила. Не хватало еще поддерживать с ним светскую беседу.

— Я тебе завидую, — ничуть не обидевшись, продолжал Райан. — Наследство, деньги — ерунда, но вот родовое имя, это да. Джонсы из Мэна. Звучит классно.

— Не то что Болдари из Бруклина, — съязвила она, но он только рассмеялся.

— О, у нас имеются другие достоинства. Тебе бы понравилась моя семья. Она просто не может не понравиться. Интересно, а ты бы им понравилась?

— Возможно, мы встретимся на твоем процессе.

— Ты все еще жаждешь отдать меня в руки правосудия. — Он взглянул на ее четкий профиль, похожий на силуэт скал, вырисовывавшийся на фоне ночного неба. — Я играю в эти игры двадцать лет, дорогая. И не собираюсь попадаться накануне завершения карьеры.

— Вор всегда останется вором.

— Да, солнышко, я с тобой согласен. Но я дал слово... — Он вздохнул. — Вот только исправлю это дельце. Если бы ты тут не напортачила, я бы уже сидел на берегу и заслуженно грелся на солнышке.

— Как тебе не повезло! Бедняга!

— Да уж. — Он покачал головой. — Но я все-таки постараюсь выкроить несколько дней. — Он расстегнул ремень безопасности и достал сумку с заднего сиденья.

— Что ты делаешь?

— Мы почти приехали. — Насвистывая, он достал из сумки лыжную шапочку и натянул ее по самые глаза. Длинным черным шарфом обмотал шею и нижнюю часть лица. — Ты, конечно, можешь подать сигнал охране, — сказал он, разглядывая в зеркальце заднего вида результаты своих трудов. — Но в таком случае ты никогда больше не увидишь ни бронзы, ни меня. Веди себя как обычно, топай в лабораторию как ни в чем не бывало, и все пройдет нормально. Эндрю чуть выше меня, — заметил Райан, запахиваясь в длинное черное пальто. — Ну да ничего. Они увидят то, что ожидают увидеть. Так всегда бывает.

Выйдя из машины, Миранда была вынуждена признать, что он оказался прав. В этой одежде он стал совершенно другим, на него было трудно обратить внимание. Более того, когда он направился ко входу, она подумала, что и сама могла бы легко принять его за Эндрю.

Походка, сутуловатость — это была идеальная имитация.

Миранда раздраженно всунула пластиковую карточку в щель замка, после щелчка набрала код. Она представила себе: вот она делает страшное лицо камере, толкает Райана, бьет кулаком в его наглую физиономию, а тем временем сбегается охрана. Но вместо этого она спокойно стояла и ждала, пока откроется дверь.

Райан по-братски обнял ее за плечи и отворил дверь. Опустив голову, он пробормотал, шагая с ней по коридору:

— Без фокусов, доктор Джонс. Ведь тебе не нужна лишняя реклама.

— Мне нужна моя бронза.

— Скоро ты ее получишь. По крайней мере, на время.

Они прошли по коридорам, поднялись по лестнице, подошли к двери лаборатории. Миранда снова вставила карточку в замок.

— Ты не выйдешь отсюда с моей собственностью.

Он включил свет.

— Начинай свои тесты, — ответил он, снимая пальто. — Не теряй зря времени. — Он надел перчатки и достал из сумки статуэтку. — Учти, я кое-что знаю о том, как удостоверяют подлинность. К тому же я не отойду от тебя ни на шаг.

Никогда за все годы своей профессиональной деятельности он так не рисковал. Пришел сюда вместе с ней. Загнал себя в угол, и черт его возьми, если он сам знал — почему. Приятно вернуться на старое место, подумал он, глядя, как Миранда достала из ящика стола очки в тонкой оправе и надела их.

Да, он был прав: сексапильная студенточка. Но тут же отогнав от себя эти несвоевременные мысли, он уселся поудобнее, не спуская глаз с Миранды, которая тем временем начала брать пробы.

Его репутация, его честь — что одно и то же — поставлены сейчас на карту.

Операция, которая должна была стать аккуратным, красивым и изящным завершением его деятельности, стоила ему неприятностей, денег, а главное — потери профессиональной репутации.

Но он собирался взять эту дамочку за горло и шантажировать ее, угрожать ей до тех пор, пока она не покроет все его расходы и потери.

Но посмотрим, кто окажется хитрее. Он не сомневался, что она постарается подделать результаты тестов в свою пользу и убедить его в том, что статуэтка подлинная. И вот тогда она дорого заплатит за свои ухищрения.

Райан считал, что Челлини будет слабым утешением за его покладистое молчание. Пусть этот чертов институт сделает щедрое пожертвование галерее Болдари.

Миранду трясло мелкой дрожью.

Она оторвалась от микроскопа, брови ее были сдвинуты. Гнев и раздражение улетучились. Она молча записывала что-то в тетрадь.

Взяв еще соскоб патины и самого металла, она проверила их еще раз. Белая как мел, она поставила статуэтку на весы, снова что-то записала.

— Мне нужно сделать тесты по коррозийным слоям и по металлу. И еще рентген-анализ инструментальной обработки.

— Пожалуйста, делай.

Он ходил за ней по пятам по лаборатории и прикидывал, где он разместит Челлини. Маленькую бронзовую «Венеру» он заберет в свою личную коллекцию, но Челлини будет выставлен для публики, это придаст его галерее еще больше блеска и престижа.

Райан достал из кармана тонкую сигару, вынул зажигалку.

— Не кури здесь! — рявкнула она.

Он щелкнул зажигалкой, прикурил.

— А ты вызови полицию, — посоветовал он. — Кофе хочешь?

— Отстань. Сиди тихо.

В животе застыл горячий липкий ком страха. Миранда действовала как автомат, проводила процедуру идентификации по всем правилам. Но она уже все знала.

Она нагрела глиняную сердцевину статуи, подождала, пока нагретые ионами кристаллы глины начнут светиться. И тут же закусила губу, сдержав возглас отчаяния. Нечего доставлять ему удовольствие.

Рентген подтвердил то, что давно подсказывало внутреннее чувство. Руки Миранды стали холодными как лед.

— Ну? — Подняв брови, Райан ждал заключения.

— Бронза фальшивая. — У нее подкосились ноги, и она опустилась на ближайший стул. Поэтому она не заметила мелькнувшего в его глазах изумления. — Формула, насколько можно судить по предварительным тестам, правильная. Однако патина нанесена совсем недавно, коррозийные слои не имеют ни малейшего отношения к шестнадцатому веку. Инструментальная обработка тоже. Статуэтка сделана профессионально. — Миранда машинально, до боли сжала руки. — Но это подделка.

— Так-так, доктор Джонс, — пробормотал он. — Вы меня удивляете.

— Это не та вещь, которую я тестировала три года назад.

Райан сунул руки в карманы.

— Ты ошиблась, Миранда. Признай это наконец.

— Это не та бронза, — упрямо повторила она и выпрямилась. — Я не знаю, чего ты хотел добиться, устраивая весь этот цирк с фальшивым «Давидом».

— Эту бронзу я взял из вашей Южной галереи, — ровным голосом сказал Райан, — поверив вашей репутации и квалифицированным знаниям, доктор. Так что хватит пороть ерунду. Перейдем к делу.

— У меня не может быть никаких дел с тобой. — Миранда схватила статуэтку и замахнулась. — Ты врываешься в мой дом, пытаешься подсунуть мне вместо моей вещи подделку и считаешь, что я дам тебе еще что-то? Да ты просто псих!

— Я украл эту бронзу, поверив твоей оценке.

— Все, я вызываю охрану.

Он схватил ее и грубо прижал к стене.

— Послушай, солнышко, я затеял эту игру вопреки здравому смыслу. Все, игры кончились. Может быть, ты и не пыталась никого надуть. Может, ты и вправду ошиблась...

— Я не ошиблась. Я не ошиблась.

— Так же, как с бронзой Фиезоле?

Кровь отхлынула от ее лица. Глаза затуманились. На мгновение ему показалось, что, если бы он ее не держал, она бы сползла по стенке на пол. Если она так умело изображает отчаяние, значит, он недооценивал эту женщину.

— Я не ошиблась, — уверенно повторила она, но голос ее дрожал. — Я могу это доказать. У меня сохранились отчеты, записи, результаты анализов оригинальной бронзы.

Она казалась такой потерянной, что он молча разжал руки и пошел за ней в соседнюю комнату, где стояли шкафы с документацией.

— Вес не тот, — торопливо приговаривала она, звякая

ключами. — Материал правильный, но вес... Я поняла это, как только взяла ее в руки. Она слишком тяжелая, разница в весе не такая уж большая, но все-таки она ощущается... Да где же эта чертова папка?

— Миранда...

— Да, совсем чуть-чуть. Патина тоже очень сходна по составу. Но даже если я могла это пропустить, то уж коррозийные слои никак не могли меня обмануть. В них-то я не могла ошибиться.

Бормоча себе под нос, она выдвигала ящики один за другим и с шумом их захлопывала.

— Их здесь нет. Всей папки нет. Она исчезла. — Стараясь быть спокойной, она задвинула последний ящик. — Фотографии, записи, результаты анализов по «Давиду» исчезли. Это ты их забрал.

— Зачем? — спросил он, подумав, что терпение у него — просто как у святого. — Подумай сама: если я проник сюда, я ведь мог взять все, что угодно, а не только эту вашу фальшивку. И не стал бы заваривать всю эту кашу с ночными бдениями в лаборатории.

— Мне надо подумать. Спокойно подумать. — Она обхватила голову руками и зашагала по комнате. «Логично, старайся рассуждать логично, — твердила она себе. — Учитывай факты, а не эмоции».

Он украл бронзу, она оказалась подделкой. Какой смысл красть подделку, а потом приносить ее назад? Абсолютно никакого. Если бы вещь была подлинной, вернулся бы он сюда? Никогда. Выходит, то, что он ей рассказал, — правда. Какой бы она ни казалась абсурдной.

Статуэтку Миранда проверила, его слова подтвердились.

Неужели она ошиблась? О господи, неужели она ошиблась?

Нет. Никаких эмоций, напомнила она себе. Миранда перестала бегать по комнате и повернулась к Райану.

Если рассуждать логично, все оказывается поразительно очевидным.

— Кто-то тебя опередил, — спокойно сказала Миранда. — Кто-то подменил подлинник и поставил вместо него фальшивку.

По выражению его лица она поняла, что он пришел к точно такому же выводу.

— Итак, доктор Джонс, кажется, нас обоих здорово подставили. — Он внимательно посмотрел на нее. — Что будем делать?

ГЛАВА 12

То, что день сегодня совершенно сумасшедший, Миранда поняла, очутившись в шесть часов утра в закусочной для дальнобойщиков на шоссе № 1.

Официантка принесла им кофейник с горячим кофе, две толстые глиняные кружки и два меню.

— Что мы здесь делаем?

Райан налил кофе, отпил, покивал головой.

— Вот это кофе!

— Болдари, что мы здесь делаем?

— Завтракаем. — Он откинулся на спинку стула и принялся изучать меню.

Миранда сделала глубокий вдох.

— Сейчас шесть часов утра. У меня была убийственная ночь, я страшно устала. Мне нужно как следует подумать, у меня нет времени сидеть в закусочной для дальнобойщиков и состязаться в остроумии с вором.

— Ты никогда еще не казалась мне столь остроумной, как сегодня. Но, как ты совершенно правильно говоришь, ночь была трудной. Ты можешь встретить здесь кого-нибудь из знакомых?

— Нет, конечно.

— Отлично. Нам нужно поесть, и нам нужно поговорить. — Он отложил меню и широко улыбнулся официантке, которая подошла к их столику с блокнотиком в руках. — Мне, пожалуйста, тосты и яичницу с беконом.

— О'кей, командир. А тебе, дорогуша?

— Мне... — Смирившись, Миранда поискала в меню что-нибудь не смертельно опасное. — Овсянку. А кипяченое молоко у вас есть?

— Погляжу. Через минутку принесу ваш заказ.

— Итак, рассмотрим сложившуюся ситуацию, — продолжил Райан. — Три года назад у вас появилась маленькая бронзовая статуэтка Давида. Согласно имеющимся у меня сведениям, ее привез твой отец с частных раскопок.

— Твои сведения верны. Большинство находок были переданы в Национальный музей в Риме. А «Давида» отец привез домой, в институт. Для изучения, идентификации и последующего помещения в музейную экспозицию.

— Ты ее изучила и удостоверила подлинность.

— Да.

— Кто работал вместе с тобой?

— Без своих записей я вряд ли вспомню.

— Постарайся.

— Это было три года назад. — В голове был полный сумбур, и Миранда отпила кофе. — Эндрю, конечно, — начала она медленно перечислять. — Ему очень понравился «Давид». Он в него прямо влюбился: ходил и все любовался. Время от времени в лабораторию заходил мой отец, проверял, как идут работы. Результатами он остался доволен. Теперь, Джон Картер. — Миранда сосредоточенно потерла лоб. — Заведующий лабораторией.

— Значит, он не мог не участвовать. Кто еще?

— Да любой, кто работал тогда в лаборатории. Это была обычная работа по идентификации.

— Сколько человек работает в лаборатории?

— Человек двенадцать-пятнадцать. Когда как.

— Все имеют доступ к документам?

— Нет. Ключи есть не у всех ассистентов и лаборантов.

— Поверь мне, Миранда, люди излишне полагаются на ключи и замки. — Он улыбнулся и налил кофе. — Сойдемся на том, что все, кто работает в лаборатории, имеют доступ к папкам с документами. Тебе нужен список личного состава.

— Ты в этом уверен?

— Ты же хочешь узнать, кто это сделал. С того момента, как ты установила подлинность бронзы, и до того момента, когда я избавил тебя от подделки, прошло три года. Тот, кто подменил «Давида», имел доступ к оригиналу. Самым простым и, кстати, самым умным способом было сделать с него слепок, восковую копию.

— Ты, кажется, прекрасно разбираешься в способах изготовления подделок, — съязвила она, пробуя свою овсянку.

— Ровно настолько, насколько должен разбираться человек моей профессии, вернее, моих профессий. Итак, чтобы сделать слепок, необходимо иметь оригинал, — продолжал Райан, нисколько не обидевшись. Миранда поняла, что задирать его нет смысла. — И совершить эту операцию возможно, лишь пока оригинал находится в лаборатории. Как только он будет выставлен, до него не доберешься — охрана, сигнализация. Кстати, она у вас очень даже неплохая. Говорю как профессионал!

— Большое спасибо. Молоко некипяченое, — пожаловалась Миранда.

— Да, это опасно для жизни. — Райан щедро посолил яичницу. — Я себе это представляю так. Некто в лаборатории вовремя сообразил, куда ведут ваши тесты. За такую милую вещицу любой коллекционер заплатит хорошую цену. Итак, этот человек — может быть, у него долги или он ненавидит ваше семейство, а может, просто решил попытать счастья — однажды ночью делает слепок. Это совсем несложно. Если он не в состоянии сам изготовить копию, он, безусловно, знает того, кто умеет это делать. А уж нанести на подделку следы веков — дело техники. Когда фальшивка у него в руках, он совершает подмену, непосредственно перед тем, как статуэтку выставят в музее. Никто ничего не заметил.

— Такое не делают импульсивно. На это требуется время, тщательный план.

— А я и не говорю про импульс. Но в то же время все длилось не так уж долго. Сколько бронза пробыла в лаборатории?

— Не помню. Недели две-три.

— Более чем достаточно. — Райан проглотил большой кусок бекона. — На твоем месте я бы проверил другие экспонаты.

— Другие? — Ей это не приходило в голову, и сейчас она с ужасом уставилась на него. — О господи!

— Один раз он это уже сделал, и все осталось шито-крыто. Почему же не повторить? Не будь такой несчастной, дорогая. Я тебе помогу.

— Поможешь?! — У нее защипало глаза, она потерла их пальцами. — Почему?

— Потому что мне нужна эта бронза. Я обещал ее своему клиенту.

Она уронила руки на стол.

— Ты поможешь мне вернуть статуэтку, чтобы потом снова украсть ее?

— У меня тут личный интерес. Доедай свой завтрак. Нам надо работать. — Он допил кофе и хмыкнул: — Партнер!

* * *

Партнер. Ее от одного этого слова передернуло. Возможно, голова плохо соображала, но пока Миранда не видела способа вернуть свою собственность без помощи Райана Болдари.

Он ее использовал, подумала она, отпирая входную дверь. Что ж, теперь она его использует. А потом она непременно позаботится о том, чтобы следующие двадцать лет он мылся в душе за казенный счет.

— Ты ждешь кого-нибудь сегодня? Уборщицу, телефониста, слесаря?

— Нет. Из фирмы, которая делает уборку, приходят по вторникам и пятницам.

— Фирма. — Он снял пиджак. — Разве фирма приготовит настоящую домашнюю еду, разве сделает дом уютным? Тебе нужна экономка в белом фартуке и мягких домашних тапочках, которую звали бы Мэйбл.

— Люди из фирмы вполне меня устраивают.

— Ничего ты не понимаешь. Эндрю уже ушел на работу. — Райан взглянул на часы. — Во сколько приходит на работу твоя секретарша?

— Лори? В девять часов, иногда раньше.

— Позвони ей... У тебя есть ее домашний телефон? Позвони ей и скажи, что ты сегодня не пойдешь на работу.

— Я обязательно пойду. У меня назначены встречи.

— Пусть она их отменит. — Он пересек гостиную, положил дрова в камин. — Пусть она пришлет тебе список сотрудников лаборатории за последние три года. Начинать надо именно с них. Пусть перекинет список на твой домашний компьютер.

Райан зажег лучину, и через минуту огонь ярко запылал.

Миранда молча наблюдала за тем, как ловко он разводил огонь, словно опытный скаут в лесу.

Райан встал, повернулся и наткнулся на ее колючий взгляд.

— Что еще я должна сделать?

— Дорогая, надо веселее исполнять приказы опытного командира.

— А опытный командир — это ты?

— Именно. — Он подошел к ней и взял за плечи. — Поверь, о кражах и воровстве я знаю куда больше, чем ты.

— Большинство людей вряд ли оценят подобное достоинство.

— Послушай, Миранда, наше партнерство было бы гораздо плодотворнее, если бы ты вела себя дружелюбнее. — Райан задержал пристальный взгляд на ее губах.

— Дружелюбнее? — Миранда поспешила отвернуться.

— Покладистее. — Райан сделал шаг к Миранде и привлек ее к себе. — Хотя бы в некоторых случаях.

Она, вопреки его ожиданиям, прижалась к нему, томно прикрыла глаза.

— Вот так?

— Ну, для начала... — Он наклонил голову и уже ощутил ее аромат, но тут же поперхнулся от боли: ее кулак изо всей силы ударил его в живот.

— Я же говорила: убери руки.

— Да-да, припоминаю. — Он кивнул, потер живот. Несколько дюймов ниже, и она сделала бы его евнухом. — У вас крепкий удар, доктор Джонс.

— Это я еще била не в полную силу, Болдари, — соврала Миранда. — А то бы ты сейчас валялся на полу. Думаю, с этим вопросом мы разобрались окончательно.

— Да, я все понял. Звони, Миранда, своей секретарше. Пора приступать к работе.

Разумнее было его послушаться. В половине десятого она сидела в своем кабинете перед компьютером. Эта комната была столь же функциональной, как и кабинет в институте, но казалась немного поуютнее. Здесь Райан тоже растопил камин, хотя Миранде не казалось, что в комнате холодно.

Пламя весело потрескивало, за окном светило тусклое зимнее солнце.

Они сидели бок о бок на диване и изучали список сотрудников лаборатории.

— Похоже, полтора года назад у вас разом уволилась половина лаборатории, — заметил он.

— Да. Моя мать в то время организовала лабораторию во Флоренции и нескольких сотрудников забрала с собой, а кое-кто оттуда перевелся сюда.

— А ты почему не перескочила?

— Я — что?

— Почему не перебралась во Флоренцию?

Миранда с тоской взглянула на принтер. Скорее бы выползала вторая распечатка, тогда не пришлось бы сидеть на диване плечом к плечу с Райаном.

— Мне не предлагали. Мы с Эндрю заведуем институтом. Здесь. Моя мать руководит «Станджо».

— Понятно. — Хотя, честно говоря, пока не очень. — Конфликты с мамочкой?

— Мои семейные отношения тебя не касаются.

— Не просто конфликты, я смотрю. А твой отец?

— В каком смысле?

— Ты — папина дочка?

Не удержавшись, она рассмеялась столь абсурдному предположению. Потом встала и подошла к принтеру.

— Я никогда не была чьей-то дочкой.

— Очень плохо, — серьезно ответил он.

— Моя семья здесь абсолютно ни при чем. — Миранда села в кресло и постаралась сосредоточиться на списке. Буквы прыгали у нее перед глазами.

— Почему же ни при чем? У вас семейный бизнес. Может, тот, кто подменил бронзу, хотел отомстить кому-то из вашей семьи.

— Это твое итальянское происхождение в тебе говорит. Здесь тебе не Италия.

— Ирландцы тоже умеют мстить, дорогая, — улыбнулся Райан. — Расскажи мне о людях в этом списке.

— Джон Картер. Заведующий лабораторией. Доктор наук. Работает в институте шестнадцать лет. Его специальность — восточное искусство.

— Нет-нет, мне нужны сведения личного характера. Он женат? Платит алименты? Играет, пьет, любит переодеваться в женское платье, когда никто не видит?

— Не говори ерунды. — Она хотела сесть как положено, но потом передумала и забралась на кресло с ногами. — Он женат первым браком. Двое детей. Старший, кажется, только что поступил в колледж.

— Значит, нужны деньги, чтобы платить за обучение. — Он посмотрел в графу «зарплата». — Получает прилично, но приличная зарплата удовлетворяет далеко не всех.

— Его жена — адвокат и зарабатывает намного больше мужа. Деньги для них не проблема.

— Деньги для всех проблема. На какой машине он ездит?

— Понятия не имею.

— Как он одевается?

Миранда вздохнула, но потом, кажется, поняла, куда он клонит.

— Старомодные пиджаки, шелковые галстуки, — начала перечислять она, прикрыв глаза, чтобы получше вспомнить. — Не пижон, хотя на двадцатилетие свадьбы жена подарила ему «Ролекс». — Миранда подавила зевоту, уселась поудобнее. — Он всегда носит одни и те же ботинки. Когда они разваливаются — покупает следующую пару, точно такую же.

— Подремли, Миранда.

— Я... Все нормально. Кто следующий? — Глаза слипались. — А, Элайза. Бывшая жена моего брата.

— Скандальный развод?

— Ну, они никогда не жили душа в душу, хотя, должна сказать, она относилась к Эндрю неплохо. Здесь она работала заместителем Джона Картера, а потом перевелась во Флоренцию. Теперь она сама заведует лабораторией у моей матери. Они с Эндрю встретились здесь, в институте. Фактически это я их познакомила. Он был сражен в одно мгновение. Полгода спустя они поженились. — Миранда снова зевнула, уже не скрываясь.

— Долго они были женаты?

— Два года. Сначала казалось, что они оба счастливы, а потом все вдруг развалилось.

— Чего ей не хватало? Шикарных тряпок, поездок в Европу, роскошного дома?

— Ей не хватало внимания, — пробормотала Миранда и положила голову на сложенные руки. — Она хотела, чтобы Эндрю перестал пить и уделял ей больше внимания. А мы на это не способны. Проклятие рода Джонсов — не умеем строить личные отношения. Мне надо минутку отдохнуть, ладно?

— Конечно, отдыхай.

Райан вновь начал изучать список. Сейчас это только имена. Но он собирается узнать об этих людях как можно больше. Состояние банковских счетов. Тайные пороки. Дурные привычки.

И еще он приписал к списку три имени: Эндрю Джонс, Чарльз Джонс и Элизабет Станфорд-Джонс.

Райан подошел к креслу, в котором заснула Миранда, поднял упавшие очки, положил на столик, стоявший рядом. Когда она спит, она не похожа на студентку, подумал он. Она похожа на уставшую женщину.

Стараясь не шуметь, он снял с соседнего кресла плед и укрыл им Миранду. Пусть поспит. И мозгам и телу надо дать отдых.

Разгадка таится в ней самой, в Миранде, — в этом Райан был уверен. Она — связующее звено во всей этой истории.

Миранда спала, а Райан тем временем звонил в Нью-Йорк. Зачем, скажите, иметь брата — гения по компьютерам, если изредка не просить его о помощи?

— Патрик? Это Райан. — Он смотрел на спящую Миранду. — У меня тут есть кое-какая работенка для компьютерного взломщика, а сам не успеваю. Интересуешься? — Он засмеялся. — Оплата по таксе.

* * *

Зазвонил церковный колокол. Звон покатился по черепичным крышам, добрался до холмов. Небо синее, как в сказке.

Но здесь, в доме, промозгло и сыро. Она, дрожа, спустилась по лестнице. Это там, внизу.

Ждет ее.

Деревянные ступени скрипят под ногами. Скорее, скорее.

Она задыхалась, спина покрылась отвратительным холодным потом. Она вытянула вперед дрожащую руку и осветила фонарем то, что стояло перед ней.

Поднятые руки, пышная грудь, соблазнительно рассыпанные волосы. Бронза сияла, сине-зеленой патины времени на ней как не бывало. Миранда коснулась ее пальцами и ощутила холодную поверхность металла.

Потом раздались звуки арфы и женский смех. Глаза статуи ожили, заблестели, губы дрогнули, произнося ее имя.

Миранда.

Она проснулась, как от удара, сердце готово было выпрыгнуть из груди. В первое мгновение она могла бы поклясться, что ощутила легкий цветочный аромат. В ушах продолжала звучать арфа.

Однако звенело не в ушах. Кто-то звонил в дверь — настойчивыми короткими звонками. Вся дрожа, Миранда вскочила, выбежала из комнаты.

И ужасно удивилась: Райан отпирал входную дверь. Но она просто остолбенела, увидев стоящего на пороге отца.

— Папа?! — Голос после сна звучал сипло. — Здравствуй. Я не знала, что ты в Мэне.

— Я только что приехал.

Чарльз был высоким худощавым мужчиной с пышной шевелюрой седых волос. Лицо узкое, аккуратно подстриженные седые усы и борода.

Его глаза за очками без оправы — такие же синие, как у дочери, — внимательно разглядывали Райана.

— Я вижу, ты не одна. Надеюсь, не помешаю?

Мгновенно оценив ситуацию, Райан взял ее под свой контроль:

— Доктор Джонс, счастлив познакомиться. Родни Джей Питбоун. Помощник вашей дочери и, надеюсь, друг. Я только сегодня прибыл из Лондона, — частил он, пропуская Чарльза внутрь.

Оглянувшись на Миранду, он увидел, что она смотрит на него так, будто у него разом выросли две головы.

— Миранда была так добра, что согласилась побыть со мной, пока я здесь. Миранда, дорогая! — Он послал ей совершенно идиотскую восхищенную улыбку.

Она не знала, что ее поразило сильнее: эта дурацкая улыбка или внезапно появившийся у него типично британский выговор — словно он с детства воспитывался в королевском семействе.

— Питбоун? — сдвинул брови Чарльз. — Сын Роджера?

— Нет, это мой дядя.

— Дядя? Я не знал, что у Роджера были братья или сестры.

— Сводный брат, Кларенс. Мой отец. Позвольте, я помогу вам снять пальто, доктор Джонс?

— Да, благодарю вас. Миранда, я был в институте. Мне сказали, что ты заболела.

— У меня... да, голова болит. Ничего...

— Мы попались, дорогая. — Райан подошел к Миранде, крепко стиснул ей руку. — Уверен, твой отец нас поймет.

— Нет, — решительно возразила она. — Не поймет.

— Вина целиком лежит на мне, доктор Джонс. Я приехал всего на несколько дней. — Он с чувством поцеловал кончики ее пальцев. — И уговорил вашу дочь посвятить сегодняшний день мне. Она оказывает мне неоценимую помощь в моих исследованиях фламандской живописи семнадцатого века. Я без нее не справился бы.

— Ясно. — Во взгляде Чарльза читалось явное неодобрение. — Боюсь...

— Я пойду приготовлю чай, — перебила его Миранда. Ей надо было собраться с мыслями. — Папа, может быть, ты побудешь в гостиной? Я быстро. Родни, ты мне поможешь?

— Буду счастлив. — Он снова расплылся в улыбке, и они вышли под руку.

— Ты совсем спятил? — прошипела она, прикрывая дверь кухни. — Какой еще Родни Джей Питбоун? Это еще кто такой?

— В данный момент это я. Ты разве забыла: меня здесь нет.

— Ты дал понять моему отцу, что мы любовники. Господи боже! — Она схватила чайник и стала наливать воду. — Да еще что мы среди бела дня кувыркаемся в кровати!

— Кувыркаемся. — Не в силах устоять, он обнял ее, забыв о недавнем ударе. — Ты просто прелесть, Миранда.

— Иди к чёрту! Зачем было так по-идиотски врать!

— А ты бы предпочла, чтобы я ему сказал: «Доктор Джонс, я — тот самый парень, который стащил вашу бронзу». Потом мы с тобой объяснили бы ему, что «Давид» оказался подделкой и что институту грозит обвинение в мошенничестве со страховкой. Пусть уж лучше думает, что ты «кувыркаешься» с английским снобом.

Поджав губы, она заварила чай.

— А почему английский сноб, скажи на милость?

— А что, разве не похож? К тому же я решил, что такие мужчины в твоем вкусе. — В ответ на ее испепеляющий взгляд он обворожительно улыбнулся. — Факт остается фактом, Миранда: твой отец побывал в институте, потом пришел сюда и хочет знать, что происходит. Так что выбирай, как ему все объяснить.

— Сама понимаю. Я что, похожа на дуру?

— Нет, но ты какая-то слишком уж честная. Лгать тоже надо уметь. Рассказывай все, как было — до того момента, как я влез к тебе в спальню.

— Это я и сама могла бы сообразить... Родни. — Но внутри все сжалось от одной мысли о том, что придется врать.

— Ты спала всего часа три. Вон, смотри, носом клюешь. Где у тебя чашки? — Он открыл дверцу шкафчика.

— Нет-нет, эти не бери, — замахала руками Миранда. — Достань фарфоровые чашки из буфета в гостиной.

Он удивленно поднял брови. Фарфор обычно достают для гостей, а не для своих. Еще одно открытие из жизни Миранды Джонс.

— Я отнесу две чашки. Уверен, что вам с отцом надо поговорить с глазу на глаз.

— Трус! — презрительно процедила она.

Она аккуратно расставила на подносе чайник, чашки, блюдца, понимая, что злиться на Райана бесполезно. Расправила плечи, взяла поднос и пошла в гостиную, где перед камином сидел ее отец, в руках у него была маленькая записная книжка в кожаном переплете.

Отец очень красивый, подумала Миранда. Высокий, стройный, загорелый, с копной седых волос, словно излучающих свет. Когда Миранда была маленькой, ей казалось, будто отец сошел с картинки из сказки. Только он был не принцем, а волшебником — таким же мудрым и достойным.

Ей всегда отчаянно хотелось, чтобы отец ее любил. Катал верхом на плечах, сажал к себе на колени, подтыкал одеяло на ночь и рассказывал сказки.

Но Чарльз постоянно находился в отъезде, и девочке приходилось довольствоваться его ровным доброжелательным отношением. Никто не сажал ее на колени, никто не рассказывал сказок.

Отогнав прочь грустные мысли, она вошла в гостиную.

— Я попросила Родни оставить нас одних, — начала она с порога. — Ты, наверное, хочешь поговорить об этой краже.

— Да. Я крайне опечален, Миранда.

— Мы все опечалены. — Она поставила поднос на стол, села в соседнее кресло, церемонно разлила чай в чашки, как ее учили. — Полиция ведет расследование. Остается лишь надеяться, что они найдут бронзу.

— Да, это, конечно, сильно повредило репутации института. Твоя мать крайне обеспокоена. Вот и мне пришлось прервать раскопки в самый ответственный момент и приехать сюда.

— Тебе незачем было приезжать. — Она взяла чашку. — Делается все, что должно делаться в таких случаях.

— Очевидно, наша охранная система не на должном уровне. Ответственность за это ложится на твоего брата.

— Эндрю не виноват.

— Мы возложили руководство институтом на вас — на тебя и на него, — напомнил Чарльз, неторопливо помешивая чай.

— Он прекрасно справляется со своими обязанностями. В его классах самая высокая посещаемость, посетителей в музее заметно прибавилось, за последние пять лет заметно повысилось качество приобретаемых нами вещей.

Почему она должна защищаться и оправдываться перед человеком, который снял с себя обязанности по отношению к институту так же легко, как по отношению к собственной семье?

— Ты никогда не уделял много внимания институту, — ровным голосом произнесла она, зная, что раздражение не по-

может. — Ты всегда предпочитал работы на раскопках. А мы с Эндрю отдаем институту все наше время и энергию. Тебе не в чем нас упрекать.

— И в результате мы имеем кражу — впервые за много лет. Это не шутки, Миранда.

— Ну да, а наша работа на износ в расчет уже не берется.

— Никто не умаляет твоего энтузиазма. — Он отвернулся от нее и стал смотреть на огонь. — Однако с этим происшествием нельзя не считаться. А если учесть твою ошибку во Флоренции, то, согласись, мы оказались в сложном положении.

— Моя ошибка, — тихо повторила она. Как это похоже на него: употребить эвфемизм, вместо того чтобы назвать катастрофу катастрофой. — Во Флоренции я делала все, что от меня требовалось. Все. — Она вся кипела от возмущения, но смотрела на него бесстрастно, ибо иное поведение с отцом было попросту невозможно. — Если бы я могла увидеть результаты повторных тестов, сравнить их с моими данными, я бы определила, в чем заключалась моя ошибка.

— С этим ты должна обратиться к твоей матери. Но, как я уже сказал, она очень недовольна. Если бы еще не пресса...

— Я не имела дела с прессой. — Она встала, не в силах больше сдерживаться, делать вид, что она абсолютно спокойна. — Я вообще не обсуждала «Смуглую Даму» за пределами лаборатории. Господи, да и зачем бы я стала это делать?

Он помолчал, отставил чашку. Чарльз терпеть не мог всякие конфликты, проявление чувств, мешающих спокойной работе. Он видел, что в его дочери бурлило целое море эмоций, вот только не понимал, откуда они в ней взялись.

— Я тебе верю. Ты бываешь иногда излишне упрямой, настаиваешь на своей правоте, но я знаю: ты никогда не лжешь. Раз ты говоришь, что ничего не рассказывала прессе, значит, так оно и есть.

— Я... — Краска бросилась ей в лицо. — Спасибо.

— Однако ситуации это не меняет. Необходимо приглушить шумиху. Обстоятельства сложились так, что ты оказалась в гуще событий, если можно так выразиться. Поэтому мы с твоей матерью полагаем, что будет лучше, если ты возьмешь длительный отпуск.

Слезы, готовые брызнуть из глаз, мгновенно высохли.

— Мы с ней уже обсуждали это. Я сказала, что не собираюсь прятаться. Я ничего такого не сделала.

— Сделала или нет, сейчас это не имеет значения. До тех пор, пока все не прояснится и здесь, и во Флоренции, твое присутствие в институте нежелательно.

Он расправил брюки на коленях, встал.

— С сегодняшнего дня у тебя отпуск. На месяц. Если есть такая необходимость, ты можешь закончить неотложные дела, но будет лучше, если ты отсюда уедешь сегодня или завтра.

— Может, лучше повесите мне на грудь табличку: «Виновна»?

— Ты, как обычно, преувеличиваешь.

— А ты, как обычно, устраняешься. Я снова одна. — Хоть это и было унизительно, но она решила попробовать в последний раз: — Ну хоть один раз в жизни ты можешь встать на мою сторону?

— Здесь нет никаких сторон, Миранда. Ничего личного. Просто так будет лучше для всех, для «Станджо» и для института.

— Это страшная обида.

Он кашлянул, отвел глаза.

— Я уверен, что по прошествии времени ты сама поймешь, что это самый лучший выход из сложившегося положения. Я остановился в отеле, если ты захочешь со мной связаться.

— Я не захочу, — спокойно ответила она. — Где твое пальто?

Испытывая нечто вроде сожаления, он сказал:

— Воспользуйся случаем, поезжай куда-нибудь, отдохни. Позагорай. Возьми с собой своего молодого человека.

— Кого? — Она достала из шкафа его пальто, посмотрела на лестницу, ведущую наверх. И начала смеяться. — А, да, конечно. — Потерла глаза, чувствуя подкатывающую истерику. — Уверена, Родни с удовольствием составит мне компанию.

Она закрыла за отцом дверь, потом села на нижнюю ступеньку, продолжая хохотать как сумасшедшая — пока смех не перешел в рыдания.

ГЛАВА 13

Мужчина, имеющий трех сестер, знает о женских слезах все. Бывают слезы тихие, струящиеся по щекам женщины, словно сверкающие бриллианты, — и мужчина ради этих слез готов сделать что угодно. Бывают горячие, злые слезы — обильные и страстные; умный мужчина в подобных случаях предпочитает ретироваться подальше.

И бывают долго сдерживаемые рыдания, рвущиеся из глубины сердца, и когда наконец они бурным потоком выплескиваются на свободу — ни один мужчина не знает, что в таких случаях делать.

Поэтому Райан не трогал скорчившуюся на ступеньке Миранду, содрогавшуюся от неистовых рыданий. Он знал, чем вызван этот всемирный потоп. Ничего, он может подождать, пусть выплачется.

Когда душераздирающие всхлипы стихли, Райан спустился в холл, открыл дверцу шкафа, достал какую-то куртку и протянул ее Миранде:

— На. Пойдем на воздух.

Она подняла опухшее лицо и непонимающе посмотрела на него.

— Пойдем на воздух, — повторил Райан и рывком поднял ее на ноги. Надел на нее куртку, застегнул пуговицы.

— Мне надо побыть одной. — Ей хотелось произнести это ледяным тоном, но голос не слушался ее.

— Ты уже достаточно побыла одна. — Он набросил на плечи пиджак и открыл входную дверь.

Холодный воздух обжег горло, солнце казалось слишком ярким для воспаленных глаз. Миранда чувствовала себя паршиво еще и оттого, что ей было стыдно. По крайней мере, когда плачешь в одиночестве, никто не видит, как ты расклеилась.

— Очаровательное местечко, — светским тоном сказал Райан. Он крепко сжимал ее руку, хотя она и попыталась высвободиться. — Уединенно, великолепный вид, шагнешь за порог — сразу пахнет морем. Сад бы еще привести в порядок.

Джонсы, как он мог заметить, обращали мало внимания на природные красоты. На запущенной лужайке росли два огромных крепких дерева, ветки которого словно были созданы для того, чтобы повесить на них гамак. Райан готов был биться об заклад, что Миранда даже не представляет себе, как это чудесно: лежать в гамаке летним солнечным днем в прохладной тени густых ветвей.

Вот эти пожухлые кусты наверняка весной расцветают пышным цветом и безо всякого ухода. А проплешины на лужайке хорошо бы засеять и подпитать.

Однако и кусты, и трава, и старые деревья, и сосновая рощица свидетельствовали о том, что кто-то все же не поленился их посадить — или, по крайней мере, взял на себя труд пригласить для этого садовника.

Райан считал себя горожанином до мозга костей, но деревенскую идиллию он тоже ценил.

— Ты не заботишься о своих владениях, Миранда. Странно. Я думал, такая практичная женщина, как ты, содержит в порядке свою собственность и бережно относится к полученному наследству.

— Это всего лишь дом.

— Да, но ты в нем живешь. Ты здесь выросла?

— Нет. — Миранда отупела от слез. Ей хотелось принять аспирин, лечь в кровать и молча лежать в темноте. Но у нее не было сил противиться Райану, который чуть не силой тащил ее по горной тропинке. — Это дом моей бабушки.

— Тогда понятно. А то у меня не укладывалось в голове, что твой отец мог купить такой дом. Он ему совершенно не подходит.

— Ты же совсем не знаешь моего отца.

— Знаю. — Сопротивляясь порывам ветра, они поднимались на гору. Веками обдуваемые ветрами скалы стали гладкими, словно отполированными, и сейчас сияли на солнце. — Он надутый, высокомерный. Круг его интересов ограничен, но в своем деле он профессионал. А вот в отношениях с людьми полный профан. Он тебя не слушал, — добавил Райан, когда они остановились у пологого спуска к морю. — Потому что он вообще не умеет слушать.

— Да, похоже, ты оценил верно. — Миранда выдернула руку и обхватила себя за плечи. — Не знаю почему, но меня удивляет факт, что человек, зарабатывающий на жизнь воровством, подслушивает чужие разговоры.

— Я тоже не знаю. Тебя бросили на произвол судьбы, ты ведь понимаешь это? И что ты теперь собираешься делать?

— А что я могу делать? Кем бы формально я ни являлась в институте, все равно я работаю на них. Меня временно отстранили, вот и все.

— Послушай, нельзя же вот так сразу сдаваться.

— Что ты понимаешь? — Она резко повернулась к нему, глаза Миранды яростно засверкали. — На самом деле всем руководят они. И так всегда было. Хочу или не хочу, а я сделаю так, как мне было велено. Мы с Эндрю руководим институтом только потому, что моим родителям недосуг заниматься рутинной работой. Но и я, и мой брат прекрасно понимаем, что они в любой момент могут отстранить нас от должности. Для меня такой момент наступил.

— И ты спокойно проглотишь, что тебе, как девчонке, нашлепали задницу? Дай сдачи, Миранда. — Он пригладил ее волосы, которые нещадно трепал ветер. — Покажи им, на что ты способна. Институт — не единственное место на свете, где ты можешь себя проявить.

— Ты думаешь, хоть один приличный музей или лаборатория возьмет меня на работу после всего, что произошло? Бронза Фиезоле разрушила мою карьеру. Господи, лучше бы мне никогда ее не видеть!

Она уныло села на камень и стала смотреть на маяк, вонзавшийся шпилем в ярко-голубое небо.

— Создай собственную лабораторию.

— Пустые мечты!

— Многие мне говорили то же самое, когда я решил открыть галерею в Нью-Йорке. — Он сел рядом, скрестив ноги.

Она криво усмехнулась:

— Ну, может быть, дело в том, что я не собираюсь воровать, чтобы добыть деньги для начального капитала.

— Мы все делаем то, что у нас получается лучше всего, — весело отозвался он. Достал сигару, прикурил, заслоняясь от ветра. — У тебя есть связи. Есть голова на плечах. Есть деньги.

— Голова, деньги — да. А вот насчет связей... — Она пожала плечами. — Теперь я не могу на них рассчитывать. Я люблю свою работу, — словно со стороны услышала Миранда свой собственный голос. — Мне нравится заниматься исследованиями. А когда ты находишь ответ — просто дух захватывает, ощущение потрясающее. Я не хочу лишиться моей работы.

— Если ты будешь бороться, ты ее не потеряешь.

— В ту минуту, когда я увидела бронзу Фиезоле, осознала значимость того проекта — я была полностью захвачена открывающимися передо мной перспективами. Я понимала, что во мне говорит эгоизм, но кому какое дело? Я установлю ее подлинность, докажу, какая я умная и способная, и моя мать меня похвалит. И я увижу на ее лице то же, что появляется на лицах матерей, когда они смотрят школьные спектакли, в которых играют их дети, — умиление и гордость. — Миранда уронила руки на колени. — Глупо, да?

— Вовсе нет. Большинство из нас, даже став взрослыми, стараются угодить своим родителям, добиться их похвалы.

Она повернула голову и внимательно посмотрела на него:

— И ты тоже?

— Я очень хорошо помню день открытия моей нью-йоркской галереи. Тот момент, когда вошли мои родители. Отец надел свой лучший костюм, а мама — в новом голубом платье, с немыслимой прической — только что из парикмахерской. И еще я помню их лица. На них были написаны умиление и гордость. — Райан улыбнулся. — Еще какая гордость! Для меня это было важно.

Она уперлась подбородком в колени и снова стала смотреть на море, на белые барашки волн.

— А я помню выражение лица моей матери, когда она объявила, что я больше не участвую в проекте. — Миранда вздохнула. — Я приняла бы что угодно: разочарование, сожаление. Но видела лишь ледяную отстраненность.

— Забудь ты про эту бронзу.

— Ну как же я могу забыть? С нее начался этот обвал. Если бы только я могла знать, в чем я ошиблась... — Она прижала пальцы к вискам. — Снова протестировать ее, как «Давида»...

Миранда медленно опустила руки. Ладони стали влажными.

— Как «Давида», — пробормотала она. — О господи. — Она вскочила на ноги так стремительно, что Райан на мгновение испугался, что она сейчас спрыгнет со скалы.

— Осторожно! — Он схватил ее за руку и тоже встал. — Какая ты дерганая.

— Это как с «Давидом», понимаешь! — Она вцепилась в лацканы его пиджака. — Я проводила анализы по всем правилам. Шаг за шагом. Я знаю. — Не отдавая себе отчета в том, что делает, Миранда отпихнула от себя Райана. — Я все делала правильно. Проводила замеры, сверяла формулы, высчитывала результаты. Передо мной были факты, а не домыслы. Ее тоже кто-то подменил.

— Подменил?

— Как «Давида». — Она стукнула его кулаком в грудь, словно надеясь таким образом выколотить правду. — И в лабораторию Понти попала уже подделка, а не подлинник. Копия. Это была копия.

— Смелая гипотеза, доктор Джонс.

— Все сходится. Все сразу встает на свои места. Приобретает логический смысл.

— Почему? — поднял брови Райан. — Разве не логичнее допустить, что ты просто-напросто ошиблась?

— Нет, не логичнее. Я не могла ошибиться. До сих пор мне это в голову не приходило. Понимаешь, когда упорно твердят, что ты ошиблась, поневоле начинаешь в это верить.

Она решительным шагом пошла вперед. Рыжие волосы развевались на ветру, кровь бурлила от возбуждения.

— Я бы и сейчас продолжала в это верить, если бы не «Давид».

— Вот видишь, как хорошо, что я его украл.

Миранда покосилась на Райана, а он как ни в чем не бывало шагал рядом с ней.

— В определенном смысле, конечно, — нехотя согласилась Миранда. — А почему ты украл именно эту вещь, а не какую-нибудь другую?

— Я же тебе говорил: ее мне заказал клиент.

— Кто он?

— Миранда, это секретная информация, — улыбнулся Райан.

— Они могут быть связаны.

— Мой «Давид» и твоя «Дама»? Это уж чересчур.

— *Мой* «Давид» и *моя* «Дама». Ничего не чересчур. Бронзовые статуэтки, обе — периода Ренессанса, обе имели отношение к «Стандже» и институту, и с обеими работала я. Таковы факты. Обе подлинные, и обе были подменены на копии.

— А вот это предположение, а не факт.

— Это очень убедительное предположение, — возразила она, — которое основано на реальных фактах.

— Своего клиента я знаю несколько лет. Уверяю тебя, он совершенно далек от подобных интриг. Он заказывает то, что хочет получить. И если это в принципе выполнимо, я принимаю заказ. Все предельно просто. К тому же, — добавил Райан, поразмыслив, — вряд ли бы он нанял меня, чтобы украсть подделку.

Миранда нахмурилась.

— И все же я уверена: и «Давида», и «Смуглую Даму» подменил один и тот же человек.

— Что ж, это наиболее вероятное предположение.

— Я могла бы сказать точно, если бы имела возможность исследовать обе подделки и сравнить их.

— Ладно.

— В каком смысле «ладно»?

— Сравнишь.

Она резко остановилась, под ногами захрустела галька.

— Что сделаю?

— Сравнишь. Одна у нас есть. Значит, надо добыть вторую.

— В смысле украсть? Не говори ерунды.

Он схватил ее за руку и развернул к себе.

— Ты же хочешь знать правду?

— Да, я хочу знать правду, но я вовсе не собираюсь для этого лететь в Италию, вламываться в государственное учреждение и воровать фальшивку.

— Можно будет заодно прихватить еще что-нибудь. Это я просто так сказал, — быстро добавил он, едва Миранда открыла рот. — Если ты права и мы это докажем — твоя репутация будет спасена.

Немыслимо. Полное безумие. Невозможно. Но, увидев блеск в его глазах, она подозрительно спросила:

— А ты-то что так стараешься? Тебе-то здесь какая выгода?

— Если ты права, то я смогу отыскать подлинного «Давида». И тоже спасу свою репутацию. — А если она права, уже

про себя добавил он, и «Смуглая Дама» — настоящая, он разыщет и ее. Обязательно разыщет. Она чудесно пополнит его личную коллекцию.

— Я не намерена нарушать закон.

— Ты его уже нарушила. Ты стоишь здесь со мной, так? Ты моя соучастница. — Он обнял ее за плечи. — Я не держал пистолет у твоей головы, не прижимал к ребрам нож. Ты сама провела меня через охрану, — говорил он, увлекая ее в сторону дома. — Ты провела со мной день, прекрасно зная, что я украл твою собственность. Закон ты давно нарушила. — Он по-братски поцеловал ее в макушку. — Так что доведем дело до конца.

Райан взглянул на часы, что-то прикинул в уме:

— Иди собирайся. Сначала нам надо заглянуть в Нью-Йорк. У меня там есть кое-какие дела, и еще нужно захватить одежду и инструменты.

— Инструменты? — Миранда откинула волосы с лица. Впрочем, лучше ничего не знать, решила она. — Я не могу вот так взять и уехать в Италию. Я должна поговорить с Эндрю. Все ему объяснить.

— Оставишь ему записку, — сказал Райан, открывая входную дверь. — Просто сообщи, что уедешь на пару недель. Не впутывай его — на случай, если полиция что-то разнюхает.

— Полиция. Если я уеду прежде, чем закончится расследование, они могут меня заподозрить.

— Ничего, так даже интереснее. Телефоном лучше не пользоваться, — предупредил он. — Разговоры могут прослушиваться. Я достану свой. Мне надо позвонить моему двоюродному брату Джои.

У Миранды голова шла кругом.

— Твоему двоюродному брату?

— Он работает в туристическом агентстве. Иди собирай вещи, — повторил он. — Джои достанет нам билеты на ближайший рейс. Не забудь паспорт и «ноутбук». Нам надо будет посмотреть личные дела сотрудников.

Миранда сделала глубокий вдох.

— Что еще я должна взять?

— Хороший аппетит. — Он снял с плеча сумку и достал мобильный телефон. — В Нью-Йорке нас будет ждать ужин. Тебе понравится лазанья, которую готовит моя мама.

* * *

К шести часам Эндрю добрался до дома. Он весь день пытался дозвониться Миранде, но нападал на автоответчик. Эндрю ломал голову: в каком состоянии встретит его сестра — будет злиться или страдать от жалости к самой себе. На всякий случай Эндрю был готов к обоим вариантам.

Но дома его ждала прикрепленная к холодильнику записка:

Эндрю, ты наверняка уже знаешь, что мне велено убраться подальше от института. Ужасно жалко оставлять тебя одного в такое трудное время. Не то чтобы у меня не было выбора, но, очевидно, так действительно для всех будет лучше. Пару недель меня не будет. Не волнуйся, пожалуйста. Я с тобой свяжусь.

Не забывай выбрасывать мусор. Мяса тебе должно хватить до воскресенья. Ешь вовремя.

Целую, Миранда.

— Черт. — Эндрю снова пробежал глазами записку. — Куда ее понесло?

ГЛАВА 14

— Не понимаю, почему мы не полетели прямо во Флоренцию. — Миранда прошла первый круг раскаяния в содеянном и перешла ко второму. Они приземлились в нью-йоркском аэропорту Ла Гардиа и сейчас ехали в аккуратном маленьком «БМВ». Райан сидел за рулем. — Раз мы намерены совершить нечто совершенно безрассудное, зачем делать крюк?

— Это не крюк, а запланированная остановка. Мне нужны мои вещи.

— Одежду можно купить и в Италии.

— Безусловно. Италия одевает весь мир. Однако есть вещи, которые не всегда найдешь в магазине.

— Твои инструменты, — кивнула она. — Инструменты взломщика.

— И они тоже.

— Замечательно! — Она откинулась на спинку сиденья, побарабанила пальцами по коленям. Что ж, надо привыкнуть к мысли, что она работает с вором. С вором, который сам сказал, что ему чужды моральные предрассудки.

Но без его помощи она не сможет увидеть бронзу — вернее, подделку. А то, что это подделка, Миранда была уверена. Вывод абсолютно логический, только понадобится дополнительная информация, чтобы его доказать.

Может быть, спрятать в карман гордость и рассказать все матери? При одной мысли об этом Миранда чуть не рассмеялась вслух. Элизабет отмахнулась бы от нее, как от назойливой мухи, сочтя, что дочерью движут высокомерие, упрямство и уязвленное самолюбие.

И в определенном смысле была бы права, вынуждена была признать Миранда.

Единственным человеком, согласившимся ее выслушать, признавшим ее правоту, был профессиональный вор, у которого, конечно же, имелся собственный интерес во всем этом деле и который рассчитывал получить «Венеру» Донателло в качестве платы за консультацию.

Ладно, там поглядим.

Он всего лишь часть уравнения, которое необходимо решить. Найти и протестировать «Смуглую Даму» — вот главная цель.

— Все равно не вижу никаких причин ехать в Бруклин.

— Причина очень серьезная. — Райан прекрасно понимал, что творится в ее умной голове, — у Миранды было очень выразительное лицо, когда она думала, что на нее никто не смотрит. — Я соскучился по маминой стряпне.

Он покосился на нее и обогнал еле тащившийся седан. Как легко читать ее мысли! Ей была ненавистна ситуация, в которой она оказалась; она поминутно взвешивала все «за» и «против», старалась найти себе оправдание.

— А еще надо уладить кое-какие семейные дела до отъезда в Италию. Сестра закажет туфли. — Казалось, он разговаривал сам с собой. — Ей всегда нужны туфли. Она обожает «Феррагамо».

— Ты крадешь туфли для сестры?

— Миранда! — Райан был оскорблен до глубины души. — Я не магазинный воришка.

— Извини, но вор есть вор.

Он хитро глянул на нее:

— Как бы не так.

— Все равно, мне-то зачем ехать в Бруклин? Отвези меня в гостиницу, я подожду тебя там.

— Во-первых, ни в каком отеле ты жить не будешь. Ты останешься у меня.

Она яростно замотала головой:

— Ни за что.

— А во-вторых, мы едем в Бруклин потому, что, пока все не кончится, мы неразлучны. Ты, кажется, об этом забыла. Куда я — туда и ты... доктор Джонс.

— Нелепо. — И к тому же неудобно, призналась она себе. Ей нужно побыть одной, подумать, записать все на бумаге — по старой привычке. Взвесить, прикинуть. Он совершенно не дает ей времени подумать. — Ты же сам сказал, что я глубоко увязла в этом деле и мне остается только сотрудничать. Если ты не будешь мне доверять, это значительно усложнит дело.

— Нет. Вот если я буду тебе доверять, тогда дело действительно усложнится, — поправил он. — Видишь ли, проблема в том, что ты слишком совестливая. Тебя так и подмывает пойти в полицию и во всем сознаться. — Райан погладил ее по руке. — Считай, что я твой злой ангел, и не слушай доброго ангела, который болтает всякую ерунду о правде и совести.

— Я не останусь с тобой. Я не собираюсь с тобой спать.

— Ну вот, ты все испортила. Зачем же тогда жить?

Он рассмеялся, а она стиснула зубы:

— Но ты ведь хочешь со мной спать!

— Я мечтал об этом, но, видно, напрасно. Не знаю, переживу ли я крушение мечты?

— Я тебя ненавижу, — прошипела Миранда, а когда он снова рассмеялся, отвернулась и стала смотреть в окно.

* * *

Она ожидала увидеть что угодно, но только не симпатичный двухэтажный домик за аккуратной желтой изгородью.

— Ты здесь родился?

— Здесь? Нет.

Его рассмешил ее ошарашенный вид. Она, конечно же, ожидала увидеть какие-нибудь грязные трущобы, жители которых кричат грубыми голосами, где пахнет чесноком и повсюду валяются кучи мусора.

— Моя семья переехала сюда лет десять назад. Заходи, нас уже ждут, и у мамы наверняка уже готов салат.

— Что значит «нас ждут»?

— Я позвонил и сказал, что мы едем.

— Ты позвонил? И что ты сказал им обо мне?

— А пусть они сами решают.

— Что ты им сказал? — Миранда вцепилась в ручку калитки.

— Что приведу к ужину даму. — Он прижался к ней всем телом, их лица почти соприкасались. — Не стесняйся. Они совсем не чопорные.

— Я не стесняюсь. — Но внутри нарастала дрожь, как всегда при знакомстве с новыми людьми. В данном случае это глупо, сказала себе Миранда. — Просто я хочу знать, как ты им объяснил... Перестань, — приказала она, видя, как его взгляд остановился на ее губах.

— М-м-м. — Ему и в самом деле хотелось коснуться этих упрямо изогнутых губ поцелуем. — Извини, отвлекся. Вы так приятно... пахнете, доктор Джонс.

Надо было немедленно прогнать из головы видение: вот она обхватывает его голову обеими руками, приникает ртом к его губам... Миранда изо всей силы пихнула его в грудь, распахнула калитку и вошла во дворик.

Он хмыкнул, охватившее его возбуждение несколько разрядилось.

— Привет, Ремо!

Огромная коричневая собака, спавшая в глубине двора, вскочила, оглушительно гавкнула и запрыгала вокруг Райана.

— Я думал, ты научился прилично себя вести. — Райан почесал пса за ухом. — Что, опять уроки прогуливаешь?

Словно уклоняясь от ответа, пес отвернулся и поглядел на Миранду. Он шумно дышал, высунув длинный язык.

— Ты не боишься собак?

— Нет, я их люблю, — ответила Миранда.

Райан отворил дверь, и они сразу окунулись в море звуков: орущий на всю мощность телевизор, явно ссорящиеся мужской и женский голоса. По всему дому разливался восхитительный чесночный аромат. В раскрывшуюся дверь тотчас метнулась кошка, и тут же началась (очевидно, никогда не прекращавшаяся) война между ней и собакой.

— Господи, как хорошо дома, — проговорил Райан и подтолкнул Миранду вперед, прямо в содрогавшуюся от криков гостиную.

— Если ты не умеешь вести себя прилично, не смей больше разговаривать ни с кем из моих друзей!

— Да я всего лишь сказал, что раз она сделала себе пластическую операцию, то наверняка ее самоуважение повысилось, а сексуальная жизнь улучшилась.

— Ты свинья, Патрик!

— А у твоего приятеля не нос, а руль у яхты.

— Не просто свинья, а пошлый идиот!

— Я хочу послушать новости! Идите куда-нибудь во двор и там ругайтесь!

— Кажется, мы не вовремя, — ехидно проговорила Миранда.

— Нет-нет, все нормально, — уверил ее Райан и чуть не силой втащил в огромную, заставленную мебелью комнату.

— Привет, Рай!

Мужчина — вернее, юноша, — улыбавшийся столь же неотразимо, как Райан, в несколько прыжков пересек гостиную и с размаху хлопнул его по плечу. Очевидно, данный жест выражает радость, решила Миранда.

У юноши были волнистые темные волосы, карие глаза искрились золотом, и Миранда подумала, что эти глаза, наверно, свели с ума не одну ученицу старших классов.

— Пат. — Райан зажал голову юноши под мышкой, представляя его Миранде. — Мой младший брат Патрик — Миранда Джонс. Веди себя прилично, — предупредил он Патрика.

— Ну еще бы! Привет, Миранда, как делишки?

Прежде чем Миранда ответила, вперед шагнула молодая женщина, с которой ссорился Патрик. Крепко, по-собственнически обняв Райана и прижавшись к нему щекой, она не отрывала изучающего взгляда от Миранды.

— Мы по тебе соскучились. Здравствуйте, Миранда. Я — Коллин.

На Миранду оценивающе глядели все те же карие с золотом глаза семейства Болдари.

— Рада познакомиться с вами обоими. — Миранда холодно улыбнулась Коллин, Патрику кивнула более благосклонно.

— Вы так и будете держать девушку в дверях или дадите мне на нее посмотреть? — раздалось из соседней комнаты, и все три Болдари хмыкнули как по команде.

— Сейчас приведу, папа. Только сниму с нее пальто.

Услышав звук закрывающейся двери, Миранда почувствовала себя так, словно за ней захлопнулась дверь тюремной камеры.

Джорджо Болдари поднялся с кресла и приглушил телевизор. Да, Райан явно пошел не в отца, сразу поняла Миранда. Мужчина, стоявший перед ней, был невысоким плотным крепышом с седыми усами над неулыбчивым ртом. На нем была тщательно отглаженная рубашка цвета хаки, кроссовки «Найк», на шее висел золотой медальон с изображением Девы Марии.

Все молчали. Миранда, как ей казалось, слышала стук собственного сердца.

— Вы не итальянка? — наконец спросил Джорджо Болдари.

— Нет.

Джорджо поджал губы, внимательно оглядел ее с ног до головы:

— Судя по вашим волосам, в вас течет ирландская кровь.

— Моя бабушка по отцу была ирландкой. — Чтобы не показывать охватившего ее смущения, Миранда гордо вскинула голову.

И тут его лицо просветлело, он улыбнулся:

— Она классно выглядит, Рай. Коллин, ради всего святого, предложи девушке вина. Вы хотите, чтобы она умерла от жажды? «Янки» сегодня продулись. Вы бейсбол смотрите?

— Нет, я...

— А надо бы. Вам понравится. — Джорджо повернулся к сыну и заключил его в крепкие медвежьи объятия. — Побыл бы дома подольше.

— У меня работа. Мама на кухне?

— Да. Морин! — От такого рева мог бы рухнуть потолок. — Приехал Райан со своей девушкой. Она красотка. — Он подмигнул Миранде. — Почему вы не интересуетесь бейсболом?

— Да я, собственно, не то чтобы...

— Райан играл в команде угловым. Он вам рассказывал?

— Нет, я...

— В колледже на старшем курсе был лучшим. Никто его переплюнуть не мог.

Миранда покосилась на Райана:

— Ничуть не сомневаюсь.

— У нас целая коллекция его трофеев. Райан, покажи девушке твои награды.

— Потом, папа.

Коллин принесла поднос с бокалами, но она и Патрик продолжали переругиваться свистящим шепотом. Собака безостановочно лаяла под дверью, а Джорджо продолжал громогласно звать жену прийти и посмотреть на Райана с его девушкой.

По крайней мере, пронеслось в голове ошарашенной и оглушенной Миранды, не придется подыскивать тему для светской беседы. Эти люди сразу берут в руки инициативу и ведут себя так, словно гостьи нет в доме.

В доме было очень много мебели, света и картин. Миранда сразу поняла, что Райан верно отзывался об акварелях своей матери. Висевший на стене романтический пейзаж нью-йоркских улиц был очарователен.

Возле дивана возвышалось странное металлическое сооружение черного цвета — очевидно, работа отца. На диване в беспорядке валялись голубые подушки, все в собачьей шерсти.

Повсюду стояли разные безделушки, фотографии в рамках, на полу валялась замусоленная веревка с явными следами зубов Ремо, журнальный столик был завален газетами и журналами.

Никому, кажется, и в голову не приходило извиняться за беспорядок.

— Добро пожаловать. — Райан протянул ей бокал с вином. — Теперь ты уже не сможешь жить по-прежнему.

Миранда готова была ему поверить.

Едва она сделала первый глоток, в комнату стремительным шагом вошла женщина, на ходу вытирая руки о фартук. Морин Болдари на добрых три дюйма возвышалась над своим мужем, имела необычайно стройную фигуру и была красива типичной ирландской красотой. Блестящие черные волосы обрамляли решительное лицо, живые синие глаза светились несказанным удовольствием, когда она раскрыла объятия.

— Мой мальчик. Иди поцелуй свою маму.

Райан послушался, подхватил ее и закружил по комнате, вызвав ее веселый заливистый смех.

— Патрик, Коллин, немедленно прекратите собачиться, пока я вам не наподдала обоим. У нас гостья. Джорджо, где твои манеры? Убавь звук. Ремо, хватит гавкать!

Приказания были выполнены так молниеносно, что можно было не ломать голову над тем, кто в этом доме хозяин, вернее хозяйка.

— Райан, познакомь же меня с твоей дамой.

— Да, мама. Морин Болдари, любовь моей жизни, позвольте представить вам доктора Миранду Джонс. Правда, она хорошенькая, мама?

— Да, очень. Добро пожаловать в наш дом, Миранда.

— Очень рада с вами познакомиться, миссис Болдари.

— Воспитанная девушка, — коротко кивнула Морин. — Патрик, неси салат, продолжим знакомство за столом. Райан, покажи Миранде, где она может освежиться.

Райан провел Миранду через холл в небольшую ванную в бело-розовых тонах. Миранда схватила его за рукав:

— Ты сказал им, что мы вместе.

— А разве мы не вместе?

— Ты прекрасно понимаешь, что я имею в виду, — прошипела она. — Твоя девушка? Нелепость какая!

— Я не говорил им, что ты моя девушка. — Его это здорово забавляло, и он тоже перешел на шепот: — Мне тридцать два года, они мечтают о моей женитьбе и внуках. Что они еще могли подумать?

— Почему ты сразу не объяснил, что мы всего лишь деловые партнеры?

— Ты красивая незамужняя женщина. Они ни за что не поверят в деловое партнерство. Да и какая, собственно, разница?

— Во-первых, твоя сестра смотрит на меня так, будто вот-вот нос откусит, если я буду недостаточно тобой восхищаться. А во-вторых, это же обман. Хотя подобные тонкости не имеют для тебя никакого значения.

— Я всегда честен с членами моей семьи.

— Не сомневаюсь. Твоя мать, разумеется, гордится, что ее сын — вор.

— Конечно.

Она поперхнулась, не зная, что на это ответить.

— Ты хочешь сказать, ей известно, чем ты занимаешься?

— Ну да. Она разве похожа на дурочку? — Райан покачал головой. — Я никогда не лгу своей матери. Ну, пошли? — Поскольку Миранда стояла как вкопанная и только таращилась на него, он подтолкнул ее к двери: — Я ужасно голодный.

Он недолго оставался голодным. Да и все остальные тоже. На столе было столько еды, что ею можно было накормить целую армию.

Из-за гостьи ужинали в парадной столовой с полосатыми обоями, за столом красного дерева. Великолепный фарфор, искрящийся хрусталь, море вина.

Разговор не умолкал ни на минуту. Собеседника можно было расслышать, только если он орал во всю глотку. Когда Миранда заметила, что, сколько бы она ни пила, ее бокал остается наполненным до краев, она переключилась на еду.

В одном Райан оказался, безусловно, прав. Лазанья его матери была великолепна.

Миранде немедленно рассказали об остальных членах семьи. Майкл, средний сын, руководил галереей Болдари в Сан-Франциско. Он был женат на своей школьной подружке и имел двоих детей. При последнем сообщении гордый дедушка бросил многозначительный взгляд на Райана и подмигнул Миранде.

— Вы любите детей? — спросила ее Морин.

— Да, конечно. — С определенными оговорками, добавила про себя Миранда.

— Дети — главная радость. Они придают вашей жизни смысл, они — венец любви мужчины и женщины. — Морин протянула Миранде корзинку с невероятно вкусными булочками.

— Да, вы, вероятно, правы.

— Взять хотя бы Мэри-Джо.

И Миранде поведали о достоинствах старшей сестры: у нее был собственный бутик на Манхэттене и трое детей.

За ней шла Бриджит, которая, несмотря на то, что ее издательская карьера развивалась весьма успешно, взяла отпуск, чтобы сидеть дома с маленькой дочерью.

— Вы, должно быть, ими гордитесь.

— У меня замечательные дети. Образованные. — При этих словах Морин метнула взгляд на Райана. — Все мои дети окончили колледж. Патрик учится на первом курсе. Он большой специалист по компьютерам.

— Неужели? — Поскольку эта тема была безопасней, Миранда улыбнулась юноше. — Это очень интересно.

— Ага. В игры играешь, а за это еще деньги платят. Да, Рай, я нашел информацию, о которой ты просил.

— Отлично.

— Какую информацию? — Коллин перестала буравить взглядом Миранду и подозрительно уставилась на Райана.

— Так, надо было кое-что прояснить, детка, — небрежно сжал ее руку брат. — Мама, сегодня вечером ты превзошла саму себя.

— Не уводи разговор в сторону, Райан.

— Коллин! — В ровном голосе Морин зазвучали стальные нотки. — У нас гостья. Помоги мне убрать со стола. На десерт твой любимый тирамицу, Райан.

— Мы это еще обсудим, — сквозь зубы проговорила Коллин, но послушно принялась собирать тарелки.

— Позвольте, я помогу. — Миранда начала подниматься, но была остановлена хозяйкой:

— Гости не должны убирать со стола. Сидите.

— Не бери в голову, — сказал Патрик, когда сестра вышла. — С Коллин мы как-нибудь справимся.

— Заткнись, Патрик. — Хотя Райан улыбался, Миранда уловила в его глазах некоторое беспокойство. — Миранда, я тебе не говорил, чем занимается Коллин?

— Нет, не говорил.

— Она — полицейский. — Он вздохнул и встал. — Пойду помогу приготовить кофе.

— О, прекрасно. — Миранда вперила невидящий взгляд в бокал с вином.

* * *

Миранда старалась держаться скромницей. После кофе и десерта она прошла вместе со всеми в гостиную. Джорджо все допытывался, чем она занимается, почему не замужем. Казалось, никто не обращал внимания на сердитые возгласы, доносящиеся из кухни.

Тут в комнату ворвалась Коллин, и Патрик закатил глаза к потолку:

— Она опять за свое.

— Райан, ты же обещал! Ты дал слово!

— Я его держу. — С явно расстроенным видом он взъерошил свои волосы. — Просто я должен закончить то, что начал, детка. И тогда все.

— А она какое к этому имеет отношение? — Девушка ткнула пальцем в Миранду.

— Коллин, показывать пальцем невежливо, — укоризненно покачал головой Джорджо.

— Дьявол! — И, выстрелив длинной фразой по-итальянски, Коллин затопала вверх по лестнице.

— Черт! — выдохнул Райан и чуть смущенно улыбнулся Миранде. — Я сейчас вернусь.

— Э... — Она посидела минутку, поеживаясь под взглядами Патрика и Джорджо. — Пойду помогу миссис Болдари.

Она сбежала от них, надеясь найти в Морин больше разумности. Кухня была огромной и теплой, здесь чудесно пахло. Яркая, ослепительно чистая и уютная кухня словно сошла с рекламной картинки.

На холодильнике лепилось множество рисунков, на столе стояла ваза с фруктами, на окнах висели кофейного цвета занавески.

Здесь, по крайней мере, все спокойно, с облегчением подумала Миранда.

— Может быть, вы нарушите правила и позволите мне вам помочь?

— Садись. — Морин махнула рукой на стол. — Выпей кофе. Они скоро перестанут ссориться. Я им потом всыплю за то, что устроили скандал перед гостьей. Ох, детки! — Морин подошла к кофеварке и стала засыпать кофе. — Они такие горячие, такие умные, такие упрямые. Все в отца.

— Вы так считаете? А мне кажется, Райан очень похож на вас.

Это было самое правильное, что она могла сказать. Глаза матери залучились любовью и нежностью.

— Мой первенец. Неважно, сколько у тебя детей, первенец — всегда только один. Ты любишь их всех, любишь так, что удивляешься: как это до сих пор сердце не разорвалось от любви. Но первенец только один. Ты когда-нибудь сама это узнаешь.

— Может быть, — уклонилась от ответа Миранда. — Должно быть, беспокойно иметь дочь, работающую в полиции.

— Коллин всегда знала, чего она хочет. Эта девочка никогда не останавливалась перед трудностями. Она обязательно станет капитаном. Она обожает Райана, — доверительно сообщила Морин, ставя перед гостьей чашку с капуччино. — Прямо с ума сходит — так волнуется за него.

— Могу ее понять.

— Девушки всегда за ним бегали. Но Райан очень разборчивый. Я вижу, что ты ему нравишься.

Настал момент внести ясность, решила Миранда.

— Миссис Болдари, Райан, кажется, не объяснил вам, в чем дело. Мы с ним — деловые партнеры.

— Ты так думаешь? — без выражения спросила Морин и отвернулась к посудомоечной машине. — Он для тебя недостаточно красив?

— Он очень красивый, но...

— Или тебя не устраивает, что он из Бруклина, а не с Парк-авеню и что у него нет докторской степени?

— Нет, совсем нет. Просто... Просто мы деловые партнеры.

— Он тебя целовал?

— Он... я... — Господи боже, только и могла подумать Миранда. Не зная, что сказать, она неторопливо отпила кофе.

— Я так и думала. Я бы начала беспокоиться за своего мальчика, если бы он не поцеловал женщину с такой внешностью, как у тебя. Умные ему тоже нравятся. Райан не пустышка. Но, может быть, тебе не понравилось, как он целуется? Это важно, — добавила она, в то время как Миранда сидела ни жива ни мертва. — Если от поцелуя мужчины кровь не начинает бурлить у тебя в жилах, ничего у вас не получится. Секс — очень важная вещь. Тот, кто утверждает обратное, никогда не знал, что такое хороший секс.

— О господи, — тихо охнула Миранда.

— Что? Ты полагаешь, я не знаю, что мой сын занимается сексом? Не идиотка же я, в самом деле.

— Я не занималась с ним сексом.

— Почему?

— Почему? — заморгав, переспросила Миранда. Морин тем временем аккуратно закрыла посудомоечную машину. — Я его недостаточно знаю. — Миранда не могла поверить, что ведет подобную беседу. — Я не занимаюсь сексом со всеми привлекательными мужчинами, которые встречаются на моем пути.

— Очень хорошо. Я бы не хотела, чтобы мой сын связался с легкомысленной женщиной.

— Миссис Болдари, мы не состоим с вашим сыном в связи. Наши отношения ограничиваются строго деловыми рамками.

— Райан не привел бы делового партнера есть мою лазанью.

На это Миранде нечего было ответить. Она с облегчением вздохнула, когда в дверях кухни появились Райан и его сестра.

Они действительно больше не ссорились и даже наоборот — улыбались, обнимая друг друга. Коллин впервые за все время дружелюбно посмотрела на Миранду.

— Извините. Нам надо было кое-что прояснить.

— Ничего, пожалуйста.

— Итак... — Коллин села за стол, положила ноги на табурет. — Вы кого-нибудь подозреваете? Кто мог украсть подлинник?

— Простите? — Миранда ничего не понимала.

— Райан мне все рассказал. Может, я смогу вам помочь.

— Она окончила академию всего полгода назад, а уже настоящий Шерлок Холмс, — с гордостью сказал Райан и поцеловал сестру в пушистые волосы. — Давай я буду вытирать посуду, мама.

— Нет, сегодня очередь Патрика. — Морин обернулась к Миранде. — Кто-то что-то украл у твоей девушки?

— Я, — весело подтвердил он и сел за стол вместе с женщинами. — Но я напоролся на подделку. Вот мы и хотим все выяснить.

— Правильно!

— Погодите, погодите минутку. — Миранда воздела руки к небу. — Правильно? Вы именно так сказали? Значит, вы знаете, что ваш сын — вор?

— Разве же я плохая мама? Как мать может не знать, чем занимаются ее дети? — Морин медленно вытерла руки. — Конечно, знаю.

— Я же тебе говорил, — заметил Райан.

— Да, но... — Миранда не могла в это поверить. Вся кипя от негодования, она смотрела на красивое лицо Морин. — И вы так спокойно об этом говорите? А вы? — Она обернулась к Коллин. — Вы — офицер полиции, ваш брат — вор. Как это у вас совмещается?

— Он с этим покончил, — подняла голову Коллин. — Мы с ним договорились.

— Я не понимаю. — Она прижала руки к горящим щекам. — Вы его мать. Как же вы позволяете ему нарушать закон? И даже, кажется, поощряете?

— Поощряю? — Морин расхохоталась. — Он в этом не нуждается. — Решив дать гостье исчерпывающее объяснение, она отложила кухонное полотенце и села рядом. — Ты веришь в бога?

— Что? При чем тут это?

— Не спорь, просто отвечай. Ты веришь в бога?

Райан хмыкнул. Он-то, в отличие от Миранды, знал: когда мать говорила таким тоном, это значило, что человек ей понравился.

— Ну хорошо, верю.

— Когда господь дарует тебе талант, не пользоваться этим даром — грех.

Миранда на мгновение прикрыла глаза:

— Значит, вы полагаете, что бог дал Райану талант, и поэтому ваш сын станет грешником, если не будет вламываться в чужие дома и воровать?

— У господа разные дары. Вот Мэри-Джо, например, играет на пианино, как ангел. А у Райана его талант.

— Миссис Болдари...

— Не спорь, — пробормотал Райан. — Только головную боль заработаешь.

Миранда на него даже не взглянула.

— Миссис Болдари, — снова начала она. — Я понимаю, вы закрываете глаза на дела вашего сына, но...

— Ты знаешь, что он сделал благодаря его дару?

— Могу догадаться.

— Он купил этот дом, потому что старый совсем развалился. — Морин обвела рукой свою нарядную кухню. — Он заплатил за учебу своих братьев и сестер в колледже. Без него ничего бы этого не было. Сколько бы мы с Джорджо ни работали, на свои учительские зарплаты мы не смогли бы дать своим детям высшее образование. Господь дал моему мальчику дар, — повторила она и положила руку на плечо Райана. — Ты собираешься спорить с самим господом богом?

* * *

Райан снова оказался прав. У нее разболелась голова. Поэтому по дороге в Манхэттен она молчала. Миранда сама не знала, чему удивлялась больше: тому, что Морин так пламенно защищала своего сына, или тому, что прощание было трогательным и теплым.

Райан тоже молчал. Остановившись перед своим домом, он протянул привратнику ключи от машины.

— Привет, Джек. Позаботься, чтобы машину отогнали обратно в аэропорт и отнеси ко мне вещи доктора Джонс — они в багажнике.

— Конечно, мистер Болдари. Добро пожаловать домой. — Двадцатка незаметно перекочевала из ладони в ладонь, и улыбка Джека стала еще шире. — Желаю приятно провести вечер.

— Не понимаю твоего образа жизни, — заявила Миранда, шагая за ним по роскошному холлу с картинами на стенах и антикварной мебелью.

— Это естественно. А я не понимаю твоего. — Они вошли в лифт, и Райан нажал кнопку верхнего этажа. — Ты, наверное, устала? Джек сейчас поднимет твои вещи. Ты сможешь переодеться и отдохнуть.

— Твоя мать хотела знать, почему я не занималась с тобой сексом.

— Этот вопрос мне самому покоя не дает.

Выйдя из лифта, они оказались в огромной комнате, отделанной в зелено-голубых тонах. Из окна открывался великолепный вид на ночной Нью-Йорк. Окинув комнату взглядом, Миранда сделала вывод: Райан явно неравнодушен к красивым вещам. Светильники в стиле модерн, чиппендейловская мебель, дорогой хрусталь.

Как же много всего он украл!

— Все приобретено законным путем, — сказал он, без труда читая ее мысли. — За исключением вон той лампы, но я просто не мог устоять. Хочешь выпить?

— Нет.

На полу лежал роскошный персидский ковер. Картины на стенах висели самые разные: от пейзажа Коро до чудесной акварели, на которой был изображен ирландский пейзаж.

— Это работа твоей матери?

— Правда, здорово?

— Мне нравится.

— Ты ей тоже понравилась.

Миранда отвернулась к окну.

— Мне она тоже понравилась. Почему-то.

Ее мать никогда ее так не обнимала — крепко, стремительно, надежно. Ее отец никогда ей так хитро не подмигивал, как отец Райана.

Так почему же его несуразная семья кажется ей куда более нормальной, чем ее собственная?

Раздался звонок.

— А вот твои вещи.

Райан подошел к интеркому, послушал, затем нажал кнопку, открывающую дверь лифта. При передаче багажа Джеку досталась еще одна купюра. Двери лифта с шипением закрылись, а Райан, оставив сумки у лифта, подошел к Миранде.

— Ты напряжена, — сказал он и начал слегка массировать ей плечи. — А я надеялся, что вечер в кругу моей семьи поможет тебе расслабиться.

— Разве можно расслабиться, когда вокруг столько энергии? — Она чуть не замурлыкала от удовольствия, но тут же себя одернула. — У тебя, наверное, было счастливое детство.

— У меня было потрясающее детство. — «Без этой вашей роскоши и привилегий, — добавил он про себя, — но зато с любовью и заботой». Видя, что ее плечи обмякли, Райан наклонился и поцеловал ее в шею. — Какой длинный день.

— Да, очень. Не надо.

— Я, собственно, не туда подбирался, а вот сюда... — Он развернул ее к себе и поцеловал в губы.

Его мать сказала, что от поцелуя должна забурлить кровь. У Миранды она буквально вспенилась и ударила в голову, как бокал хорошего шампанского.

— Не надо, — повторила она, но протест прозвучал слишком слабо.

Он понимал, что с ней творится. И хотя это не относилось к нему персонально, сейчас это было неважно. Он хотел ее, хотел пробиться сквозь ее защитную броню и отыскать кипящий в ней вулкан. А в наличии вулкана Райан не сомневался.

Его невыразимо влекло к ней, и это влечение невозможно было игнорировать.

— Я хочу тебя трогать. — Он провел руками по ее телу. — Я хочу тебя.

Да, да. — Миранда задыхалась, у нее кружилась голова. — Трогай меня. Возьми меня. Господи, запрети мне думать.

— Нет. — Она сама поразилась, услышав свой ответ. Она ведь тоже безумно его хочет! — Ничего не получится.

— А по-моему, неплохо получается. — Он потянул за пояс ее брюк. — Я бы даже сказал, здорово.

— Ты меня не соблазнишь, Райан. — «Думай об откровенном раздражении в его глазах, забудь про его восхитительный рот». — Я не позволю, чтобы меня использовали. Если ты хочешь, чтобы мы благополучно разобрались в этом деле, наши отношения останутся сугубо деловыми. И только.

— Мне это не очень нравится.

— Таковы условия, и это не обсуждается.

— У тебя язык не отмораживается, когда ты начинаешь говорить таким тоном? — Он обиженно смотрел на нее, сунув руки в карманы. — Ладно, доктор Джонс, бизнес есть бизнес. Идем, я покажу тебе твою комнату.

Он подхватил ее чемоданы и начал взбираться по витой металлической лестнице, ступеньки которой были покрыты зеленоватой патиной. У двери он остановился.

— Здесь тебе будет удобно. Мы вылетаем завтра вечером.

Мне нужно время кое-что выяснить. Спокойной ночи, — сказал он и захлопнул дверь у нее перед носом, лишив ее удовольствия проделать то же самое с ним.

Миранда пожала плечами и тут с ужасом услышала звук поворачивающегося в замке ключа. Она в бешенстве задергала ручкой.

— Ты сукин сын! Как ты смеешь меня запирать!

— Маленькая предосторожность, доктор Джонс, — донесся через дверь его бархатный голос. — Я хочу быть уверенным в том, что найду вас здесь завтра.

И ушел, насвистывая. Миранда твердо решила отомстить ему при первом же удобном случае.

ГЛАВА 15

Она понимала, что это бессмысленно, но все же заперла дверь ванной, принимая утром душ. Стоя под струями воды, Миранда поглядывала на дверь: вдруг Райану придет в голову снова поиграть?

Поплотнее запахнув халат, она начала приводить себя в порядок. Миранде хотелось быть полностью одетой, тщательно накрашенной и причесанной, прежде чем она с ним увидится. Пусть не рассчитывает на уютный семейный завтрак в пижамах.

Только сначала он должен ее выпустить. Ублюдок!

— Открой дверь, Болдари. — Миранда громко постучала.

Ответом ей было молчание. Разозлившись, она забарабанила по двери, выкрикивая самые разные угрозы.

Похищение. К списку его преступлений она теперь добавит похищение.

В отчаянии она подергала ручку, и дверь плавно отворилась. Ярость тут же сменилась жгучим стыдом.

Миранда выглянула, оглядела холл. Все двери были открыты.

Первая комната оказалась библиотекой с полками от пола до потолка, уютными кожаными креслами и мраморным камином, украшенным красивыми часами с маятником. В стеклянном шкафу шестиугольной формы стояла внушительная коллекция флаконов с духами. Миранда взяла один, понюхала. Райан Болдари, конечно, человек просвещенный, у него утонченный вкус, но он все равно вор.

За следующей дверью располагалась спальня. Огромная кровать с изголовьем в стиле рококо впечатляла, но еще больше впечатляло то, как аккуратно она была застелена. Либо он не ложился вовсе, либо мать его как следует вымуштровала.

После знакомства с Морин Миранда склонна была предположить второе.

Очень мужская комната, решила Миранда. Малахитово-зеленые стены с кремовым рисунком. Светильники в стиле модерн с плафонами из непрозрачного стекла; они, наверное, очень красиво рассеивают свет. Огромное серое кресло приглашающе повернуто к внушительному камину из серого мрамора в розовых прожилках. У окна кадка с лимонным деревцем, сквозь раздвинутые занавески в комнату льется солнечный свет.

Миранде очень хотелось залезть в массивный полированный шкаф, но она себя остановила: не хватало еще, чтобы он ее застукал.

Третья комната, очевидно, служила кабинетом человеку, который мог себе позволить самое лучшее оборудование для занятий дома. Два компьютера, каждый с лазерным принтером, готовый к приему факс, настольный ксерокс, два телефонных аппарата, широкий дубовый стол. На дубовых же полках стояли книги, всякие безделушки и не меньше дюжины фотографий в рамочках.

Мальчик и девочка, наверное его племянники. Хорошенькие мордашки улыбались в камеру. Чинная женщина с лицом Мадонны, держащая на руках младенца, — видимо, его сестра Бриджит. Элегантный молодой красавец с фамильными глазами Болдари — очевидно, его брат Майкл, а женщина, которую он обнимал, — конечно же, его жена. Они живут в Калифорнии, вспомнила Миранда.

На другом снимке были Райан и Коллин, смеющиеся, невероятно похожие друг на друга. А вот вся семья у сверкающей огнями рождественской елки.

Какими они кажутся счастливыми, подумала Миранда. Непринужденные лица людей, привыкших часто фотографироваться. Миранда внимательно вглядывалась в эти лица, потом перевела взгляд на фотографию, где Райан целовал руку своей сестре, одетой в наряд сказочной принцессы, ее лицо светилось радостной улыбкой.

Где-то в глубине души шевельнулась зависть. В ее доме фотографий, запечатлевших счастливые семейные торжества, не было.

У Миранды возникло нелепое желание проскользнуть на одну из этих фотографий, почувствовать приятную тяжесть руки, лежащей на плече. Почувствовать любовь. Миранда встряхнула головой, отгоняя подобные мысли, и решительно отвернулась от полок. Нет времени да и смысла размышлять о том, почему в семье Болдари столько тепла, а в ее семье столько холода.

Миранда спустилась вниз по витой лестнице. Райана не было ни в гостиной, ни в сибаритской комнате с огромным телевизором, мощной стереосистемой и игровым автоматом с весьма подходящим названием — «Полицейские и воры».

Он, очевидно, считает это остроумным.

В кухне его тоже не оказалось. Но в кофеварке был горячий свежий кофе.

Райана вообще не было в квартире!

Миранда схватила телефонную трубку. У нее мелькнула безумная идея позвонить Эндрю и все ему рассказать. Гудка не было. Миранда метнулась в гостиную и подергала дверь. Закрыто.

Сукин сын просто расширил размеры запертой клетки.

* * *

Только во втором часу дня она услышала шум поднимающегося лифта. Но она тоже утро не потратила впустую. Миранда воспользовалась возможностью и обследовала каждый дюйм его квартиры. Она без малейших угрызений совести изучила содержимое его шкафа. В моде он явно тяготел к итальянскому дизайну, рубашки Райана были хлопковые, свитера — из натуральной шерсти. Из белья предпочитал трусы из шелкового трикотажа.

Ящики столов — в спальне, библиотеке, кабинете — были заперты. Миранда безуспешно потратила время, пытаясь от-

крыть их с помощью шпильки. Для входа в компьютер требовалось набрать пароль. Но вид с роскошной каменной террасы был великолепен, а от крепкого кофе, который она пила, заколотилось сердце.

Миранде было что сказать тому, кто поднимался сюда на лифте.

— Как ты посмел запереть меня здесь? Я что — пленница? — были ее первые слова.

— Маленькая предосторожность. — Он поставил на пол портфель и пакет с продуктами.

— Что дальше? Наденешь на меня наручники?

— Для этого мы должны узнать друг друга получше. Как ты провела утро?

— Я...

— Ненавидишь и презираешь меня, — закончил он за нее, снимая пальто. — Это мы уже проходили. — Он аккуратно повесил пальто на плечики. Да, действительно, мать хорошо его воспитала. — У меня были неотложные дела. Надеюсь, ты чувствовала себя как дома.

— Я ухожу. У меня, наверное, было помутнение рассудка, когда я согласилась работать с тобой вместе.

Миранда решительно направилась к лестнице.

— «Смуглая Дама» на складе в институте Барджелло. Она там будет до тех пор, пока не выяснится, откуда она и кто ее создатель.

Как он и ожидал, Миранда остановилась и медленно повернулась:

— Откуда тебе это известно?

— Профессия такая. Итак, с тобой или без тебя я полечу в Италию и вызволю ее. Я без особого труда найду другого археометриста и в конце концов непременно выясню, что произошло и почему. Уходишь — уходи.

— Тебе ни за что не удастся проникнуть в институт Барджелло.

— Ага, — он по-волчьи оскалился, — еще как удастся! Так что выбирай: или ты попробуешь ее на зубок, или же возвращайся в Мэн и жди, пока твои родители соизволят допустить тебя к работе.

Последнее замечание было обидно слышать, но какой смысл возмущаться: ведь это правда.

— Как же ты ее выкрадешь?

— Это моя забота.

— Но если я соглашусь на этот идиотский план, я должна знать детали.

— Я сообщу тебе то, что тебе необходимо знать, после твоего согласия. Таковы условия, доктор Джонс. Или ты в игре, или нет. Мы зря теряем время.

Вот сейчас, поняла Миранда, если она пересечет черту — обратной дороги не будет. Райан ждал. Он смотрел на нее довольно раздраженно, и Миранде это не нравилось.

— Если тебе удастся совершить чудо и проникнуть в институт Барджелло, ты не возьмешь ничего, кроме бронзы. Это не поход в магазин.

— Согласен.

— И если мы раздобудем эту бронзу, она — моя.

— Ты — ученый, — улыбнулся он. Копию — ради бога, подумал Райан. А вот ему хотелось бы получить оригинал. — Итак, условия обговорены. Ты в деле?

— Да, — выдохнула она. — И да поможет мне бог.

— Отлично. Итак. — Он раскрыл портфель и бросил на стол документы. — Это твои.

Миранда взяла синюю книжечку.

— Это не мой паспорт.

— Сейчас твой.

— И имя не мое... Откуда ты взял мою фотографию? — Она пораженно смотрела на паспорт. — Это же фото с моего паспорта.

— Точно.

— С моего паспорта. А эта — с моих водительских прав. — Она перебирала документы. — Ты украл мой бумажник.

— Позаимствовал на время кое-что из твоего бумажника, — поправил он.

Миранду затрясло. У нее не было слов.

— Ты зашел в мою комнату, когда я спала, и взял мои вещи.

— Ты спала очень беспокойно, — с задумчивым видом ответил он. — Все время ворочалась. Тебе все же надо попытаться как-то расслабиться, снять напряжение.

— Это отвратительно.

— Ошибаешься. Было бы отвратительно, если бы я залез к тебе в кровать. Забавно, но и вправду отвратительно.

Миранда глубоко вздохнула, чтобы немного прийти в себя, потом спросила:

— Куда ты дел мои настоящие документы?

— Они в целости и сохранности. До нашего возвращения они тебе не понадобятся. Я просто проявляю осторожность, дорогая. Если полицейские начнут что-нибудь вынюхивать, лучше им не знать, что ты выезжала из страны.

Она швырнула паспорт на стол:

— Я не Абигейл О'Коннел.

— Миссис Абигейл О'Коннел. Мы решили устроить себе еще один медовый месяц. Думаю, я буду называть тебя Эбби. По-семейному.

— Я не собираюсь изображать твою жену. Я бы скорее вышла замуж за сумасшедшего.

Она совсем неопытна в этих делах, напомнил себе Райан. Немного терпения, и все будет в порядке.

— Миранда, мы путешествуем вместе. Мы остановимся в гостинице в одном номере. Супружеская пара вызывает меньше подозрений. Так намного проще. В течение ближайших нескольких дней я — Кевин О'Коннел, твой верный муж. Я — биржевой брокер, ты занимаешься рекламой. Мы женаты пять лет, живем в Вест-Сайде, хотим завести ребенка.

— Значит, теперь мы яппи.

— Сейчас этот термин мало кто использует, но в определенном смысле — да. Вот тебе две кредитные карточки.

Миранда с отвращением посмотрела на стол.

— Как тебе удалось все это достать?

— Связи, — коротко ответил он.

Миранда представила себе темную замызганную комнатенку, где бандит устрашающего вида — весь в татуировках и дышащий перегаром — продает фальшивые документы и оружие.

На самом же деле в уютном домике в Нью-Рошель жил троюродный брат Райана — бухгалтер; изготовлением поддельных документов он занимался у себя в подвальчике.

— Въезжать в страну по фальшивым документам — незаконно.

Он изучающе смотрел на нее почти минуту, потом разразился хохотом:

— Ты неподражаема. Серьезно. А теперь сосредоточься и опиши мне бронзу во всех деталях. Я должен ее узнать с первого взгляда.

Интересно, как ему удается так быстро переходить с легкомысленного тона на спокойную деловитую сосредоточенность?

— Высота — 49,4 см, вес — 11,68 кг. Обнаженная женщина. Покрыта сине-зеленой патиной, типичной для бронзы, которой почти пятьсот лет.

Он увидел, как вспыхнули ее глаза.

— Женщина стоит на цыпочках, руки подняты... Слушай, будет лучше, если я ее нарисую.

— Отлично. — Он подошел к столу, взял блокнот и карандаш. — Как можно точнее. Терпеть не могу ошибаться.

Уверенность штрихов и скорость, с которой она делала набросок по памяти, заставили брови Райана взметнуться вверх. На бумаге появилось лицо, коварная, чувственная улыбка, расставленные и поднятые кверху руки, изящный изгиб тела.

— Потрясающе. Совершенно потрясающе, — проговорил он, склоняясь над плечом Миранды. — Ты рисуешь?

— Нет.

— У тебя настоящий талант. Почему ты зарываешь его в землю?

— Ничего я не зарываю. Умение рисовать очень помогает в моей работе.

— Талант должен привносить радость в твою жизнь. — Он взял блокнот и некоторое время разглядывал рисунок. Потом повторил: — Да, у тебя настоящий талант.

Миранда отложила карандаш и встала:

— Рисунок довольно точный. Если тебе повезет наткнуться на бронзу, ты ее сразу же узнаешь.

— Везение тут ни при чем. — Он медленно провел пальцем по ее щеке. — А ты на нее немного похожа. Такой же овал лица, высокие скулы. Было бы интересно посмотреть на твое лицо, когда ты улыбаешься вот такой же чувственной улыбкой. Кстати, имей в виду, ты очень редко улыбаешься, Миранда.

— В последнее время у меня было не много поводов для веселья.

— Ничего, мы это изменим. Машина прибудет через час, Эбби. Привыкай к своему новому имени. А если тебе трудно называть меня Кевином... — он подмигнул, — зови меня солнышком.

— Ну уж нет!

— И последнее. — Он достал из кармана маленькую коробочку для драгоценностей, открыл крышку, и на бархатной подушечке вспыхнули огнями переливающиеся бриллианты. — Властью, дарованной мне святой церковью, и так далее, — сказал он, вынул кольцо и взял Миранду за руку.

— Нет.

— Не будь идиоткой. Это для маскировки.

Обручальное кольцо было украшено четырьмя сверкающими бриллиантами.

— Ничего себе маскировка. Ты его украл?

— Обижаешь. У меня приятель работает в квартале ювелирных магазинов. Кольцо куплено по оптовой цене. Мне надо идти собирать вещи.

Кольцо жгло ей палец. Глупо, но она бы предпочла, чтобы оно не было таким роскошным.

— Райан? Ты действительно можешь это сделать?

Он обернулся и подмигнул:

— Доверься мне.

Он сразу понял, что она рылась в его вещах. Она аккуратна, но недостаточно, во всяком случае, она не заметила маленьких проверочных ловушек, расставленных им по комнате, — волоска, намотанного на ручки шкафа, кусочка прозрачной пленки на верхнем выдвижном ящике. Старую привычку, выработанную с годами, Райан никогда не нарушал, несмотря на солидную охрану своего дома.

Он только покачал головой. Она все равно не нашла бы того, что бы ему не хотелось.

Он открыл дверцу стенного шкафа, нажал кнопку механизма, спрятанного в подлокотнике кресла, и прошел в потайную комнату. Выбор нужных инструментов не занял много времени. Райан заранее продумал, что́ возьмет с собой. Отмычки, карманное электронное оборудование, моток тонкой эластичной веревки, хирургические резиновые перчатки.

И еще коробку с гримом, краску для волос, две пары

очков. Он сомневался, что потребуется менять внешность, надеясь обойтись только инструментами. Но тем не менее следовало подготовиться как следует.

Все это он тщательно упаковал в чемодан с двойным дном. Сверху положил вещи, которые могут понадобиться мужчине, отправляющемуся в романтическое путешествие в Италию; в сумку сложил одежду. В кабинете, выбрав на компьютере нужные данные, переписал их на лэптоп.

Настоящие документы Райан поместил в сейф, расположенный за томами Собрания сочинений Эдгара Алана По — великого мастера тайн. Потом, поддавшись внезапному импульсу, Райан взял хранившееся в сейфе простое золотое кольцо.

Это было обручальное кольцо его деда. Мать отдала его Райану два года назад, после дедушкиных похорон. Райану и прежде случалось для маскировки надевать обручальные кольца, но этим он никогда не пользовался.

Не спрашивая себя, почему на сей раз ему хочется это сделать, Райан надел кольцо на палец и запер сейф.

Зажужжал интерком, возвещая о прибытии машины. Миранда уже стояла внизу. У ее ног примостились сумка, портфель и чемоданчик с компьютером. Райан удивленно хмыкнул.

— Мне нравятся женщины, умеющие быстро собираться. Ничего не забыла?

Миранда глубоко вздохнула. Ну вот и все, подумала она, решено.

— Поехали. Ненавижу опаздывать на самолет.

Он улыбнулся.

— Ты моя умница! — И подхватил ее вещи.

— Я сама в состоянии нести свои вещи. — Она вырвала из его рук сумку и портфель. — И я не твоя умница.

Отступив назад, он ждал, пока она наденет на плечо ремень сумки.

— После вас, доктор Джонс.

* * *

Ее ничуть не удивило, что за столь короткий срок ему удалось заказать места в первом классе. Миранда каждый раз вздрагивала, когда служащие аэропорта и стюардессы обращались к ней «миссис О'Коннел»; поэтому, сев в самолет, она уткнулась в Кафку.

Райан немного почитал роман Лоренса Блока о краже со взломом, потом посмотрел по видео боевик со Шварценеггером, попивая шампанское. Миранда пила минеральную воду и пыталась сосредоточиться на видовом фильме о природе.

Сказывалась усталость последних дней: Миранда откинула спинку кресла и, стараясь не обращать внимания на своего спутника, приказала себе спать.

Во сне она видела Мэн, морские волны, бьющиеся у подножия скал, серый призрачный туман. В дымке мерцали огни, а Миранда брела к маяку.

Она была одна, совсем одна.

И она боялась, ужасно боялась.

Спотыкаясь, карабкаясь вверх, она боролась с рыданиями. Издевательский женский смех преследовал ее, несся ей вслед.

Миранда побежала и остановилась у обрыва. Под ногами кипело море.

Почувствовав прикосновение крепкой руки, она вцепилась в нее. *Не отпускай меня, не оставляй меня одну*.

Сидящий рядом Райан смотрел, как она обхватила себя руками, так что пальцы даже побелели от напряжения. Что ее мучит?

Он осторожно погладил ее пальцы и гладил до тех пор, пока она не ослабила хватку. Но и тогда он не убрал руку. Сидеть так было почему-то очень уютно; Райан закрыл глаза и тоже погрузился в сон.

ГЛАВА 16

— Здесь только одна спальня.

Номер был очарователен, но Миранда не видела ничего, кроме единственной спальни с громадной, во всю комнату, кроватью, покрытой красивым белым покрывалом.

Райан отворил двойные двери гостиной и вышел на широкую террасу. Он вдохнул всей грудью итальянский весенний воздух и залюбовался ярко-красными крышами, сияющими на солнце.

— Посмотри, как красиво. Я заказал этот номер снова только из-за террасы. На ней можно жить.

— Вот ты и живи.

Миранда вышла из спальни. Ей не было никакого дела ни до чудесной панорамы города, ни до пышных кустиков герани в ящиках, расставленных вдоль террасы. Ни до мужчины, стоящего рядом с таким видом, будто он тут родился.

— Здесь только одна спальня, — повторила она.

— Мы муж и жена. Так что, может, предложишь мне пива?

— Я понимаю, на свете много женщин, которые находят тебя неотразимым, Болдари. Но я к их числу не отношусь. — Она шагнула на террасу. — И в спальне только одна кровать.

— Если ты стесняешься, мы можем по очереди спать на диване в гостиной. Чур, ты первая. — Он положил ей руку на плечо и слегка сжал. — Расслабься, Миранда. Я с удовольствием бы переспал с тобой, но сейчас, честно говоря, меня это волнует в последнюю очередь. Такой вид стоит многочасового перелета, правда?

— А меня вид из окна волнует в последнюю очередь.

— А вон в той квартире напротив живет молодая пара. — Он показал на желтое здание чуть левее. — По воскресным утрам они любят работать в садике на крыше. А однажды ночью они занимались на крыше любовью.

— И ты подглядывал?

— Только до тех пор, пока их намерения не стали очевидны. Я же не извращенец.

— Это не факт. Так ты здесь уже останавливался?

— Кевин О'Коннел прожил здесь несколько дней в прошлом году. Вот почему мы воспользовались им снова. В дорогих отелях вроде этого обслуга запоминает своих постояльцев, особенно если они дают щедрые чаевые. А у Кевина широкая душа.

— Зачем ты приезжал сюда как Кевин О'Коннел?

— Было одно дельце... с мощами Иоанна Крестителя.

— Ты украл реликвию? Священную реликвию? Мощи Иоанна Крестителя?!

— Только маленький кусочек. Господи, да эти кости разбросаны по всей Италии, особенно там, где он считается святым-покровителем. — Райан не мог удержаться от улыбки, забавляясь ее ошеломленным лицом. — Он здесь очень популярен. Косточкой меньше, косточкой больше — кому от этого вред?

— У меня нет слов, — в изумлении развела руками Миранда.

— У моего клиента был рак, и он вбил себе в голову, что святые мощи его вылечат. Он, конечно, умер, но прожил на девять месяцев дольше, чем предрекали врачи. Так что кто его знает? Давай распаковывать вещи. — Он погладил ее по руке. — Сначала я приму душ, а потом — за работу.

— За работу?

— Мне нужно кое-что купить.

— Я не собираюсь весь день бегать за туфлями для твоей сестры.

— Много времени это не займет. Мне еще нужны подарки для всех остальных моих родственников.

— Послушай, Болдари, мне кажется, у нас есть более важные дела, чем покупка сувениров для членов твоего многочисленного семейства.

Вместо ответа Райан наклонился и чмокнул ее в кончик носа, чем взбесил окончательно.

— Не беспокойся, дорогая. Тебе я тоже что-нибудь куплю. Надень туфли поудобней, — посоветовал он и скрылся в ванной комнате.

* * *

На Понте-Веккио он купил золотой браслет с изумрудами — приближался день рождения матери — и велел прислать его в отель. Райан с явным удовольствием плыл в общем потоке многочисленных туристов, бродивших по мосту через тихую реку Арно, покупал цепочки из яркого итальянского золота, марказитовые серьги, флорентийские броши. Это для сестер, пояснил он Миранде, раздраженно торопившей его и не желающей восхищаться приобретенными сокровищами.

— Если постоять здесь подольше, — возбужденно проговорил он, — можно услышать все языки мира.

— А мы что, недостаточно долго здесь стоим?

Он обнял ее за плечи, покачал головой, почувствовав, что она напряжена, как натянутая струна.

— Неужели нельзя расслабиться хотя бы на мгновение, доктор Джонс? Мы во Флоренции, стоим на старейшем мосту, знаменитом на весь мир. Солнышко светит. Вдохни полной грудью, — посоветовал он.

Она уже готова была поддаться очарованию минуты.

— Мы сюда приехали не на красоты любоваться, — заявила она, надеясь, что ледяной тон охладит и его энтузиазм, и собственные странные порывы забыть обо всем на свете.

— Но раз мы здесь, чего ж зря упускать возможность, — ничуть не смутившись, ответил он и потащил ее дальше.

Райан обожал мелкие лавчонки и уличных торговцев, сделала вывод Миранда, глядя, с каким удовольствием он торгуется за кожаные безделушки и коробочки для сувениров.

На его предложение тоже себя чем-то побаловать она мрачно отвернулась и в молчании разглядывала шедевры архитектуры, ожидая, пока он закончит.

— Смотри, вот это для Робби. — Райан потряс крошечной черной кожаной курточкой с металлическими заклепками.

— Робби?

— Это мой племянник. Ему три года. Он обожает такие штуки.

Искусно сшитая курточка стоила безумно дорого и была настолько мила и очаровательна, что Миранде пришлось крепко сжать губы, чтобы они не расползлись в улыбке.

— Это крайне непрактично для трехлетнего ребенка.

— Но она сшита на трехлетнего ребенка, — возразил Райан. — Вон какая маленькая. Quanto[1]? — спросил он почуявшего добычу продавца, и игра началась.

От души поторговавшись, Райан повернул на запад. Но если он намеревался соблазнить ее модными магазинами на Виа-деи-Торнабуони, то он явно недооценивал ее силу воли.

Райан купил три пары туфель в храме обуви Феррагамо, Миранда не купила ни одной — даже те жемчужно-серые, от которых не могла оторвать глаз.

[1] Сколько? (*ит.*)

«На кредитной карточке в бумажнике, — напомнила она себе, — написано не твое имя».

— Большинство женщин, — заметил Райан, когда они шли вдоль реки, — уже были бы обвешаны покупками с ног до головы.

— Значит, я не из их числа.

— Это я заметил. Ты бы хорошо смотрелась в коже.

— Что за жалкие фантазии, Болдари!

— В моих фантазиях нет ничего жалкого. — Райан остановился и открыл стеклянную дверь очередного магазина.

— Что на этот раз? — устало поинтересовалась Миранда.

— Грех побывать во Флоренции и не купить какое-нибудь произведение искусства.

— Мы приехали сюда не покупать. Мы приехали по делу.

— Расслабься. — Он поднес к губам ее руку. — Положись на меня.

— Ни то ни другое невозможно, когда дело касается тебя.

В магазине продавались мраморные и бронзовые копии. Танцующие боги и богини так и манили туристов достать кредитные карточки и раскошелиться на копию произведения великого мастера или приобрести работу молодого художника.

Призвав на помощь все свое терпение, Миранда приготовилась к долгому ожиданию: сколько же еще осталось неохваченных родственников? Но, к ее удивлению, уже через пять минут Райан указал на стройную фигуру Венеры.

— Что ты о ней думаешь?

Миранда скептически оглядела статуэтку, обошла ее кругом.

— Ничего себе. Не шедевр, но если кому-то из твоих родственников нужно украшение для лужайки — подойдет в самый раз.

— Да, мне тоже кажется, что подойдет. — Райан лучезарно улыбнулся стоявшему поодаль продавцу и, к изумлению Миранды, заговорил на ломаном итальянском, поминутно справляясь с туристическим разговорником.

Он только что торговался на улицах на великолепном итальянском, вставляя в речь жаргонные словечки. Сейчас же он коверкал самые простые фразы, говорил с чудовищным акцентом. Клерк расплылся в улыбке:

— Вы американец. Мы здесь говорим по-английски.

— Ну? Слава богу. — Райан рассмеялся и притянул поближе Миранду. — Мы с женой хотим купить что-нибудь особенное для дома. Вот эта скульптура нам нравится. Она будет здорово переливаться на солнце, правда, Эбби?

Она промямлила в ответ нечто невнятное.

На этот раз Райан не торговался. Он, правда, поморщился, услышав цену, и отвел Миранду в сторону, будто бы для того, чтобы посоветоваться.

— Что все это значит? — прошептала она, их головы соприкасались.

— Я хочу удостовериться, что моей жене нравится то, что я собираюсь купить. Я стараюсь быть внимательным мужем. — Он склонился и поцеловал ее в губы, и только быстрота реакции спасла его от ее зубов. — Надеюсь, ты сумеешь со временем оценить это по достоинству.

Прежде чем она успела огрызнуться, он повернулся к продавцу:

— Мы ее покупаем.

Статуэтку завернули и уложили в коробку. От предложения отправить ее в гостиницу Райан отказался.

— Ничего-ничего, мы все равно уже возвращаемся. — Он взял сумку, обнял Миранду за талию, больно задев ее при этом одной из камер, висевших у него на плече. — Пойдем поедим мороженого, Эбби.

— Не хочу я никакого мороженого, — прошипела она, когда они снова оказались на улице.

— Захочешь. Надо подкрепиться. Нам предстоит еще один заход.

— Слушай, я устала, у меня горят ноги, мне до смерти надоели магазины. Давай я вернусь в отель.

— И пропустишь самое интересное? Мы направляемся в Барджелло.

— Прямо сейчас? — По спине побежали мурашки — от ужаса и от возбуждения. — Мы пойдем туда прямо сейчас?

— Придется еще немного поиграть в туристов. — Райан сошел с тротуара, чтобы Миранде было свободнее — они шли по очень узкой улочке. — Осмотрим место, прикинем кое-что. — Он подмигнул. — «Наедем на хазу», как выражаются в уголовных фильмах.

— «Наедем на хазу», — повторила Миранда.

— Где расположены видеокамеры? Насколько далеко от главного входа «Вакх» Микеланджело? — Хотя Райан и без того все знал в точности. Он наведывался сюда не один раз и в разных обличьях. — Какова ширина двора? Сколько шагов от лестницы до выхода? Когда сменяется охрана? Сколько...

— Хорошо, хорошо, я поняла, — замахала руками Миранда. — Только я не понимаю, почему мы сразу не пошли туда.

— Всему свое время, дорогая. Эбби и Кевин обязательно отправились бы сначала посмотреть город, так ведь?

Миранда вдруг посмотрела на все это словно со стороны: действительно, типичные туристы — камеры, путеводитель, сумки с покупками. По дороге он купил ей мороженое. Миранда на ходу лизала желтый лимонный шарик. А Райан бодро шагал рядом, вертел головой, любуясь старинными зданиями, многочисленными статуями, разглядывал витрины и вывески.

Может, в этом и есть смысл, нехотя признала Миранда. На них никто не обращал внимания, она уже сама готова была поверить, что гуляет по городу впервые. Как будто играешь в спектакле «Итальянский отпуск Эбби и Кевина».

Вот только актриса из нее никудышная.

— Красота, правда? — Он сжал ее пальцы, когда они очутились перед чудесным собором.

— Да. Брунеллески совершил настоящую революцию в архитектуре: он возвел купол без строительных лесов. Колокольню проектировал Джотто, но он, к сожалению, так и не увидел ее при жизни. — Она поправила солнечные очки. — Неоготический мраморный фасад — подражание стилю Джотто, но он был пристроен в девятнадцатом веке.

Она обернулась и увидела, что Райан улыбается.

— Что?

— Вы замечательный лектор, доктор Джонс. — Она опустила глаза, а он обхватил ее лицо обеими руками. — Нет-нет, я не издеваюсь. Это искренний комплимент. — Ее щеки вспыхнули румянцем. Какая она чувствительная. — Расскажи мне еще что-нибудь.

Если он все-таки издевается, то хорошо умеет притворяться. Ну что ж.

— Микеланджело ваял «Давида» во дворе Оперного музея.

— Правда?

Он спросил это так серьезно, что она невольно улыбнулась.

— Да. А еще он скопировал «Святого Иоанна» Донателло для своего «Моисея». Такой своеобразный комплимент. Но гордость музея, я думаю, его «Пиета». Фигура Никодема считается автопортретом, и выполнен он изумительно. А Мария Магдалина в той же скульптуре — хуже; очевидно, это работа одного из его студентов. Не вздумай меня целовать, Райан, — быстро проговорила она, закрывая глаза, когда его губы коснулись ее губ. — Это только усложнит дело.

— А разве оно должно быть простым?

— Да. — Миранда открыла глаза. — В этой части — да.

— При других обстоятельствах я бы с тобой согласился. — Он задумчиво провел пальцем по ее нижней губе. — Нас влечет друг к другу, и все могло бы быть куда проще. Но, кажется, не получается. — Он погладил ее по плечу, взял за запястье. Пульс у нее был короткий и частый — это хорошо.

Но он шагнул назад:

— Ладно, проще так проще. Иди-ка, встань туда.

— Зачем?

— Я хочу тебя сфотографировать, крошка. — Он снял солнечные очки и подмигнул. — Мы пошлем фото друзьям, правда, Эбби?

Это уже слишком, вздохнула она, но послушно встала перед огромным собором. Он пощелкал ее на фоне чудного бело-зелено-розового мрамора.

— Теперь ты меня сними. — Он протянул ей «Никон». — Просто жми вот сюда. Вот...

— Я умею обращаться с фотоаппаратом. — Миранда вырвала у него камеру. — Кевин.

Она отошла, навела фокус. Сердце чуть-чуть защемило. Он стоял такой красивый, высокий, темноволосый и победно улыбался в объектив.

— Теперь все?

— Почти. — Он подозвал какого-то туриста, который с

удовольствием согласился сфотографировать молодую американскую чету.

— Господи, какая глупость! — скривила губы Миранда, когда Райан обнял ее за талию.

— Это для моей мамы, — сообщил он и, поддавшись порыву, поцеловал ее.

Стая голубей взлетела в синее небо. У Миранды не было сил ни сопротивляться, ни защищаться. Его губы были теплыми и мягкими, рука крепко сжимала талию. Тихий вздох, вырвавшийся у нее, не имел ничего общего с протестом. Ей хотелось только одного: удержать этот миг подольше.

Ярко сияло солнце, воздух был наполнен звуками. Но стук ее сердца все заглушал.

Семь бед, один ответ, лихо подумал Райан и поцеловал ее ладонь.

— Извини, — без улыбки сказал он. — Не смог удержаться.

Он отпустил ее и пошел за фотоаппаратом. У Миранды подкашивались колени.

Райан вернулся, сунул фотоаппарат в сумку, взял Миранду за руку.

— Пошли.

У нее совершенно вылетело из головы, что у них есть цель, что они действуют по плану. Она молча кивнула и пошла за ним. У ворот дворца Райан, как заправский турист, достал из кармана путеводитель.

— Был построен в 1255 году, — прочитал он вслух. — С шестнадцатого века до середины девятнадцатого использовался в качестве тюрьмы. Казни проходили во внутреннем дворе.

— Тебя тоже следовало бы казнить, — пробурчала Миранда. — Не трудись, я хорошо знаю историю.

— Историю знает доктор Джонс, — он легонько шлепнул ее по заду, — дорогая моя Эбби.

Как только они очутились в главном зале первого этажа, Райан вытащил видеокамеру.

— Шикарное местечко, правда, Эбби? Глянь на того парня — вот нажрался-то!

Он указал камерой на великолепного бронзового «Вакха», потом сделал панораму зала.

— Когда Джек и Салли увидят, просто обалдеют.

Камера взяла крупным планом охранника, внимательно разглядывавшего посетителей.

— Погуляй-ка, — сквозь зубы процедил Райан. — Прикинься обыкновенной зевакой.

У нее немедленно вспотели ладони. Что, конечно, было сущей нелепостью. У них полное право находиться здесь. Никто ведь не может прочитать ее мысли. Однако сердце неистово стучало и готово было вырваться из груди, когда она медленным шагом стала обходить зал.

— Здорово, правда?

Она слегка кивнула и притворилась, что внимательно изучает «Адама и Еву» Бандинелли.

— Это один из знаменитейших шедевров той эпохи.

— Знаменитый только потому, что старый. А вообще похоже на парочку нудистов, отдыхающих на городском пляже. Пойдем посмотрим птичек Джамболонья на террасе.

После часовой прогулки по музею Миранда убедилась, что преступный бизнес — большое занудство. Они заходили в каждый зал, снимали каждый вход и выход на камеру. Миранда даже забыла, что в зале деи Бронзетти собрана лучшая коллекция бронзы эпохи Возрождения. Очутившись здесь, она сразу подумала о «Давиде» и снова занервничала.

— Может, уже хватит?

— Еще немного. Пойди-ка пококетничай вон с тем охранником.

— Прошу прощения?

— Отвлеки его. — Райан опустил камеру и быстрым движением расстегнул две верхние пуговицы на блузке Миранды.

— Что это ты себе позволяешь?

— Сделай так, чтобы его внимание сосредоточилось на тебе, дорогая. Спрашивай о чем-нибудь на корявом итальянском, хлопай глазами, дай ему почувствовать себя важным и значительным.

— А ты что будешь делать?

— Ничего, если тебе не удастся его отвлечь хотя бы на пять минут. Дай мне как можно больше времени. Спроси его, где туалет, сходи туда. Встретимся во дворе через десять минут.

— Но...

— Делай, как я сказал, — тихо, но властно сказал он. — Посетителей вполне достаточно, так что, может, мне удастся.

— О господи. Хорошо. — Горло сжал предательский спазм, колени подкашивались. Миранда медленно приблизилась к охраннику.

— Э-э... scusi[1], — начала она, изображая сильный американский акцент, и увидела, что взгляд охранника остановился на вырезе ее блузки, потом поднялся выше. Лицо его озарилось улыбкой. — Perfavore[2]. — Она сглотнула и беспомощно развела руками. — Английский?

— Si, signora[3], немного.

— О, замечательно. — Миранда, памятуя совет Райана, похлопала ресницами и по глазам охранника поняла, что эта примитивная уловка сработала. — Я учила итальянский перед отъездом, но у меня все из головы вылетело. Такая бестолковая. Это ужасно, что американцы не говорят на каком-нибудь втором языке, как европейцы, правда? — По его тупой физиономии она поняла, что говорит слишком быстро и он ничего не понимает. Тем лучше. — Здесь так красиво. Не могли бы вы мне рассказать про это? — Она наугад ткнула пальцем в какую-то скульптуру.

Райан подождал, пока охранник сосредоточится на декольте Миранды, потом шагнул назад, достал из кармана тонкую отмычку и принялся колдовать над боковой дверью.

Это было совсем нетрудно, хотя он стоял спиной к двери. В музее вряд ли допускали, что посетитель с отмычкой будет среди бела дня проникать в закрытую комнату.

Подробный план музея имелся у него на жестком диске. Среди многих прочих. Согласно заслуживающему доверия источнику, Райан рассчитывал отыскать нужную ему вещь в одной из кладовок этого этажа.

Поглядывая на висевшую в углу видеокамеру, Райан выждал, пока его загородит большая группа любителей искусства, и проскользнул за дверь, осторожно прикрыв ее за собой.

---

[1] Извините (*ит.*).

[2] Прошу прощения (*ит.*).

[3] Да, синьора (*ит.*).

Вздохнув от радостного предвкушения, Райан надел резиновые перчатки, размял пальцы. Времени не так уж много.

Он находился в лабиринте крошечных комнаток, где были в беспорядке свалены статуи и картины, большинство из которых требовали реставрации. Да, подумал Райан, люди, занимающиеся искусством, большой аккуратностью не отличаются.

На некоторых вещах его взгляд задержался, например на печальной Мадонне с отколотым плечом. Но женщина, которую искал он, была совсем не похожа на Мадонну...

Услышав чье-то беззаботное насвистывание и звуки шагов, Райан мгновенно скользнул в тень.

* * *

Она ждала десять минут, пятнадцать. Через двадцать минут сидения на скамейке во дворике музея Миранда прижала ладони к пылающим щекам и начала думать, какие могут быть условия содержания в итальянской тюрьме.

Может, хоть кормят прилично.

Слава богу, в наши времена не казнят воров и не вывешивают их трупы на всеобщее обозрение в знак свершившегося правосудия.

В сотый раз поглядев на часы, она закусила губу. Его поймали, точно. Вот прямо сию минуту его допрашивают в маленькой темной комнате, а он без зазрения совести называет ее имя.

И тут Миранда увидела его, шагающего по двору так, словно он самый беззаботный человек на свете и на нем не лежит мрачная печать вора.

— Где ты был? Я думала, тебя...

Он поцеловал ее — только для того, чтобы прервать поток неосторожных слов.

— Пойдем выпьем. Нам надо поговорить.

— Как ты мог бросить меня здесь одну? Ты же сказал: десять минут, а сам отсутствовал почти полчаса.

— Пришлось задержаться. — Он усмехнулся. — Ты соскучилась?

— Нет. Я прикидывала, какое в тюрьме меню.

— Надо доверять людям. — Он на ходу обнял ее за плечи. — Вино и сыр сейчас будут в самый раз. Площадь Синьории не такая живописная, как другие, но зато она совсем недалеко.

— Скажи, где ты был? — потребовала она. — Я, как дура, кокетничала с охранником, сколько хватило сил, потом оглянулась, а тебя нет.

— Я хотел посмотреть, что делается за дверью номер три. Возможно, здесь когда-то и был дворец, но замки ерундовые.

— Ты проник через запертую дверь в служебное помещение, когда в нескольких шагах от тебя сидел охранник?

— Это самый лучший способ. — Они проходили мимо нарядной витрины, и Райан пообещал себе выделить еще немного времени на покупки. — Я нашел нашу даму, — небрежно бросил он.

— Это безответственно, глупо, эгоистично... Что?

— Я нашел ее. — Его зубы сверкнули на ярком тосканском солнце. — Вряд ли ей там было хорошо — в темноте, в пыли. Потерпи, — остановил он, видя, что она готова обрушить на него шквал вопросов. — Я хочу пить.

— Ты хочешь пить? Какое, к черту, вино, какой сыр! Надо что-то делать! Планировать следующий шаг. Неужели мы будем сейчас сидеть под зонтиком и потягивать кьянти!

— Именно это мы и будем делать. И перестань все время оглядываться, полиция нас не преследует.

Он толкнул ее во дворик шумной траттории, лавируя между столиками, подошел к свободному, уселся.

— Ты действительно сумасшедший. Шляешься по магазинам, покупаешь сувениры, выискиваешь кожаные курточки для младенцев, пялишься на экспонаты в музее Барджелло, будто никогда там не бывал. А теперь вот...

Он молча пихнул ее на стул, и оскорбленная Миранда поперхнулась. Райан сжал ее руку и наклонился через стол. На его губах играла улыбка, но голос был холодным и угрожающим.

— Мы посидим здесь, и ты не будешь мне докучать. Ясно?

— Я...

— Тихо, я сказал. — Тон его вновь стал беззаботным, когда он делал заказ подошедшему официанту. Сейчас было бессмысленно прикидываться, поэтому Райан на великолепном итальянском попросил принести им бутылку местного вина и сыр.

— Я не стану терпеть твои жалкие попытки меня запугать.

— Солнышко, ты будешь терпеть все, что я велю тебе терпеть. Она у меня.

— Что? — Кровь отхлынула от ее лица. — В каком смысле — она у тебя?

— В самом прямом. Здесь, под столом.

— Под... — Миранда рванулась нырнуть под стол, и он еле успел схватить ее за руку.

— Посмотри на меня, любимая, и сделай вид, что ты безумно меня любишь. — Он поднес к губам ее пальцы.

— Ты хочешь сказать, что зашел в музей среди бела дня, а обратно вышел с бронзой?

— Я же говорил тебе: я профессионал.

— Но как? Господи боже, как? Ты вернулся через тридцать минут.

— Если бы в кладовку не забрел выпить винца охранник, мне понадобилось бы вполовину меньше времени.

— Но ты же говорил, нам надо присмотреться, снять на пленку, сделать необходимые расчеты.

Он снова поцеловал ее пальцы.

— Я соврал.

Пока подошедший официант ставил на стол вино и сыр, Райан не отпускал ее руки и смотрел на Миранду мечтательным взором. Распознав влюбленных, официант снисходительно улыбнулся и поспешил оставить их вдвоем.

— Ты соврал?

— Если бы я сказал тебе, что собираюсь сделать, ты бы нервничала, сходила с ума и все бы испортила. — Он разлил вино, попробовал и причмокнул. — Здешнее вино восхитительно. Попробуй.

Не отрывая взгляда от его лица, она взяла бокал и осушила его несколькими большими глотками. Вот она и стала соучастницей, помощницей вора.

— Если ты собираешься пить вино в таких количествах, то лучше закуси. — Он отрезал кусочек сыра, протянул Миранде.

Она оттолкнула его руку и потянулась к бутылке.

— Ты с самого начала собирался это сделать!

— Собирался, если представится подходящий случай. И еще замену произвести.

— Какую еще замену?

— Помнишь бронзу, которую мы купили? Я поставил ее на место нашей дамы. Я же тебе говорил: люди видят то, что ожидают увидеть. В кладовке как была бронзовая статуя женщины, так и осталась. Скорее всего никто и не заметит подмены. — Он попробовал сыр, почмокал, положил на крекер. — Когда начнут искать, решат, что место перепутали. А когда совсем не найдут, установить, в какой момент она пропала, будет невозможно. Если повезет, мы с тобой к этому времени будем уже в Штатах.

— Мне нужно ее увидеть.

— Потерпи немного. Знаешь, должен тебе сказать: красть заведомую подделку совсем неинтересно. Никакого волнения, никакого душевного подъема.

— Неужели? — скептически подняла брови Миранда.

— Ага. А я буду скучать по этому ощущению, когда уйду в отставку. Между прочим, ты хорошо выполнила свою часть работы.

— О! — Она чувствовала отнюдь не душевный подъем; у нее все время от страха ныло в животе — вот и все.

— Возьми себя в руки. Работа еще не кончилась.

* * *

Это было абсолютно нереальное ощущение — сидеть в номере гостиницы и держать в руках «Смуглую Даму». Миранда разглядывала ее со всех сторон, отмечала места, откуда были взяты пробы, взвешивала на руке, придирчиво вглядывалась в детали.

Это была прекрасно и качественно выполненная вещь, покрытая зелено-голубой патиной, свидетельствующей о солидном возрасте.

Миранда поставила ее на стол рядом с «Давидом».

— Она великолепна, — заметил Райан, попыхивая сигарой. — Твой рисунок оказался очень точным. Ты не ухватила душу, зато передала все тонкости. Ты была бы прекрасным художником, если бы вкладывала сердце в свои работы.

— Я не художник. — У нее внезапно пересохло в горле. — Я ученый, и это не та бронза, которую я тестировала.

— Откуда ты знаешь? — недоверчиво спросил он.

Она не могла сказать ему, что чувствует это. Не могла сказать, что при взгляде на эту статуэтку ее не охватывает радостное возбуждение, как это было прежде. Поэтому она изложила ему факты.

— Во-первых, у меня достаточно натренированный взгляд, чтобы определить на глаз работу, сделанную в двадцатом веке. В данном случае я, разумеется, не могу опираться лишь на визуальные наблюдения. Но я брала пробы. Здесь и здесь. — Она показала пальцем на лодыжку женщины и на покатое плечо. — На этой фигуре следов нет. В лаборатории Понти соскобы брали со спины и с основания. Это не мои метки. Мне, конечно, необходимо оборудование и мои записи для проверки, но я вижу: это не та вещь, с которой работала я.

Райан с задумчивым видом затушил в пепельнице сигару.

— Давай все же сначала проверим.

— Мне никто не поверит. Даже после всех доказательств. — Миранда с отчаянием посмотрела на него. — Почему?

— Тебе поверят, когда мы отыщем оригинал.

— Но как...

— Всему свое время, доктор Джонс. Для начала тебе надо переодеться. Для взлома лучше всего подходит черное. Я намерен доставить фигурку по назначению.

Миранда облизнула вмиг пересохшие губы.

— Мы пойдем в «Станджо»?

— Да, таков наш план. — Он почувствовал, как она напряглась, и наклонился к ней. — Если, конечно, ты не хочешь позвонить своей матери, все ей объяснить и попросить разрешения немного поработать в ее лаборатории.

Глаза Миранды стали ледяными, она поднялась.

— Я пойду переоденусь.

Спальня на замок не запиралась. Миранда подтащила стул и продела его в ручку двери. Так все же спокойнее. Он использовал ее, билась в голове мысль, использовал, словно одну из своих отмычек. Какие они, к черту, партнеры. А теперь она еще и соучастница кражи.

Господи, она собирается тайком вломиться в институт, принадлежащий ее семье! А вдруг ему захочется что-нибудь оттуда украсть, как она его остановит?

Переодеваясь в черные брюки и блузу, Миранда слышала, как он разговаривал в гостиной по телефону. Ей необходимо разработать собственный план, заручиться поддержкой того, кому она могла бы доверять.

— Я схожу вниз, — крикнул он. — Побудь здесь. Вернусь через минуту, мне тоже надо переодеться.

— Я почти готова. — Через секунду, услышав звук закрываемой двери, она выдернула стул. — Будь здесь, будь здесь, будь здесь, — лихорадочно повторяла Миранда, листая телефонную книгу. Наконец она нашла то, что искала, и набрала номер.

— Pronto.

— Джованни, это Миранда.

— Миранда? — В его голосе прозвучала не радость, а тревога. — Ты где? Твой брат...

— Я во Флоренции, — перебила она. — Мне нужно с тобой немедленно увидеться. Прошу тебя, Джованни, давай встретимся в церкви Санта-Мария. Через десять минут.

— Но...

— Прошу тебя, это очень важно. — Она бросила трубку, торопливо завернула во что-то обе бронзовые статуэтки, засунула их в сумку, схватила свой бумажник и выскочила из номера.

Сбежала по лестнице, не обращая внимания на сердце, готовое выпрыгнуть из груди. Тяжелая сумка оттягивала руки. Внизу Миранда остановилась, выглянула из-за колонны.

Она увидела Райана, болтающего с портье у стойки. Значит, через холл идти нельзя, надо постараться проскользнуть незаметно. Миранда пробралась к стеклянным дверям, выбралась во двор со сверкающим бассейном и раскидистыми деревьями. Когда она перебегала двор, в небо испуганно взметнулась стая голубей.

Хотя Миранде было тяжело, она не останавливалась даже для того, чтобы перевести дыхание, пока не обогнула здание гостиницы и не очутилась на улице. Да и тогда она только переложила сумку в другую руку, нервно оглянулась. Потом направилась прямо к церкви.

Церковь Санта-Мария, облицованная очаровательным бело-зеленым мрамором, располагалась совсем рядом с отелем.

Оказавшись внутри, Миранда заставила себя идти спокойно, хотя ноги у нее подкашивались. Она села на свободное место слева от алтаря и только теперь постаралась сообразить, а что же, собственно, она сделала.

Райан придет в бешенство, а она не знала, какой может оказаться ярость, таящаяся под столь элегантной личиной. Но все равно она поступила правильно, логично.

Даже копии должны быть защищены до тех пор, пока нет окончательной ясности. Нельзя доверять человеку, чья профессия — вор.

Джованни придет, твердила себе Миранда. Она знает его много лет. Он легкомысленный, даже немного эксцентричный, но он настоящий ученый. И он всегда был ее другом.

Он ее выслушает и поймет. И поможет.

Она закрыла глаза, пытаясь успокоиться.

В атмосфере древнего храма всегда разлито нечто особенное: некая сила, даже властность. Впрочем, религия во все времена так или иначе связана с властью. Здесь эта власть проявлялась в великом искусстве, оплаченном из сундуков Медичи.

Пытались спасти свои души? — спросила себя Миранда. Греша и совершая злодеяния, строили великолепные церкви? Лоренцо изменял жене со Смуглой Дамой — хотя это тогда грехом не считалось. А его прекрасную протеже обессмертили в бронзе.

Интересно, он об этом знал?

Нет, вспомнила Миранда, он умер до того, как бронза была отлита. Джульетта Буэнодарни к тому времени перешла к Пьетро, его младшему кузену.

Она бы не отказалась от власти, которую давала ей красота, от нового покровителя. Она была слишком умна, слишком практична. В те времена, чтобы процветать или просто выжить, женщине был необходим покровитель, или собственное богатство, или знатное происхождение. Или же красота и здравый ум, помогающий ею пользоваться. У Джульетты они были.

Вздрогнув, Миранда открыла глаза. Это всего лишь бронзовая статуэтка, напомнила она себе, при чем тут Джульетта Буэнодарни? Наука не имеет ничего общего с разгадыванием загадок.

Миранда услышала торопливые шаги и вжала голову в плечи. Он ее нашел. О господи. Она вскочила, обернулась и... чуть не расплакалась от облегчения.

— Джованни! — Она порывисто обняла его.

— Bella, что ты здесь делаешь? — Он обнял ее в ответ. Джованни был взволнован и, кажется, немного раздражен. — Почему ты говорила таким испуганным голосом и просила о встрече, как какая-нибудь преступница? — Он огляделся вокруг. — Да еще здесь, в церкви. Что случилось, Миранда? Что ты делаешь во Флоренции?

— Здесь спокойно, здесь безопасно. Надежное убежище, — слабо улыбнувшись, ответила она и села на место. — Я тебе все объясню, но я не знаю, сколько у меня времени. Он увидит, что я ушла, и бросится меня искать.

— Кто увидит?

— Слишком долго рассказывать. Присядь на минутку. — Миранда перешла на шепот, как и положено говорить в церкви. Или когда ведешь тайные переговоры. — Джованни, бронза, «Смуглая Дама» — подделка.

— Миранда, мой английский далек от совершенства, но, насколько я понимаю, наличие подделки означает, что имеется то, что подделывают. А твоя бронза оказалась обычной фальшивкой, неудачной шуткой... — Он поискал слово. — Неудачей. Власти допрашивали водопроводчика, но оказалось, что он обычный мошенник. Это правильное слово? Тот, кто надеялся выдать статую за подлинную, и ему это почти удалось.

— Она была подлинной.

Он взял ее за руки.

— Я понимаю, тебе трудно это признать.

— Ты видел результаты тестов.

Как больно видеть сомнение и недоверие в глазах друга.

— Ты считаешь, я их подделала?

— Я считаю, это была ошибка. Мы так торопились, все мы. Миранда...

— Скорость ни при чем. Статуэтка была настоящей. А вот это — подделка. — Миранда наклонилась и развернула лежащую в сумке бронзу.

— Что это?

— Копия. Та, которую тестировали в лаборатории Понти.

— Боже мой! Как она у тебя оказалась? — спросил в полный голос Джованни, и на них стали оборачиваться. Поморщившись, он наклонил голову и зашептал: — Она же содержалась в Барджелло.

— Это неважно. Важно то, что это не та бронза, над которой мы работали. Ты сам это увидишь. В лаборатории.

— В лаборатории? Миранда, что за безумие?

— Все абсолютно разумно. — Ей самой очень хотелось в это верить. — Меня в «Станджо» не пускают. А там все записи, все оборудование. Джованни, мне нужна твоя помощь. В этой сумке лежит еще «Давид». Тоже подделка. Я уже проверяла. Но я хочу, чтобы ты взял обе статуэтки, исследовал их, сам провел все анализы. Сравни результаты с результатами по бронзе Фиезоле. Докажи, что это не та же самая бронза.

— Миранда, приди в себя. Даже если я сделаю то, о чем ты просишь, я только докажу твою неправоту.

— Нет. Ты возьмешь мои записи, возьмешь свои, Ричарда. Проведешь тесты, сравнишь. Не могли мы все ошибиться. Джованни, я сделала бы все сама, но это очень сложно. — Она вспомнила о разъяренном Райане, способном перевернуть вверх дном весь город, чтобы отыскать ее и статуэтки. — Да мои выводы никого и не убедят. Тут нужно объективное мнение. Я не могу доверить это никому, кроме тебя.

Она сжала его руку, отлично понимая, что играет на его дружеских чувствах, взывает к сочувствию. Но слезы, катившиеся из ее глаз, были искренними.

— От этого зависит моя репутация, Джованни. Моя работа. Моя жизнь, наконец!

Он тихо выругался и, тут же спохватившись, где находится, быстро перекрестился.

— Это лишь сделает тебя еще более несчастной.

— Дальше некуда. Ради дружбы, Джованни. Ради меня.

— Я сделаю то, о чем ты просишь.

Она прикрыла глаза, сердце преисполнилось благодарностью.

— Сегодня вечером, да?

— Чем скорее, тем лучше. Лаборатория несколько дней будет закрыта, так что никто ничего не узнает.

— Закрыта? Почему?

Джованни впервые за весь разговор улыбнулся.

— А потому, моя милая язычница, что наступает Страстная пятница. — Он, разумеется, вовсе не так намеревался провести выходные. Он вздохнул, толкнул ногой сумку. — Как мне с тобой связаться?

— Я сама тебя найду. — Она поцеловала его. — Grazie, Giovanni. Mille grazie[1]. Я перед тобой в неоплатном долгу.

— Отплатишь рассказом, в чем же, собственно, дело.

— Обязательно. Обещаю. Как же я рада, что повидалась с тобой. К сожалению, мне надо возвращаться... Завтра утром я тебе позвоню. Поаккуратнее с ними, — кивнула она на сумку. — Выйдешь минуты через две после меня. На всякий случай.

Она снова поцеловала его и пошла к выходу.

Миранда не смотрела по сторонам, поэтому она не видела стоящую в темноте фигуру, повернувшуюся лицом к фрескам с изображением сцен из дантовского ада.

Миранда не почувствовала ненависти и угрозы, исходящих от этого человека.

Просто все существо охватила какая-то странная тяжесть. На улице Миранда зажмурилась от бившего в глаза яркого солнца. Зная, что Райан ищет ее, она пошла в противоположную от гостиницы сторону — к реке.

Надо, чтобы они с Джованни были как можно дальше друг от друга в тот момент, когда ее отыщет Райан.

Она гуляла долго, хотелось успокоиться, подумать; смотрела на идущих в обнимку влюбленных. Джованни говорил, что романтика разлита в самом воздухе Флоренции, и Миранда только теперь вдруг это ощутила сама.

---

[1] Спасибо, Джованни. Огромное спасибо (*ит.*).

Она улыбнулась, потом вздохнула.

Она не создана для романтики, это совершенно очевидно. Единственный мужчина, который ее расшевелил, вернее было бы сказать, возбудил до крайности, оказался вором, для которого слово «мораль» было пустым звуком.

Одной лучше. Намного лучше. Она всегда одна.

Она стояла у реки, любуясь последними лучами заходящего солнца. Когда за спиной яростно, нетерпеливо взревел мотор, она даже не удивилась. Он нашел ее. Она знала, что он найдет.

— Садись.

Миранда обернулась, увидела злое лицо и сверкавшие от бешенства глаза, обычно такие ласковые. Он был весь в черном, как и она, и восседал на синем мотоцикле. Ветер трепал его волосы. Он источал опасность и невероятную сексуальность.

— Спасибо, я пойду пешком.

— Садись, Миранда. Если я усажу тебя силой, тебе будет больно.

Если побежать, он, чего доброго, еще и задавит. Миранда беззаботно пожала плечами, подошла и села сзади него. Осторожно обхватила его за талию, чтобы сохранять равновесие.

Но когда он сорвался с места, как пуля, выпущенная из ружья, Миранда вцепилась в него намертво.

ГЛАВА 17

— Очевидно, мне все же следовало воспользоваться наручниками.

Промчавшись на сумасшедшей скорости, которая вполне соответствовала его настроению, по узким кривым улочкам, Райан остановил мотоцикл на Пьяццале-Микеланджело.

На эту площадку обычно приезжали, чтобы полюбоваться городом сверху, и здесь было достаточно уединенно, чтобы поговорить без помех.

Обычно площадь кишела торговцами, но они разошлись: день клонился к вечеру, а тучи, ползшие с запада, обещали сильную грозу.

— Слезай, — приказал он и подождал секунду, пока она разомкнет руки. Он специально гнал, чтобы как следует ее напугать.

— Ты ездишь, как ненормальный.

— Я наполовину итальянец, наполовину ирландец. Чего ты еще ожидала?

Райан слез и подтащил Миранду к парапету, откуда открывался вид на Флоренцию, лежащую словно в огромной чаше среди высоких холмов и сверкающую, как бриллиант. У фонтана бродили туристы, но, поскольку все они были японцами, Райан решил, что будет вполне безопасно устроить разнос на английском или итальянском. Он предпочел последний, как более страстный и выразительный.

— Где они?

— В безопасности.

— Я не спрашиваю «как они?», я спрашиваю «где?». Что ты с ними сделала?

— То, что посчитала разумным. Дождь собирается, — заметила Миранда. Молния, сверкнувшая в небе, была такой же внезапной и резкой, как боль, пронзившая живот. — Надо где-нибудь укрыться.

Он прижал ее к высокой стене и навалился всем телом.

— Я хочу вернуть их обратно, Миранда.

Она посмотрела ему в глаза. Ей не хотелось звать на помощь. «Сама справлюсь», — решила Миранда.

— Они для тебя не представляют никакой ценности.

— Это я сам буду решать. Черт, я тебе доверял!

Тут она разозлилась.

— Это, наверное, не ты запирал меня в твоей квартире?! — Она говорила тихим свистящим шепотом. — Не ты бросил меня во дворе, не сказав, куда и зачем идешь?! На этот раз первый шаг сделала я.

Он крепко стиснул ее, так что со стороны они были похожи на влюбленных, не замечающих ничего вокруг — ни красоты пейзажа, ни приближающегося дождя. Миранде стало трудно дышать.

— Какой же шаг ты сделала?

— Кое-что предприняла. Ты делаешь мне больно.

— Нет, еще не делаю. Ты отдала их кому-то. Твоей матери.

Нет, — тут же передумал он, увидев ее взгляд. — Не матери. Ты по-прежнему надеешься убедить ее в том, что она обвинила тебя несправедливо. Какой-нибудь флорентийский дружок, доктор Джонс, у кого можно спрятать бронзу и заставить меня выйти из этого дела? Теперь я намерен получить обе.

Вдали пророкотал гром.

— Я же тебе сказала, они в полной безопасности. Я все устроила. Я сделала так, как считала правильным.

— Да мне наплевать, что ты там считаешь!

— Я хочу доказать, что обе статуэтки — подделки. Ведь ты тоже этого хочешь? Если бы сравнительные тесты проводила я, могли бы подумать, что я подделала результаты. Мы ничего бы не добились. Твоя часть работы состояла в том, чтобы добыть бронзу из института Барджелло; моя — придумать, каким образом доказать, что она подделка.

— Ты отдала их кому-то из «Станджо». — Он отстранился, но только затем, чтобы как следует ее тряхнуть. — Что ж ты за идиотка такая?

— Я отдала статуэтки человеку, которому целиком и полностью доверяю, которого знаю много лет. — Миранда глубоко вздохнула, очень надеясь, что он наконец перестанет злиться и начнет рассуждать здраво. — Он все сделает. А завтра утром я ему позвоню и узнаю результаты.

Он преодолел в себе сильное желание стукнуть ее головой о стену — только для того, чтобы убедиться: она и в самом деле такая тупая?

— Пораскиньте мозгами, доктор Джонс. «Смуглая Дама» — подделка. Кто-то, работающий в «Станджо», делает копию. Кто-то, кто видит, что показывают предварительные проверки, кто-то, у кого, очевидно, имеется заказчик, готовый заплатить кучу блестящих лир за оригинал.

— Он не мог этого сделать. Он предан своей работе.

— А я предан своей. Пошли.

— Куда?

Он молча тащил ее через площадь к мотоциклу, когда на землю упали первые крупные капли дождя.

— В лабораторию, солнышко. Посмотрим, как продвигаются дела у твоего дружка.

— Неужели ты ничего не понимаешь? Если мы вломимся

в лабораторию, результаты анализов ничего не будут стоить. Никто мне не поверит.

— Ты забыла. Я тебе верю. Вот в чем дело. А сейчас садись, иначе я брошу тебя здесь и сам займусь этим делом.

Она подумала, потом решила, что встреча разъяренного Райана с Джованни совершенно ни к чему.

— Пусть он проведет тесты. — Она откинула с лица мокрые волосы. — Только в этом случае результаты будут иметь значение.

Райан завел мотор.

— Садись.

Она села, мотоцикл сорвался с места. Миранда без особой надежды подумала, что постарается убедить его, когда они попадут в «Станджо».

Мотоцикл они оставили в маленькой рощице за полквартала от института.

— Помалкивай, — сказал Райан, снимая сумки с багажника. — Делай только то, что тебе говорят. Возьми вот эту, — он сунул одну сумку Миранде, потом взял ее за руку и повел по улице.

— Войдем с черного хода — на случай, если кому-то не лень смотреть на дождь со ступени главного входа. Попадем прямо в фотолабораторию.

— Откуда ты знаешь?

— У меня в компьютере имеется план института. — Он протянул ей пару резиновых перчаток. — Надень.

— Это ни к чему...

— Да заткнись ты и делай, что тебе говорят. Ты уже доставила мне намного больше неприятностей, чем я мог тебе позволить. Я отключу сигнализацию в этом секторе, так что ты не должна отходить от меня ни на шаг. — Не обращая внимания на дождь, он натягивал перчатки. — Если нам понадобится попасть в другое крыло здания, я отключу сигнализацию уже внутри. Это проще. Охраны тут нет, только сигнализация, так что мы вряд ли встретим кого-нибудь, кроме твоего приятеля.

Она снова было запротестовала, потом сдалась. Ничего, там, внутри, Джованни. Если что случится, вдвоем они уж как-нибудь справятся с этим нахалом.

— Если ни его, ни статуэток в лаборатории нет, придется тебе просить у меня прощения.

— Он там. Он дал мне слово.

— Ну, ты мне тоже давала слово. — Райан подошел к двери, поставил сумку и приготовился работать. Когда он внимательно осмотрел электронный механизм, глаза его сузились. — Сигнализация отключена, — тихо проговорил он. — Ваш друг — крайне легкомысленный человек, доктор Джонс. Он вошел и не включил ее изнутри.

У Миранды по спине побежали мурашки.

— Наверное, он решил, что в этом нет особой необходимости.

— Угу. Однако дверь закрыта. Она запирается автоматически. Сейчас, сейчас.

Он расстегнул кожаную сумку, достал инструменты, прикрывая их своим телом от хлеставшего дождя. «Надо будет потом их как следует протереть, — подумал он, — ржавчина нам ни к чему».

— Много времени это не займет, но ты все же поглядывай по сторонам.

Он мурлыкал себе под нос, и Миранда узнала пассаж из «Аиды». Скрестив руки на груди, она повернулась к нему спиной и стала вглядываться в дождь.

Кто бы там ни устанавливал сигнализационную систему, у них хватило ума и вкуса не портить чудесные старинные двери грубыми болтами. Незаметные электронные замки были аккуратно спрятаны под медными ручками в виде печальных херувимов.

Райан смахнул с лица капли дождя и мечтательно подумал о зонтике.

Ему приходилось действовать наугад, ибо шум дождя заглушал вожделенные слабые щелчки открывающегося замка. Но все же хитроумные британские электронные устройства понемногу поддавались.

— Возьми сумку, — бросил он Миранде и толкнул тяжелую дверь.

Он осветил фонариком лестницу:

— Ты скажешь своему другу, что я тебе помогаю и что бронзу я отсюда заберу. Если, конечно, он пришел.

— Я же сказала, он здесь. Он мне обещал.

— Тогда, значит, он предпочитает работать в кромешной тьме. — Райан снова посветил фонариком. — Это твоя лаборатория, верно?

— Да. — Миранда сдвинула брови. Действительно, темно, как в преисподней. — Наверное, он еще не пришел.

— А кто тогда отключил сигнализацию?

— Э-э... Может, он в химической лаборатории?

— Через минуту мы это узнаем. А пока давай посмотрим, по-прежнему ли твои записи хранятся в твоем кабинете. Он здесь?

— Да, следующая дверь налево. Это мой временный кабинет.

— Ты сохранила данные на жестком диске?

— Да.

— Отлично.

Дверь была не заперта, и у Райана шевельнулось нехорошее предчувствие. Решив действовать поосторожнее, он выключил фонарик.

— Встань сзади меня.

— Зачем?

— Затем. — Он отворил дверь, загораживая собой Миранду. Несколько мгновений он прислушивался, но не услышал ничего, кроме жужжания вентилятора. Тогда он включил свет.

— О господи! — Она инстинктивно вцепилась в его руку. — Боже мой!

— А я думал, ученые — люди аккуратные, — заметил Райан.

По комнате словно смерч прошел. Искореженные компьютеры, изуродованные мониторы, разбитое химическое оборудование. Рабочий стол перевернут, бумаги рассыпаны. В воздухе стоял отвратительный запах химикатов.

— Ничего не понимаю. Что все это значит?

— Это не кража, — спокойно сказал он. — Здесь ничего не украли, здесь все разбили и сломали. Похоже, доктор Джонс, ваш друг уже ушел отсюда.

— Джованни не мог сделать ничего подобного. — Она оттолкнула Райана и шагнула в кабинет. — Это какие-то вандалы, как с цепи сорвались. Господи, все оборудование, все записи, — причитала она, бродя среди хаоса. — Разрушили, изуродовали.

Вандалы? Маловероятно. А где в таком случае яркие росписи на стенах? Нет, это проделано намеренно, методично и с изрядным запасом ненависти. У Райана появилось предчувствие, что эта ненависть может обрушиться и на них.

— Пойдем отсюда.

— Надо проверить другие помещения, посмотреть, насколько значителен нанесенный ущерб. Если они сделали то же самое с химической лабораторией...

Она осеклась, представив на минуту, какую опасность представляет банда хулиганов, укравшая химикаты.

— Ты все равно не сможешь определить размер ущерба, — сказал Райан, следуя за ней. Он догнал ее, когда она распахнула дверь химической лаборатории. Миранда вдруг замерла на пороге и покачнулась.

Джованни сдержал свое обещание, и он никуда не ушел. Он лежал на спине, его голова была неловко повернута, вокруг нее растекалась темная лужа крови. Открытые глаза безжизненно смотрели на «Смуглую Даму», лежащую рядом. Ее грациозно поднятые руки и улыбающееся лицо были залиты кровью.

— Господи Иисусе! — Райан резко дернул Миранду назад. — Это твой друг?

— Я... Джованни... — Ее глаза с расширившимися от ужаса зрачками стали черными и неподвижными, как у фарфоровой куклы.

— Держись. Надо держаться, Миранда, у нас может быть мало времени. На бронзе полно наших отпечатков пальцев, понимаешь? — А статуэтка явно послужила орудием убийства. — Полицейские только их и обнаружат. Нас подставили.

В ушах у нее гудело — словно где-то рядом шумел океан.

— Джованни мертв.

— Да, он мертв. Постой-ка вот здесь.

Райан прислонил ее к стене, а сам вошел в комнату и шумно выдохнул, чтобы не чувствовать запаха смерти. Здесь все пропахло этим запахом. Он скривился, но все же подобрал бронзу и сунул ее в сумку. Стараясь не смотреть на лицо того, кто лежал перед ним, Райан быстро оглядел комнату.

«Давид» валялся в углу. По вмятине в стене было ясно, что его туда запустили изо всех сил.

Умно, подумал он, запихивая в сумку вторую статуэтку. Аккуратненько. Оставить обе бронзы на месте преступления. Связать их вместе и затянуть эту веревку потуже на шее Миранды.

Она стояла точно так, как он ее оставил; но сейчас ее всю трясло, а лицо было белее мела.

— Ты сможешь идти, — твердо сказал он. — Ты даже бежать сможешь, если понадобится. Нам надо уходить.

— Мы не можем... не можем оставить его. Здесь. Вот так. Господи, Джованни. Если бы я только могла подумать...

— Мы ничего не можем для него сделать. Пошли.

— Я не могу его оставить, это я во всем виновата!

Решив не терять времени на препирательства, Райан схватил Миранду за руку и потащил. Она не сопротивлялась, вяло повиснув на нем, и все повторяла, как заклинание:

— Я не могу его оставить. Я не могу его оставить.

Когда они добрались до выхода, Райан совершенно выбился из сил. Он, задыхаясь, приоткрыл дверь, так чтобы можно было оглядеть улицу. Все было тихо, но у него по шее пробежали мурашки, словно к ней приставили лезвие ножа.

На улице, под дождем, он поставил Миранду на землю и как следует встряхнул.

— Ты не упадешь. Нам надо отсюда выбраться. Держись, Миранда, делай, как я тебе велю.

Не дожидаясь ответа, он обошел здание и вышел на улицу. Миранду он крепко держал за руку. Она покорно села на заднее сиденье мотоцикла, навалилась на него обмякшим телом, и Райан услышал, как часто-часто бьется ее сердце.

* * *

Ему хотелось сразу же поехать в гостиницу, но он заставил себя проехаться по городу, стараясь выбирать узкие безлюдные улочки. Надо было убедиться, что за ними не следят. Он пока не строил никаких догадок. Сначала надо было поподробнее расспросить Миранду.

Удостоверившись, что «хвоста» нет, он припарковался у отеля. Взял сумки, откинул мокрые волосы с лица Миранды.

— Послушай меня внимательно. — Райан сжал ее лицо в своих руках. — Сейчас мы войдем в вестибюль. Я хочу, чтобы ты прошла прямо к лифту. Я возьму у портье ключ. Поняла?

— Да. — Казалось, это произнесла не она, а какой-то встроенный в нее механизм.

Она шла так, словно плыла в густом вязком сиропе, но она шла, сфокусировав взгляд на дверцах лифта. «Вот цель, — думала Миранда. — Я должна добраться до лифта».

Как сквозь вату она слышала разговор Райана с портье, мужской смех. Миранда смотрела на дверцы, прикоснулась пальцами к полированной поверхности. Какие гладкие и холодные. Странно, раньше она этого не замечала. Она погладила дверцу ладонью. Тут подошел Райан и нажал кнопку.

Как же громко скрежещут шестерни и передачи! Двери лифта с мягким шипением раскрылись.

Ее лицо было таким же бледным, как лицо убитого Джованни, которого они оставили на полу в лаборатории. И еще Райан заметил, что ее зубы начали выбивать дробь. Она, наверное, продрогла до костей. Видит бог, он тоже. И не только оттого, что гонял по городу под дождем.

— Иди по коридору, — приказал он, взяв сумки в одну руку, а другой обняв ее. Она шла теперь довольно твердо, но он все равно не разжал объятия, пока они не вошли в номер.

Райан запер дверь и на замок, и на задвижку, потом отвел Миранду в спальню.

— Сними мокрую одежду, надень халат.

Предпочтительнее, конечно, было засунуть ее в ванну, но он боялся, что она возьмет и потеряет сознание.

Райан убедился, что дверь на террасу тоже заперта, и только после этого достал из мини-бара бутылку коньяку. Со стаканами он не стал возиться.

Миранда сидела на кровати точно в такой позе, в какой он ее оставил.

— Ты должна переодеться. Ты промокла.

— Да... Пальцы не слушаются.

— Ладно. На-ка, глотни.

Он отвернул крышку, поднес бутылку к губам Миранды. Она безвольно глотнула, но горло и живот обожгло пламенем.

— Я не люблю коньяк.

— Я тоже не люблю шпинат, но моя мама заставляла меня его есть. Еще разок. Вот, хорошо. Умница. — Ему удалось заставить ее отпить еще немного, но тут она захлебнулась и замахала руками.

— Я в порядке. Я в порядке.

— Не сомневаюсь. — Желая заглушить тошноту в собственном желудке, он запрокинул голову и сделал большой глоток.

— Теперь переодевайся. — Он поставил бутылку на стол и принялся расстегивать Миранде блузку.

— Не надо...

— Миранда. — Ноги его не держали, и он сел на кровать рядом с ней. — Мне сейчас не до глупостей. Ты в шоке. Тебе необходимо высохнуть и согреться. И мне, кстати, тоже. Хоть раз подумай и обо мне.

— Да, конечно. Я сама смогу. — Она поднялась и, пошатываясь, побрела в ванную.

Дверь закрылась, и Райан с трудом удержался от желания встать и посмотреть, не лежит ли Миранда на полу ванной.

Он закрыл лицо руками и приказал себе думать, просто думать. Первый раз в своей жизни он столкнулся лицом к лицу с насильственной смертью. Неожиданной, страшной и самой что ни на есть настоящей. Он сделал еще один глоток.

Ему не хотелось бы повторить этот опыт.

— Я закажу еду в номер. Чего-нибудь горячего, — громко сказал он, стягивая с себя пиджак. Не отрывая глаз от двери ванной, он швырнул мокрую одежду на пол и достал из шкафа брюки и рубашку. — Миранда? — Сунув руки в карманы брюк, он хмуро стоял и ждал. К черту скромность, внезапно решился Райан и дернул дверь на себя.

Миранда переоделась в халат, но с волос по-прежнему стекала вода, руки безвольно свисали вдоль туловища. Она стояла, слегка покачиваясь. С невыразимой тоской взглянув на вошедшего Райана, Миранда прошептала:

— Джованни.

— О'кей, все в порядке. — Он обнял ее, положил ее голову

себе на плечо. — Ты все сделала правильно. Теперь можешь расслабиться.

Миранда сжимала и разжимала кулаки.

— Кто мог такое с ним сотворить? Он никому не делал зла. Кто мог это сделать?

— Мы обязательно выясним. Мы с тобой все обсудим, шаг за шагом. — Он прижал ее к себе и стал гладить влажные волосы. Только вот он не понял, кого хотел успокоить: ее или себя. — Но мне нужна твоя голова, твои мозги. Твое умение логически мыслить.

— Я не могу ни о чем думать. У меня перед глазами он. Как он лежит там в крови... Он был моим другом. Он пришел, когда я его попросила. Он...

И тут вдруг Миранда с ужасающей ясностью поняла все до конца.

— О господи, Райан! Это я его убила.

— Нет. — Он отстранился и посмотрел ей в глаза. — Его убил тот, кто стукнул сзади по голове. Придется тебе свыкнуться с этой мыслью, ведь ничего уже не исправишь.

— Он пришел туда только из-за меня. Если бы не моя просьба, он сидел бы дома, или пошел на свидание, или пил бы в траттории вино с друзьями.

Она прижала руки к лицу, глаза наполнились ужасом.

— Он погиб, потому что я попросила его помочь мне, потому что я не доверяла тебе, потому что моя репутация была для меня превыше всего и я непременно должна была поступить по-своему. — Миранда покачала головой. — Я никогда себе этого не прощу, никогда!

Лицо ее порозовело, голос зазвучал энергичнее. Очевидно, чувство вины может не только парализовать, но и придавать силы.

— Ну что ж. Высуши волосы. А я пока закажу поесть. Нам надо о многом поговорить.

Миранда вытерла волосы, надела белую пижаму, поплотнее запахнулась в халат. «Ты будешь есть, — сказала она себе, — потому что, если ты не поешь, ты не сможешь держаться на ногах, не сможешь думать. А нужно быть сильной, крепкой и иметь ясную голову, если хочешь отомстить за Джованни».

Отомстить? Миранда содрогнулась. Она всегда считала месть нелепой. А сейчас это казалось совершенно разумным и логичным. «Око за око» — очень подходящие слова. Тот, кто убил Джованни, хладнокровно подставил Миранду, воспользовался ею так же, как бронзовой статуэткой.

Кто бы это ни был, он заплатит за все.

Она вышла из спальни и увидела, что Райан сказал официанту накрыть стол на террасе. Дождь кончился, воздух стал чистым и свежим. Стол был изысканно сервирован: льняная скатерть в бело-зеленую полоску, свечи, хрусталь, серебро.

Она поняла: Райан заказал всю эту красоту, чтобы сделать ей приятное. Из чувства благодарности она дала ему понять, что оценила его усилия.

— Как красиво! — Она попыталась улыбнуться. — Что мы будем есть?

— Сначала овощной суп, потом мясо по-флорентийски. Это даст тебе силу. Садись и ешь.

Миранда села, взяла ложку, зачерпнула суп. С трудом проглотила. Райан снова оказался прав: ледяной комок в животе начал таять.

— Я должна перед тобой извиниться, Райан.

— Глупости. Я не принимаю извинений от женщин.

— Я нарушила слово. — Она подняла на него глаза. — Я и не собиралась его держать. Я говорила себе, что обещание, данное такому человеку, как ты, ничего не значит. Я ошибалась, прости меня.

Это было сказано так искренне, что тронуло Райана до глубины сердца. Он даже сам этому удивился.

— У каждого из нас была своя цель. Такова реальность. До сих пор у нас была одна общая задача. Мы хотели найти подлинники. Но ставки повышаются. Игра становится опасной. И, может быть, разумнее было бы устраниться. Ради того, чтобы доказать свою правоту, тебе не стоит рисковать своей жизнью.

— Я потеряла друга. — Она отложила ложку, но тут же снова начала есть суп. — Я не отступлюсь, Райан. Я не смогу с этим жить. Не так уж у меня много друзей. И, боюсь, я сама в этом виновата: я трудно схожусь с людьми.

— Ты к себе слишком несправедлива. Ты прекрасно ладишь с людьми, когда позволяешь себе расслабиться. Как, например, с моими родными.

— Вовсе я не расслаблялась. Просто они не обращали внимания на мою зажатость. У тебя замечательная семья. Я даже позавидовала тебе. — У Миранды задрожал голос, она помотала головой и заставила себя проглотить еще ложку супа. — Вы так любите друг друга, радуетесь, когда вы вместе. Этого не купишь ни за какие деньги. — Она слабо улыбнулась. — И не украдешь.

— Это можно сделать самому. Стоит только захотеть.

— Надо еще, чтобы и другим была необходима твоя любовь. — Она вздохнула и попробовала вино. — Если бы у меня с родителями были такие отношения, я бы тут с тобой не сидела. В этом вся проблема. Если в семье не орут и не машут кулаками, это еще не означает, что все замечательно. Иногда безупречная вежливость свидетельствует о полнейшем безразличии.

— Ты с ними когда-нибудь об этом говорила?

— Пожалуй, что нет. — Миранда смотрела на огни вечернего города, на первые звездочки в темном небе. — Я сама не очень понимаю, как об этом надо говорить. И вообще, сейчас все это неважно. Мы должны найти того, кто убил Джованни.

Он не стал настаивать и снял крышку с блюда.

— Никто не умеет готовить мясо лучше флорентийцев. Расскажи мне о Джованни.

У нее словно тисками сжало сердце.

— А что ты хочешь от меня услышать?

— Для начала расскажи, как вы познакомились и что ты о нем знаешь.

Так ей будет легче, подумал Райан, а подробности он выспросит позже.

— Он был замечательным, и человек хороший, и профессионал отличный. Родился во Флоренции, пришел работать в «Станджо» десять дет назад. Время от времени приезжал к нам в институт. Там я, собственно, с ним и познакомилась шесть лет назад. — Она потерла пальцами виски. — Он был чудесным человеком, красивым, веселым. У него не было семьи. Любил женщин, и они его любили. Был очень внимательным, всегда заметит, если на тебе новая блузка или прическу новую сделала.

— Вы были любовниками?

Она поморщилась, но отрицательно помотала головой.

— Нет. Мы были друзьями. Я его очень уважала, доверяла его суждениям, ценила его дружбу. И воспользовалась его хорошим отношением, — тихо добавила она, встала из-за стола и подошла к перилам.

Ей нужно время. Джованни убили. Она не в силах это изменить. Скоро ли она сможет спокойно воспринимать простую непреложность двух этих фактов?

— Это Джованни мне позвонил и сообщил, что бронза признана фальшивой, — продолжила она свой рассказ. — Он хотел меня подготовить перед разговором с матерью.

— Она ему доверяла?

— Он работал вместе со мной на том проекте. И его вызвали для объяснений, когда обнаружилось, что мои выводы неверны. — Миранда вернулась к столу, снова села. — Я воспользовалась его дружбой, его любовью. Считала, что имею на это право.

— Ты только сегодня рассказала ему, что со статуэтки была снята копия?

— Да. Я позвонила ему, когда ты спускался вниз. Попросила встретиться со мной в церкви Санта-Мария. Сказала, что это крайне срочно и важно.

— Куда ты ему позвонила?

— В лабораторию. Я знала, что смогу поймать его там в конце дня. Я взяла с собой обе бронзы, спустилась вниз, вышла во двор, пока ты стоял у стойки. Мы встретились минут через пятнадцать после моего звонка. Он пришел прямо из «Станджо».

Вполне достаточно времени, чтобы рассказать кому-нибудь о звонке Миранды, о месте встречи, подумал Райан.

— Что ты ему сказала?

— Почти все. Объяснила, что бронза, которую тестировали у Понти, сейчас у меня и что это не та вещь, которую исследовали мы с ним. Сказала, что могла, о «Давиде». Кажется, он мне не поверил, но внимательно выслушал. — Она поковыряла мясо на тарелке, но отложила вилку. У нее уже не было сил притворяться. — Я попросила его взять обе статуэтки в лабораторию, провести все тесты, сравнить. Пообещала, что свяжусь с ним завтра утром. Я не сказала, в какой гостинице остановилась, потому что не хотела, чтобы он звонил или приходил сюда. Не хотела, чтоб ты знал, как я поступила со статуэтками.

Поняв, что ни один из них не собирается отдавать должное стейкам по-флорентийски, Райан взял сигару.

— Может быть, именно благодаря этому мы сидим тут и наслаждаемся лунным светом.

— Что ты этим хочешь сказать?

— Пораскиньте мозгами, доктор Джонс. Статуэтки были у твоего друга, и теперь он мертв. Орудие убийства и «Давид» предусмотрительно оставлены возле трупа. Что их связывает? Ты. — Он раскурил сигару, давая Миранде время осознать то, что он сказал. — Если бы полиция нашла статуэтки на месте преступления, они кинулись бы разыскивать тебя. Тот, кто это совершил, знает: ты о многом догадываешься и уже достаточно преступила закон, чтобы избегать встречи с полицией.

— Подозрение в убийстве Джованни опорочило бы меня окончательно и бесповоротно. — Как хладнокровно, как безжалостно все продумано. И как логично.

— Твой друг после сравнительных тестов полез бы в твои прежние записи, стал бы сравнивать.

— Так вот почему мой кабинет и лабораторию разгромили, — прошептала она. — Теперь мои записи, мои данные на компьютере невозможно восстановить.

— Их забрали или уничтожили, — согласился Райан. — И ты, и Джованни стали помехой.

— Понятно. — Кое-что начало проясняться. — Надо отыскать убийцу. Потому что тот, кто убил Джованни, и подменил бронзу.

— Знаешь, что говорят об убийцах? Трудно только в первый раз. Потом это становится профессией.

По спине пробежал холодок. Но Миранда сжала кулаки.

— Если ты хочешь сказать, что выходишь из игры, я не буду тебя винить.

— Да что ты говоришь? — Райан глубоко затянулся. Решение он уже принял, но сейчас размышлял, что сыграло ре-

шающую роль: желание ее защитить или то, что она считает его трусом? — Я привык доводить дело до конца.

Словно тяжкий груз свалился с ее плеч, но она постаралась этого не показать. Подняла бокал, чокнулась с ним.

— Я тоже.

ГЛАВА 18

Время приближалось к полуночи, когда Карло вышел из траттории и направился домой. Он обещал жене не засиживаться. Еще в самом начале их супружеской жизни они условились, что раз в неделю он имеет право поболтать и выпить с приятелями. София тоже в эти вечера не скучала, встречаясь со своими сестрами.

Обычно он сидел в мужской компании часов до двенадцати, растягивая удовольствие, но в последнее время сократил это время. Дело в том, что он стал объектом шуточек с тех пор, как газеты обозвали «Смуглую Даму» подделкой.

Карло не поверил этому ни на минуту. Он держал статуэтку в руках, любовался ее красотой. Художник всегда отличит шедевр от подделки. Но кому бы он это ни говорил, все, в том числе и друзья, только смеялись ему в лицо.

Его затаскали на допросы, словно какого-нибудь преступника. Но он ничего такого не сделал. Ну разве что вынес статуэтку без спроса с виллы, всего и делов-то.

Но ведь это он ее нашел, держал в руках, и ее красота горячила кровь, как красота живой женщины. Она его буквально преобразила, околдовала. А он все равно поступил по закону — отдал ее властям.

Властям. Которые теперь утверждают, что она ничего собой не представляет. Ловкий трюк. Но он-то нутром чует, все это — вранье.

София говорит, что верит ему, но он знает: она его обманывает. Просто говорит так по доброте душевной, да еще чтобы поменьше ссориться на глазах у детей. А теперь журналисты выставляют его полным дураком и вруном.

Он пытался поговорить с американкой, которая управляет той большой лабораторией, где проверяли его «Даму». Но американка не пожелала его слушать. Он до хрипоты убеждал ее позволить ему поговорить с доктором Мирандой Джонс, которая проводила анализы, все нервы потерял.

А direttore[1] вызвала охранников и приказала вышвырнуть его вон. Это было так унизительно.

Он медленно брел по тихим улочкам домой и думал: не надо было слушаться Софию. Кровь стучала в висках. Надо было оставить «Даму» у себя, как он и собирался. Он ее нашел, вытащил из сырого темного подвала и вынес на свет, она принадлежала ему.

Теперь они утверждают, что она не имеет ни малейшей ценности, но вернуть ее ему отказываются. А он хочет получить ее обратно.

Он позвонил в лабораторию в Риме и потребовал назад свою собственность. Кричал, бушевал, называл их лжецами и ворами. Он даже звонил в Америку и оставил отчаянное послание на автоответчике Миранды Джонс. Он чувствовал, что она его союзница. Она бы ему помогла.

Он не успокоится, пока не вернет свою «Даму».

Вот возьмет и наймет адвоката, мечтал он, разгоряченный вином и насмешками товарищей. Снова позвонит американке в город с названием Мэн и убедит ее: это настоящий заговор, специально задуманный для того, чтобы отобрать у него «Даму».

Он вспомнил фотографию доктора Джонс в газетах. Волевое, честное лицо. Да, она ему поможет.

Миранда Джонс. Она его выслушает.

Он даже не оглянулся, услышав шум приближающегося автомобиля. Дорога была пустой, а он шел по тротуару. Он думал, о чем будет разговаривать с этой умной и честной женщиной.

Именно Миранда и «Смуглая Дама» занимали его мысли, когда автомобиль на полной скорости въехал на тротуар.

* * *

Стоя на террасе ясным солнечным утром, Миранда любовалась городом. Пожалуй, впервые она оценила его пленительную красоту. Со смертью Джованни что-то безвозвратно

---

[1] Директриса *(ит.)*.

ушло из нее. Осталась черная дыра, наполненная болью и чувством вины. И еще она стала острее воспринимать то, на что раньше не обратила бы внимания. Миранда испытывала потребность обрести почву под ногами, разобраться в деталях.

Утренний ветерок ласково касался ее щек, солнце золотило вершины холмов и крыши домов, нагревало камни под босыми ногами.

Ей хочется гулять по городу, вдруг поняла Миранда. Одеться, спуститься вниз и бесцельно бродить по улицам, глазеть на витрины, любоваться рекой. Впитывать жизнь.

— Миранда.

Она вдохнула полной грудью, оглянулась и увидела стоящего на пороге террасы Райана.

— Какое чудесное утро! Весна, возрождение жизни. Я раньше не обращала на это внимания.

Он подошел и остановился рядом с ней у перил. Когда она увидела его глаза, улыбка сползла с ее лица.

— О господи! Что случилось?

— Водопроводчик. Карло Ринальди. Он убит, вчера сбит машиной. Я слышал по новостям. — Он сжал ее руку. — Возвращался домой около полуночи. Подробностей не сообщили. — Райана душила бессильная ярость. — У него осталось трое детей и четвертый на подходе.

— Может быть, авария? — Ей так хотелось в это верить, но взгляд Райана не оставлял такой возможности.

— Нет.

— Но зачем было его убивать? Он ведь никак не связан с лабораторией. Он ничего не знал.

— Он производил слишком много шума. И потом, он знал больше, чем кое-кому хотелось бы. Не забывай: он нашел бронзу, несколько дней держал ее у себя, разглядывал. Карло Ринальди был той ниточкой, которую надо было отрезать.

— Как и Джованни. — Придется привыкать с этим жить. — В новостях было что-нибудь о Джованни?

— Нет. Но скоро будет. Одевайся. Нам надо выйти.

Выйти, подумала она, но не для того, чтобы гулять по улицам и любоваться весенним городом.

— Сейчас.

— Никаких возражений? — Брови Райана взлетели вверх. — Никаких вопросов «куда», «зачем» и «почему»?

— Не сейчас.

Она ушла в спальню и закрыла за собой дверь.

Через тридцать минут они подошли к телефонной будке, и Райан сделал то, чего избегал всю жизнь: связался с полицией.

Визгливым нервным голосом он сообщил по-итальянски, что на втором этаже института «Станджо» обнаружен убитый человек. И повесил трубку, прежде чем ему успели задать хоть один вопрос.

— Ну вот. А теперь быстро уходим, на случай если у итальянской полиции имеется определитель номера.

— Мы вернемся в гостиницу?

— Нет. — Он уселся на мотоцикл. — Мы нанесем визит твоей матери. Показывай дорогу.

— Моей матери? — Обещание не задавать больше вопросов тут же вылетело из ее головы. — Зачем? Ты с ума сошел? Я не поведу тебя к моей матери.

— К завтраку нас, очевидно, не ждут, это уж точно, так что перехватим по дороге пиццу. Как раз хватит времени.

— В каком смысле?

— Полицейские обнаружат тело, сообщат ей. Что, по-твоему, она сделает?

— Поедет в лабораторию.

— Вот и я о том же. У нас будет вполне достаточно времени порыться в ее кабинете.

— Ты намерен вломиться в дом моей матери?

— Если, конечно, она не оставляет ключи под ковриком, что облегчило бы дело. Надень. — Райан протянул ей бейсбольную кепку. — А то соседи тебя по волосам за версту узнают.

* * *

— Не вижу в этом никакого смысла, — продолжала упорствовать Миранда, когда час спустя они, не слезая с мотоцикла, следили за домом Элизабет. — Я не могу тайком проникать в дом моей матери, рыться в ее вещах.

— Все бумаги с данными твоих исследований из лаборатории исчезли. Единственная надежда, что твоя мать хранит копии у себя дома.

— Зачем бы она стала это делать?

— Затем, что ты ее дочь.

— Для нее это не имеет никакого значения.

«А для тебя имеет», — подумал Райан, но вслух ничего не сказал.

— Может, да, может, нет. Это она?

Миранда оглянулась на дом и вдруг осознала, что трусливо выглядывает из-за плеча Райана, словно провинившаяся школьница.

— Да.

— Красивая женщина. Ты на нее совсем не похожа.

— Большое спасибо за комплимент.

Он только хмыкнул, наблюдая, как Элизабет, одетая в строгий безупречный костюм, открывает машину.

— Сдержанная. Нипочем не скажешь, что ей несколько минут назад сообщили, что ее лаборатория разгромлена, а один из сотрудников убит.

— Моя мать не выставляет свои чувства напоказ.

— Я же говорю, ты на нее не похожа. Ну ладно, пошли. Пару часов ее точно не будет, но нам и одного хватит.

— Хватит, — машинально повторила она. Да, ее жизнь уже никогда не вернется в прежнее русло. Она теперь преступница.

Райан подошел к парадному входу и позвонил.

— У нее прислуга есть? Собака? Любовник?

— Домработница есть, но она приходящая. Собак мать терпеть не может. — Миранда поглубже натянула бейсбольную кепку. — А про ее личную жизнь мне ничего не известно.

Он снова позвонил в дверь. Нет положения нелепее, чем войти в дом, где, по твоему глубокому убеждению, никого нет, и — столкнуться нос к носу с хозяином, который заболел и не пошел на работу.

— Сигнализация есть?

— Не знаю. Может быть.

— Ничего, мы с ней справимся. — Войдя в дом, она увидел на стене панель с мигающей лампочкой. У него минута, чтобы набрать код. Райан достал отмычки, отвертку, снял панель, отсоединил пару проволочек и отключил сигнализацию.

Миранда не могла не восхититься столь быстрой, точной и эффективной работой.

— Глядя на тебя, я думаю: и чего люди мудрят с замками и охранными устройствами? Оставляли бы окна и двери нараспашку.

— Ты читаешь мои мысли. — Он подмигнул Миранде, оглядел прихожую. — Красиво. Живопись прекрасная. Несколько скучноватая, но вполне ничего. Где ее кабинет?

Интересно, почему его насмешливые слова о вкусе Элизабет кажутся ей такими забавными? Следовало бы оскорбиться, а она не смогла сдержать улыбки.

— Второй этаж, левая, кажется, дверь. Я здесь нечасто бываю.

— Поглядим.

Райан стал подниматься по роскошной лестнице. Дом отделан со вкусом, с выдумкой; словно картинка из журнала, но вид совершенно нежилой. Здесь все по самому высшему разряду, но Райану куда больше нравилась его квартира в Нью-Йорке или огромный запущенный дом Миранды в Мэне.

Кабинет Элизабет был женственным, но не жеманным, нарядным, но функциональным, холодным, но не пугающим. Наверное, в точности отражает характер своей владелицы.

— Сейф у нее имеется?

— Не знаю.

— Поищем, — кивнул он и стал заглядывать за висящие на стенах картины. — А вот и он, голубчик, за этим чудным полотном Ренуара. Я займусь сейфом, а ты посмотри в столе.

Миранда замерла. Еще с детских лет она твердо усвоила, что нельзя входить в комнату матери без разрешения. Она никогда не примеряла перед зеркалом мамины сережки, не брызгалась ее духами. А уж о том, чтобы рыться в ее столе, и речи быть не могло.

Что ж, видно, пришло время наверстать упущенное.

Отбросив все сомнения, Миранда решительно взялась за дело.

— Здесь полно всяких бумаг, — сказала она. — По большей части письма, счета, страховки.

— Ищи дальше.

Миранда уселась в стоящее перед столом кресло — тоже

впервые — и выдвинула следующий ящик. Ею владели одновременно стыд, чувство вины и возбуждение.

— Копии контрактов, — бормотала она себе под нос, — отчеты. Она и дома работает. — Ее пальцы задрожали. — Бронза Фиезоле. Папка с документами.

— Заберем ее с собой. Посмотрим потом. — Райан услышал последний щелчок замка. — Готово, дружище. Очень, очень интересно, — прошептал он, открывая бархатную коробочку с двойной ниткой жемчуга. — Старинная вещица. Тебе бы очень пошла.

— Положи на место.

— Я не собираюсь их брать. Драгоценностями я не занимаюсь. — Но тут же восхищенно замурлыкал, любуясь сиянием бриллиантов из другой коробочки. — Какие дивные серьги! Камни по три карата, похоже, это русские алмазы, и очень чистой воды.

— Ты же сказал, что не занимаешься драгоценностями.

— Но это не значит, что я не испытываю к ним интереса. Как бы они прекрасно смотрелись в сочетании с твоим кольцом.

— Это не мое кольцо, — строго поправила Миранда, но все же покосилась на сверкающий на пальце бриллиант. — Это маскировка.

— Да-да, конечно. Посмотри-ка. — Он достал пластиковую папку. — Знакомые бумаги?

— Рентген-анализ. — Она отошла от стола и с колотящимся сердцем схватила папку. — Компьютерная распечатка. Смотри, смотри. Вот, ты сам все можешь прочитать. Анализ коррозийных слоев. Смотри же! Она подлинная. Я тебе говорила! — Охваченная бурей эмоций, она прижала ладони к пылающим щекам, зажмурилась. — Здесь все написано. Я не ошибалась.

— Я никогда в этом не сомневался.

Она открыла глаза, весело улыбнулась.

— Врешь. Ты вломился в мою спальню и угрожал меня задушить.

— Нет. Я сказал, что могу тебя задушить. — Он сцепил руки у нее на горле. — И потом, я тебя тогда почти не знал. Приведи тут все в порядок, дорогая. Нам пора уходить.

* * *

Следующие несколько часов они провели в гостиничном номере. Миранда тщательно изучала записи исследований, Райан сидел за своим компьютером.

— Здесь все записано, все, что я делала. Шаг за шагом. Каждый тест, каждый результат. Конечно, документов маловато, но в целом убедительно. Неужели она сáма этого не видела?

— Посмотри-ка, я ничего не упустил?

— Что?

— Я кое-что проверил. — Он поманил ее к себе. — Обработал имена всех людей, имевших отношение к обеим статуэткам. Их, наверное, больше, но это ключевые фигуры.

Она через его плечо взглянула на дисплей. И, увидев первым свое имя, крепко стиснула зубы. В списке были: ее мать, ее отец, Эндрю, Джованни, Элайза, Картер, Хоуторн, Винсент.

— Эндрю не работал со «Смуглой Дамой».

Ее локон щекотал ему щеку. Его тело так молниеносно отреагировало на это невинное прикосновение, что пришлось сделать глубокий вдох-выдох. Эти ее волосы доведут его до умопомрачения.

— Он близко связан с тобой, твоей матерью, Элайзой. Слишком близко.

Она недовольно фыркнула и поправила очки.

— Это довольно оскорбительно.

— Комментарии можешь оставить при себе.

— Исчерпывающий ответ.

Снова она заговорила этим идиотским чопорным тоном. Ему бы хотелось слышать от нее совсем другое.

— Жена Хоуторна живет вместе с ним во Флоренции?

— Нет. Ричард разведен.

«Какая пытка, — подумал он, — этот душистый локон».

— А когда он работал в Мэне, он еще был женат?

— Не знаю. Я с ним почти не виделась тогда. Я его и сейчас не узнала, пока он не напомнил. — Она раздраженно покачала головой и вдруг увидела в его глазах какое-то странное выражение, совсем не имеющее отношения к работе. Внутри

у нее вдруг екнуло, в низу живота сладко заныло. — Это имеет значение?

— Что имеет значение? — Как ему хотелось впиться в эти губы. Черт возьми, он имел на это право!

— Э-э...был ли Ричард разведен.

— Видишь ли, люди обычно делятся самым сокровенным с супругами и сексуальными партнерами. Секс, — медленно проговорил он, наматывая на палец прядь ее волос, — очень сближает.

Чуть-чуть потянуть — и ее рот окажется совсем близко. А как хочется запустить обе руки в ее пышную гриву. Через пять минут на ней бы ничего не было. Кроме очков.

Перед его мысленным взором предстала Миранда в одних очках.

С огромным сожалением он выпустил из рук ее прядь, отвернулся и стал смотреть на экран.

— Других сотрудников тоже придется проверить, но сейчас мы сделаем перерыв.

— Перерыв?

Миранда никак не могла сосредоточиться. Нервы были напряжены до предела. Если он сейчас до нее дотронется, если поцелует, она не в силах будет противиться этому наваждению. Она закрыла глаза. Она безумно его хотела.

— В каком смысле?

— Отложим все и пойдем поедим.

Она открыла глаза:

— Что?

— Поедим, доктор Джонс. — Он стучал по клавишам и не видел, как безвольно опустились ее руки.

— А, да. — Голос ее слегка дрожал — не то от облегчения, не то от разочарования. — Прекрасная мысль.

— Где бы ты хотела провести последний вечер во Флоренции?

— Последний вечер?

— Все сильно усложнилось. Лучше нам вернуться домой.

— Но если «Смуглая Дама» здесь...

— Мы вернемся за ней. — Он закрыл крышку компьютера, отодвинул его от себя. — Флоренция не такой большой город, доктор Джонс. Рано или поздно кто-нибудь тебя увидит. — Он провел пальцем по ее волосам. — Тебя трудно не заметить. Итак, твое решение: быстро, шикарно или весело?

Домой. Она вдруг ощутила, что очень хочет домой, хочет увидеть все новыми глазами.

— Для разнообразия пусть будет весело.

— Прекрасный выбор. Я знаю одно подходящее местечко.

* * *

Здесь было шумно, многолюдно, ярко горели светильники, по стенам висели кошмарные картины. Но они прекрасно гармонировали со связками копченых колбас и окороками — непременным атрибутом ресторанного дизайна. Столы были сдвинуты вместе, так что посетители — и знакомые и незнакомые — сидели бок о бок перед своими огромными порциями мяса и пасты.

Толстый мужчина в заляпанном фартуке втиснул их в угол, молча выслушал заказ, кивнул и отошел. Миранда оказалась рядом с супружеской парой из Америки, они путешествовали по Европе. Райан с легкостью, восхитившей Миранду, тут же завел с ними непринужденный разговор.

Она сама ни за что бы не заговорила вот так запросто с незнакомыми людьми в ресторане — разве что очень сдержанно и только в случае крайней необходимости. А сейчас, к тому моменту, когда на стол поставили вино, она уже знала, что они — из Нью-Йорка, у них собственный ресторанчик и что живут они вместе уже десять лет. Это, как объяснил муж, их путешествие в честь десятилетней годовщины.

— А мы устроили себе медовый месяц. — Райан взял руку Миранды и поцеловал. — Правда, Эбби, дорогая?

Она негодующе взглянула на него и пихнула под столом ногой.

— О да! Когда мы поженились, мы не смогли себе этого позволить. Кевин только начал работать, я была совсем мелкой сошкой в агентстве. А теперь мы решили устроить себе праздник, прежде чем заведем детей.

Поражаясь самой себе, она отпила из бокала вина.

— Как здорово, что мы выбрали Флоренцию. Здесь романтика разлита в воздухе.

Опровергая все законы физики, официант протиснулся между столами и поставил перед ними заказанные блюда.

Не прошло и часа, как Миранда потребовала заказать еще бутылку вина.

— Оно изумительно. И вообще здесь замечательно. — Она покрутилась на стуле, приветливо улыбнулась англичанам, тихо разговаривавшим напротив, весело оглянулась на шумных немцев, горланивших застольную песню. — Я никогда раньше не бывала в таких местах. — В голове шумело от вина, запахов, криков. — Сама не знаю почему.

— Десерт?

— Обязательно. Будем есть, пить и веселиться. — Она налила себе еще вина и игриво взглянула на Райана. — Мне здесь очень нравится.

— Да, я вижу. — Он отодвинул от нее подальше бутылку и подозвал официанта.

— Правда, очаровательная пара? — Миранда с умилением улыбнулась собиравшимся уходить американцам. — Они по-настоящему влюблены друг в друга. Обязательно зайдем к ним, когда вернемся домой. Нет, когда они вернутся. Мы-то будем дома уже завтра.

— Шоколадное мороженое, — сказал Райан официанту и с удивлением услышал, как Миранда подпевает поддатым немцам. — И капуччино.

— Я хочу еще вина.

— С тебя хватит.

— Почему? — Охваченная переполнявшей ее любовью к роду человеческому, Миранда осушила залпом бокал. — Мне оно нравится.

— Дело твое, — пожал плечами Райан. — Но смотри, будешь себя плохо чувствовать в самолете.

— Я всегда прекрасно себя чувствую в самолете. — Прищурившись, она наполнила свой бокал почти до краев. — Это доктор Джонс всегда владеет собой. — Она хихикнула и заговорщицки понизила голос: — А Эбби — пьяница.

— Кевина серьезно тревожит перспектива тащить пьяную жену домой.

— Ха! — Она шутливо закрыла лицо тыльной стороной ладони. — Доктору Джонс это бы очень не понравилось. Это ведь так стыдно. Пойдем погуляем к реке, я хочу бродить у реки при лунном свете. Эбби даже позволит тебе ее поцеловать.

— Предложение, конечно, интересное, но, думаю, нам все же лучше отправиться домой.

— Я так люблю Мэн. — Она откинулась на спинку стула, снова взяла бокал. — Люблю скалы, туман, высокие волны, рыбачьи лодки в море. Я хочу заняться своим садом. В этом году обязательно. Ура-а! — Так она отреагировала на поставленное перед ней мороженое. — Оказывается, мне очень нравится расслабляться. Не подозревала за собой такого, — добавила она с полным ртом.

— Выпей кофе, — посоветовал Райан.

— Я лучше вина. — Но он отобрал бутылку.

— Может быть, я смогу тебя чем-нибудь другим заинтересовать?

Она задумчиво посмотрела на Райана, потом захихикала.

— Достань мне голову Иоанна Крестителя, — проговорила она, корчась от душившего ее смеха. — Неужели ты и вправду украл его кости? Не могу понять человека, который крадет кости святого. Но вообще это забавно.

Пора уходить, решил Райан и положил на стол лиры — куда больше, чем следовало.

— Пойдем-ка, дорогуша.

— Ладно. — Она резво вскочила, но тут же ухватилась рукой за стену. — Ой, что-то у меня земля из-под ног уходит.

— Ничего, на воздухе тебе станет получше.

Он крепко обнял ее за талию и повел к выходу, веселясь от души, когда она выкрикивала всем прощальные приветы.

— Ну ты и штучка, доктор Джонс.

— Как называется это вино? З-замечательное. Хочу купить целый ящик.

— Ты и так выпила не меньше ящика. — Он вел ее по щербатому тротуару, радуясь, что они пришли в ресторан пешком, а не приехали на мотоцикле. Тогда ее пришлось бы привязать к сиденью.

— Я покрашу дома жалюзи.

— Отличная идея.

— У твоей матери жалюзи желтые. Это так симпатично.

И все у тебя в семье такие симпатичные. — Обняв его за талию, она шла широкими шагами. — Но у меня дома лучше будут смотреться голубые. Ярко-голубые. А на передней террасе я поставлю кресло-качалку.

— Самое оно. Осторожней, тут ступенька. Вот, умница.

— Я сегодня вломилась в дом моей матери.

— Я где-то уже об этом слышал.

— Я живу в одном номере с вором, и я вломилась в дом моей матери. Могла бы ее запросто обчистить.

— Ну и обчистила бы. Делов-то. Налево, вот сюда. Ну вот, почти пришли.

— Это было здорово.

— Что?

— Этот поход в ресторан. Момент не то чтобы подходящий, но это было здорово. — Она остановилась и обхватила его лицо обеими руками. — Не хочешь научить меня пользоваться отмычкой, а, Райан?

— Обязательно, немного погодя.

Они вошли в роскошный гостиничный вестибюль.

— Я собираюсь тебя соблазнить. — Она развернулась и впилась в его рот таким поцелуем, что Райан с трудом удержал равновесие. Голова у него закружилась.

— Миранда...

— Можешь называть меня Эбби, детка, — пробормотала она. Клерк, сидящий за стойкой, деликатно отвернулся. — Не возражаешь?

— Поговорим наверху. — Он повел ее к лифту, стараясь побыстрее скрыться с посторонних глаз.

— Не хочу я разговаривать. — Она прижалась к нему и укусила за мочку уха. — Я хочу дикого, безумного секса. Прямо сейчас.

— А кто не хочет? — Из лифта вышла супружеская пара в вечерних костюмах. Вопрос задал мужчина.

— Вот видишь? — расхохоталась Миранда, а Райан тем временем осторожно подтолкнул ее к лифту. — Он со мной согласен. Я хотела заняться с тобой любовью с первой же минуты знакомства. «Зов плоти» называется.

— Зов. — Ему стало трудно дышать, и он отцепил ее от себя.

— Я все время слышу этот зов, когда я с тобой. А сейчас у меня просто в голове гудит. Поцелуй меня, Райан. Ты же сам этого хочешь.

— Прекрати. — Он с огромным сожалением остановил ее руки, уже начавшие расстегивать его рубашку. — Ты напилась.

— А тебе-то что? — Миранда закинула голову и рассмеялась. — Ты давно стараешься затащить меня в постель. Сегодня у тебя появился шанс.

— Есть определенные правила, — пробормотал он, сам шатаясь, как пьяный. Одному из них явно необходим холодный душ, подумал Райан.

— А-а, значит, теперь появились правила. — Хохоча, она выдернула его рубашку из брюк. Ее руки касались его голой спины, живота, и он никак не мог попасть ключом в замочную скважину.

— Помоги мне, господи. Миранда... Боже мой! — Ее неугомонные руки опустились ниже. — Слушай, я сказал: нет. — Они, не разжимая объятий, ввалились в комнату. — Возьми себя в руки.

— Не могу. Они у меня заняты. — Он отпустила его на мгновение, но лишь для того, чтобы запрыгнуть на него, обхватить ногами за талию, вцепиться руками в густую шевелюру и впиться в его рот. — Я хочу тебя. О, как же я хочу тебя! — Она едва могла дышать. — Люби меня. Трогай меня. Я хочу почувствовать твои руки.

Она их уже чувствовала. Теперь уже ничто не могло его остановить. Но все же его замутненный от страсти рассудок еще раз попытался воззвать к здравому смыслу:

— Завтра утром ты будешь ненавидеть и себя, и меня.

— Ну и что? — Она снова рассмеялась, голубые глаза ярко сверкали. Она откинула назад свои рыжие волосы — он чуть не застонал от вожделения. — Сейчас не завтра. Живи мгновением, Райан.

Он понес ее в спальню, не отрывая от нее глаз.

— Ну что ж, посмотрим, долго ли оно продлится. И помните, доктор Джонс. — Он поцеловал ее в губы. — Ты сама об этом попросила.

Они упали на кровать, белевшую в лунном свете. Она

знала, что он сможет дать ей все, чего она хотела. И даже больше.

Она не желала играть пассивную роль, и от стремительных движений голова кружилась, как в какой-то безумной карусели. Из груди Миранды вырывался то всхлип, то стон, то смех. О господи, она — свободна. Она чувствовала себя невероятно свободной и... живой.

— Да, да, скорее, — шептала она. — Райан, прошу тебя, милый!

Все, что она хотела. И даже больше.

ГЛАВА 19

Ее разбудил яркий солнечный свет. Она испуганно прикрыла глаза ладонью и окончательно проснулась.

И тут обнаружила, что лежит в кровати не одна. Не найдя ничего лучшего, она снова закрыла глаза.

Что произошло?

Ну, это, положим, очевидно, и, если ее не подводит память, произошло это дважды. В перерыве Райан заставил ее проглотить три таблетки аспирина и целое море воды. Именно благодаря этому, подумала Миранда, голова у нее сейчас не разваливается на куски.

Она приоткрыла глаза и посмотрела на него. Он лежал на животе, зарывшись лицом в подушку. Его-то солнечный свет ничуть не тревожит. Вчера им не пришло в голову даже задернуть шторы.

О господи!

Она набросилась на него, срывала одежду, как настоящая маньячка.

Но даже сейчас, при свете дня, в груди ее сладко заныло от одной только мысли о вчерашнем.

Тихонько, стараясь не шуметь, она выскользнула из кровати. Только бы до душа добраться. Он, слава богу, не пошевельнулся, и Миранда направилась в ванную.

К счастью, она не заметила, как Райан приоткрыл глаз и хмыкнул при виде ее голого зада.

Стоя под горячим душем, она пыталась разобраться в собственных мыслях. Ну что ж, придется пережить. Но глубинное блаженство, от которого кружилась голова, продолжало жить и ликовать в ней.

Она выпила еще три таблетки аспирина.

Когда она вышла, он стоял на террасе и болтал с официантом. Прятаться было глупо, и она улыбнулась обоим.

— Buon giorno[1]. Прекрасный день, не правда ли? — Официант с поклоном принял купюру. — Grazie. Buon appetito[2].

Сидевший на перилах террасы голубь с жадностью поглядывал на накрытый стол.

— Я... — Она спрятала предательски задрожавшие руки в карманы халата.

— Налить тебе кофе? — предложил Райан. На нем были серые брюки и черная рубашка, в которых он выглядел очень элегантно. Она тут же вспомнила, что даже не причесалась.

Она готова была ухватиться за предложенную соломинку, но потом гордо тряхнула головой. Она не из тех, кто бегает от трудностей.

— Райан... Вчера вечером... Мне кажется, я должна извиниться.

— Неужели? — Он налил кофе и поудобнее уселся за стол.

— Я слишком много выпила. Хотя, конечно, это ничуть меня не оправдывает.

— Дорогая, ты хоть и вправду напилась, но тебе это совсем не мешало, — отозвался он, намазывая джем на круассан.

Миранда закрыла на мгновение глаза, села на стул.

— Мое поведение было непростительным, бесстыдным. Я очень сожалею. Я тебя поставила в нелепое положение.

— По-моему, положений было несколько. — Он отхлебнул кофе, наслаждаясь вспыхнувшим на ее щеках румянцем. — И ни одно не показалось мне нелепым.

Она торопливо отхлебнула кофе и обожгла язык.

— Зачем нужны извинения? — спросил Райан. Он выбрал из корзинки булочку, положил ей на тарелку. — О чем тут сожалеть? Разве кому-нибудь стало от этого плохо?

— Проблема в том...

---

[1] Доброе утро (*ит.*).

[2] Спасибо. Приятного аппетита (*ит*).

— Проблема в том, что мы оба — одинокие, неженатые, здоровые взрослые люди, которых сильно влечет друг к другу. Вчера вечером мы дали волю этому влечению. — Он снял крышку со сковороды с омлетом. — Мне, например, очень понравилось. — Он разрезал омлет на две части, положил Миранде ее порцию. — А тебе?

Она сознательно пошла на унизительные извинения, чтобы всю ответственность за случившееся взять на себя. Почему он ей мешает?

— Ты упускаешь главное.

— Нет, не упускаю. Просто я не согласен с тем, что ты говоришь. Ага, вижу знакомый упрямый блеск в твоих глазах. Уже лучше. Итак, я крайне тебе признателен: ты не обвиняешь меня в том, что я воспользовался ситуацией, а как было не воспользоваться — ты с меня одежду срывала, но уж совсем глупо считать, что виновата во всем ты, Миранда.

— Виновато вино, — сухо поправила она.

— Неправда, ты сама сказала, что тебе нет оправдания. — Он рассмеялся, сунул ей в руку вилку. — Я хотел заняться с тобой любовью с той самой минуты, когда тебя увидел. И чем лучше узнавал, тем больше хотел. Ты меня восхищаешь, Миранда. А теперь ешь яичницу, пока она не остыла.

На него невозможно было сердиться. Не отрывая глаз от своей тарелки, она тихо сказала:

— Я ненавижу случайный секс.

— Ты так это называешь? — присвистнул он. — Помоги мне, господи, когда мы займемся этим всерьез.

Ее губы сами собой расползлись в улыбке.

— Это было потрясающе.

— Я рад, что ты помнишь. Я не был уверен, что ты в трезвой памяти. Мне хотелось бы повторить, и не единожды. — Он коснулся ее волос. — Флоренция — город любви.

Она глубоко вздохнула, посмотрела ему прямо в глаза и произнесла слова, которые для нее были верхом откровенности:

— А Мэн весной просто великолепен.

Райан улыбнулся и погладил ее по щеке.

— Мечтаю увидеть это собственными глазами.

* * *

«Смуглая Дама» стояла в луче света. Тот, кто ее изучал, сидел в темноте. В голове ясно и спокойно. Так и надо, когда совершается убийство.

Вообще-то убийство не планировалось. Главная цель — власть. Если бы все шло как задумано, насилие бы не понадобилось.

Но план был нарушен, и, соответственно, пришлось внести поправки. В том, что пришлось пожертвовать двумя жизнями, виноват вор, укравший «Давида». Кто же мог предвидеть, что события сложатся таким образом?

Назовем это случайностью. Вот-вот: именно случайностью.

Однако убийство вовсе не так ужасно, как можно было подумать. Оно даже дает ощущение власти. Никто из тех, кто знает о «Смуглой Даме», не должен остаться в живых. Вот так.

Дело будет взято под абсолютный контроль.

А когда придет время, все будет кончено. С Мирандой.

Как жаль разрушать такой яркий и оригинальный ум. Но погубить одну репутацию недостаточно. Надо отобрать все. В науке нет места сантиментам. В стремлении к власти — тоже.

Возможно, несчастный случай, нет, пожалуй, лучше — самоубийство.

Да, самоубийство. Странно, раньше как-то не приходило в голову, что ее самоубийство может доставить столько удовлетворения.

Надо все тщательно продумать, спланировать. Надо... Губы тронула довольная улыбка. Надо запастись терпением.

Никто, кроме «Смуглой Дамы», не услышал тихого угрожающего смеха. Угрожающего или безумного.

* * *

В Мэне царила весна. В воздухе была разлита мягкость, которой не было еще неделю назад. По крайней мере, Миранда ее не чувствовала.

Вот и старый дом на холме, стоит словно отвернувшись от моря, окна сверкают на солнце. Как же хорошо дома!

Эндрю она обнаружила в его кабинете в компании с бу-

тылкой «Джека Дэниелса». Ее восторженное настроение улетучилось в мгновение ока.

Он вскочил на ноги, слегка покачиваясь. Она сразу увидела его блуждающий взгляд, двухдневную щетину, мятую одежду.

Он пил по меньшей мере дня два.

— Где ты была? — Он сделал пару неверных шагов, размашисто облапил сестру. — Я волновался. Звонил кому только мог. Никто не знал, где ты.

От него сильно несло перегаром. Но Миранда знала, что беспокойство его искренне. Она обняла его, однако первоначальное желание все ему рассказать исчезло. Как можно доверять пьянице?

— Я же оставила тебе записку, — напомнила она.

— Да, но я ни хрена не понял. — Эндрю отстранился, всмотрелся в ее лицо, погладил ее по голове. — Когда старик появился в институте, мне стало ясно, что мы с тобой по уши в дерьме. Я примчался домой, как только освободился, но тебя уже и след простыл.

— Они не оставили мне выбора. Тяжело тебе пришлось?

— Не хуже, чем я предполагал. — Он пожал плечами. Хотя виски приглушило его чувства, Эндрю видел: в сестре произошла какая-то перемена. — Что с тобой происходит, Миранда? Где ты была?

— Просто уезжала на несколько дней. — Придется пока оставить все свои секреты при себе, с сожалением подумала она. — Мы с Райаном Болдари были в Нью-Йорке. — Миранда отвернулась. Она всегда была никудышной лгуньей. А уж Эндрю она никогда не врала. — Он тоже вернулся в Мэн. И поживет здесь некоторое время.

— Здесь?

— Да. Я... Мы... В общем, мы теперь вместе.

— Ты? И он? — Эндрю облизнул пересохшие губы и постарался сосредоточиться. — Ладно. Только как-то вы очень быстро.

— Не очень. У нас оказалось много общего. — Она не желала вдаваться в подробности. — Как продвигается расследование?

— У нас сюрприз. Мы не можем найти документацию на «Давида».

Хотя Миранда и была готова к этому сообщению, она похолодела. Дрожащей рукой она пригладила волосы и приготовилась врать дальше.

— Как это? Все документы должны быть в папке.

— Я знаю, где они должны быть, Миранда. — В раздражении Эндрю схватил бутылку и налил себе. — Их там нет. Их вообще нет в институте. Я сам везде искал. — Он с силой надавил пальцами на глаза. — Страховая компания заартачилась. Если мы не найдем документы, мы потеряем страховку. Идентификацию проводила ты.

— Да, — ровным голосом подтвердила Миранда. — Я протестировала «Давида», надлежащим образом оформила все бумаги. Я прекрасно это помню, Эндрю. Ты тоже принимал участие в работе.

— Да, да. Но куда все делось? Страховая компания отказывается платить без документов, удостоверяющих подлинность; наша мать грозится приехать и разобраться, как это нам удалось потерять не только ценнейший экспонат, но и документацию на него; Кук смотрит с явным подозрением.

— Прости, что бросила тебя одного со всем этим. — Миранду охватило искреннее раскаяние. — Эндрю, пожалуйста, не надо! — Она забрала у него стакан. — Я не могу разговаривать с тобой, когда ты пьян.

Он улыбнулся, на щеках появились ямочки.

— Я еще не пьян.

— Ошибаешься. — Кому, как не ей, в этом разбираться. — Тебе необходимо обратиться к врачу.

Ямочки исчезли. Господи боже, с раздражением подумал Эндрю. Ну конечно, только этого ему и не хватало.

— Мне сейчас нужны сочувствие и понимание! — Он сердито вырвал стакан и выпил его залпом. — Ах, ты сожалеешь, что бросила меня одного. Но ведь бросила же! У меня были кошмарные дни: надо было вести бесконечные беседы с полицией, выбивать чечетку перед нашими родителями, да и весь институт на мне. Если я выпил после всего этого безумия, то никто не смеет меня винить!

У нее защемило сердце.

— Я люблю тебя. — Ей трудно было произнести эти слова, потому что они с братом никогда их друг другу не говорили. — Я люблю тебя, Эндрю, а ты убиваешь себя у меня на глазах. Я не в силах это выносить.

Стоящие в ее глазах слезы и дрожащий голос разозлили его.

— Прекрасно. Я буду убивать себя в одиночестве. Тогда ты не будешь совать нос в мои дела. — Он схватил бутылку и вышел.

Как же он ненавидел себя за то, что огорчил единственного человека на свете, который был ему дорог. Но, черт побери, это его жизнь.

Эндрю распахнул дверь своей комнаты, не замечая стоявшего там запаха перегара. Сел в кресло и стал пить прямо из бутылки.

Имеет он право расслабиться? Да или нет? Он много работает — и хорошо работает, — так почему он не может залить свою печаль парой глотков?

Или парой дюжин глотков, пьяно подумал он. А кто считал?

Его, правда, немного беспокоили провалы во времени, когда он ничего не помнил, вроде как помутнение рассудка. Но это, наверное, последствия стресса, а хорошая выпивка — лучший способ вылечиться от стресса.

Уж он-то точно знает.

Он убеждал себя, что тоскует по бывшей жене, хотя ему все труднее было вспомнить ее лицо или голос. Иногда, когда он был трезв, он с отчетливостью видел истинное положение вещей. Он больше не любил Элайзу, а может даже — никогда не любил. И он пил, чтобы заглушить эту правду — иначе как бы он убедил себя, что страдает от тоски и одиночества.

С недавних пор он оценил прелесть выпивки в одиночестве. Ведь Энни выставила его из своего бара. А в одиночку можно было пить, пока держишься на ногах, потом просто валишься и отключаешься. И до утра уже не просыпаешься.

Но вообще он полностью владеет собой. Может прекратить пить в любой момент. Просто раньше он не хотел, вот и все. А теперь бросит — и точка. Докажет и Миранде, и Энни, и всем остальным, что зря они лезли к нему со своими увещеваниями.

Люди всегда были к нему несправедливы, снова закипая, подумал он. Начиная с родителей. Они никогда не знали, какой он, чего хочет, к чему стремится.

Ну и пошли они к черту! Все пошли к черту!

Ладно, бросит он пить. Прямо завтра. Эндрю хихикнул и поднес бутылку ко рту.

За окном мелькнули огни. После долгого раздумья он сообразил, что это были автомобильные фары. Кто-то приехал. Наверное, Болдари.

Глотнув, он усмехнулся. Надо же, Миранда завела себе дружка. Появилась возможность позабавиться. Давно уже у него не имелось случая подразнить сестренку по этому поводу.

Можно начать прямо сейчас, решил Эндрю. Он встал и чуть не зашелся от смеха: комната качалась, словно корабль. Надо присоединиться к обществу, оказать прибывшему гостю уважение.

Этого ловкача он, Эндрю, видит как облупленного. Придется показать этому выскочке, что у малышки Миранды есть старший брат, который готов ее защищать. Он сделал большой глоток и двинулся по холлу, опираясь на колонны и глядя себе под ноги.

А вот и сестренка, целуется прямо на ступеньках с этим типом.

— Эй! — позвал Эндрю, размахивая бутылкой, и захохотал, увидев, что Миранда обернулась, как ужаленная. — Что это ты делаешь с моей сестрой, Нью-Йорк?

— Привет, Эндрю.

— Привет, Эндрю, задница, — передразнил он. — Ты спишь с моей сестрой, ублюдок?

— В данный момент нет. — Райан обнял напрягшиеся плечи Миранды.

— А ну-ка давай поговорим, парень. — Эндрю решительно шагнул вперед и, потеряв равновесие, рухнул с лестницы. Он катился, словно булыжник с утеса.

Миранда бросилась вперед и встала на колени перед распростертым телом. Кровь на его лице заставила ее вздрогнуть от ужаса.

— О господи, Эндрю!

— Я в порядке. В порядке, — пробормотал он, двигая руками и ощупывая колени. — Немножко споткнулся.

— Ты мог себе шею сломать.

— Ступеньки — штука опасная, — ровным голосом заметил Райан. Он присел на корточки рядом с Мирандой, сразу увидел, что ссадина на лбу — пустяковая, а у Миранды дрожат руки. — Может, поднимешься наверх, промоешь лоб?

— Черт! — Эндрю дотронулся до ссадины, посмотрел на окровавленные пальцы. — Смотрите.

— Я принесу аптечку.

Райан поглядел на Миранду. Она все еще была бледной, но в глазах уже появилось живое выражение.

— Мы сами разберемся. Пошли, Эндрю. Мой брат свалился на мальчишнике и расшибся куда как хуже. — Райан поднял Эндрю, Миранда встала сама. Но когда она двинулась за ними, он помотал головой.

— Никаких женщин. Это мужские дела. Верно, Эндрю?

— Абсолютно! — с пьяной готовностью подтвердил тот. Райан — его лучший друг. — От женщин одни несчастья.

— Благослови их господь.

— У меня была одна. Она меня бросила.

— Да кому она нужна? — Райан повел Эндрю наверх.

— Точно. Как это мне самому в голову не пришло?

— Тебе кровь глаза заливает.

— Господи боже! Я же могу ослепнуть. Знаешь что, Райан, старина?

— Что?

— Кажется, я здорово нажрался.

— Это точно, — согласился Райан и потащил его в ванную. — Да.

Ну и семейка, думал Райан, глядя на перегнувшегося через край унитаза Эндрю.

Когда все закончилось, Эндрю был белым как мел и дрожал мелкой дрожью. Только с третьей попытки Райану удалось посадить его на сиденье туалета, чтобы обработать ссадину.

— Наверное, это меня от удара так вывернуло, — слабым голосом предположил Эндрю.

— Если не считать, что ты вылакал целую бутылку. — Райан вытер кровь влажным полотенцем. — Ты позоришь себя и свою сестру; ты мог сейчас переломать все кости, если бы они не были насквозь проспиртованы; от тебя несет, как от бочки с прокисшим пивом. Конечно, это все от удара.

Эндрю закрыл глаза. Ему хотелось свернуться клубочком, заснуть и не просыпаться.

— Может, я и выпил чуть больше нужного. Это Миранда виновата, бросила меня.

— Прибереги свои убогие оправдания для кого-нибудь другого. Ты пьяница. — Райан щедро плеснул антисептика на рану, не испытывая ни малейшей жалости, когда Эндрю взвыл от боли. — Будь мужчиной, взгляни правде в глаза.

— Пошел ты.

— Умный и оригинальный ответ. Швы накладывать необязательно, но фингал останется. — Райан через голову стянул с Эндрю рубашку.

— Эй!

— Тебе надо принять душ, дружище. Поверь мне.

— Я хочу в кровать. Ради бога, дай мне лечь. Я умираю.

— Нет-нет, твое время еще не пришло. — Райан грубо поставил его на ноги, дотянулся до крана с водой. Потом решил, что нет смысла возиться с брюками, и поставил Эндрю под струю воды прямо в них.

— О господи, меня сейчас опять вырвет.

— Целься в слив, — посоветовал Райан и поддержал Эндрю, когда тот начал всхлипывать как ребенок.

Примерно через час Эндрю лежал в кровати. Спустившись вниз, Райан увидел, что осколки разбитой бутылки подметены, а капли виски, попавшие на ковер, аккуратно замыты.

Не найдя Миранду в доме, он взял куртку и вышел.

Миранда стояла на утесе. Ее одинокий силуэт вырисовывался на фоне вечернего неба, волосы трепал ветер.

Само воплощение одиночества, подумал он. Никогда еще Болдари не встречал столь одинокого человека.

Он поднялся к ней, накинул на плечи куртку.

Она не пошевелилась. Ровное бесконечное колыхание моря всегда успокаивало ее.

— Мне ужасно стыдно, что ты оказался в это втянут.

Это было сказано ледяным тоном. Своего рода самозащита. Она не оборачивалась, не двигалась.

— Ни во что я не оказался втянут. — Он положил руки ей на плечи, но она шагнула в сторону.

— Вот уже во второй раз ты имеешь дело с безобразно пьяными Джонсами.

— Один развеселый вечер не идет ни в какое сравнение с тем, что сотворяет с собой твой брат, Миранда.

— Факт остается фактом. Мы свинячим, а ты за нами подчищаешь. Не знаю, справилась бы я сегодня одна с Эндрю. Но все равно: лучше бы тебя здесь не было.

— Жаль, что ты так говоришь. — Разозлившись, он развернул ее к себе. — Потому что я здесь и собираюсь пробыть некоторое время.

— Пока мы не найдем статуэтки.

— Именно. И если я тебя к тому времени еще не брошу... — Он обхватил обеими руками ее лицо, властно поцеловал. — Хотя ты ведь с этим справишься.

— Я не умею с этим справляться! — Она повысила голос, чтобы заглушить шум волн. — Я не готова к этому, к тебе... Все мои связи кончались плохо. Я не умею строить отношения с людьми, никто в нашей семье не умеет! Поэтому мы предпочитаем одиночество, у нас нет выбора. — Она отвернулась и стала смотреть на мигающие огни маяка.

Он тоже сбежит, когда дело будет сделано, думала она. Как и все остальные. Но на этот раз она отчаянно боялась, что будет страдать. И совершенно неважно, что она прекрасно понимает всю его сущность, его намерения. Когда он ее бросит, она будет страдать.

— С тех пор как я с тобой связалась, я веду совершенно непривычную для себя жизнь — жизнь без правил. А мне трудно функционировать в таком режиме.

— До сих пор ты справлялась неплохо.

— Два человека убиты, Райан. Моя репутация разрушена, моя семья разобщена еще больше, чем прежде. Я нарушила закон, презрела все моральные нормы, мой любовник — преступник.

— Зато тебе не скучно, не так ли?

Не сдержавшись, она хмыкнула.

— Нет. Но я не знаю, что будет дальше.

— Могу тебе рассказать. — Он взял ее под руку и повлек за

собой. — Завтра приступим к следующему этапу операции. И поговорим об этом тоже завтра.

— Я хочу сейчас. — Миранда оглянулась на дом. — Сначала посмотрю, как там Эндрю, а потом мы поговорим о наших следующих шагах.

— Эндрю спит, и до завтра его трогать не нужно. А для обсуждения нужно иметь ясную голову — по-моему, у тебя с этим некоторые проблемы.

— Да знаешь ли ты, что я могу одновременно заниматься несколькими вещами? Я могу организовывать выставку, читать лекции и вести исследование без ущерба для качества!

— Вы просто пугающая женщина, доктор Джонс. Ну, тогда, скажем, я не совсем готов к обсуждению. И потом, я никогда в жизни не бывал на маяке. — Он залюбовался отражением мерцающих огней на морской глади. — Он старый?

Ну что ж, он хочет увести разговор в сторону — пожалуйста.

— Его построили в 1853 году. Здание сохранилось в первозданном виде, хотя в сороковых годах мой дед переделал интерьер, чтобы помещением можно было пользоваться как художественной студией. Но, как утверждала моя бабушка, он приводил сюда любовниц. Ему нравилось заниматься этим в сооружении, столь явно напоминающем фаллический символ.

— Молодец твой дедуля.

— Он был бесстыжим и черствым человеком. Как, впрочем, многие Джонсы. Его отец — опять-таки по рассказам бабушки: только с ней я могла обсуждать подобные вещи — не стеснялся появляться со своими любовницами на публике и настрогал несколько внебрачных детей, которых отказался потом признать. Мой дед продолжил эту славную традицию.

— Значит, в Джонс-Пойнте живет много Джонсов?

Странно, вместо того чтобы оскорбиться, она развеселилась.

— Да, наверное. В любом случае моя прабабушка предпочла жить собственной жизнью. Большую часть времени она проводила в Европе и мстила мужу тем, что тратила огромные деньги. К несчастью, она решила вернуться в Штаты на новомодном корабле. Он назывался «Титаник».

— Да ты что? — поразился Райан. Они подошли к массивной деревянной двери с ржавым замком. — Ничего себе!

— Она и дети спаслись. Но она подхватила пневмонию и умерла несколько недель спустя. Ее муж утешался в обществе оперной певички. Однако муж певички, почему-то недовольный таким раскладом, поджег дом, где его жена с моим дедом предавались греху.

— Надеюсь, он умер счастливым. — Райан вынул складной нож из кармана и наклонился к замку.

— Зачем? У меня дома есть ключ. Если ты хочешь войти...

— Так интереснее, да и быстрее. Вот и все. — Он сложил нож, открыл дверь. — Здесь сыро. — Достав фонарик, он осветил большую комнату с низким потолком. — Но уютно.

Стены были обшиты старомодными деревянными панелями — это напомнило Райану интерьер пятидесятых годов. Статуи под чехлами, маленький камин с толстым слоем пепла.

Как странно, что стены изнутри квадратные, а не круглые, подивился Райан.

— Так это сюда дедуля приводил своих дам?

— Очевидно. — Она поплотнее запахнулась в куртку. Холод пронизывал до костей. — Бабушка его ненавидела, но не разводилась, воспитывала моего отца. А потом два года нянчилась с дедом, пока он не умер. Она была потрясающей женщиной. Сильной, упрямой. Она меня любила.

Он обернулся, погладил ее по лицу.

— Ну конечно, она тебя любила.

— Слово «конечно» не подходит, когда речь идет о любви и моей семье. — Увидев сочувственное выражение его глаз, она отвернулась. — Днем здесь можно больше увидеть.

Он не ответил. Он вспомнил, как сначала решил, что Миранда холодная и черствая. До сих пор он редко ошибался в людях до такой степени. Впрочем, об этом он поразмыслит на досуге.

Это вовсе не холодность, это самозащита, естественная реакция на возможные обиды. Она страшится равнодушия, безразличия, потому и старается казаться холодной и неуязвимой.

Райан порадовался, обнаружив подсвечник со свечами и

масляную лампу. Он зажег их, и по комнате заплясали жутковатые тени.

— Страшно! — Он усмехнулся. — Ты приходила сюда, чтобы встретиться с привидениями, когда была маленькая?

— Не говори глупостей.

— Детка, у тебя было несчастливое детство. Сейчас мы это исправим. Пошли.

— Что ты собираешься делать?

— Идем. — Он тащил ее за собой по витой металлической лестнице.

— Только ничего не трогай. Здесь все автоматизировано.

Наверху обнаружилась маленькая спальня с полосатым матрасом на полу и стареньким комодом. Очевидно, бабушка вынесла отсюда все ценное, подумал Райан. Ну и правильно.

Он подошел к окну в виде иллюминатора и восхитился открывшимся видом. Пенящиеся волны, мерцание огней. Вдоль побережья тянулась полоска мелких островков. Вдалеке качались буи, ровный шум моря действовал умиротворяюще.

— Впечатляющее место. Драматическое, опасное, в этом чувствуется какой-то вызов.

— Обычно здесь намного спокойнее, — отозвалась она. — В какие-то дни смотришь на залив, а вода ровная-ровная, как стекло. Так и кажется, что по ней можно до берега дойти.

Он повернулся к ней:

— А тебе что больше нравится: буря или штиль?

— И то и другое. Море меня притягивает.

— Беспокойные души тянет друг к другу.

Она нахмурилась, мрачно прошлась по комнате. Еще никто не называл ее беспокойной душой. И самой ей никогда бы это не пришло в голову.

Доктор Миранда Джонс спокойна, как гранит. И часто, очень часто, вздохнула она, так же скучна.

Поморщившись, она вошла вслед за Райаном в лоцманскую.

— Потрясающе! — И, не вспомнив о ее предостережении, он тут же начал крутить все ручки.

Оборудование лоцманской было современным, везде что-то жужжало и посверкивало. Сама комната была круглой с узким балкончиком. Железные перила проржавели, но Райану они показались очаровательными. Когда он вышел на балкончик, ветер тут же набросился на него, словно оскорбленная женщина. Райан рассмеялся.

— Фантастика. Я бы тоже приводил сюда своих женщин. Романтично, сексуально, страшновато. Ты просто обязана навести здесь порядок. Получится отличная мастерская.

— Мне не нужна мастерская.

— Если ты будешь развивать свой талант, то понадобится.

— Я не художник.

Он улыбнулся и вытащил ее на балкон.

— Я — очень опытный специалист, и я говорю тебе, что ты — художник. Холодно?

— Немного. — Она обхватила себя за плечи. — Здесь сыро.

— Если всерьез не заняться этим помещением, оно начнет гнить. А это уже преступление. По преступлениям я тоже большой специалист. — Он энергично потер ей руки, чтобы согреть. — Отсюда море слышишь совсем по-другому. Таинственно и немного угрожающе.

— Когда ветер дует с северо-востока, угроза становится нешуточной. Маяк для того и работает, чтобы корабли не приближались близко к мелям и утесам. Но все равно в прошлом веке было множество кораблекрушений.

— Значит, тут бродят души утонувших моряков, стучат костями скелеты, пугают случайно забредших путников.

— Навряд ли.

— Да я сам слышу. — Он сжал ее покрепче. — Они молят об успокоении души.

— Ты слышишь завывание ветра, — заметила она, но легкий холодок пробежал по спине. — Ты достаточно насмотрелся?

— Еще нет. — Он наклонился и поцеловал ее в губы. — Еще нет.

Миранда попыталась высвободиться.

— Болдари, если ты намерен соблазнить меня в сыром и пыльном маяке, то напрасно стараешься.

— Спорим? — Он поцеловал ее в шею.

— Нет, в самом деле. — Но тело уже начало размякать. Какой у него ловкий язык. — В доме имеется удобная спальня, даже не одна. Там тепло, сухо, матрас мягкий.

— Мы обязательно их испробуем, но позже. Я вам говорил, какое у вас роскошное тело, доктор Джонс?

Его ловкие пальцы расстегнули «молнию» на ее брюках прежде, чем она успела запротестовать.

— Райан, здесь не место...

— А дедушка считал иначе, — с улыбкой напомнил он.

Ее тело уже не подчинялось рассудку, существовало само по себе. Жаркая сладкая волна накатывала неостановимо, несокрушимо.

— Тебе все еще холодно? — спросил он.

— Нет, господи, нет.

Кожа горела огнем, кровь пульсировала в венах. Брюки упали к ее ногам, куртка соскользнула с плеч. Миранда таяла, как размягченный воск.

— Подними руки, Миранда.

Она повиновалась, и он медленно стянул с нее свитер.

— Сегодня мы обойдемся без вина. Я хочу, чтобы твой рассудок был ясным.

Все, что он делал, доставляло ей невероятное удовольствие, ей хотелось только одного: чтобы он не останавливался.

Райан не ожидал в ней столь мощного взрыва страсти. Она наслаждалась сама и щедро дарила наслаждение ему. Ее белоснежная кожа отражала пламя свечей, рыжие волосы метались по плечам, словно шелковые всполохи огня.

Любовники не замечали ни сырости, ни грязи. Жесткий пол был для них мягче пуховой перины. Миранда прижалась губами к его груди, там, где билось сердце. Что она искала? Может быть, свое сердце, которое он украл?

Ему хотелось быть с ней не только страстным, но и нежным. Она мгновенно поняла его стремление, и их объятия стали мягче, движения ровнее.

Впервые в жизни Миранда понимала, что это значит: любить того, с кем занимаешься любовью.

ГЛАВА 20

На следующее утро Миранда проснулась рядом с Райаном, ощущая себя совершенно другим человеком. Какое странное чувство — порочное, но любопытное.

Оказывается, можно грешить со вкусом.

Ей ужасно хотелось погладить его по волосам, потрогать маленький шрам над бровью. Глупые, чувственные прикосновения и поглаживания, которые непременно приведут к ленивому утреннему сексу.

Ее переполняли чувства, о наличии которых в себе она прежде не подозревала, уверенная в своей холодности и наследственной неспособности их испытывать. Это не просто страсть, со страхом подумала Миранда. Это делает ее такой уязвимой.

Вот в чем главный ужас.

Поэтому, подавив в себе желание прикоснуться к нему, она осторожно выбралась из кровати и прокралась в ванную, как вчера утром. Однако на этот раз не успела она залезть под душ, как ее талию обхватили сильные руки.

— Почему ты это делаешь?

Она ответила не сразу, подождав, пока сердце перестанет биться так сильно.

— Что делаю?

— Потихоньку выскальзываешь из кровати. Я ведь уже видел тебя голой.

— Я не выскальзываю. — Она попыталась высвободиться, но он слегка укусил ее за плечо. — Просто не хотела тебя будить.

— Не пудри мне мозги, — оборвал он ее несвязное бормотание. — Я еще понимаю, когда проскальзывают в кровать, но уж никак не наоборот.

— Очень смешно. А сейчас, если ты не возражаешь, я приму душ.

— Я тебе помогу. — Предвкушая удовольствие, он намылил руки и стал тереть ей спину. Какая красивая спина.

— Я умею сама принимать душ. Еще в детстве научилась. Пусти.

— Почему? — Снова она заговорила этим своим бесстрастным тоном! Райан развернул ее лицом к себе.

— Ну, потому что... — Она чувствовала, как к щекам приливает кровь, и ненавидела себя за это. — Это слишком интимно.

— А секс — не слишком интимно?

— Это совсем другое дело.

— Ладно. — Его глаза смеялись, руки гладили ее грудь, покрытую мыльной пеной. — Пойдем на компромисс: совместим эти два занятия.

Она совсем не так представляла себе свой утренний душ.

Потом они долго стояли обнявшись под душем.

— Ты права, это очень интимно! — Он вздохнул. — Я должен пойти к мессе.

— Что? — Ей показалось, что она ослышалась. — Ты сказал, что собираешься пойти к мессе?

— Сегодня пасхальное воскресенье.

— А, да. — За его мыслями не угонишься, подумала Миранда. — Странные идеи тебе приходят в голову во время занятий сексом.

— Одно другому не мешает.

Наверное, он прав, но ей все равно было как-то непривычно думать о религии, когда его руки гладили ее мокрое тело.

— Так ты католик? — Заметив его удивленно поднятые брови, она помотала головой. — Да, я знаю: наполовину ирландец, наполовину итальянец, кем ты еще можешь быть? Но я не думала, что ты ходишь в церковь.

— По большей части я прогуливаю. — Он закрутил вентиль, подал ей полотенце, взял себе другое. — Имей в виду: если ты расскажешь об этом моей матери, я назову тебя мерзкой, подлой лгуньей. Но сегодня пасхальное воскресенье. — Он вытер волосы, обмотал полотенце вокруг бедер. — Если я сегодня пропущу мессу, моя мать меня убьет.

— Понятно. Позволь заметить: твоей матери здесь нет.

— Она все равно узнает, — скорбно покачал головой Райан. — Она всегда узнае́т. И уж она позаботится о том, чтобы я отправился прямиком в ад. — Он ловко завернул Миранду в полотенце, закрепив концы на груди. Но ее обнаженное тело стояло у него перед глазами. Вся ванная комната пахла ею — это был запах мыла с легким ароматом хвои. Нет, он совсем не хотел уходить от нее, даже на час.

Осознав это, Райан почувствовал, будто с его плеч сняли тяжкий груз.

— Почему бы тебе не отправиться со мной? Наденешь твой пасхальный чепчик.

— У меня никогда в жизни не было чепчика. Вообще, мне

надо поработать, привести в порядок мысли. — Миранда достала из шкафчика фен. — И еще я должна поговорить с Эндрю.

Может быть, сходить к мессе после обеда, а сейчас одним движением развязать узел ее полотенца? Но Райан отогнал это желание.

— Что ты собираешься ему сказать?

— Не очень много. — И от этого она чувствовала себя виноватой. — Если он будет продолжать и дальше... Я ненавижу, когда он пьет. Ненавижу. — Голос предательски задрожал. — Знаешь, вчера вечером была минута, когда я ненавидела его. Он единственный, кто у меня есть во всем мире, а я его ненавидела.

— Ты ненавидела не его, а то, что он делает.

— Да, конечно, ты прав. — Но она помнила свои чувства, когда увидела Эндрю, стоявшего на площадке лестницы и размахивавшего бутылкой. — Все равно, я должна с ним поговорить. Должна ему кое-что рассказать. Я никогда прежде ему не лгала, ни в чем.

Никто лучше, чем Райан, не понимал, что такое семейные узы. И как крепко они могут связывать.

— Пока он будет пить, ему нельзя доверяться.

— Знаю.

И это глубоко ранило ее сердце.

* * *

В ванной в другом крыле дома Эндрю подошел к раковине и заставил себя глянуть в зеркало.

Лицо серое, глаза налиты кровью, под левым глазом синяк, над бровью порез. Все тело трясет как в лихорадке.

Он мало что помнил из вчерашнего вечера, но даже отрывочных воспоминаний хватило, чтобы скривиться, как от боли.

Он вспомнил, как стоял на лестнице, размахивал бутылкой и что-то орал. А Миранда внизу смотрела на него.

И в ее взгляде было нечто очень похожее на ненависть.

Эндрю закрыл глаза. Все нормально, он все держит под контролем. Вчера он немного перебрал, больше этого не повторится. Он вообще дня два не будет пить и докажет им всем, что для него это — раз плюнуть. Просто он находился под действием стресса. А причин для стресса имелось предостаточно.

Стараясь не обращать внимания на трясущиеся руки, Эндрю достал пузырек с аспирином. Когда и пузырек и таблетки упали на пол, он не стал их поднимать. Что ж, пусть его боль останется с ним.

Миранду он нашел в ее кабинете. На ней были свитер и леггинсы, волосы она закрутила в небрежный узел. Она сидела за компьютером.

Собрав все свое мужество, Эндрю шагнул в кабинет. Она оглянулась, потом быстро закрыла файл, в котором работала.

— Доброе утро. — Она знала, что голос звучит очень холодно, но не могла заставить себя говорить с ним ласковее. — На кухне есть горячий кофе.

— Извини. Мне очень жаль, что так получилось.

— Не сомневаюсь. Тебе надо приложить к глазу лед.

— Чего ты от меня хочешь? Я же сказал: извини. Я перебрал, вел себя как полный идиот. Больше этого не произойдет.

— Ты уверен?

— Да. — Холодное недоверие вопроса разозлило его. — Я всего лишь выпил чуть больше нужного, вот и все.

— Тебе совсем нельзя пить, Эндрю. И пока ты этого не поймешь, все это будет продолжаться, и ты будешь причинять боль тем, кто тебя любит.

— Слушай, пока ты там развлекалась с Болдари, я тут на ушах стоял, с работы не вылезал. И в какой-то степени виной этому твой провал во Флоренции.

Очень медленно она поднялась:

— Что, извини?

— То, что слышала. Это я выслушивал жалобы и ругань папочки и мамочки по поводу твоей ошибки с этой бронзой. Я искал эти чертовы документы на «Давида» — а ведь отвечаешь за документацию ты. Все шишки сыпались на меня, за неимением главного виновника. А ты упорхнула и увлекательно проводила время, кувыркалась...

Звук пощечины потряс обоих. Миранда прижала горевшую огнем руку к груди и отвернулась.

Он постоял, недоумевая, но, так ничего и не сказав, развернулся и вышел.

Миранда услышала, как хлопнула входная дверь, увидела из окна отъезжающий автомобиль.

Всю жизнь брат был ее опорой. А сейчас, даже не попытавшись найти в себе хоть чуточку сострадания, она оттолкнула его. Именно сейчас, когда он больше всего в ней нуждался.

Запищал факс. Миранда потерла руку, подошла к аппарату и начала читать выползающую страницу.

Думаешь, я ничего не знаю? Как тебе понравилось во Флоренции, Миранда? Все цветет, солнышко сияет, да? Я знаю, где ты бываешь. Я знаю, что ты делаешь. Я знаю, о чем ты думаешь. Я — в тебе, всегда.

Это ты убила Джованни. Его кровь на твоей совести. Неужели ты этого не видишь? Я вижу.

Застонав от бессилия и изумления, Миранда скомкала лист и запустила в дальний конец комнаты. Прижала пальцы к вискам, в глазах у нее потемнело от ярости. Успокоившись, она подобрала факс, аккуратно его разгладила.

И положила в папку.

* * *

Райан появился с букетом нарциссов — так похожих на маленькие яркие солнца, что Миранда не удержалась от улыбки. Но она отвела глаза, и Райан взял ее за подбородок.

— Что случилось?

— Ничего, все прекрасно.

— Что случилось? — повторил он. Он видел происходящую в ней борьбу: она не привыкла делиться своими неприятностями.

— Мы с Эндрю поссорились. Он ушел. Не знаю куда и не знаю, что мне делать с ним дальше.

— Пусть побудет один.

— Да, наверное. Надо поставить цветы в воду. — Подчинившись внезапному порыву, она взяла любимую бабушкину вазу и пошла на кухню. — Я поработала, — крикнула она оттуда. — Составила списки.

Говорить ему про факс? Потом, решила она. Потом, когда приведет мысли в порядок.

— Списки?

— Систематизировала имеющиеся у нас данные, стоящие перед нами задачи.

— Я знаю, что такое списки.

— Сейчас принесу распечатку, и мы над ними поработаем.

— Отлично. — Райан открыл холодильник, скептически осмотрел содержимое. — Хочешь бутерброд? — Ответа не последовало, так как Миранда уже поднялась к себе. Он пожал плечами и стал прикидывать, что из имеющегося под рукой может создать человек с воображением.

— И ветчина, и хлеб не первой свежести, — сообщил он, когда Миранда вернулась. — Но мы рискнем, иначе умрем от голода.

— Эндрю, наверное, поехал в магазин. — Она посмотрела на Райана, резавшего мятые помидоры, и нахмурилась. Ведет себя так, словно родился на этой кухне! — Ты умеешь готовить?

— В нашей семье все до единого умеют готовить. — Он глянул на нее. — А ты, наверное, не умеешь.

— Я очень хорошо готовлю, — раздраженно вспыхнула Миранда.

— Правда? Интересно, как ты смотришься в фартуке?

— Сногсшибательно.

— Не уверен. Ну-ка надень, продемонстрируй.

— Слушай, это ты затеял завтрак. Поэтому сам можешь надевать фартук. И замечу между прочим, что ты слишком много внимания уделяешь еде.

— Как и всем прочим радостям жизни. — Он медленно слизнул стекавший по пальцам томатный сок.

— Оно и видно. — Она села за стол и положила перед собой папку с бумагами. — Итак...

— Тебе горчицу или майонез?

— Все равно. Я привела...

— Кофе или что-нибудь холодное?

— Все равно. — Он что, специально старается вывести ее из себя? — Для того чтобы...

— Молока нет, — сообщил Райан, потряхивая пакетом, который достал из холодильника.

— Брось этот пакет в ведро и сядь, — четко выговаривая слова, сказала Миранда и заметила, как он ухмыльнулся. — Зачем ты стараешься меня разозлить?

— Потому что от злости у тебя появляется румянец. — Он критически осмотрел банку с пепси. — Диетическая?

Не сдержавшись, она хихикнула, и Райан тут же сел рядом с ней за стол.

— Ну вот, так-то лучше. — Он придвинул к ней тарелку с бутербродом. — Я не могу сконцентрировать свое внимание на чем-то серьезном, пока ты такая грустная.

— О, Райан. — Разве могла она противиться столь мощному напору? — Я не грустная.

— Ты самая грустная женщина из всех, кого я знаю. — Он поцеловал кончики ее пальцев. — Но мы это исправим. Итак, что ты хочешь мне сообщить?

Она помолчала, собираясь с силами, потом взяла первую страничку.

— Первое. Это дополненный список сотрудников, имевших доступ к обеим бронзовым статуэткам.

— Дополненный?

— Я прибавила лаборанта, он несколько раз прилетал из Флоренции вместе с Джованни. Каждый раз он оставался всего на несколько дней, но справедливости ради я его включила. К каждой кандидатуре в списке я прибавила стаж работы (это, по-моему, влияет на преданность) и зарплату — если деньги являются мотивом, то это важно.

И имена расставила по алфавиту, отметил про себя Райан. Умница.

— Вы хорошо платите вашим сотрудникам. — Это он уже знал.

— Квалифицированная работа должна хорошо оплачиваться. На следующей странице я рассчитала процент вероятности. Как ты можешь заметить, мое имя есть в списке, но процент вероятности — низкий. Я знаю, что я не брала оригинал. Джованни из этого списка я вообще вычеркнула.

— Почему?

Она недоуменно посмотрела на него. «Его кровь на твоей совести».

— Потому что его убили. Он мертв.

— Извини, Миранда, но это всего лишь означает, что он мертв. Его могли убить по самым разным причинам. Оставь его в списке.

— Но его убили, когда он тестировал бронзу.

— Это ничего не доказывает. Может быть, он запаниковал, или потребовал большую долю, или разругался с подельником. Оставь его в списке.

— Это не Джованни, поверь мне.

— Доктор Джонс, давайте будем следовать не эмоциям, а логике.

— Хорошо. — Сжав губы, она вписала Джованни. — Ты можешь не соглашаться, но членам моей семьи я тоже поставила довольно низкий рейтинг. По-моему, они ни при чем. Зачем им красть у самих себя?

Он молча посмотрел на нее, и Миранда, опустив глаза, отложила список в сторону.

— На рейтинге вероятности пока не будем останавливаться. Следующее — временной график с того момента, когда «Давид» попал в институт, на все время, пока он оставался в лаборатории. Без моих записей и результатов я могу лишь приблизительно все восстановить, но все-таки, надеюсь, это довольно близко к действительности.

— Ты даже график составила, — восхищенно присвистнул он. — Ну и ну!

— Не понимаю твоего сарказма.

— Какой сарказм! Это здорово! Просто отличная работа. Есть, правда, одно «но». Твой график расписан по часам ровно на две недели. Однако люди не работают семь дней в неделю и двадцать четыре часа в сутки.

— Вот. — Чувствуя себя немного глуповато, она протянула ему следующий лист. — Это время, когда «Давид» был заперт в сейфе лаборатории. Чтобы достать его оттуда, нужно было иметь пластиковую карточку допуска, знать код, иметь второй ключ. Или, — добавила она, искоса посмотрев на Райана, — быть хорошим вором.

Он насмешливо улыбнулся:

— Я в это время был в Париже.

— Да что ты говоришь?

— Меня включать в твою таблицу вероятности не имеет смысла: зачем мне было воровать копию, если бы я уже имел оригинал?

Она хитро прищурилась:

— А может, ты все это проделал, чтобы затащить меня в постель?

Он хохотнул:

— А что, стоило бы.

— А это уж точно сарказм, — констатировала она. — Вот точно такой же временной график, но уже по «Смуглой Даме». Эти дни еще свежи в моей памяти, так что здесь все довольно точно. Одновременно с проведением тестов продолжались поиски исторических документов, так что подлинность не могла быть подтверждена окончательно.

— Проект был отменен, — сказал Райан, — в тот самый день, когда ты была отстранена.

— Если ты предпочитаешь все упрощать, то — да. — Она все еще помнила боль и обиду того дня. — На следующий день бронзу перевезли в Рим. Подмена могла быть произведена в очень короткий период времени, так как в тот день я еще проводила анализы.

— Если только ее не подменили в Риме, — проворчал Райан.

— Как ее могли подменить в Риме?

— Ведь кто-то из «Станджо» сопровождал ее?

— Не знаю. Наверное, для безопасности. Может быть, моя мать. Обе стороны должны были поставить свои подписи.

— Это давало им дополнительные несколько часов. У них все должно было быть в полной готовности, копия сделана. У водопроводчика, если ему верить, она пробыла неделю. Потом бронзу у него забрали, еще примерно неделю возились с формальностями — договор со «Станджо» и все такое. Потом твоя мать позвонила тебе и предложила работу.

— Она не предлагала мне работу. Она приказала мне приехать во Флоренцию.

— Ах так! — Он внимательно изучал схему. — Почему

между ее звонком и твоим вылетом прошло шесть дней? Судя по твоим рассказам, твоя мать не похожа на воплощение терпеливости.

— Мне было велено... я планировала вылететь на следующий же день, в крайнем случае через день. Но пришлось задержаться.

— Почему?

— На меня напали.

— Что?!

— Огромный человек в маске набросился на меня, приставил нож к горлу. — Воображение живо напомнило ей ту страшную картину, и у Миранды задрожали руки.

Райан положил свою руку на ее пальцы и ровным голосом сказал:

— Расскажи мне об этом подробнее.

— Я вернулась из поездки. Вышла из машины перед домом, и тут появился он. Он забрал мой портфель и бумажник. Я боялась, что он собирается меня изнасиловать, и не знала, смогу ли бороться. Нож у горла... Я безумно боюсь ножа. У меня настоящая фобия.

— Он ранил тебя?

— Легко... Но достаточно, чтобы напугать до смерти. Потом он швырнул меня на землю, проткнул шины и исчез.

— Швырнул на землю?

Миранда заморгала от неожиданности, услышав незнакомые стальные нотки в его голосе. Райан погладил ее по щеке.

— Да.

У него потемнело в глазах при одной мысли о том, что кто-то держал нож у ее горла, угрожал ей.

— Ты сильно ушиблась?

— Ничего страшного, синяки и ссадины. — Глаза защипало, и Миранда опустила голову. Она боялась, что сейчас эмоции хлынут через край — так удивила и смутила ее реакция Райана. Никто, кроме Эндрю, никогда так сильно за нее не тревожился, не проявлял столько заботы и участия. — Ничего страшного, — повторила она, беспомощно глядя, как он наклонился и поцеловал ее в обе щеки. — Не будь так ласков со мной. — Слезы все-таки покатились из глаз. — Я к этому не привыкла.

— Привыкай. — Он снова ее поцеловал, вытер слезы большим пальцем. — В здешних местах случалось что-нибудь подобное?

— Нет, никогда. — Миранда судорожно вздохнула, понемногу успокаиваясь. — Потому-то я и была в таком шоке, что все произошло до такой степени неожиданно. Случившееся со мной — такая редкость, в местных новостях потом несколько дней только об этом и говорили.

— Его, конечно, не поймали?

— Нет. Я не смогла подробно описать его полиции. На нем была маска, так что я видела только фигуру.

— Опиши мне его.

Ей не хотелось снова воскрешать это в памяти, но она знала: Райан все равно не отстанет.

— Белый мужчина, метр девяносто, вес — под сто кило, глаза карие, во всяком случае темные. Длинные руки, крупные кисти, левша, широкие плечи, короткая шея. Никаких шрамов или еще чего-то отличительного я не заметила.

— Неплохо ты его рассмотрела.

— Он не произнес ни слова, это меня напугало больше всего. Он действовал быстро, молча. Забрал мой паспорт, водительские права, все остальные документы. Чтобы их восстановить, понадобилось несколько дней. Поэтому я и задержалась с вылетом.

«Профессионал, — подумал Райан. — Профессионал, выполняющий задание».

— Эндрю был вне себя, — со слабой улыбкой продолжила Миранда. — Он потом несколько дней ходил по вечерам вокруг дома с клюшкой для гольфа, самой большой. Наверное, намеревался стереть грабителя в порошок, если бы встретил.

— Разделяю его чувства.

— Типично мужская реакция. Я предпочла бы сама справиться. Знаешь, это так унизительно: я не могла сопротивляться, я окоченела от страха.

— Когда к твоему горлу приставляют нож, самое умное — не дергаться.

— Мне было не столько больно, сколько страшно, — сказала Миранда, не поднимая глаз.

— Бедная моя девочка. В дом он не входил?

— Нет. Забрал портфель, бумажник, ударил меня и убежал.

— Драгоценности?

— Не взял.

— А на тебе они были?

— Да, золотая цепочка и часы. Полиция тоже обратила на это внимание. Правда, я была в пальто. Может, он их не заметил.

— Такие часы? — Райан взял ее за запястье, рассматривая изящные золотые часы «Картье». «Такую безделушку любой идиот толкнет за штуку, не меньше», — подумал он. — Твой бандит на дилетанта не похож, а профессионал ни за что бы не упустил их из виду. А он даже не заставил тебя открыть ему дом, откуда он тоже мог бы унести много ценных вещей.

— Полицейские предположили, что ему нужны были наличные деньги.

— У тебя могло и не оказаться наличных денег. Ради нескольких сотен не совершают вооруженного ограбления.

— Люди иногда убивают за пару кроссовок.

— Здесь не тот случай. Он забрал твои документы, дорогуша, потому что кому-то очень не хотелось, чтобы ты прибыла во Флоренцию так скоро. Им нужно было время, чтобы приготовить копию, а ты бы стала мешаться под ногами. Поэтому они и наняли профессионала. Того, кто не совершает глупых ошибок и проколов. И ему щедро заплатили, чтобы он не жадничал.

Объяснение было таким простым, таким очевидным, что Миранда поразилась одному: как же ей самой это не пришло в голову?

— Но полиция так не считает.

— Потому что они не все знают. А мы знаем.

Миранда кивнула. Ее вдруг охватило холодное бешенство.

— Он держал нож у моего горла только из-за моего паспорта. Им нужно было задержать мой приезд.

— Опиши-ка мне все еще раз поподробней. Данных, конечно, мало, но, может, кое-кто из моих знакомых сумеет узнать его по описанию.

— Если это действительно так, — всхлипнув, сказала Миранда, — то мне не хотелось бы встречаться с твоими знакомыми.

— Не волнуйтесь, доктор Джонс, — спокойно заметил Райан и поцеловал ее ладонь. — Не встретитесь.

* * *

В пасхальное воскресенье негде было купить бутылку. Поймав себя на том, что лихорадочно ездит по улицам в поисках выпивки, Эндрю задрожал. Нет, не то чтобы ему нужно было выпить, успокоил он себя. Он хочет выпить, а это совсем другое дело. Хочет пропустить пару рюмочек, чтобы унять боль в желудке.

Но, черт возьми, все было закрыто. Все. Как же живот болит! «Ну и пошли они, — решил Эндрю, вцепившись трясущимися руками в руль. — Пошли куда подальше».

Он просто поедет вперед. Будет ехать на юг, пока не придет в себя. Денег у него достаточно, у него покоя нет.

И не остановится до тех пор, пока не выдохнется или пока не встретит чертов винный магазин, открытый в это чертово пасхальное воскресенье.

Он с удивлением посмотрел на свои руки, сжимавшие руль. На руках были ссадины, запекшаяся кровь; казалось, они принадлежат кому-то другому. Кому-то, кто внушал ему страх.

О господи, господи! Как же ему плохо! Эндрю остановил машину, не заглушая мотора, и опустил голову на руки. Он молил о помощи.

В окошко постучали; он повернулся и увидел за стеклом лицо Энни. Она сделала ему знак опустить стекло. А он и не понял, что приехал к ее дому.

— Что ты здесь делаешь, Эндрю?

— Сижу.

Она переложила в другую руку сумку и вгляделась в его лицо. Синяки, ссадины, мертвенная бледность.

— Ты подрался? Тебя кто-то ударил?

— Моя сестра.

Брови Энни поползли вверх.

— Миранда поставила тебе синяк под глазом?

— Что? Нет, конечно, нет. — Он пристыженно потрогал пальцами глаз. — Я свалился с лестницы.

— Правда? — Глаза ее сузились, она увидела кровь на костяшках его пальцев. — Так это лестница наградила тебя синяками?

— Я... — Во рту у него пересохло. Теперь он даже боли не чувствовал. На что, скажите на милость, годится человек, не способный чувствовать боль? — Можно к тебе? Я не буду пить, — торопливо добавил он, видя, как потемнело ее лицо. — Хочу, но не буду.

— У меня ты выпивки не получишь, ты же знаешь, мое слово твердое.

— Знаю. — Он не отвел взгляда. — Именно поэтому я и хочу войти.

Поколебавшись мгновение, она кивнула:

— Ладно.

Энни отперла дверь. Войдя, она поставила сумку на стол, заваленный бумагами.

— Сейчас буду с налогами разбираться, — объяснила она. — Я потому и выходила, чтобы купить вот это. — Она вынула из сумки пузырек с экседрином. — У меня так всегда: как сяду заполнять декларации, так сразу голова начинает болеть.

— А у меня уже болит.

— Представляю себе. Я тебе тоже дам. — Слегка улыбнувшись, Энни достала два стакана, налила воды, бросила в каждый стакан по две таблетки. В полном молчании, с серьезными лицами они выпили лекарство.

Энни достала из морозилки пакет с замороженным горохом.

— Положи на руки. Мы сейчас ими займемся.

— Спасибо.

Он снова чувствовал боль. От кистей до кончиков пальцев это был сплошной кровоподтек. Но он даже не поморщился, когда положил на пальцы ледяной пакет. Он и так слишком часто ронял достоинство перед Энни Маклин.

— Итак, почему ты поссорился с сестрой?

Он собирался ей соврать. Но, поглядев в эти спокойные, все понимающие глаза, не смог. К черту достоинство! Он же доверяет ей!

— Я нажрался в стельку и предстал в таком виде перед ее новым дружком.

— У Миранды появился друг?

— Да, весьма неожиданно. Красавчик. Я развлекал его как мог: свалился с лестницы, поблевал от души.

В душе ее шевельнулась жалость, но она покачала головой:

— Я смотрю, у тебя было много дел, Эндрю.

— О да! — Он швырнул пакет с горохом в раковину. Его всего трясло. Он встал и нервно заходил по комнате. — А утром я довершил дело: выложил ей всю правду-матку о ее работе, о наших семейных проблемах, о ее сексуальной жизни. — Эндрю инстинктивно дотронулся до щеки, вспомнив о пощечине.

Подавив в себе порыв подойти к нему, Энни отвернулась и достала из шкафчика бинт и антисептик.

— Очевидно, это было последней каплей. Женщины обычно не любят, когда братья лезут в их личную жизнь.

— Да, наверное. Но у нас масса проблем в институте, даже не проблем, а неприятностей. Из-за них у меня стресс.

Энни поджала губы, посмотрела на стол, заваленный бумагами, огрызками карандашей, конвертами.

— Стрессы у всех. Ты пьешь, чтобы не видеть ничего вокруг, а при стрессе твое зрение проясняется.

— Слушай, может, у меня и есть проблемы, но я с ними справлюсь. Мне нужно немного времени, чтобы моя нервная система пришла в норму. Я... — Он зажмурился, покачнулся.

— У тебя большие проблемы, Эндрю. Но ты с ними справишься, это так. — Она взяла его за руки, заглянула в глаза. — Нужно продержаться всего один день, потому что жизнь — это сплошное сегодня.

— Пока от сегодняшнего дня меня тошнит.

Она улыбнулась, встала на цыпочки и поцеловала его в щеку.

— Могло быть и хуже. Сядь. Я обработаю твои костяшки.

— Спасибо. — Он вздохнул и повторил: — Спасибо, Энни.

Эндрю тоже поцеловал ее в щеку, но не отодвинулся: как удобно и спокойно было стоять так. Она держала его за руки, ее волосы пахли чем-то свежим и безыскусным. Он поцеловал ее в волосы, потом в висок.

Их губы встретились, и его растерзанное тело словно наполнилось солнечным светом. Она стиснула его руки, он обхватил ладонями ее лицо, поднял к себе. Эндрю захлестнула волна нежности, раны словно смазали целебным бальзамом.

Она вся состоит из контрастов — вот все, о чем он мог подумать. Маленькое крепкое тело, мягкие пушистые волосы, четкий голос, требовательный рот.

Это сочетание силы и слабости, которое, как оказалось, он запомнил навсегда, такое дорогое и трогательное. И так необходимое ему.

Она всегда была. И он всегда знал, что она есть.

Высвободиться было нелегко. Не потому, что он крепко ее держал, нет. Его руки, словно нежные крылья птицы, обнимали ее. А рот был таким ласковым и желанным.

Она много раз представляла себе, каково это будет: снова оказаться в его объятиях, ощутить на своих губах его губы. Но уже очень давно она убедила себя: ей достаточно его дружбы. А теперь было так трудно высвободиться после этого тихого долгого поцелуя, так растревожившего ее.

Энни потребовалась вся ее сила воли, чтобы сделать шаг назад. Ничем хорошим это не может кончиться. Ни для него, ни для нее.

Он попытался ее удержать, но тут ему показалось, что она замахнулась. Эндрю отшатнулся. Еще одной пощечины он бы не выдержал.

— О господи, прости. Энни, прости меня. — Что он натворил? Только что чуть не разрушил собственными руками дружбу, без которой не представлял себе жизни. — Я ничего такого не имел в виду. Извини.

Она смотрела на его виноватое лицо:

— Вчера я выкинула из моего бара одного громилу. Он решил, что, заплатив за пиво, заплатил и за шлепок по моей заднице. — Энни схватила Эндрю за большой палец и резко повернула. Его глаза расширились, он стал ловить ртом воздух. — Я запросто могу одним движением поставить тебя на колени и заставить просить прощения. Нам давно уже не семнадцать, мы уже не дурачки и уж совсем не невинные. Так что если бы я не хотела, чтобы ты ко мне прикасался, ты бы давно уже возил мордой по полу.

У него на лбу выступили крупные капли пота.

— Значит, ты хотела?

— Конечно. — Она отпустила его палец. — Хочешь коки? Тебе, кажется, жарко. — Она направилась к холодильнику.

— Я не хочу разрушать.

— Что разрушать?

— Нас. Наши отношения. Ты для меня очень много значишь, Энни. И всегда значила.

Она стояла у холодильника, прикрыв глаза.

— Ты тоже всегда для меня много значил. Я тебе скажу, если ты начнешь это разрушать.

— Давай поговорим о... о прошлом.

Он наблюдал, как она достает бутылки из холодильника, открывает их. Он словно впервые видел грациозные движения ее ладного тела. Почему он раньше этого не замечал? И эти золотые искорки в глазах. Или они появились только сейчас?

— Зачем?

— Может быть, чтобы понять то, что давно живет во мне. — Он сжал кулаки, поморщился от боли. — Я, конечно, не в лучшей форме, но если начинать этот разговор, то почему не сейчас?

Она поставила бутылки, заставила себя обернуться. Глаза их встретились. И тут она почувствовала, как нахлынули эмоции, которые она сдерживала столько лет.

— Мне больно говорить об этом, Эндрю.

— Ты хотела ребенка. — Он запнулся, у него перехватило дыхание. Он никогда прежде не заговаривал с ней о ребенке. — Я понял это по твоему лицу, когда ты сообщила мне, что беременна. Я тогда ужасно испугался.

— Я была слишком молода, чтобы знать, чего хочу. — Она закрыла глаза, потому что это была ложь. — Да, да, я хотела ребенка. Идиотка, я мечтала: вот скажу тебе, а ты обрадуешься, подхватишь меня на руки. И мы потом... В общем, всякие глупости. Но ты меня не хотел.

Во рту пересохло, Эндрю снова затошнило. Он знал: глоток виски его бы спас. И тут же выругался про себя: как он может думать о выпивке в такую минуту. Он схватил бутылку колы и залпом выпил половину. Кола показалась ему липкой и приторной.

— Я очень хорошо к тебе относился.

— Ты не любил меня, Эндрю. Я просто была девушкой, с которой ты провел ночь на пляже.

Он снова глотнул колы:

— Нет. Черт побери, ты сама знаешь, что это не так.

— Именно так, — спокойно сказала Энни. — Я была влюблена в тебя, Эндрю, и, когда я лежала тогда с тобой на одеяле, я знала, что ты меня не любишь. Но мне было наплевать. Я ни на что и не рассчитывала. Эндрю Джонс из Джонс-Пойнта и Энни Маклин невесть откуда? Я была молодой, но дурой я никогда не была.

— Я должен был жениться на тебе.

— Неужели? — ледяным тоном поинтересовалась она. — Ну конечно, ты же благородный человек. Твое предложение даже не прозвучало кисло.

— Знаю. — Подспудно это точило его все пятнадцать лет. — Тогда я не дал тебе того, что должен был. Сам не знаю почему. Поступи я иначе, твой выбор был бы иным.

— Прими я твое предложение, ты бы меня очень скоро возненавидел. Ты меня уже начинал ненавидеть. — Энни передернула плечами и взяла свою бутылочку колы. — И теперь, оглядываясь назад, я тебя не виню. Я бы испортила тебе жизнь.

Ее рука замерла в воздухе, когда он шагнул к ней. В глазах его сверкала неподдельная ярость. Он отобрал у нее колу, поставил бутылку на стол и крепко схватил Энни за плечи.

— Я не знаю, как сложилась бы наша жизнь. Не раз и не два все эти годы я спрашивал себя об этом. Но я знаю, что чувствовал тогда. Может быть, я тебя не любил, не знаю. Но все происшедшее с нами имело для меня огромное значение. — И было еще что-то, вдруг с невероятной отчетливостью понял он. Что-то, в чем он не признавался даже себе самому. — Как бы скверно все потом ни сложилось, та ночь на пляже была важна для меня. И черт побери, Энни, — прибавил он, сильно встряхнув ее, — с тобой моя жизнь сложилась бы иначе.

— Я была не пара тебе, — прошептала она.

— Да откуда ты знаешь? У нас не было возможности это

узнать. Ты сказала, что беременна, и не успел я осознать этого, как ты сделала аборт.

— Я не делала аборта.

— Ты совершила ошибку, — безжалостно бросил он ей в лицо. — И ты ее усугубила. Я бы непременно о тебе позаботился, о вас обоих. — Он чуть ли не кулаками размахивал. Давно скрываемая боль вдруг вышла на поверхность. — Я бы сделал все возможное. — Но тебя это не устраивало. Ладно — твой выбор, твой ребенок, твое решение. Но ведь он был частью меня тоже.

Она собиралась толкнуть его в грудь, но вместо этого вцепилась в его рубашку. Синяки только сильнее подчеркивали мертвенную бледность его лица, глаза потемнели от ярости.

— Эндрю, я не делала аборта. Я потеряла моего ребенка. Я же тебе говорила: у меня случился выкидыш.

В его глазах появилось странное выражение. Он отпустил ее, отступил назад.

— Потеряла?

— Я же тебе сказала, когда это случилось.

— Я всегда считал... я был уверен... — Он отвернулся и подошел к окну. Положил руки на подоконник, вдохнул воздуху. — Я считал, ты мне так сказала, чтобы нам обоим было легче. Я думал, ты не веришь мне, не хочешь, чтобы я позаботился о тебе и ребенке.

— Я бы ни за что не сделала аборт, не посоветовавшись с тобой.

— Ты долгое время меня избегала. Мы никогда об этом не говорили, даже не думали, что можем говорить. Я знал, что ты хотела ребенка, и все эти годы считал, что ты избавилась от него, потому что я повел себя не так, как ты хотела.

— А ты... — Она судорожно сглотнула. — А ты хотел ребенка?

— Не знаю. — Он и сейчас не знал. — Но я никогда в жизни ни о чем так не сожалел, как о том, что не сумел тебя тогда удержать. А со временем все сгладилось, словно ничего и не было.

— Мне больно об этом говорить. Я пережила это. Пережила все, что было с этим связано.

Эндрю медленно отошел от окна:

— Ты уверена?

— Я шла своим путем. У меня все было: неудачный брак, кошмарный развод.

— Это не ответ.

Не выдержав требовательного взгляда его голубых глаз, Энни покачала головой:

— А никакого вопроса нет. Я не собираюсь строить отношения на прошлом.

— Тогда, может быть, построим их на настоящем?

ГЛАВА 21

Миранда заставила себя вернуться к работе за компьютером. Ей казалось, что голова занята работой, но внезапно она поймала себя на том, что поглядывает в окно: не покажется ли машина Эндрю.

Райан в спальне вел переговоры по своему мобильному телефону. Она прекрасно поняла, что он не хочет разговаривать при ней. И ее это тревожило.

И вообще, он дал ей новый повод для беспокойства. Если Райан прав, то внезапное нападение грабителя не было случайностью. Оно было хорошо спланированной частью общего плана. Мишенью была именно Миранда, а целью — во что бы то ни стало задержать ее приезд во Флоренцию.

Тот, кто украл оригинал и подсунул подделку, задался целью дискредитировать именно ее, Миранду. Было в этом что-то личное или просто все так совпало? Миранда считала, что раз у нее мало настоящих друзей, то и настоящих врагов должно быть немного. Она всегда избегала близко сходиться с людьми.

Но записки, приходившие по факсу, были такими личными.

Нет, атака была нацелена именно на нее, именно ее хотели запугать. Молчание, нож у горла. Грабитель получил четкие инструкции заставить жертву помертветь от страха.

Это стоило ей не только нервов. Казалось, она утратила какую-то частичку собственного мужества и достоинства. И поездка была отложена на целую неделю.

Именно из-за этого опоздания в ее отношениях с матерью

возникла напряженность — еще до того, как началась работа над проектом.

Да и вся эта история отлично срежиссирована. А настоящая атака началась не с нападения грабителя, а с подделки и кражи «Давида». Что же важное упускает она из виду? Явно не хватает какой-то нити, связывающей воедино все эти разрозненные события.

Из чего состояла ее предшествующая жизнь? Она писала докторскую диссертацию. Делила время между работой в институте, занятиями и писанием. Ее светская жизнь, которая и в прежние времена особой активностью не отличалась, в последнее время и вовсе сошла на нет.

Миранда не очень-то приглядывалась к тому, что происходит вокруг. Она никогда не отличалась наблюдательностью. Что ж, видно, придется изменить свои привычки.

Она закрыла глаза и принялась напряженно размышлять. Кто из знакомых может быть замешан в этом деле?

Элайза и Эндрю раньше были женаты, а чувство друг к другу, кажется, сохранили и по сию пору. Никогда не ссорились, не ругались. Эндрю пьет, как и пил, но Миранду тогда это не слишком беспокоило. Она не хотела вмешиваться в личную жизнь брата.

Джованни и Лори? У них был короткий роман. Миранда знала, что они спят друг с другом, но, поскольку эта связь нисколько не отражалась на работе, какое это имело значение?

Мать в институт наведывалась редко. Приезжала на день, на два. Не больше. Было несколько совещаний, один официальный семейный ужин, и все.

Отец и вовсе заехал посмотреть на статуэтку во время первых проверок, а потом отбыл восвояси. От участия в семейном ужине уклонился.

Правда, на том скучном мероприятии присутствовали Винсент и его жена, но даже они не смогли рассеять тоскливую атмосферу.

Что касается Джины, то она заглянула в лабораторию всего однажды.

Теперь Ричард Хоуторн. Его не было видно и слышно — он то сидел, уткнувшись в компьютер, то корпел над книгами.

Зато Джон Картер постоянно был на виду — суетился, во

все совал нос. Миранда устало потерла виски, пытаясь сосредоточиться. Кажется, Джон был не такой, как обычно. Ах да, он же жаловался на грипп. Переносил простуду на ногах.

Нет, ничего подозрительного не припоминалось. Она обреченно уронила руки. Все было как обычно, ничего из ряда вон выходящего. На первом месте, как всегда, была работа. Миранда была всецело поглощена маленькой волшебной статуэткой. Прочее значения не имело.

Она считала, что «Давид» — это еще одна ступенька в ее профессиональной карьере. Результаты анализов послужили материалом для одной из ее статей. Публикация была замечена в академическом мире. Миранду пригласили прочесть лекцию, оценили ее работу самым лестным образом.

С этого и начался ее взлет. Маленькая бронзовая статуэтка сделала Миранду Джонс ведущим специалистом в ее отрасли.

Она невидящим взглядом смотрела на монитор, по которому неторопливо ползли строчки.

Статуэтка Фиезоле должна была и вовсе сделать Миранду знаменитостью, и на сей раз речь шла бы уже о настоящей славе. Шутка ли — сам Микеланджело!

Две статуэтки, и обе попали к ней на экспертизу. Каждая из них стала важным этапом в ее карьере. И вдруг выясняется, что статуэтки поддельные — и одна, и другая! А что, если дело не в статуэтках? Что, если дело в ней самой?

Она скрестила руки на груди, подождала, пока пульс немного успокоится. Что ж, это звучит логично. Более чем вероятно.

Но каков мотив?

Стоп. Нельзя ли потихоньку, не привлекая особого внимания, взять на повторную экспертизу еще какую-нибудь скульптуру, в свое время прошедшую через ее руки? Ну вот хотя бы Челлини.

Внутри у нее все сжалось. Стараясь сохранять спокойствие, Миранда мысленно представила себе изваяние богини Ники. И еще одна работа Челлини — Ромул и Рем с волчицей. Маленькая бронзовая статуэтка размером с пресс-папье.

Для этого нужно будет вернуться в лабораторию. А вдруг выяснится, что и работы Челлини кто-то подменил?

В этот момент зазвонил телефон, и Миранда дернулась.

— Алло?

— Миранда, у меня плохие новости.

— Мама?

Она взялась за сердце. О, как ей хотелось бы сказать: «На меня ведут охоту, мама. Меня хотят уничтожить. А я знаю, что статуэтка была настоящей. Ты должна мне поверить!» Но слова так и остались непроизнесенными.

— Что такое?

— В четверг вечером кто-то вломился в лабораторию. Уничтожил оборудование, записи, все данные.

— Уничтожил? — тупо переспросила Миранда, подумав: «Да, меня явно хотят уничтожить».

— Джованни... — Пауза затянулась, а когда мать заговорила вновь, ее голос утратил всегдашнее хладнокровие. — Его убили.

— Убили? Джованни?! Что ты там говоришь?!

— Судя по всему, он решил поработать в лаборатории, когда там никого не было, — дрогнувшим голосом продолжала мать. — Мы так и не знаем, чем именно он там занимался. Полиция... — Элизабет умолкла, но быстро взяла себя в руки: — Полиция ведет расследование, однако пока безрезультатно. Я уже два дня отвечаю на их вопросы, пытаюсь помочь. Завтра похороны.

— Завтра?

— Да. Я решила, что будет лучше, если ты узнаешь все это от меня. А уж брату расскажешь сама. Я знаю, вы любили Джованни. Мы все его любили. На похороны тебе прилетать не стоит. Это будет сугубо семейная церемония.

— Семейная?

— Да, я обо всем договорилась с его родственниками. От имени Джованни будет сделан взнос в благотворительный фонд. Семье же мы пошлем цветы. Мы все сейчас переживаем очень трудный период. Я надеюсь, что мы с тобой будем помнить о связывающих нас узах, несмотря на все профессиональные разногласия.

— Да-да, конечно. Я сегодня же вылечу.

— Я же сказала тебе, не нужно этого делать. — Голос Элизабет стал жестким. — Пресса отлично знает, что ты тоже работала над статуэткой Фиезоле. Сведения об этом просочились в печать. Если ты появишься, снова начнется шумиха. Ради родных Джованни не делай этого. Они хотят, чтобы похороны прошли достойно, без скандала.

Миранда вспомнила последний факс: «Его кровь на твоей совести. Неужели ты этого не видишь?»

— Да, ты права. Я только все испорчу. — Она снова закрыла глаза, думая об одном — лишь бы не сорваться на крик. — А полиция выяснила, какова была цель взлома? Из лаборатории что-либо похищено? — как можно спокойнее спросила она.

— Трудно сказать — многое уничтожено. Сигнализацию кто-то отключил изнутри. Полиция полагает, что это сделал сам Джованни. Скорее всего он знал убийцу.

— Держи меня в курсе расследования. Джованни был моим другом.

— Я знаю.

— Мама, это не то, что ты подумала, мы не были любовниками, — вздохнула Миранда. — Мы действительно были друзьями.

— Ты же знаешь, я никогда не вмешивалась в твою личную жизнь. — Элизабет не могла не напомнить об этом даже сейчас. — Хорошо, я буду тебя информировать. А ты, пожалуйста, позаботься о том, чтобы Эндрю всегда был в курсе твоих передвижений.

— Я никуда не собираюсь уезжать. Хочу заняться садом. — Она усмехнулась. — Вынужденный отпуск пристрастил меня к этому мирному занятию, оно успокаивает душу.

— Я тоже об этом слышала. Все лучше, чем сидеть и дуться. Скажи Эндрю, что я хочу как можно скорее узнать, как идет следствие по делу о краже. Возможно, я ненадолго приеду. Вся информация должна быть готова.

— Эндрю и сам это знает.

— Вот и хорошо. До свидания, Миранда.

— До свидания, мама.

Она положила трубку и долго сидела неподвижно. Не сразу заметила, что вошел Райан и встал у нее за спиной.

— Знаешь, в первую минуту она меня одурачила, — негромко сказала Миранда. — Мне даже показалось, что в ней есть что-то человеческое. Когда она рассказывала о Джованни, в ее голосе звучала искренняя скорбь. Но потом она немедленно переменилась. На похороны мне ехать нельзя — это повредит делу.

Всякий раз, когда Райан клал ей руки на плечи, Миранда вся сжималась. Ничего не могла с собой поделать, хотя злилась на себя за это. Она закрыла глаза и постаралась расслабиться.

— Еще одна инструкция: я должна сообщать Эндрю о своих перемещениях, а также передать брату, чтобы он внимательно следил за ходом следствия по делу о краже.

— У нее много забот, Миранда. Для всей вашей семьи настали непростые времена.

— А как поступает твоя семья, когда оказывается в сложной ситуации?

Он развернул кресло, в котором она сидела, к себе, присел на корточки.

— Наши семьи слишком непохожи. Поэтому они всегда и во всем ведут себя по-разному.

— Моя семья всегда ведет себя одинаково. Главный человек — мать. Отец неизменно держит дистанцию. А Эндрю не разлучается с бутылкой. Что же остается мне? Только одно — стараться не обращать на всех них внимания. Но это возможно лишь до тех пор, пока события не вторгаются в мою жизнь.

— По-моему, ты к себе несправедлива.

— То, что ты видел, — исключение, а не правило. — Она отстранила его, поднялась. — Ладно, пойду устрою себе пробежку.

— Миранда. — Он взял ее за руку. — Если бы тебе было наплевать на родственников, ты не выглядела бы такой расстроенной.

— Я не расстроена, Райан. Просто я махнула на все рукой.

Она высвободилась и пошла переодеваться.

Пробежки Миранда устраивала нечасто. Она считала, что ходьба гораздо полезнее и пристойнее. Но если нервы на пределе, лучше разрядиться.

Сегодня она выбрала пляж, потому что воздух там был свеж, а прямо к ногам подкатывали морские волны. Миранда бежала по направлению на север, галька брызгала у нее из-под ног, а волны с шумом бросались на скалистый берег, разбрызгивая во все стороны радужные капли. Над водой пронзительно кричали чайки.

Мускулы разогрелись, по лицу потек пот, и Миранда сбросила куртку. Пусть валяется — никто ее не украдет. В Джонс-Пойнте преступность почти на нуле.

На синей воде покачивались оранжевые бакены. Еще дальше, почти на горизонте, виднелись серые, потрепанные штормами буи, короткий пирс покосился. Ни Эндрю, ни Миранда на лодках не катались. А между тем в этот погожий день, да еще в воскресенье, на горизонте виднелись многочисленные белые паруса. Все вокруг наслаждались жизнью.

Миранда бежала по пляжу, чувствуя, как ноги наливаются тяжестью, а по вздымающейся груди сбегают струйки пота.

Ловец омаров в ярко-красной шапочке проверял свои ловушки. Он помахал Миранде рукой, и этот простой приветливый жест почему-то растрогал ее чуть ли не до слез. Она тоже махнула ему и остановилась, чувствуя, что бежать больше не может. Уперлась ладонями в колени, согнулась пополам и попыталась отрегулировать дыхание.

Она пробежала немного, но взяла слишком высокий темп и быстро выдохлась. В последнее время события закручиваются так стремительно, что поневоле перехватывает дыхание. Она не поспевает за жизнью, но остановиться и оглядеться по сторонам нельзя — слишком опасно.

Самое же печальное то, что она ничего не понимает в происходящем.

Подумать только — в ее доме поселился мужчина. Этого человека она знает считанные дни. Он вор, наверняка врун и к тому же явно опасен. Несмотря на это, она доверилась ему. Более того, завязала с ним интимные отношения. Никогда еще она не была с мужчиной так близка.

Миранда оглянулась, посмотрела на белоснежную башню маяка. Именно там, в этой башне, она узнала, что такое любовь. Конечно, все началось раньше, но решилось там, в маяке. У Миранды было ощущение, что она кубарем катится по крутому склону и неизвестно еще, чем закончится это падение.

Райан сделает свое дело и исчезнет. Разумеется, будет при этом обаятелен, остроумен, деликатен. Но рано или поздно наверняка вернется к своей прежней жизни. А ее жизнь превратится в руины.

Да, даже если они найдут статуэтки, сумеют восстановить свои подмоченные репутации, разгадают тайну, поймают убийцу — все равно Миранда будет несчастна.

Сколько понадобится времени и сил, чтобы склеить разбитую жизнь? Этого она не знала.

К ее ногам ластилось тихое море, прозрачная вода, обладающая скрытой мощью, словно жила своей жизнью.

В детстве Миранду и ее брата часто сюда приводила бабушка. Присев на корточки, они разглядывали лагуны с морской водой, в которых кишела и бурлила жизнь. Это были не уроки естествознания — бабушка испытывала от экскурсий такое же удовольствие, как дети. Как звонко смеялись они, если маленький камешек вдруг оживал и оказывался крабом или улиткой.

Маленькие миры — вот как называла бабушка эти озерца. Там вовсю кипели страсти — размножение, убийства, политика. То же самое, что в мире людей, только проще и очевидней.

— Как же мне тебя не хватает, — прошептала Миранда. — Мне очень нужно с тобой поговорить.

Она все смотрела на море, а ветер обдувал ее лицо, трепал волосы. Что же делать? Теперь она знает, что такое любовь: это когда ноет сердце. Но пусть ноет — это лучше, чем пустота, которой она раньше не замечала.

Миранда присела на гладкий камень, положила голову на колени. Вот что происходит, когда начинаешь слушаться собственного сердца: мир вокруг разваливается на куски, а ты сидишь на камне, смотришь на море и вздыхаешь из-за обреченной любви.

Рядом приземлилась сорока, принялась с важным видом разгуливать вдоль кромки воды. Миранда поневоле улыбнулась. Надо же, даже птицы заботятся о своем престиже. Посмотри на меня, словно говорила птица, и ты увидишь, какая я солидная.

— Были бы у меня хлебные крошки, с тебя бы вся солидность разом слетела, — сказала Миранда вслух. — Как накинулась бы, как принялась клевать. Давилась бы от жадности и спешки, пока твои подружки не прилетели.

— А я думал, что с птицами разговаривают только алкоголики, — раздался голос Эндрю.

Миранда вздрогнула, но не обернулась.

— Вот, держи, ты обронила. — Он протягивал ей куртку.

— Мне стало жарко.

— Сидеть после пробежки опасно — простудишься.

— Ничего.

— Ну как хочешь.

Видно было, что ему не по себе.

— Миранда, прости меня.

— Давай не будем возвращаться к этой теме.

— Миранда!

Он протянул ей руку, но Миранда не шелохнулась.

— Слушай, я пришла сюда, чтобы побыть одной.

Эндрю отлично знал, что она умеет быть очень упрямой.

— И все-таки я тебе кое-что скажу. Потом поступай как знаешь. Можешь меня снова ударить, если хочешь. Сегодня утром я был не прав. Я не должен был тебе всего этого говорить. Понимаешь, просто я не мог вынести твоих слов и потому нанес ответный удар. Ниже пояса.

— Понятно. Давай договоримся с тобой не лезть в личную жизнь друг друга.

— Нет, не давай. — Он решительно схватил ее за руку. — Мы ведь всегда доверяли друг другу.

— Да, но больше я тебе не доверяю.

Она видела, какое изможденное, усталое у него лицо — несмотря на то, что Эндрю нацепил темные очки. Вид у него был довольно жалкий.

— Я знаю, я тебя подвел.

— Ничего, я могу и сама о себе позаботиться. Хуже другое — ты сам себя подвел.

— Миранда, ну пожалуйста.

Он знал, что разговор будет нелегким. Ее холодность разрывала ему сердце.

— У меня серьезные проблемы, точнее говоря, одна проблема. И я твердо решил с ней справиться. В общем, сегодня вечером я иду на встречу анонимных алкоголиков.

В ее глазах зажегся огонек — то ли надежды, то ли сочувствия, то ли любви.

Эндрю поспешно покачал головой:

— Я не знаю, будет ли из этого прок. Просто пойду, послушаю, присмотрюсь.

— Лиха беда начало.

Он встал, окинул взглядом бескрайний простор океана:

— Сегодня утром я первым делом бросился искать бутылку. Понимаешь, это произошло как-то слишком уж естественно. Я не сразу испугался — только тогда, когда увидел, что у меня дрожат руки и я думаю только об одном: открыт ли в воскресенье утром какой-нибудь бар или винный магазин.

Он смотрел на свои руки, нервно сжимая и разжимая пальцы.

— Ты не представляешь, как я испугался.

— Я помогу тебе, Эндрю. Я ведь столько всего прочла об алкоголизме. Я даже ходила на несколько собраний общества, в которое ты хочешь вступить.

Эндрю уставился на нее, но Миранда не отвела глаз. И брат прочел в ее взгляде надежду.

— А я думал, ты меня возненавидела.

— Хотела, но не смогла. — Она вытерла слезы. — Я очень сердилась на тебя за то, что ты от меня ускользаешь. Вот и сегодня утром... Я думала, что ты вернешься домой пьяный или хуже того — что ты спьяну сядешь за руль и разобьешься. Вот этого я не простила бы тебе никогда.

— Я поехал к Энни. Это произошло как-то само собой. Вдруг увидел, что стою возле ее дома. Она... Черт! Понимаешь, я хочу пожить у нее пару дней. А ты разбирайся тут со своим Райаном. Не буду больше путаться у вас под ногами.

— Ты собираешься пожить у Энни?

— Не думай, мы с ней не спим.

— У Энни Маклин? — все не могла опомниться Миранда.

— А что тут такого?

Он пробормотал это так смущенно, что Миранда заулыбалась:

— Нет, ничего. Любопытный поворот событий. Что ж, она сильная женщина. С ней дурака не поваляешь.

— Энни и я... — Он не знал, как объяснить. — Нас с ней многое связывает. В прошлом. А теперь, может быть, у нас появится и будущее.

— Я всегда думала, что вы просто друзья.

Он посмотрел на скалы — туда, где двое юных влюбленных когда-то потеряли невинность.

— Сначала мы были друзьями, потом не просто друзьями, а теперь... Я не знаю, что с нами теперь.

«Но я в этом непременно разберусь», — мысленно добавил он.

— В общем, посплю у нее в гостиной пару ночей. А там посмотрим, что к чему. Но учти: скорее всего я снова тебя разочарую и подведу.

Миранда и в самом деле прочла массу литературы по алкоголизму и психотерапии. Она отлично знала, что вслед за периодами трезвости могут снова наступить приступы пьянства.

— Главное, что ты радуешь меня сегодня. — Она крепко взяла его за руки. — Милый, я так по тебе соскучилась.

Он рывком поднял ее на ноги, обнял. Ее тело сотрясалось от рыданий, но при этом Миранда не издавала ни звука.

— Не отказывайся от меня, ладно? — прошептал Эндрю.

— Я пробовала. Не получилось.

Он рассмеялся, прижался к ней щекой:

— Я все-таки хочу сказать об этом типе...

— Этом типе? По-моему, ты уже называл его Райаном.

— Я пока воздержусь от оценок. Он путается с моей сестрой, и я хочу знать, дает ли тебе это хоть что-нибудь?

— Сегодня дает. Завтра — не знаю, — коротко ответила она и отодвинулась.

— Ладно. Пусть будет, что будет. Не пойти ли нам пока и не выпить стаканчик-другой за любовь? — Он подмигнул. — Юмор алкоголика. Если серьезно, я не отказался бы от жаркого.

— Жаркое — долгая история. Давай лучше я сделаю тебе отбивную. Это еда для настоящих мужчин.

— Годится.

Они пошли обратно, и Миранда, внутренне подобравшись, сообщила ему новость, которая должна была его расстроить:

— Мама звонила.

— Господи, она может хоть на Пасху оставить нас в покое?

— Кто-то устроил погром в лаборатории. — Она крепко взяла брата за руку. — Там был Джованни. Один. Его убили.

— Джованни? О господи! — Эндрю выдернул руку, отвернулся. — Джованни мертв? Убит? Да что такое происходит? Все словно с ума посходили!

Она хотела сказать ему правду, но не могла. Слишком уж ненадежен был его душевный баланс...

— Я сама не знаю. Мать говорит, в лаборатории все перевернуто вверх дном, оборудование и записи уничтожены. Что же касается Джованни... Кажется, он задержался на работе допоздна, и преступник застал его на рабочем месте.

— Это было ограбление?

— Не знаю. Не похоже... Она говорит, ничего ценного не похищено.

— Чушь какая-то...

Он резко обернулся. Лицо его было мрачным, суровым.

— Сопоставим факты. Некто пробирается здесь в галерею, похищает ценную статуэтку и не оставляет ни единого следа. Кто-то другой вламывается в лабораторию института «Standжо», убивает Джованни, устраивает настоящий погром — и при этом ничего не похищает.

— Да, загадка.

— Ведь есть же какая-то связь? — задумчиво пробормотал Эндрю.

— Связь? — ошеломленно переспросила она.

— Совпадение явно не случайное.

Побрякивая мелочью в кармане, он стал расхаживать по пляжу взад-вперед.

— Итак, в считанные дни кто-то вломился в два подразделения одной и той же организации, находящиеся в разных странах. Первое происшествие прошло тихо, спокойно и при этом результативно. Второе — с шумом, кровью и вроде бы безо всякой цели. Но цель-то наверняка была. Джованни в разное время работал в обоих подразделениях. — Глаза за темными стеклами очков прищурились. — Ведь с «Давидом» он тоже имел дело, не правда ли?

— Да, имел.

— «Давид» украден, документы похищены, а теперь еще и Джованни убит. Между всеми этими событиями несомненно есть связь.

Не дожидаясь ответа, он отвернулся. И слава богу — Миранде не пришлось лгать.

— Я сообщу все эти сведения Куку, — сказал Эндрю. — Может быть, он сумеет в них разобраться. А что касается меня, то мне, наверное, следует лететь во Флоренцию.

— Эндрю! — Ее голос дрогнул.

Она не хотела рисковать его жизнью. Ехать во Флоренцию опасно. Ведь там скорее всего находится убийца Джованни.

— Это ни к чему. Оставайся лучше дома. Тебе нужно вернуться к нормальной жизни, обрести душевное спокойствие. Пусть полиция сама делает свою работу.

— Да, ты права, — согласился он. — А потом, здесь у меня лучше работает голова. Позвоню Куку, подкину ему сюрприз к пасхальному столу.

— Иди-иди, я сейчас, — она выдавила улыбку. — Приготовлю тебе отбивную.

Он был слишком озабочен и не заметил, что улыбка ее была фальшивой. Зато увидел Райана, спускавшегося по скалистой тропинке. Уязвленная гордость, стыд и братская любовь — этот гремучий коктейль моментально ударил ему в голову.

— Болдари! — прорычал он.

— Эндрю, — вежливо откликнулся Райан и посторонился, явно желая избежать конфронтации.

Но Эндрю был уже на взводе:

— Ты, наверное, скажешь, что она взрослая женщина, а семье на нее наплевать. Но тут ты ошибся. Если ты, сукин сын, ее обидишь, я тебя на куски разорву! — Он свирепо прищурился, однако его угроза не произвела на Райана ни малейшего впечатления. — По-твоему, я шучу?!

— Нет. Просто я припоминаю, что когда-то произнес точно такие же слова — в ту минуту, когда увидел, что моя сестренка Мэри-Джо целуется со своим будущим муженьком в машине. Правда, предварительно я выволок ее кавалера наружу и врезал ему по морде. То-то Мэри убивалась.

Эндрю упер руки в бока:

— Ты моей сестре не муж.

— Ну, Мэри-Джо тогда тоже еще не была замужем.

Тут смысл сказанного дошел до Райана, и он смущенно промямлил:

— Я в том смысле, что... ну...

— Я слушаю, — злорадно улыбнулся Эндрю. — Так что ты хотел этим сказать?

Райан откашлялся, и эта нехитрая уловка помогла ему собраться с мыслями.

— Я хотел сказать, что отношусь к твоей сестре с огромным уважением. Она красивая, умная, во всех отношениях выдающаяся женщина.

— Ты настоящий дипломат, Райан, — ухмыльнулся Эндрю.

«Ну вот, — подумала Миранда, — он снова называет его по имени».

Мужчины оглянулись на Миранду, наблюдавшую за ними с берега.

— И учти, — продолжил Эндрю, — она вовсе не такая сильная, какой хочет казаться. Миранда обычно никого не подпускает к себе слишком близко — потому что тогда она становится беззащитной.

— Я отношусь к ней серьезно. Ты это хотел услышать?

— Да.

Мысленно Эндрю отметил, что эти слова были произнесены с явным раздражением.

— Пока сойдет. Кстати говоря, я оценил твое поведение минувшей ночью. Оценил и то, что не напоминаешь мне об этом.

— Как глаз?

— Чертовски болит.

— Значит, ты свое уже получил.

— Может быть. — Эндрю сделал несколько шагов и остановился. — Кстати, у нас сегодня отбивные. Проследи, чтобы она надела куртку, ладно?

— Ладно, — буркнул Райан. — Так и сделаю.

Он стал спускаться к берегу, грохоча галькой.

Миранда шла ему навстречу.

— У тебя обувь неподходящая, — сказала она.

— Я уже догадался. — Он взял ее за плечи. — У тебя руки холодные. Почему ты без куртки?

— Солнце пригревает. Знаешь, Эндрю сегодня идет на встречу анонимных алкоголиков.

— Это здорово. — Он поцеловал ее в лоб. — Для начала неплохо.

— Он справится. Может быть.

Ветер трепал ее волосы, и Миранда поправила обруч на голове.

— Я верю в него. Он поживет пару дней у своей знакомой, придет в чувство. Я думаю, ему неловко находиться с нами под одной крышей. Ну, ты сам понимаешь...

— Ханжество и консерватизм.

— Давай без ярлыков, ладно? — Она тяжело вздохнула. — Я тебе не сказала главного. Когда я сообщила ему про Джованни, Эндрю без труда сложил два и два.

— В каком смысле?

— Он так много пил в последнее время, что я совсем забыла, какой он умный. За одну минуту вычислил, что между кражей и убийством есть прямая связь. Сейчас он звонит детективу Куку.

— Замечательно, нам только полиции не хватало!

— Ничего, пусть звонит. Эндрю ведь ничего не знает.

Она наскоро пересказала Райану слова брата.

— Я не говорила ему о том, что знаю, и тем более о том, что подозреваю. Сейчас он еще не в таком состоянии, чтобы знать всю правду. Но долго обманывать его я не смогу.

— Значит, нам нужно работать быстрее.

Райан не собирался играть в команде или делиться с кем-то добычей. Он добудет статуэтки, и они у него останутся.

— Ветер задул сильнее, — сказал он вслух, обняв ее за плечи. — Тут что-то такое говорилось про отбивные?

— Не бойся, Болдари, тебя накормят.

— Знаешь, у некоторых народов мира отбивная считается возбуждающим средством.

— Правда? Антропологии ничего об этом не известно.

— Все дело в том, что отбивная возбуждает лишь в сочетании с картофельным пюре.

— Сейчас мы проверим твою теорию на практике.

— Ты не надейся, средство действует не в ту же секунду.

— Попрошу без оскорблений.

— Я без ума от вас, доктор Джонс.

Она засмеялась, и Райан понял, что ее брат говорил правду: она действительно выглядела беззащитной.

ЧАСТЬ III

Цена

Жесток гнев, неукротима ярость, но
кто устоит против ревности?

ГЛАВА 22

Здесь было так тихо, что Райан не мог спать. Он лежал и думал о Нью-Йорке. Как убаюкивающе шумит улица, как быстр шаг идущего по тротуару — ноги сами несут тебя к перекрестку — успеть, пока не зажегся красный свет семафора.

Возле моря жизнь замедляется, а если ты сбавил темп, то начинаешь обрастать корнями. Это происходит с тобой исподволь, незаметно — помимо твоей воли.

Нужно поскорей возвращаться в Нью-Йорк, в галерею. Слишком надолго он ее оставил. Конечно, ему приходилось уезжать и раньше, он все время переезжает с места на место, но сейчас все иначе. Слишком уж он тут закрепился.

Пора сматывать удочки, и чем быстрее, тем лучше.

Она спала рядом, и дыхание ее было таким же медленным и ровным, как шум моря. Она не прижалась к нему, лежала сама по себе, не посягала на его территорию. С одной стороны, он был ей за это признателен. Но с другой... Почему бы ей не прильнуть к нему, не изобразить, что она хочет связать его и удержать?

Тогда ему легче было бы сопротивляться.

Нет, в таких условиях сконцентрироваться невозможно. Она все время отвлекает его от работы. Когда она рядом — хочется ее трогать. Интересно, почему? Наверное, все дело в том, что она всякий раз словно удивляется, когда он гладит ее или ласкает.

Признаться, ему очень хотелось разбудить ее поглаживаниями и поцелуями. Пусть она разгорячится, возбудится, раскроется ему навстречу.

Райан решил, что пора вставать.

Черт знает что такое! Он всегда считал, что секс — это форма досуга, а не вид помешательства.

Надев свободные черные брюки, он взял со стола сигару и зажигалку. Тихонько открыл дверь террасы, вышел наружу.

Свежий воздух был как охлажденное белое вино. Опасно привыкать к такому воздуху — легко втянуться. С высоты открывалась панорама на море. Скалы, светящийся силуэт маяка, луч прожектора, шарящий по горизонту.

Традиция, преемственность, спокойствие — вот что читалось в этом пейзаже. Перемены происходят здесь очень медленно, если происходят вообще.

Каждое утро встаешь и видишь одну и ту же картину: море, лодки, покачивающиеся волны. А ночью видишь звезды, рассыпанные по черному бархату неба бриллиантовой крошкой.

Луна почти погасла, вот-вот исчезнет.

Надо что-то делать. Так продолжаться не может.

Он раздраженно щелкнул зажигалкой, выдохнул изо рта струйку дыма.

Дело застопорилось. Миранда все сидит над своими графиками, ведет какие-то расчеты, обложилась бумажками. Все это не имеет никакого отношения к живым людям — к их алчности, злости, ревности, ненависти. Никакая писанина не объяснит, как может один человек убивать другого из-за куска металла.

Сейчас главное — понять, кто ведет игру, а также уяснить себе их логику. Осталось только начать и кончить.

Он успел неплохо ее изучить. Деловая женщина, умная, практичная, сдержанная, но, если подобрать ключ, раскрывается ее истинная суть — теплая, нежная, беззащитная. Миранду с детства приучили не показывать своих чувств. Она привыкла дистанцироваться от людей, всю себя посвящать делу: намечает цель и идет к ней самым коротким и прямым путем.

Но у нее есть слабое место — брат.

Они здорово привязаны друг к другу. Что это? То ли просто родственное чувство, то ли бунт против матери, то ли совместный рубеж обороны. Неважно, главное, что эта связь сильная и настоящая. Райан видел, как тяжело переживает Миранда из-за алкоголизма брата. Гнев, обида, горечь — вот чувства, которые она испытывала.

А каким счастьем, какой надеждой зажегся ее взгляд вчера вечером, когда они ужинали втроем! Миранда поверила, что Эндрю начинает новую жизнь. Ей нужна эта вера. Хочет надеяться — пусть надеется.

Стало быть, делиться с ней подозрениями не стоит. А между тем тут есть зацепка. Алкоголизм способен подчинять себе человека полностью. Пьяница способен на самые невероятные поступки. А если пьяница возглавляет институт, если у него есть власть и допуск к любым материалам, ему ничего не стоит злоупотребить своими возможностями. Например, похитить первую статуэтку. Мотив? Возможно, деньги. А может быть, страсть обладания. Или, возможно, шантаж. Проще всего организовать операцию было бы кому-то из семейства Джонсов.

Райан стал думать про Чарльза Джонса. Ведь это он когда-то нашел «Давида». Что, если Чарльз пожелал прибрать находку к рукам? Но один он с этим не справился. Кто-то ему помогал. Эндрю? Не исключено. Джованни? Может быть. Или еще кто-то из доверенных помощников.

Элизабет Джонс. Гордая, одержимая, холодная. Всю жизнь посвятила искусству. Для нее самое главное — престиж. Это даже важнее, чем муж, чем дети. Бесценная статуэтка — отличный приз для увенчания жизни, посвященной искусству.

Джованни. Человек, которому доверяли. Блестящий ученый — иначе он не работал бы с Мирандой. Все говорят, что в нем была бездна обаяния. Флиртовал с женщинами. Возможно, спутался не с тем, с кем надо. Или другое: был неудовлетворен своим положением в «Станджо» и хотел большего.

Элайза. Бывшая жена. Бывшие жены мстительны. Она перевелась из института в «Станджо», живет во Флоренции. Элизабет Джонс ей доверяет, так что дамочка пользуется влиянием. Она могла использовать Эндрю в своих целях, а потом, когда он стал ненужным, его бросить. Поскольку она заправляет лабораторией, то имеет доступ ко всем материалам. Наверняка держала в руках обе статуэтки. Быть может, ей захотелось ими завладеть?

Ричард Хоуторн. Книжный червь. Что ж, в тихом омуте черти водятся. Человек, знающий историю. Настоящий исследователь. Такие обычно держатся в тени. Вся слава достается ярким и талантливым. Легко ли с этим мириться?

Винсент Морелли, давний друг и коллега. Очень молодая и очень требовательная жена. Посвятил институту и «Стэнджо» много лет жизни. Возможно, ему стало мало зарплаты и хорошего отношения — захотелось большего.

Джон Картер. Потрепанные туфли, дурацкие галстуки. Надежен, как скала. А может быть, так же тверд, как скала? В институте больше пятнадцати лет. Тянет лямку, выполняет приказы, следит за порядком. Приказы? А чьи приказы он, собственно, выполняет?

Любой из этих людей может оказаться *тем самым*, подумал Райан. И все же трудно предположить, что один из них мог в одиночку совершить два таких безупречных похищения. Нет, тут пахнет командой. Есть исполнители, и есть холодный, трезвый ум, который ими руководит.

Потребуются время и информация, чтобы добраться до этого умника.

Райан проследил взглядом, как по небу чертит линию падающая звезда.

Что ж, он тоже умеет загадывать загадки.

* * *

— Ты собрался звонить моей матери? Зачем?

— Я бы, конечно, позвонил твоему отцу, но у меня такое ощущение, что Элизабет больше разбирается в делах, чем он. — Райан заглянул ей через плечо, пытаясь понять, чем она занимается. — Что это у тебя на дисплее?

— Ничего. Зачем ты хочешь позвонить матери?

— Нет, правда, что это? Интернетовская страничка, посвященная садовому искусству?

— Мне понадобились кое-какие данные, вот и все.

— О цветоводстве?

— Да.

Миранда дала команду распечатать страничку и вышла из Интернета.

— Так все-таки зачем тебе понадобилась моя мать?

— Погоди. Ничего не понимаю. С чего это ты вдруг заинтересовалась цветами?

— Хочу заняться садом, но не знаю, с чего начать.

— Это называется «научный подход»? — Он наклонился и поцеловал ее в макушку. — Ты просто прелесть, Миранда.

Она сняла очки, откинулась назад.

— Рада, что забавляю тебя. Может быть, все-таки ответишь на мой вопрос?

— Насчет матери? — Он сел на стол лицом к ней. — Да вот, хочу сообщить ей, на каких условиях она могла бы получить от меня Вазари, Рафаэля и Боттичелли.

— Рафаэля и Боттичелли? Но мы вроде бы договаривались только о Вазари.

— А я хочу предложить новую сделку. Дам ей пять картин. Если она постарается, то, может быть, приплюсую еще и скульптуру Донателло. На трехмесячный срок. Разумеется, галерея Болдари должна быть упомянута во всех рекламных материалах. Доход от благотворительного банкета поступит в Национальный фонд искусств.

— Какой еще банкет?

— Об этом позже. Не перебивай. Я остановил свой выбор на Новоанглийском институте истории искусств, потому что у этого заведения прекрасная репутация. Мне понравилось, что институт не только выставляет произведения искусства, но также занимается их реставрацией, организует лекционные курсы, ведет научно-исследовательскую работу. Экскурсия, которую устроила для меня доктор Миранда Джонс, произвела глубокое, я бы даже сказал неизгладимое, впечатление.

Он дернул ее за прядь, и волосы рассыпались по плечам. Так ему нравилось больше. Миранда раздраженно нахмурилась, но это его не смутило.

— Владельца галереи Болдари очень заинтересовала идея доктора Джонс — организовать выставку, посвященную социальному, религиозному, политическому и художественному аспектам итальянского Ренессанса.

— В самом деле? — спросила Миранда. — Ты серьезно?

— Не отвлекай меня.

Он ласково взял ее за руку и вдруг увидел, что на пальце нет подаренного им кольца. Это почему-то задело его, и брови Райана на миг сдвинулись. Он удивился собственной реакции и подумал, что надо будет на досуге помозговать — с чего это он вдруг так расстроился?

— Идея доктора Джонс натолкнула меня на плодотворную мысль. Мы устроим выставку в институте, а три месяца спустя перевезем ее ко мне, в мою нью-йоркскую галерею. Там она тоже продлится три месяца.

— Понятно. Взаимовыгодное партнерство.

— Именно. Мы легко нашли общий язык с доктором Джонс. Во время предварительных переговоров тебе пришла в голову блестящая мысль устроить благотворительный банкет в институте, чтобы поддержать Национальный фонд искусств. Галерея Болдари всячески поддерживает деятельность этой организации, поэтому я не смог отказать. Ты поймала меня на крючок.

— Ну-ну, — пробормотала Миранда. — И что дальше?

— Я готов немедленно приступить к осуществлению этого многообещающего проекта, однако мне вдруг стало известно, что доктор Джонс находится в отпуске. Это меня обеспокоило. Я согласен иметь дело лишь с этой во всех отношениях выдающейся особой и больше ни с кем. Если же вызвать ее из отпуска не представляется возможным, я осуществлю этот проект с Чикагским институтом искусств.

— Это маме не понравится.

— Я тоже так думаю.

Он выдернул у нее из волос шпильки и небрежно швырнул их через плечо. Миранда чуть не подскочила от возмущения.

— Черт тебя подери, Райан!

— Не перебивай. Нам нужно, чтобы ты вернулась на свое рабочее место. Пускай оппонент знает, что ты снова у руля. И еще нам нужно, чтобы все, кто имел отношение к обеим статуэткам, собрались в одном месте.

— Ну, первая часть плана тебе скорее всего удастся. Выставка, о которой ты говоришь, — ответственное и престижное мероприятие.

Она хотела встать, чтобы подобрать шпильки, но Райан не выпустил ее — обхватил ладонями ее голову и держал.

— Моя мать отлично понимает, что престиж — это важно, — задумчиво произнесла Миранда. — Но как тебе удастся собрать вместе всех, кто нам нужен?

— Сейчас объясню. — Он провел пальцем по ее щеке. — Мы устроим сногсшибательную вечеринку.

— Ты имеешь в виду благотворительный банкет?

— Вот-вот. — Райан встал, прошелся по комнате, рассеянно барабаня по книжным полкам.

— Банкет будет посвящен памяти Джованни.

Миранда похолодела:

— Ты хочешь использовать имя Джованни для своих планов? Как ты можешь? Ведь Джованни убит.

— Да, и тут ничего не изменишь. Но мы устроим так, что его убийца непременно явится. И тогда, считай, полдела будет сделано.

— Что-то я не понимаю.

— Детали изложу позднее. Слушай, у тебя есть блокнот для рисования?

— Конечно, есть.

Она встала и взяла со стола блокнот.

— Ну естественно. Как же иначе? Захвати его с собой, а заодно не забудь и пару карандашей.

— Куда захватить?

— На веранду. Посидишь там, сделаешь набросок своего будущего сада. А я пока позвоню.

— Ты думаешь, я буду сидеть и рисовать сад, когда тут такое творится?

— Ничего, это поможет тебе расслабиться. — Он набрал цветных карандашей, сунул их в карман рубашки, а Миранде протянул ее очки.

— Прежде чем разбивать сад, надо хорошенько понять, чего ты хочешь.

Он взял ее за руку и потащил за собой.

— Когда тебе пришла в голову эта идея?

— Ночью. Лежал, не мог уснуть. Понимаешь, все это время мы вертимся в колесе, а нам нужно действовать. Кто-то другой дергает за ниточки. Пора перехватить инициативу.

— Чудесная метафора, Райан, но я не понимаю, каким образом нам может помочь благотворительный банкет, устроенный в память Джованни. С чего ты взял, что убийца будет среди гостей? И уж во всяком случае, эта затея не поможет нам вернуть статуэтки.

— Не все сразу, детка. Ты не замерзнешь?

— Не беспокойся. Посижу, порисую, немного отвлекусь. Мне действительно не мешает расслабиться, если впереди так много работы.

— Да уж, скоро начнется такая свистопляска, что тебе будет не до отдыха.

Обреченно вздохнув, она последовала за ним. Апрель баловал чудесной погодой: в небе сияло солнце, с моря дул легкий ветерок. Миранда знала, что погода здесь переменчива — не успеешь оглянуться, как налетит шквал и повалит мокрый снег. В этой непредсказуемости — весь секрет магии здешних мест.

— Сиди, отдыхай. — Он одарил ее братским поцелуем. — А я займусь делом.

— Значит, я не должна утруждать мою хорошенькую головку? — насмешливо спросила Миранда.

Он засмеялся, вынул мобильный телефон:

— У вас скверный характер, доктор Джонс. Но мне почему-то это нравится. Как позвонить твоей матери?

Миранда подумала, что он обладает поразительным свойством одновременно очаровывать и раздражать.

— Тебе надо звонить ей домой. Если учесть разницу во времени, она наверняка уже вернулась с работы. — И она назвала ему номер телефона Элизабет.

Пока он тыкал пальцем в кнопки, Миранда задумчиво смотрела вдаль. Разумеется, Райан сумеет запудрить матери мозги, думала она. У него истинный талант очаровывать женщин. Это факт, который лучше не анализировать. Райан сумел обаять дочь, сумеет подкатиться и к матери. Наверное, на всей земле не сыщется женщины, к сердцу которой его ловкие руки не сумели бы подобрать отмычку.

Миранда вздохнула и нарочно отвернулась, стараясь не прислушиваться к разговору.

В ярком свете весеннего дня, по контрасту со скалами и

морем, газон выглядел жалким и потрепанным. Да и веранда вся облупилась, ступени поросли бурой травой.

А когда-то бабушка содержала сад в идеальном порядке. У Миранды и Эндрю, к сожалению, руки до этого не доходили. Их хватало только на то, чтобы содержать в порядке дом, а сад — это уже роскошь. Есть дела поважнее.

Серьезные ремонтные работы проблемы не представляли: просто нанимаешь мастеров, и они делают все, что нужно. С садом сложнее. Брат с сестрой никогда не держали в руках грабли или тяпку, не выпалывали сорняки, не стригли траву.

«Между прочим, неплохая идея, — подумала Миранда. — Мы могли бы заняться благоустройством сада вместе, это сблизило бы нас». В простом физическом труде есть своя прелесть — видишь результат своих усилий. К тому же это стало бы для Эндрю неплохой терапией. Да и для нее самой тоже. Похоже, в ее жизни закончился некий этап. Надо будет чем-то себя занять.

Она попыталась припомнить, как выглядел сад, когда бабушка была еще в полной силе.

Тут росли какие-то высокие пышные цветы — алые и пурпурно-красные, были и клумбы с желтыми маргаритками. Карандаш сам заскользил по бумаге. Миранда нарисовала кусты с белыми розами. И сразу же в памяти воскрес аромат — сладкий, пряный, пьянящий.

Вот здесь надо будет посадить ярко-синие колокольчики. Не забыть про львиный зев. Какое чудесное название! Миранда была горда собой, что память сохранила облик сада.

Разговаривая по телефону с Элизабет, Райан наблюдал за Мирандой. Вид у нее был счастливый, спокойный. Она улыбалась, рисуя в блокноте. Движения руки были быстрыми и точными. Отличный глазомер, искусная рука — сразу видно.

Волосы Миранды растрепались. Она надела очки, свитер горбился на спине. Какие длинные, изящные у нее пальцы. Ногти аккуратно подстрижены, никакого маникюра, никакого лака.

Никогда еще он не видел такой сногсшибательной женщины.

Это отвлекало от дела, и Райан отвернулся, стал смотреть в другую сторону.

— Зовите меня просто Райан, — сказал он в трубку. — Надеюсь, вы не будете возражать, если я буду называть вас Элизабет? Вам, конечно, известно, какое сокровище ваша дочь. Она произвела на меня совершенно неизгладимое впечатление. Умная, талантливая. Я был очень расстроен, когда узнал, что она ушла в отпуск.

Он помолчал, слушая ответ. С улыбкой подумал: Миранда и не подозревает, до чего ее голос похож на голос матери — тот же благовоспитанный, чеканный выговор.

— Я не сомневаюсь в том, что в вашем институте много компетентных и высококвалифицированных сотрудников, которые справились бы с этим проектом. Но я предпочитаю работать с теми людьми, кого знаю. Если не получится с доктором Джонс, свяжусь с миссис Беренски из Чикагского института искусств. Вы ведь знаете ее, не правда ли?.. Да-да, Луа — превосходная специалистка и проявляет большой интерес к этому проекту. Я должен перезвонить ей в течение сорока восьми часов. Вот почему я и позволил себе побеспокоить вас дома. Честно говоря, я предпочел бы иметь дело с вашим институтом, однако, если Миранда не свяжется со мной в самое ближайшее время, я буду вынужден...

Он не договорил, довольно ухмыляясь: Элизабет начала торговаться. Райан устроился поудобнее: закинув ногу на перила, стал лениво разглядывать побережье и кружащих в небе чаек. Разговор двигался в нужном ему направлении. Сама о том не подозревая, Элизабет предлагала те самые условия, которые и были ему нужны.

Переговоры заняли сорок минут. За это время Райан успел наведаться на кухню и приготовить себе угощение: целую тарелку крекеров, сыра и оливок. Потом он вернулся на веранду и, с аппетитом закусывая, продолжил беседу с Элизабет. В конечном итоге они обо всем договорились — даже о том, что вечером, за день до банкета, непременно встретятся и выпьют за успех этого предприятия.

Закончив разговор, Райан сунул в рот оливку и спросил:

— Миранда, ты не уснула?

Она самозабвенно продолжала делать наброски.

— Что?

— Подойди к телефону.

— К какому телефону? — недовольно взглянула она на него поверх очков. — Я не слышала звонка.

— Сейчас услышишь, — подмигнул Райан, и в следующую секунду на кухне действительно зазвонил телефон. — Это твоя мамочка. На твоем месте я бы изобразил удивление и непременно поломался бы.

— Так она согласилась?

— Сними трубку и узнаешь.

Миранда бросилась на кухню, схватила трубку.

— Алло?.. Мама, это ты?

Она прижала руку к быстро бьющемуся сердцу.

Как и следовало ожидать, Элизабет не просила, а требовала. Более того, получалось, что вопрос этот давно решен и обсуждению не подлежит. Миранда должна немедленно выйти из отпуска, связаться с галереей Болдари и обо всем договориться с ее владельцем. Организация выставки — дело первоочередной важности. Срок исполнения — второй уик-энд мая.

— Но остается всего месяц! — попыталась возразить Миранда.

— Я понимаю, что времени в обрез, но у мистера Болдари есть другие обязательства. Во всем, что касается прессы и рекламы, ему помогут Эндрю и Винсент. Ты же в ближайшие четыре недели будешь занята только выставкой. Миранда, мистер Болдари возлагает на тебя большие надежды. Я тоже. Ты меня поняла?

— Само собой. — Миранда рассеянно сдернула с носа очки, сунула их в нагрудный карман. — Я немедленно приступлю к делу. Но я хотела спросить про Джованни...

— Церемония прошла безупречно. Родственники были очень благодарны за цветы. Я буду часто звонить тебе, Миранда. Придется мне изменить свое расписание на май. Приеду в начале месяца, хочу лично проследить за подготовкой. А ты уж, будь любезна, регулярно присылай мне отчеты.

— Пришлю. Ладно, до свидания. — Миранда повесила трубку и обернулась к Райану. — Дело сделано. Надо же, как все просто.

— Я не стал говорить ей про Джованни, — заметил Райан. — Это выглядело бы подозрительно. Пусть идея родится у тебя завтра. Мол, ты согласовала ее со мной, и я целиком и полностью за. Твою матушку мы поставим перед фактом.

Он взял с тарелки крекер, положил сверху ломтик сыра и сунул Миранде в рот.

— Само собой разумеется, что на такое важное мероприятие прибудут все ответственные сотрудники института и филиалов. Надо же продемонстрировать единство и солидарность.

— Обязательно приедут, — прошептала Миранда. — Мать об этом позаботится. Только я не понимаю, что нам это даст.

— Единство времени, места и действия. — Он отправил в рот ломтик сыра. — Жду с нетерпением.

— У меня теперь много работы. — Она провела рукой по волосам. — Нужно готовить выставку.

— Я прилетаю завтра из Нью-Йорка.

— Неужели? — оглянулась на него Миранда, направившаяся было к двери.

— Да, утренним рейсом. Буду счастлив встретиться с вами, доктор Джонс.

ГЛАВА 23

— Как я рада тебя видеть! Хорошо, что ты вернулась. — Лори поставила перед Мирандой чашку с дымящимся кофе.

— Посмотрим, что ты запоешь к концу недели. Я намерена гонять тебя в хвост и в гриву.

— Ничего, переживу. — Лори сжала ей локоть. — Бедный Джованни! Я знаю, как вы были дружны. Мы все очень его любили.

— Да, конечно... Мне будет так не хватать его... Самое лучшее средство — с головой погрузиться в работу, — сказала Миранда, а сама вспомнила: «Его кровь на твоей совести».

— Хорошо. Работа так работа. — Лори села на стул, приготовилась записывать. — С чего начинаем?

«Спокойно. Будем действовать по порядку, — сказала себе Миранда. — Главное — не суетиться».

— Договорись о встрече с плотниками. Лучше всего с Друбеком. Он неплохо подготовил выставку фламандцев пару лет назад. Мне нужно будет также поговорить с нашим юридическим отделом, с сектором контрактов, и еще неплохо бы привлечь кого-то из исследователей. Мне нужен специалист, способный быстро обработать поступающую информацию. Зарезервируй девяносто минут для беседы с Эндрю. И вот еще что: как только прибудет мистер Болдари, немедленно мне сообщи. Мы с ним пообедаем в директорской столовой. Скажем, в час дня. Если Эндрю сможет, пусть присоединится к нам. Договорись с рестораном. Пригласи миссис Коллингсфорт на чашку чаю. В любой день на этой неделе. Чай надо будет подать опять-таки в директорской столовой.

— Хочешь воспользоваться ее коллекцией?

Миранда плотоядно облизнулась:

— Думаю, мне это удастся. Я распишу ей, как чудесно будут выглядеть ее картины на выставке. Под каждой — медная табличка, а на ней выгравировано: «Из коллекции миссис Коллингсфорт».

«А если я не сумею ее убедить, — подумала Миранда, — надо будет натравить на нее Райана».

— Мне нужны замеры Южной галереи. Если не найдешь в наших архивах, измерь сама. Сегодня же. И еще вызови ко мне декоратора.

— Декоратора? — удивилась Лори.

— Да. Я хочу создать особенную атмосферу. Мне нужен человек с творческим воображением, деловой, но умеющий выполнять приказы.

Миранда сосредоточенно барабанила пальцами по столу. Она уже очень ясно представляла себе, как все должно выглядеть.

— Сюда пусть поставят чертежную доску. Еще одну — ко мне домой. Эндрю перешли письменную просьбу держать меня в курсе всех мероприятий, связанных с рекламой. Мистера Болдари связывать со мной незамедлительно и вообще выполнять все его желания.

— Хорошо.

— Мне нужно будет поговорить со службой безопасности.

— Будет сделано.

— Через четыре недели можешь попросить меня об увеличении зарплаты.

Лори улыбнулась:

— А это уж будет сделано вне всякого сомнения.

— Все. Давай за работу.

— Только одно. — Лори захлопнула блокнот. — Тут на автоответчике послание для тебя. Я не стала стирать — оно по-итальянски, и я почти ничего не поняла.

Она встала, нажала на кнопку. Немедленно комната наполнилась звуками лихорадочной итальянской речи. Миранда раздраженно остановила пленку и включила снова, пытаясь сосредоточиться.

Доктор Джонс, мне нужно с вами поговорить! Я давно пытаюсь с вами связаться! Мне никто не верит. Это Ринальди, Карло Ринальди. Это я нашел ее! Я держал ее в руках. Я знаю: она настоящая. Вы тоже это знаете. Газеты пишут, что вы верите в нее. А меня никто не слушает. На таких, как я, внимания не обращают. Но вы — важная персона. Вы — настоящий ученый. Вас они послушают. Пожалуйста, позвоните мне. Нужно поговорить. Мы-то с вами знаем, как оно на самом деле. Надо найти доказательства. А меня никто не слушает! Ваша матушка выставила меня за дверь. Будто я попрошайка или вор. Чиновники думают, что я мошенник. Вы знаете, что это неправда. Давайте объясним им, как они все ошибаются.

Он дважды повторил телефонный номер, после чего голос умолк.

«Этот человек умер, — думала Миранда. — Он просил меня о помощи, а я об этом даже не знала».

— Что такое? — встревоженно спросила Лори, видя, как изменилось ее лицо. — Я ведь по-итальянски умею только спагетти заказывать. Что-нибудь плохое?

— Нет, — прошептала Миранда. — Устаревшие новости. Я опоздала.

Она стерла запись, однако можно было не сомневаться, что этот голос еще долго будет звучать в ее памяти.

* * *

Приятно было чувствовать, что инициатива снова в твоих руках. Есть конкретная цель, разработан план. В этом Райан совершенно прав. Действие — вот чего ей не хватало.

Миранда была в реставрационном отделе, когда туда вошел Джон Картер.

— Миранда, я всюду тебя ищу. Добро пожаловать.

— Спасибо, Джон. Я рада, что вернулась.

Он снял очки, протер стекла полой халата.

— Ужасно. Я имею в виду, с Джованни. Не могу поверить.

На миг она представила тело, лежащее на полу. Остекленевшие глаза, лужу крови.

— Знаю. У него здесь было много друзей.

— Вчера мне пришлось объявить об этом нашим. В лаборатории стало тихо, как в морге. — Он сокрушенно вздохнул. — Всякий раз, когда Джованни приезжал сюда, он заряжал нас энергией. Все начинали ходить быстрее, громче разговаривать, у людей появлялись новые идеи. Знаешь, что мы придумали? Посадим в его честь дерево в парке. В хорошую погоду мы все ходим туда обедать. Будем смотреть на дерево и вспоминать о Джованни.

— Хорошая идея, Джон. Ему бы понравилась.

— Но сначала я хотел договориться с тобой. Ведь ты — директор лаборатории.

— Считай, что я согласна. Надеюсь, вы позволите мне принять участие в сборе денег?

— Конечно. Ведь мы знаем, что вы с ним были близкими друзьями.

— Да, мы провели вместе немало времени. И здесь, и в «Станджо».

— Он говорил, что я «крючок в заднице», — грустно улыбнулся Картер. — Он имел в виду «колючка в заднице», а я его не поправлял. Мне нравилось. Мы с ним частенько обедали вместе, выпивали бутылочку вина. Он все обещал, что вытащит меня из моей берлоги, познакомит с хорошенькими девчонками. А потом обязательно просил, чтобы я показал ему последние снимки моих детишек. Никогда не забывал.

Голос Картера дрогнул, глаза повлажнели.

— Ну, в общем, я все устрою с деревом.

— Хорошо, Джон. Спасибо.

Миранда тоже отвернулась. Ей было стыдно — как могла она хоть на миг заподозрить, что Картер причастен к преступлению? Это все Райан.

— Мы все тебя ждали, — сказал Картер. — Теперь поработаем вместе.

— Да, я буду заглядывать, но сейчас у меня другое дело.

— Знаю. Выставка итальянского Ренессанса. — Картер смотрел на нее с улыбкой. — Громкая выставка — вот что нам нужно после всех этих неприятностей. Это была отличная идея.

— Да, я тоже так... — Она не договорила, увидев, что в дверях появился детектив Кук. — Извини, Джон. Мне нужно с ним поговорить.

— Да-да, я понимаю. — Он понизил голос: — Не знаю почему, но этот тип заставляет меня нервничать. Такое ощущение, что он подозревает всех и каждого.

Едва кивнув полицейскому, Картер поспешно вышел, шаркая нечищеными башмаками.

— Что я могу сделать для вас, детектив?

— Классная картинка, доктор Джонс. — Кук, дальнозорко прищурившись, ткнулся носом в холст, доставленный в отдел для реставрации. — Это ведь подлинник, да?

— Да, это Бронзино, итальянский художник шестнадцатого века. Институт очень горд, что заполучил это полотно. Владельцы предоставили его нам для выставки.

— А что это она делает с картиной? — спросил полицейский, кивнув на художницу-реставраторшу.

Та презрительно взглянула на него сквозь толстые линзы очков.

— Эта картина находилась в коллекции, принадлежавшей одному чудаку из Джорджии. Картины находились в ужасных условиях, — стала объяснять Миранда. — Они пострадали от пыли, грязи, влаги, прямого солнечного света. Сейчас мы чистим картину. Процесс медленный, требующий тщательности. Если мы хорошо выполним свою работу, картина будет выглядеть точно так же, как в день своего создания.

— Это похоже на работу полиции, — заметил Кук.

— Неужели?

— Мы тоже двигаемся медленно и аккуратно. Не дай бог напортачить и испортить след. Похоже на исследовательскую работу, да и талант со знаниями тоже не помешают, — улыбнулся детектив. — А главное, конечно, — терпение. Если сделать все правильно, картина восстанавливается в наилучшем виде.

— Очень интересная аналогия, детектив, — сказала Миранда, нервничая. — И как, удалось вам восстановить картину?

— Пока только отдельные фрагменты, доктор Джонс. — Он порылся в кармане, достал пачку жвачки. — Хотите?

— Нет, спасибо.

— Бросил курить, знаете ли. — Он сунул в рот жвачку, а бумажку с фольгой аккуратно свернул и положил в карман. — Все никак не привыкну, прямо с ума схожу. Приклеил антиникотиновый пластырь, но что-то не помогает. Вы сами-то курите?

— Нет.

— Ну и умница. А я высасывал по две пачки в день. А потом началось: тут курить нельзя, там курить нельзя. Приходилось смолить в сортире или мокнуть под дождем. Прямо как преступник какой-то.

Он снова улыбнулся.

Миранда стояла неподвижно, хотя ей очень хотелось топнуть ногой или щелкнуть пальцами — нервы пошаливали.

— Да, я слышала, что от курения отвыкнуть трудно.

— Это не просто дурная привычка, это порок. Причем такой, который может испоганить тебе всю жизнь.

Миранда подумала, что детектив знает об алкоголизме Эндрю — это читалось в глазах Кука.

— Что касается меня, то я никогда не курила, — отрезала она. — Зайдем ко мне в кабинет?

— Нет, я так, на минутку. — Он шумно вздохнул. — Я даже не надеялся, что с вами встречусь. Мне ведь сказали, что вы в отпуске. Решили малость отдохнуть?

Миранда хотела согласиться, но передумала. Что-то помешало ей — не то инстинкт, не то обычная осторожность.

— Полагаю, детектив, вам известно, что меня отправили в отпуск после взлома. Кроме того, у меня возникли кое-какие профессиональные трудности после поездки во Флоренцию.

«Быстро соображает, — подумал Кук. — На мякине не проведешь».

— Да-да. Я что-то такое слышал. Какая-то бронзовая статуэтка, да? Проблемы с экспертизой.

— Я так не считаю. Но есть люди, которые придерживаются этого мнения.

Миранда отошла в сторону, заметив, что реставраторша прислушивается.

— Скверная история. Сначала одна статуэтка, потом другая. Странное совпадение, не правда ли?

— Да уж, приятного мало. Моя репутация под угрозой.

— Понимаю. Однако, я вижу, ваш отпуск продлился недолго.

Миранда ответила без колебаний:

— Дело в том, что мы приступили к осуществлению важного проекта. Это как раз по моей специальности.

— Я что-то такое слышал. И еще мне говорили про вашего сотрудника, которого убили в Италии. Какая трагедия!

Лицо Миранды помрачнело, она отвернулась:

— Это был мой друг. Хороший друг.

— Есть какие-нибудь предположения?

Она холодно взглянула на него:

— Детектив, если б я знала, кто проломил череп моего друга, я сейчас была бы не здесь, а во Флоренции, разговаривала бы с итальянской полицией.

Кук сосредоточенно пожевал резинку и сказал:

— А разве информация про проломленный череп просочилась в печать? Откуда вы об этом знаете?

— Мать сказала, — огрызнулась Миранда. — А ей сообщили родственники Джованни. — Оставалось надеяться, что так и было на самом деле. — И вообще, я не понимаю, вы что расследуете — кражу или убийство?

— Я так, любопытствую. Знаете, какие мы, сыщики, любопытные? — Он обезоруживающе развел руками. — Я ведь чего зашел? У вашего брата идея: не связаны ли между собой оба эти преступления?

— Да, Эндрю говорил мне. И как по-вашему?

— Бывает, что дело проясняется лишь перед самым концом. Я хотел спросить... — Он достал блокнот, делая вид, будто не доверяет памяти. — Это ведь вы проводили экспертизу бронзового «Давида»? Статуэтка шестнадцатого века школы Леонардо.

— Да, я.

— Никак не можем найти документацию по экспертизе — ни отчетов, ни анализов, ни снимков.

— Эндрю сообщил мне об этом. Могу предположить только одно: вор похитил не только статуэтку, но и всю документацию.

— Похоже на то. Но тогда получается, что преступник знал, где искать. Судя по видеосъемке, он пробыл в помещении не более десяти минут. Представляете, как быстро он бегал, чтобы наведаться и за статуэткой, и в лабораторию за документами? Я тут прошелся по этому маршруту. Даже медленным шагом это занимает целую минуту. Вроде бы немного, но если человек залез сюда впервые и пробыл всего десять минут... Странно.

Взгляд Миранды остался неподвижным, голос не дрогнул.

— Ничего не могу вам сказать. Знаю только факты: статуэтка исчезла и документы тоже.

— А часто у вас тут сотрудники работают по вечерам? Вроде вашего флорентийского дружка, а?

— Случается. Но это позволяется только старшим специалистам. Охрана в неурочные часы пускает внутрь только их.

— Например, вас с братом? Вы ведь были здесь через неделю после ограбления, верно?

— Что?

— Вот, у меня тут отчетик от ночной охраны. Двадцать третьего марта, в полтретьего ночи, вы позвонили и сказали, что хотите поработать в лаборатории вдвоем с доктором Эндрю Джонсом. Было такое?

— Возможно.

— Поздненько вы работаете.

— Иногда случается. — Сердце бешено колотилось в груди, но внешне Миранда сохраняла спокойствие. Поправив шпильку в волосах, она сказала: — Помнится, мы решили с Эндрю поработать здесь в тишине. А что, это запрещается?

— Да нет, мне-то что? Я просто так, для порядка. — Он убрал блокнот, осмотрелся по сторонам. — Тут все так аккуратненько, все на своем месте. Вы с братом отличные организаторы.

— Дома он совсем не такой — всюду разбрасывает свои вещи, никогда не может найти ключей, — небрежно заметила Миранда, сама чувствуя, как ловко притворяется. Быть может, входит во вкус? Неужели ей начинает нравиться игра с полицейским?

— Вы-то, поди, совсем не такая. Наверняка все кладете на место. Уверен, что вы — человек привычки.

— Да, можете считать это моим пороком.

В самом деле — она вошла во вкус. Ей нравилось, что она ведет с этим хитрецом борьбу на равных.

— К сожалению, детектив, мне пора. У меня деловое свидание.

— Я и не хотел вас отвлекать. Спасибо, что уделили время. И за разъяснения тоже спасибо. — Он показал на картину. — Чертовски много возни. По-моему, проще было бы нарисовать заново.

— Но это будет уже не Бронзино.

— Большинство людей не отличат копию от оригинала. Вот вы — другое дело. — Он уважительно кивнул головой. — Наверняка сразу поймете, где подделка, а где нет.

Миранда испугалась, что Кук заметит, как кровь отлила у нее от лица. Слишком уж быстро детектив вышел на цель. Рановато было успокаиваться.

— Не всегда. Одного осмотра бывает недостаточно. Все зависит от качества подделки. Обычно мы используем лабораторные тесты.

— Понимаю. Во Флоренции в прошлом месяце вы этим и занимались?

— Вот именно.

Пот стекал у нее по спине ледяной струйкой.

— Если вам это интересно, я могу организовать экскурсию. Но не сейчас. — Она выразительно взглянула на часы. — Мне и в самом деле...

Она не договорила и вздохнула с облегчением, потому что в эту самую секунду вошел Райан.

— Миранда! Как я счастлив снова вас видеть! Секретарша сказала, что вы здесь. — Он элегантно приблизился, поднес ее пальцы к своим губам. — Простите, что опоздал. Ужасные пробки.

— Ничего, — еле слышно прошелестела она. — Я тут была немного занята. Это детектив Кук...

— Да-да, мы, кажется, встречались. — Райан протянул руку. — Наутро после кражи. Как идет расследование?

— Работаем.

— Не сомневаюсь. Собственно, не хотел вам мешать. Может быть, мне подождать вас, Миранда, в кабинете?

— Да. То есть нет. Детектив, мы закончили?

— Да, мэм. Рад, мистер Болдари, что несчастье, происшедшее с музеем, вас не испугало. Знаете, не всякий отважился бы выставлять свои картины после такого.

— Я доверяю и доктору Джонс, и институту. Уверен, они смогут защитить мою собственность.

— И все-таки неплохо было бы набрать побольше охранников.

— Это уже делается, — сказала Миранда.

— Ну-ну. На всякий случай учтите — я знаю хороших полицейских, которые подрабатывают в свободное время такими вещами.

— Очень любезно с вашей стороны. Если вас не затруднит, сообщите, пожалуйста, их имена моей секретарше.

— Хорошо, доктор Джонс. До свидания, мистер Болдари.

Направляясь к двери, Кук подумал, что между этой парочкой что-то происходит. Возможно, просто секс. А может быть, и кое-что другое.

Интересный субъект этот Болдари. Вроде вежливый такой, чистенький, а в то же время...

— Райан!

Он едва заметно качнул головой, давая понять, что нужно вести себя сдержанно.

— Мне очень жаль, что вы так и не сумели вернуть похищенную статуэтку, — сказал он вслух.

— Поиск продолжается. Давайте вместе пообедаем. Я велела накрыть стол в директорской столовой. Заодно обсудим наши планы.

— Отлично. — Он предложил ей руку. — С удовольствием вас выслушаю.

Они прошли через холл до лестницы, болтая о всякой ерунде.

Лишь когда Миранда и Райан остались наедине за столом, он спросил:

— Долго он тебя терзал?

— Такое ощущение, что целую жизнь. Говорил про подделки, хотел выяснить, способна ли я отличить копию от оригинала с первого взгляда.

— Понятно.

Стол был накрыт на троих. В качестве закуски подали черный оливковый паштет с сухим печеньем.

— Умный шпик, — заметил Райан, намазывая паштет на крекер. — Зря только изображает из себя Коломбо.

— Кого-кого?

— Лейтенанта Коломбо. Ну как же — детектив из телесериала. Такой потрепанный, в мешковатом плаще и с неизменной сигарой в зубах.

Миранда непонимающе покачала головой.

— Я вижу, ты не смотришь сериалы. Так нельзя, — укорил ее Райан. — Нужно следить за массовой культурой. Впрочем, это неважно. А что касается Кука, то он нам, возможно, еще пригодится.

— Неужели ты не понимаешь? Если он будет идти в этом направлении, то в конце концов выйдет на тебя. Ведь подделки...

— Никуда он не выйдет. А через месяц у меня будут не подделки, а оригиналы. И тогда мы оба восстановим свою репутацию.

Она потерла пальцами глаза. Настроение было хуже некуда.

— Не понимаю, на что ты рассчитываешь...

— Доверяйте мне, доктор Джонс. В таких делах я специалист. — Он показал на третий прибор. — Кто обедает с нами?

— Эндрю.

— Учти, ему ни слова.

— Знаю. — Она сцепила пальцы. — Эндрю переживает сейчас сложный период своей жизни. Хочет начать все заново. Не хватало еще, чтобы я сообщила ему о своем соучастии в преступлении.

— Если все пойдет по плану, речь идет всего лишь о маленькой краже, — спокойно сказал Райан и погладил ее по руке. — К тому же мы всего лишь украдем то, что украли у нас. Так что на самом деле мы возвращаем собственность законным владельцам.

— Все равно это преступление. Вот почему я так паршиво себя чувствую, когда Кук донимает меня своими вопросами.

— Но ты ведь не поддалась ему?

— Честно говоря, мне даже начало это нравиться, — пробормотала Миранда. — Сама не понимаю, что на меня нашло. Ведь я собираюсь нарушить закон...

— Эка важность! — Он пожал плечами. — Рамки закона весьма расплывчаты.

— Только не с моей точки зрения. Я всегда знаю, что можно, а чего нельзя. — Она отвернулась. — Знаешь, оказывается, в мое отсутствие мне звонил Карло Ринальди.

— Ринальди? — Райан нахмурился и отложил крекер. — Что ему было нужно?

— Помощь.

Она зажмурилась. Разве ей под силу оказать кому-то помощь? Она ни на что путное не годится.

— Да, он просил о помощи. Ему никто не верил. Он ходил к моей матери, она выставила его за дверь. Ринальди сказал, что только я могу доказать подлинность статуэтки.

— И ты это сделаешь.

— Но Ринальди уже мертв. И он, и Джованни. Я не смогла им помочь.

— Ты за это не отвечаешь, — решительно заявил Райан. — Задай себе лучше вот какой вопрос... — Он коснулся ее руки, посмотрел прямо в глаза. — Хотели бы они, чтобы ты прекратила борьбу? Чтобы ты капитулировала, так и не доказав свою правоту? Ты должна это сделать, а заодно найти убийцу.

— Не знаю. Я ничего не знаю... — Она вздохнула. — Ясно только одно: если я не доведу это дело до конца, я просто не смогу жить. Один человек просил меня о помощи, другой согласился мне помочь. Я обязана им.

— Так что не говори о законе, Миранда. Твой враг первым преступил его.

— Я хочу отомстить. — Она зажмурилась. — Наверное, я должна этого стыдиться. Но мне совсем не стыдно.

— Милая, неужели ты всерьез думаешь, что у тебя нет права на нормальные человеческие чувства?

— В последнее время я что-то слишком увлеклась чувствами. Это мешает мне логически мыслить.

— Хочешь логики? Пожалуйста. Изложи мне свои планы насчет выставки.

— Тебе это неинтересно.

— Еще как интересно. Галерея Болдари предоставляет вашему институту бесценные шедевры. — Он сжал в руке пальцы Миранды. — Я желаю знать, сумеете ли вы о них позаботиться должным образом. Бизнес есть бизнес.

Миранда хотела было ответить, но не успела — открылась дверь, и вошел Эндрю.

— Привет, Эндрю. — Райан выпрямился, но руку Миранды не выпустил.

— Может быть, вы объясните мне, что здесь происходит?

— С удовольствием. Мы решили осуществить давний проект: наладить сотрудничество между моей галереей и вашим институтом. Заодно соберем пожертвования для Национального фонда искусств. А также вернем Миранду на ее рабочее место.

Райан подошел к столу, налил из кувшина три стакана воды.

— Ваша мать в восторге от этого проекта.

— Да, я с ней уже поговорил, — мрачно буркнул Эндрю. — Она говорит, ты звонил ей из Нью-Йорка.

— В самом деле? — Райан с улыбкой протянул ему стакан. — Должно быть, у нее создалось такое впечатление. Ну и пусть. Так даже удобнее, не правда ли? Мы с Мирандой предпочитаем хранить наши отношения в тайне.

— Тогда нечего шляться по институту, взявшись за руки. Уже поползли сплетни.

— Мне на это наплевать. А тебе? — спросил Райан у Миранды, но не дал ей ответить. — Миранда как раз собиралась рассказать нам о мероприятиях по подготовке выставки. У меня тоже есть кое-какие соображения, в особенности относительно банкета. Давайте сядем и потолкуем.

Миранда решила, что ей пора вмешаться.

— Знаешь, Эндрю, для нас это очень важное мероприятие. В том числе и лично для меня. Я благодарна Райану, что он пошел нам навстречу. Я не могу без работы, а теперь у меня есть возможность вернуться. Кроме того, я уже давно мечтала провести выставку такого масштаба. Собственно, мне не нужно долго ломать голову — план созрел у меня уже давно. — Она положила руку брату на плечо. — После того, что произошло во Флоренции, мать ни за что не дала бы мне такого шанса — если бы не Райан.

— Ладно, я понял. Просто у меня в последнее время плохо работает голова.

— А как ты себя чувствуешь?

— Третий день не пью, — кисло улыбнулся Эндрю, вспомнив о мучительных приступах дрожи и головокружениях, накатывавших на него каждую ночь. — Но не буду вдаваться в подробности...

— Как хочешь. — Она подумала, что у каждого из них теперь свои секреты. — Скажу, чтобы подавали обед.

* * *

Это нечестно, это неправильно. Она не должна была вернуться. Она разрушит все мои планы. Я этого не допущу. Столько лет ожидания, и все попусту? «Смуглая Дама» моя! Она сама пришла ко мне, в ее коварной улыбке я улавливаю родство душ. Она, как и я, была способна выжидать, наблюдать и медленно накапливать силы, словно пчела, собирающая мед. В ее улыбке я чувствую мощь, которая поможет уничтожить всех моих врагов. Я заберу себе то, что принадлежит мне по праву.

Что сделано, то сделано. Этого не исправишь.

Рука задрожала, строчки поползли вкривь и вкось. Тогда пальцы в ярости сжали ручку и принялись кромсать острым пером исписанный лист. Дыхание стало порывистым, учащенным. Потом замедлилось и сделалось глубоким, как во сне.

Ситуация выходила из-под контроля. Неужели ошибка в расчетах? Ничего, еще все можно исправить. Это будет трудно, но в пределах возможного.

Это всего лишь отсрочка. Затишье перед бурей. Она мне за все заплатит. Они все мне заплатят. «Смуглая Дама» все равно будет моя. Мы соучастники в убийстве, она и я.

Подделка у Миранды. Это единственное возможное объяснение. У полиции ничего нет. Какой смелый поступок, как не похоже на нее! Отправиться во Флоренцию, выкрасть оттуда ста-

туэтку! Кто бы мог подумать, что она на такое способна. Эта возможность мною не учтена.

Подобная ошибка больше не повторится.

Видела ли она Джованни? Наполнились ли ужасом и страхом ее глаза? Надеюсь, что да. Надеюсь, что страх все еще грызет ее изнутри.

Так оно и есть, можно не сомневаться. Она сбежала обратно в Мэн. Даже теперь, вышагивая по пустым коридорам института, она пугливо озирается через плечо. Внутренний голос подсказывает ей, что время на исходе.

Пусть потомится, пусть тешит себя ощущением своей иллюзорной власти. Тем слаще будет миг, когда она лишится всего. Навсегда.

В мои первоначальные планы не входило лишать ее жизни. Но планы меняются.

Когда она умрет, а ее репутация окончательно рухнет, я буду рыдать у ее могилы. От счастья и торжества.

ГЛАВА 24

Кожа под наклеенными усами немилосердно чесалась. Должно быть, весь этот маскарад ни к чему. Контактные линзы, изменившие цвет глаз с карего на голубой, длинный светлый парик, затянутый «конским хвостом», и так далее. На всякий случай он еще осветлил загорелую кожу, придал ей чуть землистый оттенок — такой бывает у людей, которые редко выходят на воздух.

В правое ухо — три сережки. На кончик носа — круглые очки с розовыми стеклами. Неплохая идея — мир сразу стал гораздо симпатичней.

Гардероб он подбирал долго: тугие ярко-красные штаны в обтяжку, ядовито-желтая шелковая рубаха с широкими рукавами, черные кожаные сапоги со скошенными каблуками.

Чем безвкусней, тем лучше.

В конце концов получился свободный художник, обладающий дурным вкусом. Таких вокруг сколько угодно. Изобразить их манеру говорить, их жестикуляцию и мимику проще простого.

Райан еще раз осмотрел себя в зеркале заднего вида. Развалюху для поездки он взял напрокат. Ехать на этом рыдване было сущее мучение, но дорога была недлинной — всего каких-то шестьдесят миль. Хорошо бы вернуться обратно засветло.

Возле литейного заводика «Пайн-стейт» Райан остановился, вынул из багажника дешевую сумку из искусственной кожи. В ней лежали несколько набросков, которые он позаимствовал у Миранды. Без ее ведома.

Копия «Давида», должно быть, была отлита именно здесь. Другого литейного завода в этом регионе нет. Именно сюда чаще всего наведываются студенты института, изучающие скульптуру.

Он вынул жвачку, сосредоточенно задвигал челюстями, озираясь по сторонам. Уродливое сооруженьице, ничего не скажешь: кирпичные корпуса, бесформенные железяки, дымящие трубы. Наверняка нарушены условия сохранения окружающей среды. Ладно, не его дело. Не за тем он сюда приехал.

Закинув «конский хвост» за плечо, Райан подхватил сумку и направился к конторе — приземистому бараку с пыльными стеклами.

Для пущей убедительности он покачивал бедрами, что на каблуках было совсем нетрудно.

Что оказалось внутри? Длинный прилавок, на нем какие-то металлические ящики, набитые арматурой, и какие-то непонятные конструкции. На стуле сидела секретарша, листала журнал для домохозяек.

Она взглянула на Райана и поморщилась. Его вид явно не пришелся ей по вкусу.

— Чем могу помочь?

— Я Фрэнсис Кововски, студент Новоанглийского института истории искусств.

Секретарша потянула воздух носом. Видно, ей не понравился запах его цветочного одеколона. Должно быть, подумала: ну и фрукт, душится такой дрянью.

— И что с того? — недружелюбно спросила она.

— Тут вот какое дело... — Он сделал шаг вперед, застенчиво похлопал ресницами. — Кое-кто из наших ребят отлил у вас свои работы. Понимаете, я учусь на скульптора. В институте я недавно, раньше учился в другом месте.

— Что-то вы староваты для студента.

Райан потупился, смущенно пробормотал:

— Что поделаешь... Все деньги копил. Не мог себе раньше позволить...

Вид у него был несчастный и смущенный — то, что надо. На секретаршу подействовало.

— Понятное дело. Ты чего пришел-то? Хочешь заказать какую-нибудь работу?

— Да. Я тут наброски принес... Хочу узнать, правильно ли я все сделал. — Слегка приободрившись, «студент» открыл сумку. — Один из наших парней сделал у вас маленькую бронзовую статуэтку. Только не может вспомнить имени литейщика. Вот как она выглядела. Это Давид.

— Давид, который с Голиафом? — Секретарша взглянула на рисунок. — Отличная работа. Сам рисовал?

— Да, — просиял художник. — Хочу найти, кто делал отливку, и договориться с ним, чтобы поработал на меня. Времени-то прошло немало — года три.

— Три года? — наморщила лоб секретарша. — Давненько.

— Я знаю. — Райан жалобно шмыгнул носом. — Но для меня это важно... Мой приятель говорит, что мастер был — первый класс. Статуэтка получилась идеально. К тому же мастер знал, как работали старые итальянские мастера, знал все формулы, все приемы. Получился настоящий шедевр — хоть в музей ставь.

Он достал другой рисунок, на котором была изображена «Смуглая Дама».

— Я столько сил вложил в эту работу. Прямо выдохся весь. Глядите, как получилось.

Его глаза зажглись горделивым блеском.

— Отлично! — похвалила секретарша. — Просто замечательно. Тебе, парень, нужно продавать свои рисунки. Ей-богу.

— Вообще-то я подрабатываю, рисую портреты, — доверительно произнес он. — Но меня это не интересует. Просто на хлеб зарабатываю, и больше ничего.

— Уверена, ты добьешься успеха.

— Спасибо. — Он чуть не прослезился. — Знаете, как нелегко мне это дается. Столько ударов, столько разочарований. Иногда хочется сложить руки, отступиться, и будь что будет...

Он взмахнул рукой, словно не мог справиться со своими чувствами. Секретарша сочувственно покивала, протянула ему салфетку.

— Спасибо. — Он осторожно промокнул глаза. — Извините... Но я должен сделать эту статуэтку. И мне нужен для этого самый лучший мастер. Вы не думайте, я заплачу́. Я накопил достаточно денег. Понадобится — приплачу еще.

— Тебе не придется приплачивать, — покровительственно сказала женщина, похлопала его по руке и уткнулась в монитор. — Сейчас посмотрим... Три года назад? Скорее всего это был Уайтсмит. Студенты часто заказывают ему отливать скульптурные работы.

Она защелкала по клавиатуре пальцами с хищными алыми ноготками и подмигнула Райану.

— Не бойся, получишь ты свою пятерку.

— Спасибо вам за помощь. Я когда ехал сюда, так и почувствовал, что сегодня будет удачный день. Какие красивые у вас ногти. Этот цвет вам очень идет.

Поиск занял меньше десяти минут.

— Ну вот, я же говорила. Пит Уайтсмит. Он у нас самый лучший. Другого такого не сыскать. Я и парнишку вспомнила, про которого ты говоришь. Его звали Гаррисон Мазерс. Способный был студент, но ты рисуешь лучше. — Она по-матерински улыбнулась застенчивому молодому человеку.

— Он часто здесь бывал? Я имею в виду Гаррисона.

— Да, сделал тут несколько работ. Все время вертелся около Пита. Нервный такой мальчик, дерганый. Вот и бронзовый «Давид с пращой». Тот самый.

— Отлично. Просто поразительно! А Уайтсмит все еще здесь работает?

— Еще бы, он наш главный мастер. Ты иди в литейный цех и скажи Питу, что я велела отнестись к тебе по-особому.

— Прямо не знаю, как вас благодарить.

— Сколько возьмешь за портрет моих детей?

— Для вас — бесплатно, — улыбнулся «студент».

* * *

— Конечно, помню.

Уайтсмит вытер пот с лица. Такое лицо следовало бы высечь в граните — твердое, с жесткими складками, с глубокими морщинами. Голова мастера была похожа на пулю — сверху узкая, книзу расширяющаяся. Голос сиплый, зычный, способный заглушить рев печей и лязг металла.

— И вы сделали для него эту статуэтку?

Уайтсмит посмотрел на рисунок.

— Да. Гарри очень из-за нее волновался. Написал для меня формулу бронзового сплава. Хотел, чтобы я добавил свинца. Тогда патина образуется быстрее. Ты вот что, подожди-ка меня на улице. У меня сейчас будет перерыв, и я выйду. Потолкуем.

Снаружи, вдали от грохота, разговаривать было легче.

— Я двадцать пять лет литьем занимаюсь, — сказал Уайтсмит, затягиваясь «Кэмелом». — Но я помню ту статуэтку. Классная была вещица. Работать с ней было одно удовольствие.

— И много вы для него сделали работ?

— Для Гарри? Четыре, может, пять. Мы с ним пару лет сотрудничали. Но «Давид» был лучше всех. Когда Гарри принес форму и восковой макет, я сразу понял: это класс. Кстати говоря, после этого мы с ним вместе и не работали.

Мастер еще раз затянулся, выпустил струю дыма.

— В самом деле?

— Да. По-моему, он больше здесь не показывался. Студенты — народ такой. — Он пожал плечами. — Помаячили немножко и исчезли, сам знаешь.

— А еще с кем-нибудь он работал?

— Мне кажется, только со мной. Гарри очень интересовался литьем. Большинству студентов на это наплевать, они зациклены на искусстве. — Это слово Уайтсмит произнес со снисходительной улыбкой. — А я тебе скажу, парень, что художественное литье — это и есть самое настоящее искусство. Хороший литейщик — настоящий художник.

— Это точно! Именно поэтому я хотел разыскать не кого-нибудь, а только вас. «Давид» сделан просто идеально.

— То-то. — Уайтсмит довольно кивнул головой. — Среди

художников попадаются такие снобы, не приведи господь. Для них мы, мастера, — пустое место, рабочий инструмент. А я, между прочим, и художник, и ученый, понял? Если у вашего брата получилась хорошая скульптура, то надо меня благодарить. Но благодарности от вас не дождешься.

— Я знал одного литейщика в Толедо, — вздохнул Райан. — Для меня он был как бог. Честное слово. Надеюсь, Гаррисон вас поблагодарил?

— Да, он был воспитанный парень.

— А из чего был макет?

— Силиконовый. Но это материал тонкий. — Уайтсмит затянулся последний раз и отшвырнул окурок в сторону. — Очень легко напортачить — пустить морщинку или сделать вмятину. Но Гарри знал свое дело. А я работаю с любыми материалами — с воском, песком, глиной, пластиком, — мне все равно. Чистовую обработку тоже делаю. Я универсал. Только терпеть не могу, когда меня торопят.

— А Гарри вас торопил?

— Да, с этим последним заказом он меня прямо загонял. — Уайтсмит недовольно фыркнул. — Можно было подумать, что это сам Леонардо да Винчи не успевает к сроку. — Он пожал плечами. — Но вообще-то парнишка был ничего. Талантливый.

На всякий случай, почти не надеясь на удачу, Райан достал набросок «Смуглой Дамы».

— Как вам эта?

Уайтсмит поджал губы:

— Шикарная бабенка. Я бы ее отлил с удовольствием. С чем придется работать?

Райан напряг все свои скудные познания в скульптуре и сказал:

— Так, смесь воска с пластиком.

— Годится. Подправим, обожжем, отольем. Только смотри, чтобы воск без пузырьков был.

— Само собой.

Райан убрал рисунок, окончательно решив: это человек положительный, ни в чем дурном замешан быть не может.

— А Гарри всегда приезжал сюда один?

— Кажется, да, — ответил Уайтсмит и подозрительно прищурился. — А что?

— Да ничего. Просто мой приятель, который рассказал мне про вас, тоже сюда наведывался. И отзывался о вас очень высоко.

— Как его звали?

— Джеймс Криспин, — сымпровизировал Райан. — Он художник и сюда приезжал просто за компанию. У меня собственная формула бронзы, — добавил он. — Значит, вы сделаете мне отливку?

— Это моя работа.

— Вот и спасибо. — Райан протянул руку. — Созвонимся.

— Мне нравится эта девка, — кивнул Уайтсмит на рисунок. — Нечасто приходится работать с таким классным материалом. Не беспокойся, я сделаю ее как надо.

— Спасибо.

Весело насвистывая, Райан зашагал к машине. Выходило, что утро прошло не зря.

В это время на стоянке затормозил подъехавший автомобиль. Оттуда вышел детектив Кук, с любопытством взглянул на Райана.

— Доброе утро.

Райан небрежно кивнул, поправил свои розовые очочки и неспешно зашагал дальше, а Кук направился к конторе.

Прямо в затылок дышит, подумал Райан. Но, слава богу, не узнал. А значит, маскарад был затеян не зря.

* * *

Вернувшись домой, он отцепил усы, снял парик, с облегчением вынул линзы. Правы те, кто говорит: лишняя осторожность никогда не помешает.

Выходит, Кук догадался о подделке.

Ну и пусть. Когда дело будет закончено, детектив еще пригодится. Это даже хорошо, что он в курсе дела.

В общем, беспокоиться пока не из-за чего.

Райан смыл грим, сварил себе чашку кофе и уселся работать.

В течение двух недель, которые его интересовали, в литейном цехе побывали и сделали заказ восемь студентов. Трое отпали сразу — их скульптуры были слишком велики.

А теперь благодаря Питу и дружелюбной секретарше нашелся тот, кого Райан искал. Он порылся в документах, полученных в институте. Вот класс Гарри Мазерса. Последний семестр был посвящен бронзовой скульптуре эпохи Возрождения.

Ведущий преподаватель — Миранда Джонс.

А вот это уже неожиданность. Райан рассчитывал увидеть другое имя: Картера, Эндрю, еще кого-нибудь, кто мог бы стать подозреваемым. С другой стороны, удивляться нечему. «Давид» связан с Мирандой, «Смуглая Дама» тоже. В Миранде ключ к разгадке. Очень может быть, что Миранда и есть главная цель.

Кто-то из ее студентов отлил бронзового «Давида», того самого, — в этом нет сомнений.

Райан проглядел зачетные ведомости. Миранда была скупа на хорошие оценки. Лишь четверо из двадцати ее учеников заслужили высшую отметку.

И один остался без зачета — он вообще не окончил курса.

Гаррисон К. Мазерс. Дипломный проект не сдан.

Интересно, почему это Гарри не закончил учебу, спросил себя Райан. Всего за десять дней до предполагаемой сдачи проекта он отлил бронзовую статуэтку, однако в институт ее так и не отнес. В чем же дело? Может быть, Гарри вдруг утратил интерес к диплому?

Он взял документы, касающиеся Мазерса. За два года парень сдал экзамены по двенадцати предметам, и все с самыми лучшими оценками. А потом вдруг взял и исчез.

Достав из кармана телефон, Райан позвонил Мазерсу домой.

— Алло, — раздался в трубке женский голос.

— Здравствуйте, это Деннис Сиворт, из учебной части Новоанглийского института истории искусств. Я бы хотел поговорить с Гаррисоном Мазерсом.

— Это миссис Мазерс, его мать. Гарри здесь больше не живет.

— Понятно. Понимаете, мы тут проводим статистическое

исследование, касающееся наших бывших студентов. Вы мне не подскажете, как связаться с вашим сыном?

— Он уехал в Калифорнию, — кисло сообщила женщина. — А ваш институт он так и не окончил.

— Да, я вижу. Хотел спросить у него, почему это произошло. Мы пытаемся выяснить, что не устраивает учащихся в нашей учебной программе.

— Вот-вот, выясните, а потом расскажите мне. Он так хорошо учился, ему так у вас нравилось.

— Приятно слышать. Так могу я с ним поговорить?

— Одну минутку. — И она дала номер телефона в Сан-Франциско.

Райан немедленно позвонил туда, однако ему сообщили, что абонент отсоединен.

«Ладно, съездим в Калифорнию, — решил он. — Да и с братом не грех повидаться.

* * *

— Гаррисон Мазерс?

Миранда непонимающе нахмурилась.

— Кто это?

Ее голова была занята подготовкой к выставке.

— Расскажи мне о Гаррисоне Мазерсе, — повторил Райан.

Она скинула куртку, повесила ее в шкаф.

— А кто такой Гаррисон Мазерс? Почему я должна его знать?

— Несколько лет назад он был твоим студентом.

— Райан, одного имени мне мало. У меня учились сотни студентов.

— Три года назад он был в твоей группе по бронзовым скульптурам Ренессанса. Курса он не окончил.

— Не окончил курса? — Она сосредоточенно нахмурилась. — Гарри?

И тут же улыбнулась — ласково и в то же время печально.

— Да, помню такого. Он учился у нас несколько лет, если не ошибаюсь. Талантливый был мальчик, очень талантливый. Хорошо учился, делал большие успехи. Писал прекрасные работы, великолепно рисовал.

Ей пришлось напрячься, чтобы вспомнить.

— Кажется, он начал пропускать занятия. Да-да, а когда приходил, вид был такой, словно всю ночь не спал. Стал рассеянный, невнимательный, плохо учился.

— Наркотики?

— Не знаю. Может, наркотики, или семейные проблемы, или с девушками что-нибудь. — Она пожала плечами. — Ему было лет девятнадцать-двадцать, мало ли что бывает в таком возрасте! Я с ним беседовала, взывала к его чувству ответственности. Какое-то время это действовало, потом перестало. Гарри просто исчез, в самом конце семестра. Дипломную работу он так и не сдал.

— Однако подготовил. В середине мая отлил бронзовую статуэтку.

Она уставилась на него, медленно опустилась в кресло.

— Ты хочешь сказать, что Гарри замешан в этой истории?

— Я хочу сказать, что он отлил статуэтку «Давида». Из бронзы. Это была его дипломная работа. Экзаменационной комиссии он ее не представил. Хочу также напомнить тебе, что именно в этот период ты проводила тесты и анализы подлинного «Давида». Скажи, Гарри заходил в лабораторию?

Внутри у Миранды все сжалось. Теперь она очень хорошо вспомнила Гарри Мазерса. И ей стало горько.

— Конечно. Там бывал весь курс. Каждого из студентов водят в лабораторию, показывают, как идет реставрация, как делают анализы, как нужно вести исследовательскую работу. Это входит в учебную программу.

— С кем он дружил?

— Не знаю. Я стараюсь не вмешиваться в личную жизнь своих студентов. Я вообще вспомнила его только потому, что он был очень талантливый.

У Миранды заболел затылок. Видно, совсем заработалась. Перенапряглась.

— Райан, он был совсем мальчик. Он не может быть причастен к этой афере.

— Когда мне было двадцать лет, я украл мозаичную икону Мадонны из частной коллекции в Вестчестере. А потом в тот же день отправился с друзьями есть пиццу.

— И ты смеешь этим хвастаться?

— Я не хвастаюсь, а просто хочу тебе объяснить, что возраст никоим образом не связан с поступками человека. Вот если бы я хотел похвастаться, я рассказал бы тебе про бронзовую лошадь эпохи Тан, которую я стащил из музея «Метрополитен» несколько лет назад. Но не буду, — вздохнул он. — Вижу, что тебя это расстраивает.

Миранда мрачно смотрела на него:

— И ты надеешься такими шуточками поднять мне настроение?

— Не вышло? Тогда попробуй вот это.

Он налил ей белого вина.

Миранда рассеянно взяла бокал, но пить не стала.

— Как ты вышел на Гарри?

— Сделал маленькую экскурсию, провел разведку.

«Какой расстроенный у нее вид», — подумал Райан, сел на подлокотник кресла и принялся массировать ей шею и плечи.

— Знаешь, мне придется на несколько дней уехать.

— Зачем? Куда?

— В Нью-Йорк. Нужно утрясти кое-какие детали. Например, договориться о транспортировке картин. И еще я хочу съездить в Сан-Франциско. Поищу твоего Гарри.

— Он в Сан-Франциско?

— Так считает его мама. Но там телефон не отвечает.

— И все это ты выяснил сегодня?

— У тебя своя работа, у меня своя. Кстати, как идут дела?

Она нервно провела рукой по волосам. У этого ворюги просто волшебные пальцы — от его массажа мускулы стали как шелковые.

— Я выбрала ткань для драпировок, договорилась с плотником, который изготовит настилы. Приглашения уже напечатаны. Я утвердила макет.

— Отлично, все идет по расписанию.

— Когда ты едешь?

— Рано утром. Вернусь через недельку или около того. Я буду поддерживать с тобой связь.

Он почувствовал, что она начинает расслабляться, и принялся перебирать ее волосы.

— Может, будет лучше, если Эндрю вернется домой? Я не хочу, чтобы ты находилась в доме одна.

— Ничего страшного, я люблю быть одна.

— А мне страшно.

Он потянул ее к себе, поднял на ноги, а потом усадил к себе на колени. Отобрал бокал с вином, поставил в сторону.

— Ну раз уж твоего братца пока нет...

Райан обнял ее за плечи и поцеловал.

Вообще-то он собирался ограничиться легким поцелуем, но ее губы были такими притягательными, что легкий поцелуй перешел в страстный, и обоих пронизала сладостная дрожь.

Миранда обхватила его за шею, и Райан совсем потерял голову.

Все смешалось — запахи, цвета, контуры.

Его пальцы лихорадочно расстегивали пуговицы на ее блузке, скользили по плечам, ласкали грудь.

Ни слова — только вздохи, стоны, всхлипы.

После долгой паузы Райан раздраженно пробормотал:

— Никак не могу тобой насытиться. Мне все кажется, что пора остановиться, однако не получается.

Никто еще не смотрел на нее с такой жадностью. Миранда чувствовала, что проваливается в глубокий омут, тонет в море чувств. Рассудок отключился. Остались только эмоции, жажда, прерывистое дыхание.

Его пальцы были легки, как крылья волшебной птицы. Внутри у Миранды все сжималось, а когда он слегка укусил ее за сосок, она вскрикнула.

Изогнув спину, она подалась ему навстречу, желая только одного — чтобы он набросился на нее и она растаяла в нем без остатка.

Ее руки жадно шарили по его телу и все не могли насытиться касанием.

Миранда крепко обхватила бедра Райана ногами, и он сорвал с себя остатки одежды.

Они упали на пол, и Миранда оказалась сверху. Глядя друг другу в глаза, они самозабвенно занялись любовью.

Ее рыжие волосы разметались по плечам, взгляд затуманился. Электрические искры пробегали по ее телу. Она двигалась все быстрее, все сильнее, дыхание стало сбивчивым, судорожным. Но, даже когда ее тело задрожало в конвульсиях оргазма, Райан не остановился. Он двигался все так же мощно и неудержимо. Миранда почувствовала, как на нее накатывает вторая волна наслаждения, и закричала странным, не своим голосом.

Райан увидел, как по ее лицу пробежала мимолетная, такая женская улыбка.

«Неизвестно еще, кто ценнее — «Смуглая Дама» или Миранда», — внезапно подумал он. И в тот же миг сам испытал оргазм.

«Это моя судьба», — пронеслось у него в голове.

А в следующую секунду он уже ничего не помнил и ни о чем не думал.

— Господи, — пробормотал Райан, немного придя в себя. Никогда еще он не испытывал с женщиной подобных ощущений. Ему казалось, что их тела слились в единую расплавленную массу. — Миранда, как же я буду по тебе скучать, — сказал он, погладив ее по спине.

Она молчала, глаз не открывала. Где-то в самой глубине ее сердца жила уверенность — он не вернется.

* * *

Утром, когда Миранда проснулась, на подушке лежала записка.

Доброе утро, доктор Джонс. Я приготовил кофе. Если не проспите — он не успеет остыть. Между прочим, у вас в холодильнике кончились яйца. Созвонимся.

Чувствуя себя влюбленной школьницей, Миранда прочитала записку раз десять. Ей казалось, что каждое слово здесь — признание в любви.

Она заглянула в бархатную коробочку, где лежало кольцо, подаренное Райаном.

Странная вещь — кольцо исчезло.

* * *

Самолет приземлился в 9.30, а через полтора часа Райан уже был у себя в галерее. Она была гораздо меньше, чем Новоанглийский институт. Скорее, походила на частный дом.

Но в этом частном доме были высоченные потолки, широкие арки, просторные лестницы. Мраморные и паркетные полы накрыты коврами, представлявшими не меньшую ценность, чем выставленные здесь картины и скульптуры.

Кабинет владельца находился на четвертом этаже. Комнатка была совсем небольшая — почти вся площадь в этом здании была отведена под выставочное пространство. Однако кабинет был комфортабелен и содержался в идеальном порядке.

Три часа Райан провел за письменным столом. Секретарша ввела его в курс дел; потом он поговорил с менеджером о новых приобретениях; проверил и одобрил меры безопасности при отправке полотен в Мэн.

Не забыл он назначить и пресс-конференцию, позвонил в ателье, чтобы ему сшили новый смокинг, а заодно договорился, чтобы сшили платье и его матери.

Все семейство должно было прибыть в Мэн на банкет.

Следующим пунктом в повестке был звонок двоюродному брату, который работал в бюро путешествий.

— Привет, Джой. Это Рай.

— Привет-привет, мой любимый клиент. Как делишки?

— Неплохо. Мне нужен билет в Сан-Франциско. На послезавтра. Возвращение — с открытой датой.

— Никаких проблем. На чье имя заказать?

— На мое.

— Что-то новенькое. Ладно, сделаю. Ты где сейчас?

— Дома. Потом, еще закажи моей семье билеты в Мэн. — Он сообщил дату.

— Понял. Первым классом?

— Естественно.

— Иметь с тобой дело, Рай, — сплошное удовольствие.

— Рад слышать. Тем более что у меня есть к тебе просьба.

— Какая?

— Я дам тебе список имен. А ты выяснишь, куда и когда летали эти люди. За последние три с половиной года.

— За три с половиной года?! Рай, ты спятил!

— Меня интересуют только международные рейсы. В особенности в Италию и из Италии. Ты готов записывать имена?

— Слушай, Рай, я люблю тебя, как родного брата. Но ведь эта хреновина займет несколько дней, а то и недель. Не говоря уж о риске. Ты ж понимаешь, дело непростое — раздобыть такую информацию. Авиакомпании держат ее при себе.

Все это Райан слышал уже и раньше.

— У меня абонемент на весь бейсбольный сезон. Ложа для особо почетных гостей плюс пропуск в раздевалки спортсменов.

В трубке воцарилось молчание.

— Ладно, давай свои имена.

— Я знал, Джой, что могу на тебя положиться.

Покончив с этим делом, Райан откинулся на спинку кресла и вынул из кармана кольцо, некогда подаренное Миранде. Оно вспыхнуло ослепительными искрами.

Надо будет отнести его к ювелиру. Пусть сделает серьги. Серьги — это лучше, чем кольцо. Женщины, даже самые разумные, воспринимают дарение кольца неправильно.

Этот жест ей понравится. В конце концов, он ведь многим ей обязан. Закажет серьги и отправит их почтой. Когда статуэтки будут в надежном месте.

Когда Миранда поостынет, она поймет, что он поступил логично. Нельзя же было надеяться, что он уйдет с пустыми руками.

Райан сунул кольцо в карман, чтобы не думать, как оно выглядело бы на ее руке.

Миранда получит то, чего хочет. Они докажут, что статуэтки были подлинными, и найдут преступника. Слава, почет, всеобщее обожание — все это достанется Миранде Джонс.

А Райану достанутся статуэтки. На «Смуглую Даму» покупатели наверняка найдутся. От них просто отбою не будет — выбирай любого. И плата, которую он получит, с лихвой покроет затраты времени и труда.

А может быть, оставить статуэтку себе? Она станет жемчужиной всей его коллекции.

Нет, бизнес есть бизнес. Если попадется хороший клиент, который назначит хорошую цену, то на эти деньги можно будет открыть новую галерею в Чикаго, Атланте или Мэне.

Нет, от Мэна теперь придется держаться подальше.

А жаль. Ему начало там нравиться: море, скалы, сосны. Пожалуй, он будет скучать по Мэну.

И по Миранде.

Ничего не попишешь. Придется закрыть эту страницу и открыть новую. Отныне Райан Болдари будет совершенно легальным бизнесменом от искусства. Сдержит слово, данное семье, сдержит слово, данное Миранде. Ну, процентов на восемьдесят.

И все останутся довольны.

Он сам виноват, что слишком увлекся этой женщиной. Не надо было жить с ней под одной крышей.

Ему нравилось просыпаться рядом с ней. Это уже становится опасным. Стоять рядом с ней на обрыве, слушать ее хрипловатый голос, любоваться ее неяркой улыбкой. Она нечасто появлялась на лице Миранды, но зато наполняла ее лицо особенным светом.

В том-то и штука — в этой женщине нет ничего, что было бы ему не по нраву.

Очень хорошо, что они на время расстались. Теперь можно будет привести свои нервы в порядок.

Все это было совершенно разумно, но сердце отчего-то ныло.

* * *

Миранда старалась про него не думать. Неважно — вспоминает он ее или нет. Гораздо продуктивнее сосредоточиться на работе.

Похоже, кроме работы, в ее жизни теперь все равно ничего не останется.

В принципе эта тактика почти срабатывала. С утра до вечера Миранда была занята подготовкой к выставке. Если же мысль ненароком сворачивала в запретную зону, всегда находилось неотложное дело, требовавшее внимания.

Надо привыкать к одиночеству. Другого выхода нет.

Однажды Миранда, как обычно, собиралась закрыть кабинет на ключ и идти домой — время было вечернее, — но компьютер вдруг пискнул, извещая, что поступило сообщение по электронной почте. Миранда как раз ждала ответа от декоратора, который должен был доложить о том, как выполняется заказ на изготовление драпировок.

На мониторе в секторе «поступление сообщений» появился заголовок «Смерть близка».

Миранда встревоженно раскрыла сообщение и прочла:

У тебя фальшивая статуэтка. На ней кровь. Признай ошибку, заплати сполна и живи. Не отступишься — она тебя убьет. Убийство ей к лицу.

Миранда смотрела на экран непонимающим взглядом, читая короткие фразы вновь и вновь.

Кто-то хочет ее запугать. И, кажется, своего достиг.

Они знают, что у нее — фальшивка. Значит, кто-то видел ее с Джованни. Или же Джованни кому-то проговорился. Тому, кто убил его, а теперь хочет убить ее.

Взяв себя в руки, она взглянула на обратный адрес. «Потерянный 1». Кто это — «Потерянный 1»? Судя по серверу, письмо было отправлено из какого-то филиала «Станджо». Впрочем, все филиалы пользовались этим сервером, так что понять, откуда именно пришло сообщение, было трудно. Миранда быстро нажала на кнопку «ответ» и набрала: *«Кто вы?»*

Отправила послание, стала ждать. На дисплее вспыхнула надпись: *«Пользователь неизвестен»*.

Быстро же он замел следы, подумала Миранда. Но ничего, след все-таки остался. Путь сообщения наверняка можно будет восстановить. Она скопировала послание на жесткий диск.

Время близилось к шести. Надо ехать домой. Там пусто, никого нет. Никто ее не ждет, никто не поможет.

Она совсем одна.

ГЛАВА 25

— Есть какие-нибудь вести от Райана?

Миранда сделала вид, что поглощена изучением списка картин, которые временно следовало убрать из Южной галереи.

— Да, его офис регулярно присылает нам факсы, касающиеся графика транспортировки. Картины прибудут в следующую среду. Наша служба безопасности встретит их в аэропорту.

Эндрю внимательно посмотрел на сестру, пожал плечами.

Она отлично поняла, что брат спрашивал ее не об этом. С отъезда Райана прошла неделя.

Эндрю задумчиво сунул руку в пакет с соленым печеньем. В последнее время он поглощал этот продукт буквально тоннами. Все время его мучила жажда, он без конца пил воду и едва успевал бегать в туалет.

Считалось, что такая методика позволяет организму вымыть из себя все токсины.

— Мисс Пердью и Клара ведут переговоры с ресторатором, — сообщил Эндрю. — Мы пока точно не знаем, сколько будет приглашенных, но меню следует согласовать заранее. Прогляди его, пожалуйста, прежде чем мы подпишем контракт. Ведь на этом шоу главная — ты.

— Не я, а мы, — поправила Миранда, по-прежнему глядя в список. Ей хотелось, чтобы ненужные картины были убраны из галереи как можно скорее. Заодно будет возможность их подреставрировать.

— Надеюсь, выставка нас не разочарует, — сказал Эндрю. — Из-за подготовки мы вынуждены на время закрыть галерею. Посетители недовольны.

— Ничего, пусть приходят через пару недель. Не пожалеют. — Она сняла очки и потерла глаза.

— Ты слишком много работаешь.

— Это потому, что работы много, а времени не хватает. Да и потом, мне нравится вся эта возня.

— Понимаю. — Он снова захрустел печеньем. — Ни мне, ни тебе свободное время сейчас ни к чему.

— Как у тебя дела?

— Ты имеешь в виду, пью ли я? — раздраженно огрызнулся он, но тут же виновато потупился. — Извини. Нет, ничего крепкого я не пью. Я вообще не пью.

— Я вижу. И вопрос был не об этом.

— Нормально дела. Терпеть можно.

— Я рада, что ты вернулся домой. Но если ты предпочитаешь жить у Энни...

— Понимаешь, я хотел бы жить у Энни. Но оставаться с ней под одной крышей и спать в соседней комнате — это не по мне. Думаю, объяснять не нужно.

— Не нужно. — Она потянулась и взяла у него из пакета печенье.

— Когда Райан вернется?

— Не знаю.

Они молча хрустели печеньем, каждый думал о своем.

— Может быть, пойдем напьемся? — подмигнул Эндрю. — Не пугайся. Это была шутка.

— Ха-ха. Не пугай меня такими шутками. — Она слизнула языком крупицы соли. — Поди-ка принеси еще печенья.

* * *

Прибыв в Сан-Франциско, Райан первым делом заглянул в галерею. Она располагалась в старом складском помещении, расположенном на набережной. Райан специально выбрал эту постройку — чтобы было как можно просторней. Кроме того, с его точки зрения, нужно было обосноваться подальше от квартала, где располагались все прочие галереи.

План сработал. Галерея Болдари пользовалась популярностью. Она предназначалась для талантливых начинающих художников, которые устраивали здесь свои первые выставки.

В отличие от нью-йоркской галереи, здесь была раскованная, богемная обстановка. Картины висели на голых кирпичных стенах, скульптуры стояли на металлических постаментах. Широкие окна выходили на залив и набережную, всегда заполненную туристами.

На втором этаже находилось кафе, где художники и ценители искусства пили пенистый капуччино, поглядывая вниз, в выставочный зал.

На третьем этаже располагались мастерские художников.

Райан сел за свободный столик, подмигнул брату Майклу.

— Ну, как идет бизнес, братишка?

— Помнишь ту металлическую скульптуру, которая была похожа на раздавленное ведро?

— По-моему, я сказал, что она похожа на раздавленный клоунский цилиндр.

— Неважно. Вчера она ушла за двадцать с лишним тысяч.

— Что ж, у многих людей денег больше, чем вкуса. Как семья?

— Сам увидишь. Мы ждем тебя к ужину.

— Приду.

Райан откинулся назад, разглядывая Майкла, а тот тем временем заказал кофе.

— Такая жизнь для тебя в самый раз, — заметил Райан. — Семья, благоустроенный дом, тихая работа.

— Еще как устраивает. Я не собираюсь ее менять. Тебе, кстати, моя семейная жизнь только на пользу. Наша мамочка оставила тебя в покое и донимает меня.

— Не больно-то оставила. Вчера я ее видел. У меня задание — я должен привезти новые фотографии ребятишек. Она говорит, что совсем забыла, как они выглядят.

— Да мы в прошлом месяце послали ей миллион фотографий.

— Следующую порцию передашь лично. Я хочу, чтобы вы приехали на выставку и банкет, которые я устраиваю в Новоанглийском институте. Ты ведь получил мое послание?

— Получил.

— Приедете?

Майкл посмотрел на чашку дымящегося кофе.

— А чего ж не приехать? Думаю, получится. Ребята с удовольствием прокатятся в Нью-Йорк, подерутся с кузенами и кузинами, папа будет тайком закармливать их пирожными. А я воспользуюсь случаем и посмотрю на доктора искусствоведения, мама мне все уши о ней прожужжала.

— Ты о Миранде?

— Да. Какая она?

— Умная, талантливая.

— Умная и талантливая?

Майкл осторожно отпил кофе, обратив внимание на то, что старший брат нервно барабанит пальцами по столу. С Райаном такое случалось нечасто. Должно быть, «умная и талантливая» здорово его зацепила.

— Мама говорит, что она красотка. Рыжие волосы и все такое.

— Да, волосы у нее рыжие.

— Раньше ты был падок на блондинок. — Майкл расхохотался. — Да ладно тебе, Рай, расскажи. Что там у вас с ней происходит?

— Красивая женщина. Сложный характер. И вообще там все сложно. — Райан сжал пальцы в кулак. — Мы с ней ведем дела разного рода.

Майкл удивленно приподнял бровь:

— В самом деле?

— Обойдемся без подробностей. — Райан подумал, что быть вдали от Миранды — настоящее мучение. — В общем, мы с ней ведем одновременно два проекта. И выставка — только один из них. Кроме того, у нас личные отношения. Мы с удовольствием проводим время друг с другом. Думаю, это все.

— Если бы это было все, ты бы так не дергался.

— Я не дергаюсь. Просто история сложная. Я же сказал.

Майкл неопределенно хмыкнул и представил себе, как будет рассказывать жене потрясающую новость: Райан втюрился в какую-то рыжую искусствоведшу из Мэна.

— Ничего, ты всегда умел выходить сухим из сложных ситуаций.

— Это точно. — Райан самоуверенно кивнул. — Во всяком случае, я приехал сюда не просто так. Ищу одного молодого художника. У меня есть адрес, но сначала я решил наведаться к тебе. Гаррисон Мазерс. Скульптор. Слышал о таком?

— Мазерс? — Майкл нахмурился. — Нет, не припоминаю. Могу проверить, порыться в картотеке.

— Поройся. Я не уверен, что найду его по указанному адресу.

— Если он живет в Сан-Франциско и продает свои работы, мы его найдем. Ты видел его скульптуры?

— Видел, — буркнул Райан, вспомнив бронзового «Давида».

* * *

Мазерс жил на третьем этаже довольно паршивого многоэтажного дома, расположенного в одном из непрестижных кварталов. Накрапывал мелкий дождик, когда Райан отыскал нужный адрес. В подъезде кучковались сомнительного вида подростки, явно замышлявшие что-то недоброе. На одном из исцарапанных почтовых ящиков Райан увидел надпись: «Г. Мазерс, кв. 3б».

На лестнице пахло мочой и плесенью.

У двери квартиры 3б Райан остановился. Кто-то нарисовал на ней мелом средневековый замок — с башнями, подъемными мостами, зубчатыми стенами. Замок был красивый, как в сказке. Любопытная деталь — в одном из зарешеченных окон виднелось искаженное ужасом лицо.

Что ж, у Гарри и в самом деле есть талант, подумал Райан. Его дом — его крепость, а сам он — перепуганный узник.

На стук никто не ответил. Однако минуту спустя распахнулась дверь напротив. Райан резко обернулся и увидел молодую женщину с густо размалеванным лицом. Так красятся только шлюхи, отправляющиеся на ночную работу. Глаза женщины были холоднее арктического льда. Короткие каштановые волосы торчали ежиком, из чего следовало, что при исполнении служебных обязанностей красотка надевает парик.

Райан окинул взглядом пышное тело, затянутое в открытый халатик, и замер, увидев зияющий ствол револьвера сорок пятого калибра. Райану показалось, что дуло шире Тихого океана и направлено ему прямо в лоб.

В таких случаях лучше всего смотреть прямо в глаза оппоненту и не делать резких движений. Широко улыбнувшись, он сказал:

— Я не шпик и ничего не продаю. Просто ищу Гарри.

— Я думала, это снова тот пришел, — хрипло сказала женщина, но пистолет не убрала.

— Очень рад, что вы ошиблись, — еще жизнерадостнее улыбнулся Райан. — Не могли бы вы направить пушку куда-нибудь в сторону?

Она изучающе посмотрела на него, потом пожала плечами.

— Почему бы и нет? — Опустила револьвер, прислонилась к двери. — Тот тип мне очень не понравился. Да и хам изрядный.

— Пока у вас в руке пушка, я буду сама галантность.

Тут она наконец улыбнулась:

— Ладно, умник. Чего тебе нужно от Рембрандта?

— Поговорить.

— Его нет дома. Я уж пару дней его не видела. Так я тому типу и сказала.

— Ясно. А где он? Я имею в виду Гарри.

— Это не мое дело. Я в его жизнь не суюсь.

— И правильно. — Райан осторожно вынул из кармана бумажник, достал оттуда пятидесятидолларовую купюру. — Уделите мне пару минут?

— Посмотрим. Добавишь еще полсотни — в твоем распоряжении целый час. — Она скептически взглянула на него и вздохнула. — Да нет, не похож ты на тех, кто платит за секс.

— Мне нужно только поговорить, — сказал он, протягивая купюру.

Она быстро цапнула банкноту и посторонилась:

— Ладно, проходи.

В комнате были кровать, стул, два обшарпанных столика и металлический платяной шкаф. Насчет парика Райан не ошибся — их было два: один светлый, другой черный. Парики красовались на пенопластовых болванках.

Еще в комнате был туалетный столик с зеркалом и целая полка косметики.

При всей скудости обстановки здесь было чисто и аккуратно, как в аптеке.

— За полсотни могу угостить и пивом, — сказала проститутка.

— С удовольствием.

Она достала из маленького холодильника банку пива, а Райан заинтересовался бронзовой статуэткой дракона, стоявшей на столике.

— Неплохая вещица.

— Да, классная штука. Это Рембрандт сделал.

— Талантливый парень.

— Вроде того.

С ее плеча сполз халат, но женщина и не подумала его поправить. В конце концов, пусть клиент полюбуется — может, захочет потратить еще полсотни.

— Я сказала, что дракошка мне нравится, и мы с Рембрандтом осуществили бартер.

Она улыбнулась, протягивая Райану банку пива.

— Так вы дружите?

— Он нормальный. Не пытается трахнуться на дармовщинку. А однажды была такая история. Пришел ко мне один тип, который любит давать волю рукам. Ну и принялся меня колошматить. Так что ты думаешь? Рембрандт постучал в дверь и крикнул, что это полиция. — Она ухмыльнулась. — Придурок выскочил в окно, даже штаны забыл. В общем, Рембрандт — в порядке. Правда, часто хандрит, «травку» покуривает, но чего ты хочешь — художник есть художник.

— А друзей у него много?

— В этом доме друзей ни у кого нет. Рембрандт прожил

здесь года два, но сегодня я впервые видела, чтобы к нему пришли один за другим сразу два гостя.

— А кто был первый?

Она вынула из кармана халата купюру, еще раз посмотрела на нее.

— Здоровенный облом. Страхолюдный. Похож на вышибалу. Сразу видно, что любит ломать кости. Говорит, хочет купить какую-нибудь из работ Рембрандта, но я вижу, что врет. На ценителя искусства не похож. Когда я сказала, что Рембрандта нет, принялся на меня орать.

Она немного поколебалась, пожала плечами:

— Я заметила, что он при пушке. У него пиджак под мышкой оттопыривался. Поэтому захлопнула дверь и достала своего дружка. — Она кивнула на свой револьвер, торчавший из другого кармана. — А через пару минут и ты заявился. Я же говорю, сначала я подумала, это он вернулся.

— Какого он был роста?

— Как минимум метр девяносто. Ручищи как у гориллы, толстые пальцы. Глазки маленькие, гнусные. Когда ко мне такие подкатывают на улице, я даю им от ворот поворот.

— И это правильно.

По описанию это был тот же тип, который напал на Миранду. Значит, Гаррисону Мазерсу повезло — хорошо, что его не оказалось дома.

— А ты-то чего хочешь от Рембрандта?

— Я торгую произведениями искусства.

Райан достал из кармана визитную карточку.

— Класс!

— Если вернется Гарри, пусть свяжется со мной. Скажи, что мне нравятся его работы. В общем, нам есть о чем поговорить.

— Само собой.

Она взяла карточку, потерла золотую монограмму.

— Слушай, умник... — Ее палец игриво провел по его груди. — На улице холодно, дождик. Если хочешь потолковать со мной еще, я дам тебе скидку.

Когда-то Райан был влюблен в девушку, говорившую с точно таким же бронксским акцентом. Это сентиментальное воспоминание заставило его вынуть из бумажника еще полсотни.

— Вот. Это тебе за помощь и за пиво. — Он взглянул еще

раз на бронзового дракона. — Если будешь на мели, отнеси дракона моему брату Майклу. У него галерея на набережной. Получишь хорошие деньги.

— Ладно, учту. Ты тоже заходи, если передумаешь. — Она чокнулась с ним пивом. — За мной должок. Получишь бесплатное обслуживание.

Райан попрощался с ней, пересек коридор и в одну секунду открыл замок двери Мазерса.

Квартирка оказалась точь-в-точь такая же, как у соседки. В углу стоял сварочный аппарат. Вряд ли владелец дома об этом знает — иначе счел бы нарушением противопожарной безопасности. Несколько металлических конструкций и скульптур стояли на полу. Райану они не понравились. Видимо, всерьез Гарри занимался только бронзой. В этом Райан убедился, увидев маленькую статуэтку обнаженной женщины, стоявшую на крышке унитаза.

Очевидно, автору работа не понравилась, вот он и решил выставить ее в таком неподобающем месте.

Обыск занял не более пятнадцати минут. Обстановка практически отсутствовала: матрац на полу да прожженная сигаретами тумбочка — вот и вся мебель.

На полу валялись листы бумаги, блокноты. Райан порылся в рисунках и убедился, что Миранда была права — у парня хорошая рука и верный глаз.

Единственной ценностью в квартире был запас красок, аккуратно разложенных по металлическим ящикам.

Райан заглянул на кухню. В холодильнике шесть банок пива, три яйца, заплесневевший бекон, шесть порций «замороженного ужина». В коробочке из-под чая «Липтон» обнаружились четыре сигареты с марихуаной.

Из денег — шестьдесят три цента. Ни писем, ни записок. Возле телефонного аппарата извещение об отключении номера за неуплату.

Куда и зачем отправился Гарри — непонятно. Непонятно и то, когда он намерен вернуться.

«Ничего, вернется, — подумал Райан. — Ни за что он не оставил бы свои драгоценные краски и марихуану.

А как только вернется и увидит визитную карточку, сразу позвонит. Бедные художники — публика неразумная, но предсказуемая. Есть то, что для них дороже всего на свете — надежда обзавестись собственным меценатом».

— Возвращайся поскорей, Гарри, — прошептал Райан и вышел за дверь.

ГЛАВА 26

Миранда, как зачарованная, смотрела на бумагу, выползающую из факса. На сей раз послание было сплошь набрано заглавными буквами. Фразы словно захлебывались криком.

ТЫ НЕ ВСЕГДА ВНУШАЛА МНЕ НЕНАВИСТЬ. НО ВСЕГДА НАХОДИЛАСЬ ПОД ПРИСТАЛЬНЫМ НАБЛЮДЕНИЕМ. ГОД ЗА ГОДОМ. ПОМНИШЬ ТУ ВЕСНУ, КОГДА ТЫ ОКОНЧИЛА АСПИРАНТУРУ — РАЗУМЕЕТСЯ, С ОТЛИЧИЕМ — И У ТЕБЯ НАЧАЛСЯ РОМАН С ТЕМ АДВОКАТОМ. ЕГО ЗВАЛИ ГРЕГ РОУ. ОН БРОСИЛ ТЕБЯ, ПОСЛАЛ К ЧЕРТУ, ПОТОМУ ЧТО ТЫ БЫЛА СЛИШКОМ ХОЛОДНАЯ И НЕВНИМАТЕЛЬНАЯ. ПОМНИШЬ ЕГО, МИРАНДА?

ТАК ВОТ, ОН РАССКАЗЫВАЛ ВСЕМ ТВОИМ ДРУЗЬЯМ, ЧТО В ПОСТЕЛИ ПРОКУ ОТ ТЕБЯ МАЛО. ТЫ ЭТОГО НЕ ЗНАЛА? ТЕПЕРЬ БУДЕШЬ ЗНАТЬ.

Я ВСЕ ВРЕМЯ НЕПОДАЛЕКУ. Я ВСЕ ВРЕМЯ БЛИЗКО ОТ ТЕБЯ.

ТЫ ЧУВСТВУЕШЬ, КАК Я ЗА ТОБОЙ НАБЛЮДАЮ?

ЧУВСТВУЕШЬ МОЙ ВЗГЛЯД ПРЯМО СЕЙЧАС?

ВРЕМЕНИ ОСТАЛОСЬ МАЛО. ТЕБЕ СЛЕДОВАЛО ДЕЛАТЬ ТО, ЧТО Я ВЕЛЮ. НУЖНО БЫЛО СМИРИТЬСЯ. И ТОГДА ВСЕ ПОЛУЧИЛОСЬ БЫ, КАК Я ХОЧУ. И ДЖОВАННИ ОСТАЛСЯ БЫ ЖИВ.

ТЫ ОБ ЭТОМ ДУМАЕШЬ ХОТЬ ИНОГДА?

ТЫ НЕ ВСЕГДА ВЫЗЫВАЛА ВО МНЕ НЕНАВИСТЬ, МИРАНДА. НО ТЕПЕРЬ Я ТЕБЯ НЕНАВИЖУ.

ТЫ ЧУВСТВУЕШЬ МОЮ НЕНАВИСТЬ? НИЧЕГО, ЕЩЕ ПОЧУВСТВУЕШЬ.

* * *

Бумага дрожала в ее пальцах. В больших кричащих буквах было что-то детское. Такие записки когда-то писали в школе мальчишки-хулиганы. Кто-то хотел ее оскорбить, унизить, запугать. Ничего у них не выйдет!

Но когда пискнул интерком на столе, Миранда от неожиданности вздрогнула и скомкала факс. Потом почему-то разгладила его и ответила на вызов:

— Да?

— Доктор Джонс, пришел мистер Болдари, — раздался голос Лори. — Спрашивает, не примете ли вы его.

Райан. Миранда чуть было не произнесла его имя вслух.

— Попросите его немного подождать, пожалуйста.

— Конечно.

Он вернулся! Миранда потерла щеки, чтобы к ним прилила кровь. Не хватало еще, чтобы он увидел ее такой бледной. В конце концов, у нее есть своя гордость. И уж, во всяком случае, она не станет распахивать дверь и бросаться ему в объятия. Вот еще!

Он отсутствовал две недели, и за все время ни разу не позвонил. То есть, конечно, какие-то сообщения были — телексы, электронная почта, факсы. Все подписаны его именем, но составлены, разумеется, секретарем.

Миранда наскоро причесалась, подкрасила губы.

Не слишком-то он церемонился, как говорится, поматросил и бросил. А всю деловую переписку поручил своим сотрудникам.

Ничего, она не будет устраивать ему сцену. Бизнес есть бизнес. Нужно довести дело до конца.

Он, наверное, думает, что она без него жить не может? Что она думала о нем днем и ночью? Если и так, он об этом не узнает.

Она глубоко вздохнула, уложила факс в ящик, где лежали предыдущие. Теперь эти послания приходили ежедневно. Иногда строчка, иногда две, но подчас аппарат выплевывал и такие длинные, как сегодня. По электронной почте больше ничего не приходило.

Она закрыла ящик на ключ, положила его в карман. Лишь после этого направилась к двери.

— Райан. — На ее лице появилась вежливая улыбка. — Извини, что заставила тебя ждать. Пожалуйста, входи.

Лори с любопытством посмотрела на нее, на него, откашлялась:

— Если будут звонить, соединять?

— Конечно, соединяйте. Райан, не хочешь ли...

Она не договорила. Он закрыл за собой дверь и впился в нее жадным, голодным поцелуем.

Усилием воли Миранда заставила себя держать руки по швам. Ее губы не ответили на поцелуй.

Райан отодвинулся и оценивающе взглянул на нее.

— Как прошла поездка? — холодно спросила она.

— Она была слишком длинной. Где ты была, Миранда?

— Я-то была здесь... Уверена, что ты хочешь увидеть окончательный вариант дизайна. Все рисунки готовы. Если хочешь, мы можем спуститься вниз, и я покажу тебе все сама. Думаю, тебе понравится.

Она взяла со стола рулон бумаги.

— Это подождет.

Миранда искоса взглянула на него:

— Тебе хочется чего-то другого?

— Вот именно. Но, я вижу, с этим тоже придется подождать.

Прищурившись, он медленно придвинулся к ней. Казалось, он видит ее впервые. Его рука взяла ее за подбородок, подняла лицо кверху.

— Я так скучал по тебе. — В его голосе звучало удивление, словно он пытался и никак не мог решить сложную загадку. — Я не ждал этого. И не хотел.

— В самом деле? — Она сделала шаг назад, потому что от его прикосновения кружилась голова. — Вероятно, поэтому ты так часто и звонил?

— Именно поэтому я не звонил.

Он сунул руки в карманы. Чувствовал себя последним дураком. В животе все так и прыгало. Кто бы мог подумать, что он способен на такие глупые эмоции.

— А почему ты не звонила? Я ведь оставил свой номер телефона.

Она вскинула голову. Какое редкое зрелище — Райан Болдари смущен.

— Да, твои многочисленные помощники всякий раз сообщали мне, как и где с тобой можно связаться. Но подготовка шла нормально, без проблем. Я не видела необходимости тебя беспокоить. Что же касается другого нашего проекта, то ты не посвящаешь меня в подробности, поэтому я не считаю себя вправе вмешиваться.

— Я не думал, что ты так много для меня значишь. — Он

чуть раскачивался на каблуках, словно никак не мог восстановить равновесия. — Я этого не хочу. Мне это не нравится. Мне это мешает.

Она быстро отвернулась, чтобы он не увидел, как ее взгляд потемнел от обиды.

— Райан, если ты хотел закончить наш роман, мог бы сделать это по-человечески. Не так жестоко.

Он положил ей руки на плечи, развернул к себе.

— Неужели похоже, что я хочу его закончить? — Прижал ее к себе, поцеловал снова. — Как, похоже или нет?

— Перестань играть со мной в свои игры!

Она не сопротивлялась. Голос был слабым, дрожащим. Можно было себя за это презирать, но голос все равно не слушался.

— Я не гожусь для таких игр... — прошептала она.

— Надо же, я не думал, что способен тебя обидеть.

Он больше не сердился. Пальцы разжались, прикосновение из угрожающего стало ласкающим.

— Почему-то меня это радует. Должно быть, я последняя скотина.

— Я думала, ты не вернешься.

Она высвободилась, сказала, словно обращаясь сама к себе:

— Меня обычно бросают с необычайной легкостью.

Он увидел, что поранил некий хрупкий, драгоценный росток, живший в ее душе. Не просто ее веру в него, а ее веру в них обоих. Райан уже не высчитывал и не планировал — он говорил искренне:

— Я почти влюблен в тебя. Может быть, больше, чем почти. И мне это очень не нравится. Это пугает меня.

Ее глаза потемнели, щеки побледнели. Она схватилась рукой за край стола, словно боялась упасть.

— Я... Райан...

Слова никак не желали складываться в членораздельные предложения.

— Что, доктор Джонс, нечего сказать? — Он шагнул к ней, взял за руки. — Что же мы будем делать? Как нам выбраться из этой ситуации?

— Не знаю.

— В любом случае здесь мы наши проблемы не решим. Ты можешь сейчас уехать отсюда?

— Я? Да, наверно...

Он улыбнулся, коснулся губами кончиков ее пальцев.

— Тогда едем.

Они поехали домой.

Она-то думала, что они отправятся в какое-нибудь тихое, спокойное место — в парк или ресторан. Там можно будет поговорить, разобраться в своих чувствах.

Но Райан гнал машину по прибрежному шоссе. Оба молчали. Миранда смотрела на море, переливавшееся спокойной голубизной в лучах полуденного солнца.

На каменистом пляже стояла женщина и смотрела, как ее сын кормит хлебными крошками голодных чаек. Миранда успела рассмотреть восторженное лицо мальчишки, его широкую улыбку.

Среди волн на всех парусах шла шхуна. Она держала курс на юг, и паруса у нее были алые.

Миранде очень захотелось быть такой же счастливой, как этот мальчик, и такой же уверенной, как этот парусник.

Деревья были одеты в нежно-зеленые цвета апреля. Это было ее самое любимое время года, неприметное и робкое начало лета. Дорога поднималась все выше, деревья расступились, и меж их ветвей вновь проглянуло светлое весеннее небо, испещренное легкими облачками.

На вершине холма стоял старый дом, со всех сторон окруженный морем цветов. Здесь были нарциссы, были ирисы — Миранда почти восстановила сад во всей красе.

Райан внезапно затормозил и с улыбкой покачал головой:

— Не верю своим глазам.

— Моя бабушка тоже сажала цветы. Она говорила, что желтый цвет — простой, но веселый. Он вызывает улыбку.

— Мне бы понравилась твоя бабушка.

Поддавшись порыву, он вышел из машины, опустился на корточки и сорвал несколько нарциссов.

— Я думаю, вы с бабушкой не обидитесь, — сказал Райан и протянул Миранде цветы.

— Нет, не обидимся, — ответила она, боясь, что разревется.

— Помнишь, я уже дарил тебе цветы? — Он коснулся пальцем ее щеки. — Что же ты не улыбаешься?

Она зарылась лицом в душистые лепестки. От аромата кружилась голова.

— Я сама не знаю. Я ничего больше не знаю. Я люблю, чтобы все было разумно и логично. Я люблю двигаться шаг за шагом.

— И тебе никогда не хочется споткнуться, упасть?

— Нет, не хочется. Я трусиха.

Но на самом деле она именно так и поступила — споткнулась и упала.

— Нет уж, трусихой тебя не назовешь.

Миранда отчаянно покачала головой:

— Я ужасно трушу, когда речь идет о чувствах. И я ужасно боюсь тебя.

Он убрал руку, сел за руль. В нем соперничали два чувства — возбуждение и вина.

— Опасно говорить мне такие вещи. Я ведь могу воспользоваться твоей откровенностью в своих целях.

— Знаю. Но ведь, кроме того, ты можешь остановить машину и выйти, чтобы нарвать цветов. Я не знаю, как в тебе уживаются оба эти качества. Если бы в тебе было что-нибудь одно, я бы тебя не боялась.

Он молча включил двигатель и подкатил к крыльцу.

— Не хочу, чтобы нас связывали только деловые отношения. Даже не надейся, что я на это пойду.

Его руки крепко обхватили ее шею.

— Если ты так думаешь, то делаешь большую ошибку, — произнес он тихо, но с явной угрозой в голосе.

Миранда запаниковала, пульс зачастил, как бешеный.

— Только не нужно на меня давить. — Она попыталась высвободиться. — Я сама буду принимать решение.

Толкнув дверцу, она вышла из машины. Райан смотрел ей вслед с улыбкой на лице и с огнем в глазах.

— Это мы еще посмотрим, доктор Джонс, — прошептал он и пошел следом за ней.

— Ладно, не будем мешать личное с бизнесом. Сначала давай посмотрим, что у нас с выставкой, — сказала Миранда.

— Ну-ну, давай посмотрим.

Пока она открывала дверь, Райан стоял рядом, позвякивая мелочью в кармане.

— Ты должен мне объяснить, чего ты ожидаешь от банкета.

— Объясню.

— Мы обсудим все этап за этапом. Я должна все как следует уяснить.

— Понимаю.

Они вошли в прихожую, смотрели друг на друга молча. У нее пересохло в горле. Райан медленно снял кожаную куртку, не спуская с Миранды глаз.

«Он смотрит на меня, как охотник на добычу, — подумала она. — Только непонятно, почему от этого взгляда так сладостно кружится голова».

— У меня дома есть копии всех рисунков и чертежей. Наверху, в кабинете. Все в полном порядке, — пролепетала она.

— Само собой. — Он сделал маленький шажок вперед. — Меня это ничуточки не удивляет. Знаете, доктор Джонс, что я хотел бы с вами сделать? Прямо здесь и прямо сейчас.

Он придвинулся еще ближе. Все его существо было переполнено томлением и чувственным голодом.

— Сначала дело. Мы ведь еще ни о чем не поговорили, — быстро сказала Миранда. Ее сердце трепетало, словно попавшая в капкан птичка. — Я же говорю, у меня здесь есть все копии. Мы могли бы посидеть, обсудить их... О господи!

В следующую секунду они бросились друг на друга и начали срывать одежду, целоваться, обниматься, касаться друг друга. Казалось, из-под земли забил кипящий гейзер.

Миранда рванула ворот его рубашки.

— Господи, как мне все это не нравится!

— Что, рубашка? Я больше никогда ее не надену.

— Я не про рубашку, — нервно рассмеялась она. — Мне не нравится, что я так тебя хочу. Трогай меня, обнимай меня. Я больше не выдержу!

— А чем я, по-твоему, занимаюсь? — Он сорвал с нее твидовый пиджак, стал дергать за пуговицы жилета.

— Зачем ты носишь на себе столько всякого тряпья?

На первой ступеньке лестницы они споткнулись и сели. Жилетка наконец отлетела в сторону.

— Погоди, мне нужно...

Она не договорила — он распустил ее волосы, и во все стороны полетели шпильки. Рыжая копна рассыпалась по ее плечам.

— Миранда!

Он не договорил, потому что их губы слились в поцелуе.

Сладострастно постанывая, они преодолели еще две ступеньки. За это время Миранда успела вытянуть у него из штанов полы рубашки, но та застряла на локтях и ни туда ни сюда. Еще один рывок, и ее руки наконец-то коснулись его обнаженного тела.

Мышцы Райана откликнулись на прикосновение мелкой дрожью. Миранда слышала, что его сердце бьется так же стремительно, как ее. Это всего лишь секс, мысленно твердила она. Секс ничего не решает и ничего не доказывает. Но какая, к чертовой матери, разница!

Ее накрахмаленная блузка тоже никак не желала сниматься — слишком узкие рукава. Миранда была как связанная, а Райан воспользовался ее беспомощностью и принялся осыпать поцелуями ее грудь.

Ему хотелось страсти — яростной, стремительной, всепоглощающей. Его пальцы расстегнули ее брюки, скользнули внутрь, и в следующий миг Миранда чуть не задохнулась от ослепительного, неожиданного оргазма. Ее тело затрепетало от судороги.

Но в следующую минуту она уже срывала с него последние предметы одежды. Райан прижал ее спиной к стене, и они наконец слились воедино.

Ее ногти царапали ему спину, Миранда издавала короткие звериные звуки, от которых Райан сходил с ума. Она снова забилась в его объятиях, а потом безвольно обвисла, ничего не видя и не слыша. Райан же никак не мог остановиться. Он двигался все быстрее, все ненасытней.

«Моя!»

— Еще! — выдохнул он. — Не уходи, будь со мной.

— Я больше не могу.

Ее руки безвольно соскользнули с его потных плеч. Она больше ни о чем не думала, ничего не чувствовала.

— Еще!

Миранда открыла глаза, увидела прямо перед собой его пылающий жаркий взгляд. Это было как солнечный удар. Наслаждение было похоже на тигра, терзавшего ее тело острыми клыками.

Когда Миранда закричала в голос, Райан зарылся лицом в ее волосы и ощутил нечто, напоминающее взрыв.

* * *

Это было похоже на крушение поезда — вот первое, что он подумал. В живых остались немногие, и то чудом. Уцелевшие лежали на полу среди разбросанной одежды. Тело Миранды оказалось сверху, лежало на Райане крест-накрест.

Миранда, кажется, тоже осталась жива — во всяком случае, по ее животу время от времени проходила мелкая дрожь.

— Миранда, — прохрипел он, чувствуя, что умирает от жажды.

Она промычала что-то нечленораздельное.

— Ты можешь подняться?

— Когда?

Он рассмеялся и похлопал ее по ягодицам:

— Если можно, прямо сейчас.

Она не шелохнулась, и он прорычал с угрозой:

— Воды! Я хочу пить.

— А ты просто спихни меня.

Это оказалось совсем непросто, но в конце концов он сумел-таки перекатить в сторону ее обмякшее тело. Опираясь на стену, с трудом поднялся и спустился на кухню. Стоя голышом перед раковиной, жадно выпил два стакана воды, налил себе третий. Обратно шел уже увереннней. Увидев следы разгрома, улыбнулся.

Миранда все еще лежала на полу, только перевернулась на спину. Глаза закрыты, руки разбросаны, рыжие волосы почти неразличимы по цвету с красным ковром.

— Доктор Джонс, а что будет, если эта фотография попадет в журнал «Арт-ревю»?

— Плевать.

Он опустился на корточки, дотронулся до ее груди стаканом.

— Думаю, тебе это не помешает.

— Угу. — Она с трудом села, взяла стакан обеими руками и выпила все до дна. — До спальни мы так и не добрались.

— Ничего, в следующий раз. Вид у тебя и так отдохнувший.

— У меня такое ощущение, словно меня накачали наркотиками.

Она похлопала глазами, посмотрела на картину, висевшую на стене. На раме почему-то висел белый лифчик.

— Это мой?

Он оглянулся, провел кончиком языка по губам.

— Во всяком случае, я пришел без лифчика.

— Ничего себе!

С невероятной стремительностью Миранда вскочила на ноги и сдернула лифчик. Потом бросилась собирать одежду, поохала над разбитым цветочным горшком.

Райан прислонился спиной к стене, наблюдая за этой сценой.

— Я не могу найти один носок, — пожаловалась она.

Он с улыбкой смотрел, как она прижимает к груди охапку одежды.

— Он на тебе.

Миранда посмотрела вниз, увидела, что Райан прав.

— Спасибо.

— Выглядишь ты просто потрясающе. Фотоаппарат есть?

Миранда секунду помедлила и швырнула весь ком одежды ему в лицо.

* * *

По настоянию Райана они взяли бутылку вина и отправились в скалы. Сидели, наслаждаясь теплым весенним солнцем.

— Ты права, — сказал он. — Весна здесь просто чудо.

Возле берега вода была голубой, ближе к горизонту становилась темно-синей. По поверхности моря скользили лодки, волны неспешно набегали на каменистый пляж.

Ветер сегодня был нежный, ласковый, напоминающий легкое поглаживание. Сосны зеленели свежей хвоей. На ветках лиственных деревьев набухли почки.

Пляж был пустынен — никто не бродил по гальке, никто не собирал ракушки. И очень хорошо, подумал Райан. Никого — только лодки вдали.

Они вдвоем, наедине друг с другом.

Он оглянулся, посмотрел на сад. Сухие ветки и опавшая листва исчезли. Кто-то прополол и подстриг траву, кое-где по дерну прошлись граблями. Миранда обещала, что приведет сад в порядок, а она всегда держит слово.

«Приятно было бы посмотреть, как она возится здесь, —

подумал он, — как она опускается на корточки, копается в земле и возвращает старый сад к жизни.

Интересно будет посмотреть на сад, когда он расцветет в полную силу».

— Нам бы сейчас сидеть у меня в кабинете и работать, — виноватым тоном произнесла Миранда.

— Будем считать, что у нас выезд в поле.

— Но я должна показать тебе рисунки и чертежи.

— Если бы я не доверял тебе в этих делах полностью, ты не получила бы моих картин. — Он отхлебнул вина и с неохотой стал думать о деле. — И потом, не забывай, что я получал твои ежедневные отчеты. Так что я вполне представляю себе общую картину.

— Я не знаю, каким образом это мероприятие поможет нам в нашей главной проблеме, но в любом случае пойдет на пользу твоей галерее и институту. Не говоря уж о щедрой финансовой поддержке, которую получит Национальный фонд искусств. Но ты мне все-таки объясни, двигается ли то дело, ради которого...

— Двигается-двигается.

— Слушай, по-хорошему мы должны были бы передать всю информацию, которой располагаем, в полицию. Я все время об этом думаю. Не надо было заниматься самодеятельностью. Сама не понимаю, как я позволила втянуть себя... Во всем виновато мое самолюбие и те чувства, которые я к тебе испытываю...

— А что это за чувства? Об этом ты мне еще не рассказывала.

Она отвернулась, стала смотреть на бакены, беззвучно покачивавшиеся на волнах.

— Я никогда ничего подобного не испытывала. Не знаю, как это называется и что с этим делать. Понимаешь, у нас в семье вечные проблемы с эмоциями.

— При чем тут твоя семья?

— Проклятье Джонсов. — Она вздохнула, догадавшись, что он улыбается. — Мы вечно все портим. Эгоизм, холодность, апатия. Я не знаю, в чем главная причина, но личные отношения у нас не получаются.

— Значит, ты — рабыня своих генов?

Она возмущенно обернулась, и он ухмыльнулся, довольный тем, что задел ее за живое.

— Хорошо сказано, — горько сказала Миранда. — Но факт остается фактом: мне почти тридцать лет, а я ни с кем в жизни еще не имела серьезных отношений. Я не знаю, способна ли на них.

— Главное, чтобы ты хотела их иметь. Ты хочешь?

— Да.

Она нервно потерла колено. Райан взял ее за руку.

— Тогда давай приступим. И учти, что я тоже чувствую себя не в своей тарелке.

— Ты всегда чувствуешь себя в своей тарелке, — буркнула она. — У тебя этих тарелок бессчетное количество.

Он засмеялся, стиснул ее ладонь:

— Давай будем вести себя как взрослые люди. Хочешь, я расскажу тебе о своей поездке в Сан-Франциско?

— Я знаю, ты встречался с твоим братом.

— Да. Он и его семья приедут на банкет. Остальные мои родственники прилетят из Нью-Йорка.

— Все? Все семейство Болдари?

— Да. Ведь событие-то важное. Будь готова к тому, что все будут на тебя пялиться.

— Замечательно. А то у меня мало причин для беспокойства.

— Твоя мать тоже прилетит. Что касается твоего отца — тут у нас небольшая проблема. Ведь он считает, что я не я, а совсем другой человек.

— Ах черт, об этом-то я и забыла. Что же будем делать?

— Мы сделаем вид, что не понимаем, о чем он говорит, — небрежно заметил Райан. — Родни был англичанином, а я американец. К тому же ему далеко до меня в смысле красоты.

— И ты думаешь, что отец на это купится?

— Конечно, купится. Мы ведь с тобой будем стоять насмерть.

Он закинул ногу на ногу, с наслаждением вдохнул холодный, пропитанный туманом воздух. Господи, давно он не чувствовал себя таким расслабленным.

— Ну подумай сама, с какой стати я стал бы представляться твоему отцу под другим именем. К тому же я в то время был в Нью-Йорке — все это знают. Конечно, мистер Джонс будет смущен, но не посмеет же он называть Райана Болдари лжецом.

Миранда немного подумала и вздохнула:

— В любом случае у нас нет выбора. Отец рассеян, очень мало интересуется людьми, но все же...

— Ты, главное, делай как я и побольше улыбайся. Давай я лучше расскажу тебе про Сан-Франциско. Я разыскивал там Гаррисона Мазерса.

— Ты нашел Гарри?

— Я нашел его квартиру. Самого Гарри там не было. Но я с большой пользой провел полчаса у его соседки, проститутки. Она сказала мне, что Гарри исчез несколько дней назад и...

— Минуточку! — Она вырвала руку. — Что ты сказал?

— Что он исчез несколько дней назад.

— Нет, ты сказал, что был у проститутки!

— И, поверь мне, это стоило пятидесяти долларов. Точнее говоря, ста — ведь я дал ей еще полсотни, когда мы закончили.

— Это что, на чай?

— Вроде того, — с невинным видом улыбнулся он. — Ты ревнуешь, милая?

— А что, нельзя?

— Отчего же. Немножко ревности — это очень полезно для здоровья.

— Ну получай же, дрянь.

Она врезала ему кулаком в живот.

Райан согнулся пополам, осторожно посмотрел на нее исподлобья и понял, что больше его бить не будут.

— Прошу прощения. Ревность — это ужасно. На самом деле я заплатил проститутке за информацию.

— Я в этом ни минуты не сомневалась. Иначе ты уже летел бы со скалы вниз. — Она улыбнулась. — Ну и что она тебе сказала?

— Как же я боюсь вас, хладнокровных янки. Девушка сказала мне, что до меня Гаррисоном интересовался еще один тип. При этом девица наставила на меня очень большой пистолет.

— У нее был пистолет?

— Дело в том, что мой предшественник ей не понравился. Женщины ее профессии отлично разбираются в психологии и редко ошибаются. Судя по ее словам, посетитель был не из

приятных. Я думаю, это тот самый тип, который напал на тебя.

Миранда непроизвольно схватилась за горло:

— Тот самый, который похитил мою сумочку? Он был в Сан-Франциско?

— Видимо, да. И искал юного Гарри. Твоему бывшему студенту ужасно повезло, что его не оказалось дома. Он замешан в эту историю, Миранда, это не вызывает сомнений. Не знаю, для кого он сделал бронзового «Давида», но теперь от парнишки решили избавиться.

— Если они найдут его первыми...

— Я оставил там кое-какие инструкции. Думаю, первыми на Гарри выйдем мы.

— А что, если он сбежал? Возможно, он знал, что они его разыскивают.

— Нет, я обыскал квартиру. Он оставил краски и кисти, а также некоторое количество «травки». — Райан откинулся назад, полюбовался на облака, медленно ползущие по небу. — И у меня такое ощущение, что он не слишком торопился. Мы в выигрышном положении — нам известно, что Гаррисона ищет кто-то еще. В то же время о нас никто не знает. Квартирка совсем бедная. То ли парнишке мало заплатили за подделку, то ли он все растратил. А шантажировать, очевидно, так и не научился.

— Ты думаешь, они ему угрожали?

— Зачем? Они же не хотят, чтобы он испугался и сбежал. Они хотят убрать его тихо и по-быстрому. — Тут он заметил, что в ее глазах промелькнуло какое-то странное выражение. — Почему ты спрашиваешь?

— Понимаешь, мне тут приходят сообщения.

«Сообщения». Вот хорошее, нейтральное слово. И совсем не страшное.

— Какие еще сообщения?

— В основном факсы. Уже довольно давно. С тех пор, как ты уехал, — каждый день. И сюда, и в рабочий кабинет. Один раз пришло сообщение по электронной почте.

Райан резко выпрямился, его глаза сузились.

— Угрозы?

— Не совсем. Точнее говоря, угрожать стали недавно.

— Почему ты мне не говорила об этом?

— Вот говорю.

— Нет, скажи, почему ты от меня это утаивала?!

Он вскочил на ноги, отшвырнул в сторону стакан, и тот со звоном поскакал по камням.

— Не считала нужным, да? На тебя тут устроили целую охоту, тебя тут запугивают, а ты помалкиваешь?! И не ври мне, что тебе не страшно! — сердито махнул он на нее рукой. — Я читаю это по твоему лицу.

«Он видит меня насквозь, — подумала Миранда. — В этом нет ничего хорошего».

— Но что бы ты мог сделать?

Весь кипя, он сунул руки в карманы, отвернулся и спросил:

— Что там?

— Разные вещи. Иногда письма очень спокойные и короткие. Потом вдруг бессвязные и угрожающие. Много личного. Человек, который посылает их, много знает о моем прошлом.

У нее по спине пробежали мурашки, и Миранда обхватила себя за локти.

— Когда погиб Джованни, пришло письмо, в котором говорилось, что кровь убитого на моей совести...

Райану пришлось проглотить обиду. Ее скрытность и недоверие больно уязвили его. Почему она не рассчитывала на его помощь? Но сейчас было не до этого. Он развернулся, посмотрел ей в глаза.

— Если ты веришь этому дурацкому обвинению, ты просто дура. Именно такой реакции они от тебя и ждут.

— Знаю, Райан. И отлично это понимаю. — Тут ее голос впервые дрогнул. — Но этот человек знает меня очень хорошо и умеет причинить мне боль.

Он крепко обнял ее:

— Прижмись ко мне. Ну же, сильней.

Она обхватила его руками, а Райан шепнул:

— Миранда, ты не одна.

Но она слишком долго была одна. Человеку вроде Райана не понять, каково это — находиться среди людей и при этом чувствовать себя такой одинокой, такой чужой, никому не нужной.

— Джованни — он был одним из немногих, в чьем присутствии я чувствовала себя нормальной. Я знаю, тот, кто убил

его, сделал это специально для меня. Умом я понимаю, что в этом не виновата, но сердцем чувствую, что вина лежит именно на мне.

— Ты не должна давать ему, им, или кто это там, манипулировать тобой.

Она закрыла глаза, чтобы сполна насладиться чувством защищенности, возникавшим в присутствии Райана. Лишь позже, когда она вновь увидела перед собой море, смысл сказанного дошел до нее сполна.

— Манипулировать! Вот именно, — прошептала она. — Ты прав. Я была слишком пассивной. Тот, кто посылает мне факсы, ненавидит меня и в сегодняшнем послании написал об этом прямо.

— Ты их все сохранила?

— Да.

— Они мне нужны.

Райан погладил ее по волосам и почувствовал, что Миранда вся дрожит.

— Ты говоришь, одно послание пришло по электронной почте? Адрес удалось определить?

— Нет. Пользователь нигде не зарегистрирован, а сервер — тот, который мы используем и здесь, в институте, и в «Станджо».

— Но в памяти он сохранился?

— Да.

— Тогда не проблема, я найду.

Райан мысленно добавил: «А я не найду, так Патрик найдет».

— Да, жаль, что меня здесь так долго не было. — Он погладил ее по лицу. — Но теперь я здесь, и тебя больше никто не обидит. — Она не ответила, и он пытливо заглянул ей в глаза. — Я не люблю давать обещания, потому что никогда их не нарушаю. Не беспокойся, я буду с тобой до самого конца. И ничего плохого больше не случится.

Райан задумался. Предстояло сделать некий опасный и неприятный шаг.

— Как быть с Куком? Ты по-прежнему хочешь все ему рассказать?

Еще недавно Миранда была уверена, что это единственное правильное решение. Но достаточно было Райану заглянуть ей в глаза и пообещать поддержку, как от уверенности не осталось и следа. Вопреки здравому смыслу она доверяла этому человеку. Доверяла всем сердцем.

— Доведем дело до конца, Райан. Думаю, на меньшее ни ты, ни я не согласимся.

* * *

— Поставьте платформу точно на контур, — сказала Миранда грузчикам, которые, обливаясь потом, подтаскивали трехфутовый мраморный постамент к центру зала. То, что центр находился именно там, Миранда знала наверняка: она лично трижды проверила замеры.

— Вот так, отлично.

— Это последний, доктор Джонс?

— В этом зале — да.

Она прикрыла глаза, представив, как чудесно будет смотреться бронзовая Венера работы Донателло, со всех сторон залитая светом.

Этот зал был посвящен раннему Ренессансу. За стеклом были выставлены бесценные рисунки Брунеллески, две картины Мазаччо в роскошных рамах, а также огромное полотно Боттичелли, изображавшее Богоматерь. Еще в зале была картина Беллини, некогда украшавшая интерьер венецианского палаццо.

Просто поразительно, что эти шедевры просуществовали уже столько столетий, а ими по-прежнему можно любоваться, восхищаться, изучать их.

Сосредоточенно закусив губу, Миранда осмотрела зал еще раз. На окнах висели новые синие портьеры, посверкивавшие золотой нитью. Точно такими же драпировками были застелены стеллажи, на которых лежали инструменты, которыми пользовались художники и скульпторы эпохи Возрождения: резцы, палитры, кисти, краски. Миранда сама подобрала эту экспозицию.

Жаль, конечно, что экспонаты за стеклом — можно не сомневаться, что к концу дня оно все будет захватано пальцами.

На резном деревянном постаменте лежала огромная Библия, вся разукрашенная затейливыми цветными миниатюрами. На других столах были представлены ювелирные украшения, наследие той давней эпохи. Еще здесь были расшитые туфли, гребень, шкатулка слоновой кости. Каждую вещь Миранда выбрала сама, как следует все обдумав и взвесив. На стенах, дабы передать дух средневековья, были укреплены старинные канделябры.

— Впечатляет, — заметил Райан.

— Да, почти все готово. Тут искусство середины XV века, а также необходимые сведения по социальному, экономическому, политическому и религиозному аспектам. Лоренцо Великолепный, Лодийский мир, хрупкое равновесие, достигнутое в борьбе итальянских государств.

Она показала на большую карту 1454 года, висевшую на стене.

— Вот видишь: Флоренция, Милан, Неаполь, Венеция и, конечно, Рим. Именно тогда зародилось новое течение в искусстве, получившее название «гуманизм». Пытливость и разум — вот ключ к эпохе.

— Искусство никогда не бывает рациональным.

— Еще как бывает!

Райан покачал головой:

— Ты слишком внимательно изучаешь произведения искусства и поэтому не видишь в нем самое главное — красоту. — Он показал на лицо Мадонны. — Тут нет ничего рационального. Ты только взгляни. — Взяв ее за руку, он нахмурился. — Ты нервничаешь? Почему пальцы такие холодные?

— Да, я волнуюсь. Ты видел остальные залы?

— Я думал, ты покажешь мне их сама.

— Хорошо, но не сейчас. С минуты на минуту должна появиться моя мать. Я должна быть уверена, что все в порядке. Впрочем, если хочешь, давай пройдемся вместе. Только быстро.

Они шли по залам, и Миранда на ходу объясняла:

— Я специально оставила проходы пошире, а скульптуры разместила так, чтобы их было отовсюду видно. Видел, как я установила Донателло? Люди должны чувствовать себя здесь совершенно свободно. Пусть гуляют, как хотят. Переходят из зала в зал, из галереи в галерею. Больше всего пространства отведено Высокому Возрождению.

Они прошли дальше, и Миранда продолжила:

— В эпоху Высокого Возрождения жизнь стала богаче, но

и драматичнее. Энергия била буквально через край. Расцвет продлился недолго, однако именно тогда появились самые значительные произведения. Ничего подобного история человечества не знала.

— Сплошь святые и грешники?

— В каком смысле?

— У искусства есть две самые любимые темы: святые и грешники. Грубая чувственность античных богов и богинь, кровавое упоение войной, наслаждение радостями плоти — и в противовес этому страдания святых мучеников.

Он разглядывал прекрасное лицо святого Себастьяна, пронзенного стрелами.

— Мученики для меня загадка. Я так и не понимаю, ради чего они все это терпели.

— Ради чего? Ради веры.

— Веру у человека украсть невозможно, а вот жизнь отобрать — пара пустяков. Для этого существует множество способов, один гнуснее другого. — Он засунул руки в карманы. — Симпатягу Себастьяна утыкали стрелами, доброго старого Сан-Лоренцо зажарили живьем. Кого-то распяли, кого-то разрубили на куски, кого-то отдали на съедение львам, тиграм и медведям. Какой кошмар!

Миранда пожала плечами:

— На то они и мученики.

— Я и говорю. — Он отвернулся от Себастьяна и с улыбкой посмотрел на нее. — Представь себе, что ты — истинно верующая, а вокруг язычники, которые угрожают тебе и размахивают ужасными орудиями пытки. Почему бы просто не сказать им: «Какие проблемы, ребята? Давайте вашего бога, я готова ему молиться». Из-за того, что ты это скажешь, твоя вера никуда не денется, однако останешься живой и невредимой. — Он ткнул пальцем в полотно. — Ты посмотри, как паршиво бедному Себастьяну.

— Я думаю, Райан, что в эпоху религиозных гонений ты был бы в полном порядке.

— Можешь в этом не сомневаться.

— А как же мужество, убеждения, цельность?

— Какой смысл погибать ради дела, в которое веришь? Лучше ради него жить.

Миранда призадумалась над такой философией, однако, сколько ни пыталась, не могла обнаружить в ней никакого противоречия. Они остановились возле витрины, где была выставлена религиозная утварь: чаши, кубки, распятия.

— Отличная работа, доктор Джонс.

— Мне тоже кажется, что получилось неплохо. В этом зале главное место отведено картинам Тициана и твоему Рафаэлю. Отличное полотно, Райан.

— Да, мне оно очень нравится. Хочешь купить? — улыбнулся он. — Прелесть моей профессии, доктор Джонс, заключается в том, что все имеет цену. Платите деньги — и шедевр ваш.

— Если ты серьезно насчет Рафаэля, я подготовлю предложение. Но учти, что многие предоставляют нам свои картины безвозмездно, в бессрочный прокат.

— На это я не пойду даже ради тебя, дорогая.

Миранда пожала плечами, потому что и не ждала иного ответа.

— Сюда я поставила бы «Смуглую Даму», — внезапно сказала она. — Каждый раз, когда я представляла себе устройство этого зала, так и видела перед собой ее на белой колонне. Вон там. — Она сделала шаг вперед. — В луче света. Все на нее смотрели бы. И я тоже.

— Ничего, Миранда, мы ее вернем.

Она ничего не ответила, злясь на себя за пустую болтовню.

— Пойдем в следующий зал. Там висят твои картины.

— Да, хорошо. Подожди минуту. Мне нужно все-таки сказать тебе.

Райан приблизился к ней. Он выглядел каким-то беспомощным, зная, что должен сказать ей это. Утаивать не имело смысла. Просто не хотелось видеть, как в ее глазах вновь появится ужас.

— Я не хотел говорить тебе, Миранда. Не хотел пугать, но теперь, когда ты рассказала мне об этих сообщениях, думаю, тебе лучше знать это от меня, чем от Кука. Мне позвонил брат из Сан-Франциско. В заливе вчера ночью выловили труп Гарри Мазерса.

Она молча смотрела на него, словно окаменев. Потом закрыла глаза и отвернулась.

— Ясно, что это не случайное совпадение.

— Брат сообщил мне не так уж много деталей. Но известно точно: его сначала убили, а потом бросили в воду.

Райан не стал говорить, что парню перерезали горло. К чему эти детали? Миранда и так теперь знает практически все.

— Трое убитых. Уже трое. И ради чего? — Она смотрела вверх, на сияющее лицо Мадонны. — Из-за денег? Из-за искусства? Из-за чьего-то самолюбия? Возможно, все вместе.

— А может быть, дело в другом. Я не исключаю, что дело в тебе.

Миранда вздрогнула, резко обернулась к нему, и Райан прочел в ее глазах страх. Но это был страх не за себя.

— Так ты думаешь, все это происходит из-за меня? Неужели кто-то ненавидит меня до такой степени? Но почему? За что? Неужели я для кого-то имею такое большое значение? Неужели я оскорбила кого-то настолько сильно, что этот человек готов пойти на убийство, лишь бы погубить мою профессиональную репутацию? Ведь Гарри был совсем мальчик!

Ее голос звенел, в нем звучал уже не страх, а гнев.

— Да, совсем мальчик, — повторила она. — Кто-то оборвал его жизнь, словно торчащую нитку. Зачем нужно было убивать Гарри? Я никогда в жизни ничего особенного собой не представляла.

Райан подумал, что ему не приходилось слышать более грустного заявления. А самое грустное было то, что Миранда, кажется, искренне так считала.

— Ты себя недооцениваешь. Ты производишь на людей сильное впечатление. Ты удачливая, целеустремленная, волевая. Ты ставишь перед собой цель и уверенно идешь к ней.

— Я никогда не иду по трупам.

— А может быть, ты их просто не разглядела? Знаешь, Патрик все это время пытался проследить, откуда пришло сообщение по электронной почте.

— Да-да, — рассеянно кивнула она, размышляя над словами Райана. Может быть, она кого-то обидела, сама того не заметив? Неужели она такая эгоистичная, такая бесчувственная, такая холодная?

— Так что Патрик? Ведь прошло уже больше недели. Я думала, он давно сдался.

— Патрик никогда не сдается, если есть возможность поломать голову над компьютерной головоломкой.

— Так что он выяснил? Почему ты мне сразу не сказал?

— Для оплаты пользователь воспользовался одним банковским счетом. Потом замаскировал его под целой кучей всякой компьютерной белиберды. Но Патрик все-таки докопался.

Миранду охватило недоброе предчувствие. Она знала, что сейчас услышит какую-нибудь гадость.

— И чей это счет?

Он положил руки ей на плечи:

— Твоей матери.

— Это невозможно!

— Послание было отправлено из Флоренции. Код совпадает. Счет принадлежит Элизабет Станфорд-Джонс, и пароль тоже ее. Мне очень жаль.

— Это невозможно! — Она отодвинулась. — Как бы она меня ни... — Она запнулась. — Нет, она бы не сделала этого. Не может она меня до такой степени ненавидеть. Никогда в это не поверю.

— Она имела доступ к обеим статуэткам. Никто не стал бы задавать ей лишних вопросов. Напоминаю, что она сначала вызвала тебя, а потом выставила за дверь и отправила восвояси. После этого она пыталась выжить тебя и из института. Мне правда жаль. — Он погладил ее по щеке. — Но надо смотреть правде в глаза.

Все было очень логично. Все было просто чудовищно. Миранда зажмурилась и припала к его груди.

— Прошу прощения, — раздался холодный чеканный голос.

Миранда дернулась так, словно это были не слова, а пулеметная очередь. Медленно обернувшись, она глубоко вздохнула:

— Здравствуй, мама.

Элизабет выглядела так, словно только что пришла из салона красоты, а отнюдь не совершила трансатлантический перелет: волосы безупречно причесаны, стального цвета костюм сидел на ней идеально.

Как обычно, рядом с матерью, олицетворявшей собой само совершенство, Миранда сразу почувствовала себя неуклюжей, некрасивой, бесполезной. А теперь к этому прибавилось и страшное подозрение. Неужели эта женщина, всю жизнь твердившая о верности принципам, предала свою собственную дочь?

— Прошу извинить. Кажется, я помешала твоей работе.

Миранда так привыкла к материнским колкостям, что просто сказала:

— Это Райан Болдари. А это моя мать, Элизабет Станфорд-Джонс.

— Мистер Болдари! — Элизабет изменила тон, оценив ситуацию по-другому.

Очевидно, она решила, что интерес Райана Болдари к ее дочери был вызван не профессиональными качествами Миранды, а совсем иными обстоятельствами. Однако это было на пользу институту, и поэтому Элизабет улыбнулась любезно:

— Очень рада наконец с вами встретиться.

— Я тоже.

Он пересек комнату и пожал ей руку, мысленно отметив, что мать с дочерью даже не сделали попытки поцеловаться.

— Надеюсь, полет прошел нормально?

— Да, благодарю вас.

Хорошенькая мордашка, подумала она. Гладкий, лощеный. Она не раз видела фотографии Райана в журналах, однако снимки были не в силах передать его обаяния.

— Прошу прощения, что не могла приехать раньше. Надеюсь, мистер Болдари, что вы довольны подготовкой к выставке.

— Зовите меня просто Райан. Подготовка выше всяких ожиданий. Ваша дочь — просто чудо!

— Я вижу, у тебя было много работы, — сказала Элизабет дочери.

— Да, очень много. Пришлось закрыть целое крыло здания на два дня. Люди работают сверхурочно, но зато все получается, как надо.

— Да-да, вижу.

Элизабет огляделась по сторонам. Она оценила проделанную работу по достоинству, но вслух сказала лишь:

— Разумеется, многое еще нужно сделать. Но ничего, я привезла с собой людей из «Станджо». А другие прилетят завтра. Все они в твоем распоряжении. Элайза и Ричард уже здесь. Винсент и его жена тоже.

— А Эндрю знает, что Элайза приехала?

Элизабет подняла брови:

— Не знает, так скоро узнает.

Ее тон был ясен: мол, нечего посвящать посторонних в семейные проблемы.

— Вечером должен прилететь твой отец. Он поможет отобрать предметы утвари и обихода.

— Я уже сделала выбор, — сухо сказала Миранда.

— Ничего, когда проект такого уровня, свежий глаз не помешает.

— Ты что же, собираешься меня отстранить и от этого проекта?

Элизабет на миг смутилась, однако взяла себя в руки и обернулась к Райану:

— Очень хотела бы посмотреть на вашего Вазари.

— Да, Райан, покажи ей Вазари. Картины в следующем зале. А у меня есть другие дела.

Когда Миранда вышла, Райан галантно сказал:

— Позвольте, Элизабет, поблагодарить вас за дочь. Без нее нам не удалось бы так великолепно организовать выставку. Это ее идея, ее проект, ее осуществление.

— Таланты Миранды мне известны.

— Неужели? — Он насмешливо приподнял бровь. — Значит, я ошибался. Мне казалось, что вы ею недовольны. Иначе чем объяснить, что вы ни словом не похвалили ее за целый месяц труда?

Элизабет, кажется, снова смутилась. А может быть, искра, промелькнувшая в ее глазах, означала что-нибудь совсем иное.

— Вы не правы. Просто я ни секунды не сомневалась в том, что Миранда справится с этой работой. У нее есть свои недостатки — излишний энтузиазм и пристрастность, когда ее что-нибудь задевает лично.

— Многие сочли бы, что это скорее преимущество.

Элизабет чувствовала, что он задирается, но не могла понять почему.

— В делах главное — объективность. Надеюсь, с этим вы не станете спорить.

— Я предпочитаю страстность. Во всем. Конечно, страсть сопряжена с риском, но зато добыча бывает куда как богаче. Миранда знает, что такое страсть, но подавляет ее. Очевидно, надеется заслужить ваше одобрение. Вы ее хоть когда-нибудь хвалите?

Терпение Элизабет лопнуло. Ее глаза сверкнули холодным блеском, голос стал ледяным:

— Мои отношения с дочерью вас не касаются, мистер Болдари. А меня, в свою очередь, не касаются ее отношения с вами.

— Странно. В принципе наши отношения должны вас интересовать — ведь мы с ней любовники.

Элизабет стиснула ремешок изящной сумочки:

— Миранда — взрослая женщина. Я не вмешиваюсь в ее личную жизнь.

— Только в профессиональную, да? Расскажите мне про «Смуглую Даму».

— Что, простите?

— Про «Смуглую Даму». — Он смотрел ей прямо в глаза. — Где она?

— Если вы имеете в виду бронзовую статуэтку, то ее похитили несколько недель назад, — ровным голосом ответила Элизабет. — Ни я, ни итальянские власти понятия не имеем, где она сейчас.

— Я имею в виду не подделку, а оригинал.

— Оригинал?

Лицо Элизабет выразило крайнюю степень изумления. И все же Райан разглядел под этой маской что-то еще — потрясение, испуг. Впрочем, трудно определить, когда имеешь дело с такой властной и скрытной особой.

— Элизабет!

В зал вошли несколько человек. Впереди — Элайза. Райан оценивающе посмотрел на миниатюрную, хорошо сложенную молодую женщину с большими лучистыми глазами и коротко подстриженными волосами. Следом шел лысеющий

бледный мужчина. Должно быть, Ричард Хоуторн. Потом — смуглый седоволосый толстяк и с ним шикарная итальянка, похожая на Софи Лорен. Должно быть, чета Морелли, безошибочно определил Райан. А последним вышагивал улыбающийся Джон Картер.

— Прошу простить. — Элайза всплеснула руками. — Я не знала, что вы заняты.

Элизабет, кажется, была рада тому, что беседу прервали.

— Очень рада вас видеть, — сказала Элайза, обращаясь к Райану. — Я в прошлом году была в вашей нью-йоркской галерее. Это истинная сокровищница! Но нынешняя выставка — просто выше всяких похвал. — Она огляделась по сторонам. — Настоящее чудо! Ричард, отойдите от географической карты, лучше посмотрите на картины.

Хоуторн обернулся, на его лице застыла робкая улыбка.

— У меня слабость к картам. А выставка — что ж, выставка и в самом деле замечательная.

— Представляю, как вы тут вкалывали. — Винсент хлопнул Картера по плечу.

— Да уж, разве что полы самим мыть не приходилось, — просиял Картер. — Миранда заставила нас побегать. Реставрация Бронзино закончилась только вчера. Реставраторы чуть не надорвались. А заведующие отделами последние две недели живут на маалоксе. Одной Миранде все нипочем. У нее нервы просто железные.

— Она провела огромную работу. — Элайза еще раз осмотрелась по сторонам. — Но где она сейчас?

— У нее деловая встреча, — ответила Элизабет.

— Ладно, увижусь с ней позже. Надеюсь, она найдет какую-нибудь работу и для нас.

— Я сказала ей, что вы в ее распоряжении.

— Отлично. А пока я пойду загляну к Эндрю. — Она смущенно улыбнулась своей начальнице. — Посмотрю, как он. И вообще... Если я понадоблюсь — позовите меня.

— Ничего-ничего. Идите. — Элизабет усмехнулась, глядя, как Джина Морелли кудахчет над стеллажом с ювелирными украшениями. — А вам, Ричард, наверняка не терпится заглянуть в библиотеку.

— Увы, мои желания так легко предсказуемы.

— Что ж, идите, развлекайтесь.

— Его найти будет нетрудно, — сказал Винсент вслед Хоуторну. — Где книги — там и Ричард. Я же погуляю, подожду, пока Джина налюбуется на побрякушки. А потом она наверняка потащит меня в магазин. — Он покачал головой. — Она тоже предсказуема.

— У вас два часа, — строго предупредила Элизабет. — Потом встречаемся здесь — и за дело.

* * *

У дверей кабинета своего бывшего мужа Элайза замерла в нерешительности. Слава богу, хоть секретарша куда-то отлучилась. Мисс Пердью так опекала своего шефа, так заботилась о его душевном спокойствии, что ни за что не пустила бы Элайзу без предварительной договоренности.

Из-за приоткрытой двери доносился голос Эндрю. Голос был сильный, звучный, и сердце Элайзы сжалось.

Ей всегда нравился его голос — чистый, четкий, чем-то напоминающий голос Джона Кеннеди. В свое время Элайза поддалась обаянию этого классического американского имиджа: богатство, связи, успех. Ее собственный брак обещал стать таким счастливым. Но все надежды пошли прахом. Не осталось ничего, кроме бракоразводного процесса. Насколько можно судить, она, Элайза, добилась в жизни большего, чем Эндрю.

Глаза ее были печальны, но она заставила себя улыбнуться и постучала в дверь.

— Ожидается около пятисот гостей, — говорил Эндрю в телефонную трубку.

Тут он поглядел на дверь и замер.

В памяти ярко вспыхнула картина: новенькая лаборантка, поступившая на работу по рекомендации отца. В халате, в защитных очках. Когда Миранда привела ее знакомиться с братом, лаборантка подняла очки на лоб, и он увидел ее глаза.

А как она засмеялась, когда он впервые пригласил ее на свидание. Сказала: «Я уж думала, этого никогда не произойдет».

Так же хорошо он помнил, как они занимались любовью в первый раз. И в последний.

А свадьба! Элайза была такая тонкая, нежная, сияющая! Помнил он и другое: ее холодное, чужое лицо в тот день, когда она сказала, что между ними все кончено. Сначала были надежды и счастье. Потом разочарование, неприязнь и в конце концов безразличие.

Голос в трубке продолжал что-то говорить. Эндрю сжал пальцы в кулак. Эх, сейчас выпить бы.

— Мы поговорим с вами об этом позже, — сказал он. — Но все детали в принципе содержатся в пресс-релизе. Если хотите, могу вам дать короткое интервью завтра вечером, во время банкета... Не за что.

— Прости, Дрю, — начала она, когда он повесил трубку. — Мисс Пердью куда-то запропастилась, вот я и позволила себе...

— Ничего, все нормально, — пробормотал он. — Это все журналисты донимают.

— Я читала. Отклики самые положительные.

— Да, хорошая пресса — это то, что нам сейчас больше всего нужно.

— В последнее время всем нам пришлось нелегко...

Поскольку он не поднялся ей навстречу, Элайза сама подошла к столу.

— Мне казалось, для нас обоих будет лучше, если мы немного поговорим. Я бы не приехала, но Элизабет настояла. И, честно говоря, мне было бы жаль пропустить такое знаменательное событие.

Наконец Эндрю поднялся. Он смотрел ей прямо в глаза, хотя сердце его истекало кровью.

— Да, было решено, что все ответственные сотрудники должны присутствовать на открытии выставки и банкете.

— Ты все еще сердит на меня.

— Я сам не знаю.

— У тебя усталый вид.

— Много было работы. Не до отдыха.

— Я знаю, нам обоим сейчас неловко. — Она протянула было руку, но тут же убрала ее, словно поняв, что рукопожатия не будет. — Когда мы виделись с тобой в последний раз...

— При нашей встрече присутствовал адвокат, — сухо закончил он.

— Да... — Она опустила взгляд. — Как я хотела бы, чтобы мы расстались по-другому. Но мы оба были обижены и сердиты. Я надеялась, что хоть теперь мы сможем стать...

— Друзьями? — горько рассмеялся он.

— Нет, не друзьями. — Ее переворачивающие душу глаза были влажны от слез. — Но хотя бы перестанем быть врагами.

Она ждала увидеть его другим — не таким жестким, непреклонным. Прежний Эндрю мог бы вспыхнуть, или наговорить обидных слов, или начать жаловаться на свои несчастья. Ко всему этому Элайза была готова. Но сейчас он стоял перед ней непроницаемый, как кирпичная стена.

А ведь когда-то он ее любил. Она знала это. Даже когда подписывал бракоразводные бумаги, он все еще любил ее.

— Нам вовсе ни к чему быть врагами, Элайза. Мы теперь просто не имеем друг к другу никакого отношения.

— Ладно, я зря затеяла этот разговор. — Она сморгнула несколько раз, стряхивая с ресниц слезы. — Не хочу, чтобы завтрашний день был хоть чем-то омрачен. Я слышала, ты много пьешь...

— Я бросил.

— Неужели? — холодно усмехнулась она. А он и забыл, как она умеет ранить самым простым словом. — Впрочем, я это уже слышала.

— Вся разница в том, что теперь я бросил пить не из-за тебя, а из-за себя. Слишком много бутылок опорожнил я по твоей милости. С этим покончено. Возможно, ты разочарована. Ты хотела бы, чтобы я поставил крест на своей жизни, чтобы я ползал у твоих ног. Нет, Элайза, этого не будет!

— Как ты можешь так говорить?! Разве когда-нибудь я что-то значила для тебя?! — вскинулась она. — Если бы ты относился ко мне иначе, мы до сих пор были бы вместе.

Она развернулась и бросилась к двери. В лифте, нажав на кнопку, не выдержала и расплакалась навзрыд.

Эндрю подождал, пока быстрый перестук ее каблучков стихнет в коридоре, а потом уронил голову на руки. Внутри у него все сжалось. Ужасно хотелось выпить. Всего один глоток — и нервы успокоятся.

Какая она красивая! Он совсем забыл, до чего она хороша. Эта женщина когда-то принадлежала ему, а он не смог ее удержать, не выдержал испытания.

Он потерял Элайзу, потому что не умел любить.

Нужно выйти на улицу, подышать воздухом. Пройтись по улице, может быть, даже пробежаться. Лишь бы не чувствовать запах ее духов!

Эндрю сбежал вниз по черной лестнице, чтобы не попасться на глаза никому из сотрудников. Время шло к закрытию, в вестибюле посетителей почти не было.

Он не стал брать машину, а долго шел пешком, пока боль в сердце не ослабела. Дыхание постепенно выровнялось, мысли прояснились.

И тут взгляд его остановился на витрине винного магазинчика. Бутылки стояли стройными шеренгами, суля облегчение, радость, забвение. Эх, пропустить бы сейчас стаканчик-другой.

Ничего страшного не произойдет. После того, что он перенес, алкоголь пойдет только на пользу. В конце концов, не всякий сумеет выдержать такую встряску. Встретиться с женщиной, которую обожал, боготворил. Которую обещал любить до самой смерти.

Он вошел в магазин, окинул взглядом полки.

Он остановил свой выбор на бутылке «Джека Дэниелса», любовно провел пальцем по знакомой черной наклейке. По позвоночнику сбежала струйка пота. Славный старина Джек. Вот кто его не подведет.

Во рту возникло соблазнительное воспоминание, по горлу словно пробежала струйка живительной влаги, желудок так и сжался в нетерпении.

Трясущимися руками он достал бумажник и расплатился.

— Это все? — спросила кассирша.

— Да, — тусклым голосом ответил Эндрю. — С меня хватит.

Он нес бутылку в бумажном пакете, прижимая ее к груди, как ребенка. Жидкость булькала в бутылке, ее приятная тяжесть радовала сердце.

Отвернуть крышечку, и боль, страдание сразу заглушатся.

Солнце клонилось к закату, сгущались сумерки. Эндрю свернул в парк.

На клумбах благоухали цветы, ярко-алые тюльпаны покачивали грациозными головками. На ветках дубов распустились первые листочки, а клены уже зеленели, суля тень и прохладу в жаркие августовские дни. Журчал фонтан, выпевая свою хрустальную мелодию.

На детской площадке было пусто, ребятню уже увели ужинать. Когда-то Эндрю тоже хотел обзавестись детьми. Он часто представлял себе настоящую семью, где все любят друг друга, все друг о друге заботятся. Смех, сказки перед сном, шумная возня...

Он так и не избавился от этой мечты.

Эндрю сидел на скамейке, смотрел на пустые качели, слушал, как журчит фонтан, и любовно поглаживал бутылку.

«Всего один глоток, — думал он, — один-единственный. И тогда можно будет обо всем этом забыть.

А если сделать два глотка, то все проблемы покажутся сущей ерундой».

* * *

Энни налила две кружки пива, а бармен рядом с ней готовил «Маргариту». В пятницу вечером бар всегда был полон. В основном здесь расслаблялись бизнесмены, но пара столиков была занята студентами, которые не столько пили, сколько угощались бесплатной закуской, а заодно перемывали косточки своим преподавателям.

Энни потянулась, чтобы избавиться от ломоты в спине. Приподнялась на цыпочки, посмотрела, проворно ли работают официантки. А ее руки тем временем украшали коктейльные бокалы кусочками лимона.

Один из постоянных посетителей уже в который раз рассказывал анекдот о танцующей лягушке. Энни сделала ему водку с томатным соком и засмеялась вместе со всеми.

По телевизору, висевшему над стойкой, показывали бейсбольный матч.

И тут Энни увидела Эндрю. Он входил в бар, любовно прижимая к себе пакет. Энни сразу поняла, что в пакете. Внутри у нее все сжалось, но она не подала виду. Энни опорожнила пепельницы, поставила новые, протерла тряпкой ближайший стол. Эндрю подошел к стойке, сел на табурет, стукнул бутылкой.

Они смотрели друг на друга поверх коричневого бумажного пакета. Взгляд у Энни был отсутствующий.

— Я ее не открыл, — мрачно сообщил Эндрю.

— Молодец.

— Хотел. И сейчас еще очень хочу.

Энни подала знак старшей официантке, а сама сняла фартук.

— Замени-ка меня, — попросила она. — А мы с тобой, Эндрю, пойдем прогуляемся.

Он кивнул, но пакет захватил с собой.

— Понимаешь, я заглянул в винный магазин. Честно говоря, мне там очень понравилось. Даже смотреть на все эти бутылки — одно удовольствие.

На улице зажглись фонари — маленькие островки света в кромешной тьме. По улице сплошным потоком шли автомобили, из них доносились звуки музыки.

— Я зашел в парк, сел на скамейку у фонтана. — Эндрю все перекладывал пакет из руки в руку. — Там людей почти не было. Хотел глотнуть пару раз из горлышка. Это меня согрело бы.

— Но не стал?

— Нет.

— Представляю, каково тебе пришлось. Ты молодчина, Эндрю! Какие бы у тебя ни были проблемы, твое пьянство не поможет им исчезнуть.

— Понимаешь, я видел Элайзу.

— Понятно...

— Она прилетела на открытие выставки. Я знал, что она прилетит. Но когда я ее увидел, меня словно к месту пригвоздили. Она хотела поговорить по-хорошему, а на меня что-то нашло...

Энни ссутулилась, засунула руки в карманы. «Нечего было и мечтать! — подумала она. — Ничего у нас с ним не выйдет. Нет ни одного шанса». Точнее, это у нее нет ни одного шанса, и это надо честно признать.

— Ты должен поступать так, как считаешь правильным, — сказала она вслух.

— А я не знаю, как правильно. Я знаю только, как неправильно.

Они зашли в тот же самый парк. Эндрю увидел знакомую скамейку, они сели, а бутылку он поставил рядом, на землю.

— Я не могу тебе ничего советовать, Эндрю. Но ты должен раз и навсегда решить для себя эту проблему. Иначе она будет мучить тебя всю жизнь.

— Знаю.

— Она пробудет здесь всего несколько дней. Если ты сможешь наладить с ней нормальные отношения, тебе от этого будет только лучше. Я, например, с Бастером помириться так и не смогла. Но он был настоящий сукин сын. У тебя — другое дело.

Она улыбнулась, чтобы смягчить горечь своих слов, но Эндрю смотрел на нее серьезно, не отрываясь.

— Ах, Эндрю. — Она вздохнула и отвернулась. — Конечно, о Бастере жалеть нечего, но я все равно себя виню. Он сделал мне много зла, поэтому в конце концов я захотела, чтобы ему тоже было плохо. Но у меня ничего не вышло — ему на меня было в высшей степени наплевать.

— А почему же ты прожила с ним так долго?

Она пожала плечами, словно недоумевала сама.

— Наверное, потому, что я дала клятву. Когда произносишь слова брачного обета в церкви, одетая в красивое белое платье, это совсем не то, что сбегать пожениться в мэрию.

— Понятно. — Он сжал ее руку. — Отлично тебя понимаю. Можешь мне верить или не верить, но я тоже относился к этому серьезно. Я делал все, что мог. А когда у меня ничего не вышло, я осознал, что я такой же, как мой отец и дед.

— Ты не такой, как они. Ты сам по себе.

— Тоже не самая веселая мысль...

Они наклонились друг к другу и поцеловались — потому что обоим этого хотелось. «Спаси меня, господи», — успела подумать Энни.

Она чувствовала, что Эндрю истосковался по любви, но прикосновения его губ были нежными и робкими. У мужчин это такая редкость. Его руки гладили ее лицо, а она провела пальцем по колючей щетине на его подбородке.

Внутри у нее распалялся огонь, от которого делалось страшно. Неизвестно, куда это их заведет.

— Нет, ты совсем не такой, как они, — тихо повторила она.

Энни отвернула лицо в сторону, не хотела, чтобы он целовал ее в губы. Боялась, что растает.

— Да, сегодня я чувствую себя по-другому. — Он поднял бутылку и протянул ей. — На, держи. Пригодится в баре.

И ему сразу стало легче. Должно быть, именно такое чувство бывает у человека, когда он жмет на тормоза на самом краю пропасти.

— Мне нужно посидеть на одном совещании. Потом поеду домой. — Эндрю тяжело вздохнул. — Ты подумала насчет завтрашнего вечера? Мне очень хочется, чтобы ты пришла.

— Эндрю, я буду плохо себя чувствовать среди всех этих интеллектуалов.

— Зато я буду хорошо себя чувствовать, если ты придешь. Мне всегда хорошо рядом с тобой.

— В субботу вечером столько работы...

А про себя она подумала: трусиха.

— Ладно, Эндрю, я подумаю. А сейчас мне пора.

— Я тебя провожу. — Он встал, взял ее за руку. — Пожалуйста, приходи завтра, прошу тебя, Энни.

— Я подумаю, — повторила она, твердо решив, что не придет. Не хватало ей еще состязаться с Элайзой на вражеской территории.

ГЛАВА 27

— Ты не можешь сидеть здесь все время!

Миранда оторвалась от стола, заваленного бумагами, посмотрела на Райана, который остановился в дверях.

— У меня такое ощущение, что я здесь живу.

— Почему ты должна делать все сама?

Она повертела карандаш в руках:

— А что, тебе не нравится, как я работаю?

— Я этого не говорил. — Он подошел, оперся о стол ладонями. — Ты не должна ей ничего доказывать.

— Моя мать здесь ни при чем! — вспыхнула Миранда. — Просто я хочу быть уверена, что завтра у нас все получится. Остались кое-какие детали.

Он вырвал у нее из рук карандаш и разломил его пополам.

Миранда была изумлена такой реакцией.

— Ты ведешь себя как ребенок.

— Следовало бы не карандаш сломать, а твою упрямую шею.

Ее лицо стало таким холодным, словно Миранда задвинула невидимый ледяной занавес.

— И не смей так на меня смотреть! — взорвался Райан. — Сидишь тут, возишься со своими бумажками, как будто это самое главное в жизни. Но я не бумажка, я живой человек, и я хочу знать, что, черт подери, с тобой происходит!

— Не смей на меня орать.

Он развернулся и направился к двери. Миранда была уверена, что он уйдет и больше не вернется. Она опять останется одна, как раньше, как всегда. Но Райан запер дверь изнутри, повернул ключ и обернулся к ней. Миранда тоже поднялась на ноги.

— Я не понимаю, почему ты так рассердился.

— Неужели? Я-то видел, какое у тебя было выражение лица, когда ты узнала, откуда отправлено электронное сообщение. Не такая уж ты непроницаемая. Твое лицо не маска.

Ему было тяжело. Ее комплексы и выкрутасы обходились ему слишком дорого. «Не нужно мне все это, — зло думал Райан. — Почему я должен все время преодолевать сопротивление, прорываться через завесу, тормошить ее, уговаривать? К черту все это!»

— По-моему, я не из тех, кто велит казнить вестника, принесшего плохую весть, — начала Миранда, но он перебил ее:

— Не надо разговаривать со мной таким высокопарным тоном. На меня это не действует. Я видел, какое у тебя было лицо, когда появилась Элизабет. Ты вся так и замерла. Похолодела.

Миранда была задета за живое.

— А ты чего хотел? Ты только что сказал мне, что моя мать, возможно, обманывала меня, предавала, запугивала! Что она ворует произведения искусства и убила как минимум двух человек! И после этого, по-твоему, я должна сохранять безмятежность?!

— Я бы предпочел, чтобы ты взяла ее за шиворот и вытрясла из нее объяснение.

— Может, в твоей семье так и делают. Но мы, Джонсы, более сдержанны.

— Да, вы предпочитаете убивать вежливо, без ругани. Но я скажу тебе, Миранда, что страсть куда человечнее и чище, чем такая вежливость.

— Чего ты от меня хочешь? Черт бы тебя побрал, Райан Болдари! Я должна на нее орать, ругать ее последними словами? — Миранда яростным жестом смахнула со стола аккуратно разложенные листки и отточенные карандаши. — Потребовать, чтобы она рассказала мне всю правду? Если она ненавидит меня до такой степени, что делала все это, то ей не составит труда соврать мне в глаза.

Она отпихнула стул так, что тот отлетел к стене.

— Она никогда меня не любила. Никогда не целовала, никогда не ласкала. И отец тоже. Ни меня, ни Эндрю, ни друг друга. Ни разу в жизни никто из родителей не сказал мне, что любит меня. Даже не пытался обмануть — я бы хоть могла тешиться иллюзией. Ты не представляешь, каково это для ребенка — жаждать любви и не получать ее.

Она прижала руки к животу, пронзенная приступом острой боли.

— Это так мучительно, что бывают моменты, когда хочешь умереть.

— Нет, я и в самом деле не знаю, каково это, — тихо сказал он.

— Я росла словно в лаборатории. Все стерильно, все аккуратно, все на своем месте. Жизнь по плану, по расчету, в соответствии с документацией. Никаких радостей, ничего живого. Кругом одни правила. Как разговаривать, как себя вести, как учиться. Когда делаешь что-то — делай это только так и не иначе. Потому что иначе не принято. Если моя мать и в самом деле все это сделала, сколько же правил ей пришлось нарушить!

Она тяжело дышала, глаза метали молнии, пальцы сами собой сжались в кулаки. Миранда растерянно огляделась по сторонам, словно впервые увидев, какой разгром она учинила.

Потрясенная, она схватилась за голову, потом прижала ладонь к бешено бьющемуся сердцу. По лицу текли слезы — такие горячие, что, казалось, они обжигали кожу.

— Ты хотел, чтобы я вела себя подобным образом?

— Я хотел, чтобы ты все это из себя выплеснула.

— Ну вот я и выплеснула. — Она взялась пальцами за виски. — Но после истерики у меня всегда болит голова.

— Это была не истерика.

Она слабо улыбнулась:

— А что же тогда?

— Искренность. — Он тоже улыбнулся. — Даже я, со своей специфической профессией, знаю, что такое искренность. А ты, Миранда, отнюдь не льдышка, ты просто испугана. И ты не права, что тебя никто не любит. Просто люди не ценят тебя по достоинству.

Слезы лились у нее рекой, и Миранда ничего не могла с этим поделать.

— Райан, я не хочу, чтобы преступницей оказалась моя мать.

Он подошел к ней, погладил ее по щеке.

— В ближайшие пару дней мы все узнаем. И тогда можно будет поставить точку.

— Но смогу ли я после этого жить?

* * *

Он отвез ее домой и убедил принять снотворное. Судя по тому, как легко ему удалось ее уговорить, Миранда и в самом деле держалась из последних сил.

Убедившись, что она спит, а Эндрю заперся в своем крыле дома, Райан переоделся в темный свитер и черные джинсы. Именно в этом наряде он обычно совершал свои ночные рейды.

Инструменты он рассовал по карманам, а на случай, если добыча окажется более весомой, прихватил еще и сумку.

Ключи Миранды он нашел в ее сумочке. Райан взял их,

тихонько вышел на улицу и сел в ее машину. Включил мотор, покатил по дороге, не зажигая фар.

В случае чего скажет, что не спалось и решил покататься. Хотя к чему лгать?

И все же он включил фары, лишь отъехав от дома подальше.

На подъезде к городу движение стало интенсивнее. Ранние пташки возвращаются из гостей, подумал Райан. Очевидно, в гостях было не слишком весело — ведь еще и полночь не пробило.

Как это мало похоже на Нью-Йорк, где, кажется, никто никогда не спит.

Эти янки рано ложатся спать и рано встают. Замечательная публика.

Подъехав к отелю, он припарковался подальше от входа. Можно было не сомневаться, что гости из Флоренции тоже свято блюдут местную традицию и уже видят десятый сон. Не следует забывать и о разнице во времени. После перелета через океан кто угодно будет спать как убитый.

Во время первого приезда в Мэн Райан останавливался в этом отеле, так что отлично знал, где здесь что находится. Он заранее позаботился о том, чтобы выяснить, в каких номерах остановились интересующие его люди.

Никто не обратил внимания на неприметного молодого человека, быстрым шагом прошедшего через вестибюль по направлению к лифтам.

Элизабет и Элайза остановились в двухместном номере люкс на верхнем этаже, куда ходил специальный лифт, закрывающийся на ключ. Но Райан был человеком дальновидным. В прошлый раз он тоже останавливался в люксе и на всякий случай прихватил с собой дубликат ключа. Вдруг пригодится?

Вот и пригодился. Он вышел из лифта, прислушался. В номерах было тихо — ни звука телевизоров, ни голосов. Света под дверью не было.

Минуту спустя Райан был уже в гостиной. Он немного постоял, привыкая к темноте, сориентировался. На всякий случай открыл дверь террасы — вдруг придется быстро ретироваться.

После этого началась работа. Он тщательно обыскал всю

гостиную, хотя было маловероятно, что здесь найдется что-нибудь, представляющее интерес.

В первой из спален он включил маленький, но мощный фонарик, дававший яркий и узкий луч. С кровати доносилось ровное сонное дыхание. Райан взял портфель и сумочку.

Вернулся в гостиную, стал потрошить содержимое. Оказывается, в этой спальне расположилась Элизабет. Он тщательно просмотрел содержимое ее бумажника: каждую квитанцию, каждый клочок. С особым вниманием пролистал записную книжку. В отделении на «молнии» хранился ключ от банковского сейфа. Райан подумал и засунул ключ в карман.

Потом он занялся паспортом. Штемпели соответствовали той информации, которую он получил от кузена. Элизабет впервые за минувший год прилетела в США. Зато во Францию за полгода наведалась дважды.

Он положил все так, как лежало, и занялся багажом. Порылся в гардеробе, в туалетном столике, заглянул в ванную. Прошел по меньшей мере час, прежде чем Райан занялся второй спальней.

Покончив с этой процедурой, Райан получил довольно полное представление о характере бывшей жены Эндрю. Она любила тонкое белье и духи «Опиум». Одевалась скорее консервативно, но все туалеты — исключительно от самых знаменитых дизайнеров. Что ж, такой стиль жизни требует нешуточных расходов. Райан подумал, что нужно будет проверить, каковы доходы Элайзы.

На столе стоял портативный компьютер. Стало быть, она захватила с собой работу. То ли трудоголик, то ли занята каким-то особенно важным делом. В сумочке и бумажнике все в идеальном порядке. Никаких обрывков, никаких клочков. В кожаной шкатулке драгоценности: итальянское золото, неплохой подбор камней, антикварный серебряный медальон, в нем — поблекшая черно-белая фотография мужчины и женщины. Судя по одежде, времен последней войны. Должно быть, бабушка и дедушка, а это значит, что дамочка сентиментальна.

Покончив с номером, где остановились женщины, Райан перебрался в соседний, занятый Ричардом Хоуторном. Этот тоже дрых без просыпу.

Через десять минут Райан обнаружил квитанцию на аренду складского помещения во Флоренции. Что ж, квитанция пригодится. Еще через тринадцать минут нашел револьвер тридцать восьмого калибра. Посмотрел на него, но трогать не стал. Еще двадцать минут спустя в носке Райан нашел маленькую тетрадочку. Посветив фонариком, стал читать. На губах заиграла недобрая улыбка. Тетрадочка отправилась в карман к Райану, а сам он вышел в коридор, тихонечко ступая. Будить Хоуторна было ни к чему. Пусть пока поспит. Его ждет веселенькое пробуждение, но час еще не настал.

* * *

— Я не понимаю, ты что, вломился в спальню моей матери?

— Ну что за выражения! Ничего я не вломился, — оскорбился Райан. — Вошел, и все.

Прошло бог знает сколько времени, прежде чем Райану удалось поговорить с Мирандой наедине.

— Не могу поверить! Так-таки прокрался в ее спальню?

— Ну, если быть точным, то сначала в гостиную. Зачем, по-твоему, я всех их здесь собрал? Именно для того, чтобы как следует разобраться в этой истории. Стащил у твоей мамаши ключ от банковского сейфа. Довольно странно, что она взяла его с собой. Банк, между прочим, американский и находится здесь, в Мэне. Имеет филиал в Джонс-Пойнте.

Миранда впервые с шести утра присела за свой письменный стол. Время близилось к полудню, и она позволила себе немного расслабиться. Тут-то, во время переговоров с флористом, ее и поймал Райан. Он сказал, что у нее есть выбор: либо она сама уединится с ним, либо он отнесет ее на руках. И вот разговор с глазу на глаз наконец состоялся.

— Райан, я не понимаю. Почему ты придаешь такое значение ключу от банковского сейфа?

— Потому что люди обычно хранят там ценные или очень важные вещи. Такие вещи, которые нужно прятать от других. Не беспокойся, я это выясню.

Миранда открыла было рот, но так ничего и не сказала.

— В комнате Элайзы ничего интересного, кроме компьютера, я не нашел. Довольно странно, что в четырехдневное путешествие она потащила с собой «ноутбук». Если у меня будет время, я заберусь туда и погляжу, что у нее в компьютере.

— Да, это было бы неплохо, — легкомысленно согласилась Миранда.

— Вот именно. В номере Морелли я нашел огромное количество драгоценностей — на слоне не увезешь. Эта женщина обожает побрякушки. Если удастся, я загляну и в банковский счет Винсента. Должно быть, он по уши в долгах. Теперь перехожу к твоему отцу...

— К отцу? Но он ведь прилетел только после полуночи.

— Она мне будет рассказывать! Я столкнулся с ним в коридоре, когда выбрался из номера твоей матери. Очень удобно, что вся команда живет на одном этаже.

— Да, мы зарезервировали номера заранее, — кивнула Миранда.

— В общем, я решил ему дать время устроиться как следует и лечь спать. Твой папочка отрубился сразу же. Кстати, ты знаешь, что за последний год он трижды летал на Каймановы острова?

— На Кайманы? — удивилась Миранда. От всей этой информации у нее голова шла кругом.

— Классное местечко. Плавание с аквалангом, круглый год солнце, а также отмывание денег. Впрочем, это досужие домыслы. Но в номере Хоуторна я нашел настоящий клад.

— Я смотрю, ты весьма плодотворно провел ночь, пока я крепко спала.

— Я тут ни при чем. Тебе действительно нужно было отдохнуть. А у Хоуторна я нашел вот что. — Райан достал из кармана квитанцию на аренду склада. — Смотри, она выписана на следующий день после того, как статуэтку привезли в «Станджо». А на следующий день после этого твоя мать позвонила сюда и попросила тебя приехать. Ничего себе совпадение? Лично я в совпадения не верю.

— Мало ли для чего можно арендовать склад?

— Насколько я понимаю, это не просто складское помещение, а нечто вроде гаража, расположенного в пригороде. Зачем человеку гараж, если у него нет машины? Я проверял, у Хоуторна машины нет. Не будем забывать и про револьвер.

— Какой еще револьвер?

— Только не спрашивай у меня, какого он калибра и модели. Я стараюсь держаться подальше от огнестрельного оружия. Но можешь мне поверить, на вид это вполне устрашающая штуковина.

Он лениво снял кофейник с горелки, принюхался и остался доволен ароматом.

— По-моему, закон не разрешает брать с собой огнестрельное оружие на борт самолета, — сказал Райан, наливая себе кофе. — Так что Хоуторн проявил известную ловкость. Да и вообще зачем тихому, спокойному научному работнику пистолет, когда он отправляется на открытие художественной выставки?

— Не знаю. Ричард и оружие? Это просто невообразимо.

— Как сказать. Почитай-ка вот это. — Он достал из кармана записную книжку. — Впрочем, перескажу тебе сам. Здесь содержатся сведения о бронзовой статуэтке размером в 49,4 сантиметра, весом 11,68 килограмма. Изображает обнаженную женщину. Все результаты анализов подтверждают, что статуэтка изготовлена в конце XV века и по стилю напоминает Микеланджело.

Миранда смертельно побледнела, глаза приобрели отсутствующее выражение.

— Первый анализ произведен в тот самый день, когда «Смуглая Дама» поступила в лабораторию. В 19.00. Насколько я понимаю, лаборатория работает до восьми.

— Да, но Хоуторн сам решает, когда ему работать.

— Все этапы тестов в книжке. Он сидел безвылазно две ночи. Подробнейшая документация. Кстати говоря, ему удалось раздобыть то, до чего ты не докопалась. Известить тебя Хоуторн не счел нужным. В частности, он нашел в монастыре запись о крещении младенца, мальчика. Имя матери — Джульетта Буэнодарни.

— Да-да, у нее был ребенок. Я читала, что она родила сына. Предполагается, что это незаконнорожденный отпрыск кого-то из Медичи. Мальчика она отослала прочь — должно быть, ради его же безопасности. То был период политической смуты.

— Мальчику дали имя Микеланджело, — с намеком произнес Райан. — Уж не в честь ли папы?

— У Микеланджело не могло быть ребенка. Все современники утверждают, что он был гомосексуалистом.

— Гомосексуалист тоже может стать отцом, — пожал плечами Райан. — Впрочем, я не настаиваю. Однако такой выбор имени позволяет предположить, что между Джульеттой и скульптором существовали какие-то, возможно весьма близкие, отношения...

— А это значит, что автором скульптуры вполне мог быть он.

— Вот именно. Хоуторн счел этот факт очень важным. Записал его в книжку и утаил информацию от тебя. Неважно, были ли Микеланджело и Джульетта любовниками или просто друзьями. Сам по себе этот факт еще не подтверждает его авторства.

— Безусловно, но все же в сочетании с другими данными подтверждает версию. Если между ними существовали близкие отношения, он непременно должен был сделать ее портрет или скульптуру. Во всяком случае, это очень вероятно. А ни о каких других произведениях Микеланджело, изображающих Джульетту Буэнодарни, нам неизвестно. — Миранда закрыла глаза. — Что ж, это открытие дорогого стоит.

— Однако Хоуторн его от тебя утаил.

— Да, а я сыграла ему на руку. Я доверила ему значительную часть тестов. Более того, я приняла на веру всю информацию, которую от него получила. Выходит, Ричард сразу же, с самого начала, догадался, кто автор скульптуры. Возможно, еще раньше, чем я.

— Вполне резонное предположение, доктор Джонс.

Дальнейшую цепочку событий Миранда могла восстановить и сама.

— Ричард выкрал статуэтку и сделал копию. Должно быть, с «Давидом» он сделал то же самое. — Она ударила кулаком по столу. — И Джованни убил тоже он.

— У нас нет доказательств. — Райан помахал записной книжкой. — Если не считать вот этого.

— Нужно отнести ее в полицию.

— Еще рано. — Он поспешно спрятал книжку за спину. —

Я буду чувствовать себя более уверенно, если сначала мы разыщем статуэтки. Уже потом обратимся в полицию. Завтра я вылетаю во Флоренцию, проверю, что там у него в гараже. Если статуэток там нет, значит, они у него в квартире. Или, по крайней мере, я найду какие-то следы. Вернем пропажу, вот тогда и обратимся в полицию.

— Он заплатит за Джованни!

— Обязательно. Он за все заплатит. Дай мне еще сорок восемь часов. Мы ведь ждали так долго.

Она поджала губы:

— Я помню, что моя репутация под угрозой. Понимаю я и то, какую ценность имеют эти произведения. Я дала тебе слово, что дойду с тобой до конца. Все это так. Но ты должен пообещать мне, что прежде всего — возмездие, а все остальное уже потом.

— Если Хоуторн виновен в смерти Джованни, он ответит. Это я тебе обещаю.

— Хорошо. Подождем, пока ты вернешься из Флоренции. А потом обратимся в полицию. Но как мне быть сегодня? Я не выдержу. Ведь он будет там. Как я посмотрю ему в глаза?

— Все пройдет как по маслу. У тебя сотни гостей, — пожал плечами Райан. — Все продумано. Просто плыви по течению. Институт и галерея Болдари не могут давать задний ход. Дело зашло слишком далеко. К тому же мы не знаем — возможно, у Хоуторна были сообщники.

Она обхватила себя за плечи:

— Да. Может быть, это моя мать. А может быть, кто-то другой.

У нее был такой затравленный вид, что у Райана сжалось сердце.

— Ничего не поделаешь, Миранда. Нужно довести дело до конца.

— Да, так я и сделаю, — упавшим голосом ответила она.

— Хоуторн допустил ошибку. Посмотрим, не совершит ли ошибку кто-то еще. Как только заполучим статуэтки, обратимся в полицию. И Хоуторн запоет — он не захочет отдуваться один. Скучно одному болтаться на виселице.

— На виселице? — дернулась Миранда.

— Ну, я в фигуральном смысле.

— И все же он сядет в тюрьму. А может быть, его ждет кое-что и похуже. Но и долгие годы за решеткой — это тоже ужасно. А вдруг это кто-то из членов моей семьи? Райан, это выше моих сил.

— Миранда! — Он потянулся к ней, но она в ужасе отшатнулась.

— Прости меня, я на это не способна. Сама понимаю, что так нельзя. Я помню про Джованни и про того беднягу. Но если это кто-то из Джонсов, я не выдержу. Я не смогу засадить их в тюрьму.

— Минуточку! — Он гневно схватил ее за плечи и тряхнул. — Ты что, не понимаешь, что кто-то пытается тебя погубить?

— Погубить, но не меня, а всего лишь мою репутацию и мою карьеру.

— А про человека с ножом ты забыла? Про угрожающие факсы?

— Наверное, это Ричард, — уныло сказала Миранда. — А если это не он... Нет, я не смогу отправить в тюрьму близкого человека.

— У тебя есть альтернатива? Отпустишь на свободу, позволишь уйти со «Смуглой Дамой»? Мы обо всем забудем, сделаем вид, что ничего не произошло?

— Не знаю. Мне тоже нужно время. Ты же попросил у меня сорок восемь часов. Дай мне столько же. Должно найтись какое-то решение.

— Вряд ли. — Он помахал записной книжкой, потом, решившись, протянул ей. — На, пусть будет у тебя.

Миранда взяла книжку так, словно та была пропитана ядом.

— Как же мне теперь быть? Я не выдержу сегодняшнего испытания.

— Выдержишь. У вас, янки, хребет крепкий. Да и я буду неподалеку. Не забывай, мы с тобой работаем вместе.

Миранда кивнула, спрятала записную книжку в ящик и закрыла на ключ. Сорок восемь часов, подумала она. Надо будет решить, что делать с этими записями — предать их гласности или сжечь.

* * *

Все будет идеально. Я знаю, что нужно делать. Все приготовлено. Миранда сама сделала за меня всю работу. Все будут на месте, наслаждаясь искусством и потягивая шампанское. И она тоже будет среди гостей, грациозная и невозмутимая. О, несравненная доктор Джонс! Идеальная доктор Джонс!

Обреченная доктор Джонс.

Все будут осыпать ее комплиментами, все будут ею восхищаться. Какая чудесная выставка, доктор Джонс. Прекрасно подготовленная экспозиция! Так они будут говорить, так они будут думать. И забудут об ошибках, совершенных ею. Как будто все мои труды были напрасны.

Ее звезда загорится вновь.

Но ненадолго. Сегодня же она погаснет.

Я планирую провести собственную выставку, и она затмит ту, которую подготовила Миранда. Мое шоу будет называться «Смерть предательницы».

Представляю, сколько откликов будет в прессе.

ГЛАВА 28

Никому и в голову бы не пришло, что внутри у нее сжатая стальная пружина. Руки не дрожали, улыбка выглядела безмятежной. Зря Миранда боялась, что не сумеет поддерживать светскую болтовню. Она держалась безупречно. Невозмутимая, спокойная доктор Джонс.

Ради торжественного случая Миранда выбрала длинное синее платье с высоким воротником и узкими рукавами. Сегодня она не смогла бы надеть что-нибудь открытое — холод пробирал ее до костей, и она никак не могла согреться. С тех самых пор, как получила от Райана записную книжку.

Элизабет, одетая в роскошное розовое платье, была похожа на императрицу. Поздоровается с одним, подставит щеку другому, перекинется словечком с третьим. Вот уж кто в своей стихии.

Рядом с ней супруг — в смокинге, импозантный. Этакий ученый-путешественник, красавец аристократ. Идеальная пара. Знаменитые Джонсы из Джонс-Пойнта. Безукоризненная репутация, просто не пара, а само совершенство.

«Они отлично дополняют друг друга, — подумала Миранда. — Ради института, ради искусства, ради фамильной репутации они способны творить чудеса».

Она могла бы испытывать к ним ненависть, но при мысли о записной книжке Миранда испытывала только одно чувство — страх.

Миранда отвернулась и пошла от них прочь.

— Как прекрасно ты смотришься на фоне этих картин. — Райан взял ее за руку и прошептал: — Ты выглядишь просто великолепно.

— Мне очень страшно, Райан.

Миранда вдруг рассмеялась, поняв, что еще несколько месяцев назад она никому не могла бы в таком признаться.

— В толпе я всегда теряюсь.

— Тогда сделаем вид, что нас здесь только двое — ты и я. Не хватает лишь одного — шампанского.

— Сегодня вечером с меня хватит воды.

— Ничего, один бокал, один тост. — Он взял с подноса у официанта высокий и узкий бокал. — За то, чтобы ваши труды увенчались блестящим результатом, доктор Джонс.

— Вряд ли блестящий результат доставит мне удовольствие.

— Живи минутой, — сказал Райан. — А нынешняя минута совсем неплоха. — Он слегка коснулся губами ее рта. — Твоя застенчивость просто восхитительна. — Он перешел на шепот: — И ты превосходно ее маскируешь.

— Это у тебя врожденное или приобретенное? — спросила Миранда.

— О чем ты?

— Ты обладаешь талантом говорить нужные вещи в нужный момент.

— Просто я знаю, что от меня хотят слышать. Между прочим, в центральном зале танцуют. Ты никогда еще со мной не танцевала.

— Я танцую просто ужасно.

— Просто у тебя до сих пор не было подходящего кавалера. Пойдем-ка посмотрим, что у нас получится.

Он уверенно взял ее под руку и повел через толпу. Миранда подумала, что Райан обладает еще одним талантом — скопление народа ему не помеха. С кем-то пошутит, с кем-то перекинется парой слов, кого-то попросит посторониться. Из соседнего зала доносились звуки вальса. Гости смеялись, болтали — одним словом, чувствовали себя непринужденно.

Центральный зал был украшен плющом и живыми пальмами. Повсюду гирлянды маленьких лампочек, похожих на горящие звезды. В хрустальных вазах — белые лилии и алые розы, перевитые золотыми лентами. Люстра сверкает так, что можно ослепнуть. И неудивительно — ведь каждую подвеску вручную протирали уксусом.

По паркету кружились пары, вдоль стен расположились зрители, потягивая вино, кто-то сидел в креслах, обитых розовым атласом, кто-то поднимался по лестнице на второй этаж. Раз десять Миранду остановили, чтобы поздравить с великолепным праздником. Наверное, были и такие, кто злословил за ее спиной по поводу бронзы Фиезоле, однако, разумеется, не в присутствии хозяйки.

— Вон там миссис Коллингсфорт, — показала Миранда на седовласую матрону в синем бархатном платье.

— Из портлендских Коллингсфортов?

— Да. Мне очень важно, чтобы она всем осталась довольна. Поэтому я сейчас ей тебя представлю. Она обожает привлекательных мужчин.

Миранда приблизилась к величественной вдове, которая с интересом наблюдала за танцующими, постукивая туфлей в такт музыке.

— Миссис Коллингсфорт, надеюсь, вам здесь нравится.

— Дивная музыка, — зычным голосом произнесла миллионерша. — И лампочки красивые. Давно пора было устроить здесь праздник. А то раз искусство, так обязательно должно быть похоже на крематорий. Искусство — оно живое. Нечего превращать музей в колумбарий. Кто это с вами, голубушка?

— Райан Болдари, к вашим услугам. — Он наклонился и поцеловал узловатые пальцы. — Я попросил Миранду, чтобы она меня представила. Хочу лично поблагодарить вас за щедрость. Вы предоставили в распоряжение института настоящие шедевры. Если выставка удалась, то исключительно благодаря вам.

— Эта девочка слишком много времени сидит в лаборатории. Если бы она почаще устраивала такие вечеринки, я бы ей еще не то дала.

— Совершенно с вами согласен, — просиял улыбкой Райан. — Искусством нужно наслаждаться, изучать его — это занудство.

— Вот-вот, а то прилипнут к микроскопу, и не оттащишь.

— Когда смотришь в микроскоп, упускаешь из виду общую картину.

Миссис Коллингсфорт поджала губы, присмотрелась к Райану повнимательнее.

— Вы мне нравитесь, молодой человек, — уверенно изрекла она.

— Благодарю вас, мадам. Могу ли я пригласить вас на танец?

— Что ж! — Ее глаза задорно блеснули. — С удовольствием, мистер Болдари.

— Зовите меня просто Райан. — Он помог ей подняться, подмигнул Миранде и повел веселую вдову танцевать.

— Ловко сработано, — прошептал Эндрю.

— Да уж, просто подметки на ходу рвет. Только бы шею себе не свернул. — Она отпила шампанского. — Ты познакомился с его родственниками?

— Еще бы! По-моему, половина гостей здесь связана с ним родственными узами. Его мать увела меня в сторонку и стала допытываться, люблю ли я детей и не возражаю ли я, если в нашем институте откроется класс для школьников? Сразу же вслед за этим она познакомила меня с детским психологом. Между прочим, молодая дама, незамужняя — все, как надо. — Эндрю подмигнул. — Она просто прелесть.

— Кто, психолог?

— Нет, мать Райана. Психолог тоже ничего — милая, застенчивая.

Эндрю засунул руки в карманы, огляделся по сторонам.

Миранда незаметно взяла его за руку.

— Я знаю, как тебе нелегко. Столько народу, и потом Элайза...

— Да уж, это вроде пытки. И бывшая жена, и родители, и бесплатная выпивка.

Он снова покосился на дверь. Энни так и не пришла.

— Надо тебя чем-нибудь занять. Хочешь потанцевать?

— Мы с тобой? — Он удивленно воззрился на нее и расхохотался. — Дело закончится травмпунктом — мы отдавим друг другу ноги.

— Я готова рискнуть.

Он нежно улыбнулся:

— Миранда, ты главная радость моей жизни. Но не беспокойся, со мной все в порядке. Давай просто смотреть, как развлекаются другие.

Тут его лицо внезапно помертвело. Миранда проследила за направлением его взгляда и увидела приближающуюся к ним Элайзу.

В воздушном белом платье она была похожа на фею из сказки. Однако взгляд у Элайзы был нервным, неуверенным.

— Я хотела поздравить вас обоих. Замечательная выставка, просто чудо. Все в восторге. Вы отлично поработали, институт должен быть вам благодарен.

— У нас было много помощников, — ответила Миранда. — И почти все работали сверхурочно.

— Получилось чудесно, лучше просто не бывает. Эндрю. — Элайза глубоко вздохнула. — Я хочу извиниться за то, что создала для тебя лишние проблемы. Знаю, ты предпочел бы, чтобы меня здесь не было. Но я скоро уйду, а завтра вылетаю во Флоренцию.

— Не нужно менять свои планы из-за меня.

— Не только из-за тебя. Для меня так тоже будет лучше. — Она оглянулась на Миранду, выдавила улыбку. — И все же перед тем как уйти, я хотела еще раз выразить вам свое восхищение. Родители очень тобой гордятся, Миранда.

Та чуть не поперхнулась:

— Родители? Мной?

— Да. Элизабет только что сказала...

— Энни! — с просветлевшим лицом вдруг воскликнул Эндрю. — Прошу прощения, дамы.

Он двинулся через зал, а Элайза провожала его взглядом.

«Какая Энни потерянная в этом море людей, — думал Эндрю. — И как чудесно она выглядит — этот сияющий нимб волос, огненно-красное платье, как островок жизни и тепла среди монотонной бело-серо-черной гаммы».

— Как я рад, что ты пришла!

Он взял ее за руку, словно уцепился за спасательный круг.

— Сама не знаю, как я отважилась. Чувствую себя полной дурой, честно говоря.

«У меня слишком короткое платье, — с тревогой думала Энни. — И слишком броское. И вообще я здесь не к месту. А серьги похожи на подвески к люстре. А как мне могло прийти в голову купить туфли с такими пряжками? Я в них, наверное, похожа на дешевую шлюху».

— Как же я рад, — повторил Эндрю и, не обращая внимания на протесты Энни, крепко поцеловал ее.

— Знаешь что? — прошептала она. — Давай я лучше возьму поднос и буду разносить напитки. Мне это как-то привычней.

— Не говори глупостей. Ты смотришься просто великолепно. Пойдем, поговорим с Мирандой.

В этот миг он встретился взглядом с Элайзой. Миранда наклонилась, прошептала Элайзе что-то на ухо, но та резко качнула головой, повернулась и ушла.

— У твоей жены потерянный вид, — сказала Энни. Внутри у нее все так и сжалось.

— У моей бывшей жены, — напомнил Эндрю.

К ним подошла Миранда:

— Энни, я очень рада тебя видеть. Теперь мне ясно, кого Эндрю высматривал весь вечер.

— Вообще-то я не собиралась приходить.

— И очень хорошо, что собралась.

Миранда редко поддавалась чувствам, но тут не удержалась — поцеловала Энни в щеку.

— Ты так ему нужна, — прошептала она. — Ага, вот люди, с которыми тебе будет приятно познакомиться. Эндрю, представь Энни мистеру и миссис Болдари.

Брат ухмыльнулся:

— Отличная мысль. Пойдем, Энни, они тебе понравятся.

Как горели глаза Эндрю! У Миранды отлегло от сердца. Она даже не стала возражать, когда Райан утащил ее танцевать.

В толпе она разглядела Ричарда. Он прилип к картине, изображавшей Святое семейство. За толстыми стеклами очков глаз было почти не видно. Но даже вид Хоуторна не испортил Миранде настроения — она просто отвернулась.

Надо следовать совету Райана: жить минутой.

Миранда как раз подумывала, не стоит ли выпить еще шампанского, когда к ней подошла мать.

— Послушай, ты пренебрегаешь своими обязанностями. Мне уже несколько человек сказали, что не видели тебя и не имели возможности с тобой поговорить. Мало устроить выставку, надо ее как следует представить.

— Да-да, конечно. Ты права. — Миранда передала матери свой бокал шампанского. — Пойду выполнять свои обязанности. Интересы института превыше всего.

«На сей раз у меня есть интересы поважнее, чем интересы института», — подумала Миранда.

— Между прочим, мама, ты хоть раз в жизни могла бы сказать, что я хорошо поработала, — вдруг скороговоркой сказала Миранда, — но этих слов из тебя и клещами не вытащишь.

Она развернулась и быстрым шагом направилась к лестнице на второй этаж.

— Какие-нибудь проблемы, Элизабет?

Элизабет оглянулась на подошедшего к ней мужа и задумчиво сказала:

— Пока не знаю. Но скоро непременно выясню.

— Сенатор Лэмб хочет с тобой поговорить. Он — важная шишка в Национальном фонде искусств.

— Я знаю, кто такой сенатор Лэмб, — излишне резко ответила Элизабет, но тут же заставила себя улыбнуться. — И буду очень рада с ним поговорить.

«А потом займусь Мирандой», — мысленно добавила она.

* * *

В течение следующего часа Миранда добросовестно выполняла роль хозяйки. Райана она из виду потеряла, а Эндрю, должно быть, так и застрял вместе с Энни возле супругов Болдари.

В конце концов, утомившись, Миранда заглянула в женский туалет, чтобы привести себя в порядок. Слава богу, здесь никого не было.

«Как же я устала от этого многолюдья», — подумала она, глядя на себя в зеркало. Общение с гостями — занятие утомительное. Пустые разговоры, не слишком остроумные шутки. Лицо буквально перекосилось от постоянных улыбок.

Миранда встряхнулась. Нечего хныкать. Все идет идеально. Выставка удалась на славу, все в восторге. Можно ожидать самых блестящих рецензий. Это существенно подкрепит ее подмоченную репутацию.

Нужно радоваться и благодарить судьбу, и слава богу, что теперь ясно, как надо действовать.

Решения будут приняты завтра, напомнила себе она. После разговора с матерью. Только тогда появятся ответы на все вопросы. А с матерью давно нужно было объясниться.

Но как быть, если Элизабет — преступница? Если она участвовала в заговоре, во всех этих кражах и убийствах?

Миранда покачала головой и повторила себе: «Завтра, это я решу завтра». В ту самую секунду, когда она доставала из сумочки губную помаду, раздался звук выстрела. Золотой тюбик выскользнул из ее пальцев и покатился по полу. Глаза Миранды расширились от ужаса.

Выстрел?! Не может быть!

И тут же до нее донесся пронзительный женский крик.

Миранда бросилась к двери, а из ее открытой сумочки посыпалось содержимое.

Раздались крики, топот бегущих ног. Миранда проталкивалась вперед, вовсю орудуя локтями. На лестнице столкнулась с Райаном.

— Это наверху! — крикнула она. — Уверена, что наверху.

— Оставайся здесь.

Так она его и послушала! Миранда подхватила длинный подол платья и бросилась следом за ним. Коридор третьего этажа, где располагались служебные помещения, был перекрыт бархатным шнуром. Райан перескочил через него и побежал дальше.

— Ты посмотри слева, а я справа, — крикнула Миранда.

— Я тебе дам «справа»! Если не хочешь оставаться внизу, от меня ни шагу.

Он крепко схватил ее за руку, и они вместе побежали по коридору.

Сзади послышались торопливые шаги. Это был Эндрю.

— Миранда, немедленно отправляйся вниз. И ты, Энни, тоже! Там стреляли!

— Нет.

Поскольку женщины не желали подчиняться, Райан махнул рукой налево:

— Эндрю, ты проверь там. Уверен, что того, кто стрелял, здесь уже нет. А ты, Миранда, держись за моей спиной.

Он осторожно приоткрыл первую дверь.

— А ты что, пуленепробиваемый?

Она высунулась из-за его плеча и щелкнула выключателем. Райан бесцеремонно отпихнул ее и быстро осмотрел комнату. Она была пуста.

— Сиди здесь. Закройся изнутри и звони в полицию.

— Я позвоню в полицию, когда пойму, что произошло.

Миранда оттолкнула его и направилась к следующей двери.

Но Райан схватил ее за руку и прошипел:

— Не лезьте под пули, доктор Джонс.

Так, одну за другой, они прошли все двери — вплоть до самой последней, где находился кабинет Миранды. Из-под двери пробивался свет.

— Ты была здесь перед банкетом. Забыла выключить свет?

— Нет. И потом, моя дверь всегда закрыта, а эта приотворена.

— Сними туфли.

— Это еще зачем?

— Сними туфли, — повторил он. — Если придется бежать, на каблуках ты далеко не убежишь.

Райан приоткрыл дверь, но дальше дверь не открывалась — что-то мешало. Миранда просунула руку в щель, включила верхний свет.

— О господи...

Она узнала воздушное белое платье, серебряные туфельки. Навалившись на дверь, Миранда присела на корточки возле лежащей Элайзы.

Кровь сочилась из раны на голове, стекала по бледной щеке.

— Жива! — объявила Миранда, приложив пальцы к шее Элайзы. — Надо вызвать «Скорую помощь». Скорей!

— Возьми, — Райан сунул ей платок. — Приложи к ране. Попробуй остановить кровь.

— Скорее звони!

Миранда сложила платок поплотнее, промокнула кровь. Быстро оглядела свой кабинет. На столе, как обычно, стояла бронзовая копия «Венеры» Донателло.

Еще одна бронза, тупо подумала Миранда. И тоже копия. Где бронза, там и кровь.

— Что здесь происходит? — В дверях застыл Эндрю. — Элайза! Боже мой! Мертва? Какой ужас!

— Нет, она жива. Райан сейчас вызовет «Скорую помощь». Дай мне твой платок, никак не могу остановить кровь.

— Нужно накрыть ее чем-нибудь теплым. Принеси плед или шарф, — сказала Энни. — Если у нее шок, ей нужно тепло.

— Там, на кресле, плед. Принеси его.

Энни бросилась за пледом.

— Нужно ее перевернуть, — сказала Миранда. — Нет ли других ран? Поможешь мне, Эндрю?

— Да-да.

Эндрю словно отключился. Непослушными руками он обхватил Элайзу за плечи, осторожно перевернул на спину. Ее ресницы чуть дрогнули.

— Сейчас очнется. По-моему, кровь только на голове. — Он осторожно коснулся пальцем кровоподтека на ее виске. — Наверное, ударилась, когда падала.

— Миранда! — Энни положила руку ей на плечо. Голос у Энни был какой-то странный. — Там Райан... Он просит тебя подойти. А об Элайзе мы позаботимся... — Энни стиснула локоть Миранды и перешла на шепот: — Приготовься. Тебя ждет шок. А с ней будет все в порядке. Райан уже вызвал «Скорую».

Миранда медленно приблизилась к Райану, находившемуся в дальнем конце кабинета. «А здесь-то почему на полу кровь, — тупо подумала она. — И так много»...

Кровь была и на ковре, и на ее письменном столе. Даже оконное стекло было забрызгано красными каплями.

Откинувшись назад, у стола безжизненно обмяк Ричард Хоуторн. Его белая накрахмаленная рубашка была ярко-алой.

* * *

Служба безопасности не пускала журналистов и любопытных на третий этаж. К тому времени, когда приехали детективы из отдела по расследованию убийств, Элайзу уже увезли в больницу.

Миранда отвечала на вопросы полицейских и лгала, отчаянно лгала. «Ложь стала моей второй натурой», — с ужасом думала она.

Нет, она понятия не имеет, почему Ричард и Элайза оказались у нее в кабинете. Нет, она не имеет ни малейшего представления о том, кто мог их убить.

Когда ее наконец отпустили, Миранда вышла на ватных ногах и чуть не рухнула.

На ступеньке сидела Энни, обхватив себя за плечи.

— Что, Энни, тебя тоже не отпускают?

— Нет, сказали, что я пока свободна.

Миранда посмотрела на охранников, на полицейских, разбредшихся по музею. Села на ступеньку рядом с Энни.

— Просто не знаю, что делать. Райана еще допрашивают. А где Эндрю?

— Ему разрешили поехать с Элайзой в больницу.

— Он полагал, что должен быть рядом с ней в эти минуты.

— Нет, все дело в том, что он ее любит, он все еще болен ею. Да это и неудивительно... — Энни сжала пальцами виски. — А я просто бессовестная! Как я могу думать об этом, когда произошло убийство да и Элайза ранена.

— Человек не властен над своими чувствами. Раньше я в это не верила, а теперь знаю точно.

— Я тоже думала, что умею себя контролировать. — Энни всхлипнула, поднялась на ноги. — Поеду-ка я домой.

— Дождись Райана, Энни. Он тебя отвезет.

— Не стоит. Я приехала сюда на своей развалюхе. Не беспокойся, со мной все будет в порядке. Скажи Эндрю... В общем, я надеюсь, что с Элайзой все будет в порядке, а ему скажи, что мы еще увидимся.

— Энни, ты ему очень нужна. В самом деле.

Энни выдернула из ушей серьги, потерла мочки.

— Пусть учится рассчитывать на самого себя. Он должен сам разобраться, кто он и чего хочет. Здесь я ему не помощница. Да и ты, Миранда, тоже.

«Я никому не помощница, — подумала Миранда, когда осталась одна. — Все, чего я касаюсь, рассыпается в прах. Я всем приношу только несчастье».

Услышав шаги на лестнице, она оглянулась. Райан молча приблизился, взял ее за руки, притянул к себе.

— Боже мой, Райан! Сколько еще будет жертв?

— Тише. — Он погладил ее по спине и прошептал: — Его застрелили из его же пистолета. Того самого, который я нашел у него в номере. Ты здесь ни при чем.

— Я всегда ни при чем, — устало произнесла она. — Хочу поехать в больницу, проведать Элайзу. Эндрю тоже там. Не нужно оставлять его сейчас одного.

* * *

Но он не был один. К немалому своему удивлению, Миранда увидела, что в больнице уже находится ее мать. Элизабет стояла у окна, держа в руке бумажный стаканчик с кофе.

Эндрю расхаживал взад-вперед.

— Ну что? — спросила Миранда.

— Ею занимаются. Рентген, анализы и все такое. Результаты еще неизвестны. Дежурный врач считает, что у нее сотрясение, но они хотят сделать томограмму, проверить, нет ли серьезных повреждений. Она потеряла много крови.

Эндрю заметил, что кровь осталась и на платье Миранды.

— Тебе лучше уехать домой, — сказал он. — Райан, отвези ее.

— Я останусь с тобой, — вздохнула Миранда. — Ты ведь тоже меня не бросил бы.

— Ладно, ладно. — Он прижался к ней лбом.

Элизабет смотрела на них молча. Поймав взгляд Райана, опустила глаза.

— Тут кофе, — произнесла она. — Невкусный, зато очень крепкий и горячий.

— Не хочу, — покачала головой Миранда. — Где отец?

— Не знаю. Наверное, вернулся в гостиницу. Ему здесь нечего делать.

— Но ты-то здесь. Нам нужно поговорить.

— Прошу прощения, доктор Джонс, — раздался вдруг мужской голос.

Все обернулись и увидели детектива Кука.

— Представляю, в каком вы состоянии, — сказал он.

— Детектив... — У Миранды внутри все сжалось. — Надеюсь, с вами-то ничего не случилось? Вы не заболели?

— Я? Почему вы спрашиваете? Ах да, мы же в больнице. Нет, я приехал для того, чтобы поговорить с доктором Уорфилд.

— С Элайзой? — удивился Эндрю. — Но вы ведь не из отдела убийств, вы расследуете кражи.

— Как знать, такие дела часто связаны между собой. Ребята из отдела убийств будут долго с ней разговаривать. И вообще, ночь ожидается длинная. Может, вы мне пока расскажете, что вам известно? Тогда я не буду задавать доктору Уорфилд лишние вопросы, ее сейчас надо поберечь.

— Детектив, кажется, Кук? — шагнула вперед Элизабет. — Послушайте, это так уж необходимо — устраивать допрос в больнице? Ведь мы ждем результатов анализов, мы волнуемся...

— Мне очень жаль, доктор Джонс.

— Станфорд-Джонс, — поправила Элизабет.

— Да-да, Элизабет Станфорд-Джонс, я знаю. Вы — работодательница потерпевших.

— Да. Ричард и Элайза работают у меня, во Флоренции. Точнее говоря, Ричард работал у меня... — Она побледнела. — Он был моим сотрудником.

— Чем он занимался?

— В основном исследовательской работой. Он был блестящим историком искусства. Бесценный был специалист...

— А доктор Уорфилд?

— Она — директор моей флорентийской лаборатории. Отличный сотрудник — способный, работящий, грамотный.

— Она ведь раньше была вашей невесткой?

На лице Элизабет не дрогнул ни единый мускул. Она даже не взглянула в сторону сына.

— Да. И у нас сохранились прекрасные отношения.

— Это такая редкость. Обычно свекрови терпеть не могут невесток, особенно бывших. Винят их во всех несчастьях своих сыновей. А у вас сложился такой плодотворный союз.

— Мы обе профессионалки, детектив. Я вообще не допускаю, чтобы семейные проблемы мешали работе. А к Элайзе я отношусь очень хорошо.

— Между ней и Хоуторном что-нибудь было?

— В каком смысле? — с неописуемым презрением спросила Элизабет. — То, на что вы намекаете, — чудовищно и оскорбительно.

— Отчего же? Насколько мне известно, оба они взрослые люди, семьей не обремененные... Я вовсе не хотел никого оскорбить. В конце концов, оба оказались в одном и том же помещении, вдали от других гостей. Ведь банкет, насколько я понимаю, проходил внизу.

— Не знаю, почему они оказались в кабинете Миранды. Однако совершенно очевидно, что, кроме них, там был кто-то еще.

В этот момент в коридор вышел врач, и Элизабет спросила:

— Как она?

— Неплохо, — ответил врач. — У нее довольно серьезное сотрясение мозга, но томограмма неплохая, и общее состояние теперь не вызывает опасения.

Элизабет на миг прикрыла глаза.

— Я хочу ее видеть, — сказала она чуть дрогнувшим голосом.

— Там сейчас полицейские. Хотели немедленно допросить ее, раз позволяет ее состояние. Да и сама пациентка не возражает. Я-то посоветовал бы ей подождать до завтра, но она хочет покончить с этим как можно скорее.

— Мне тоже надо с ней потолковать, — заявил Кук, предъявив свой значок. — Но я подожду. У меня есть время.

Ждать ему пришлось больше часа. Врач не хотел его пускать, но Элайза сама выразила желание поговорить с детективом.

Войдя в палату, Кук увидел хрупкую бледную женщину, голова ее была забинтована. Глаза у нее были усталые и воспаленные. Несмотря на это, она все равно казалась прекрасной. Белые бинты лишь подчеркивали роскошную пышность волос. Кук знал, что удар был нанесен по затылку, а это значит, что часть волос пришлось выбрить. Жалко, такую красоту загубили.

— Вы тоже из полиции... Извините, не запомнила ваше имя.

— Кук. Спасибо, что согласились со мной поговорить.

— Я хочу помочь следствию. — Она поморщилась от боли. — Меня скоро накачают лекарствами, и тогда я не смогу ясно рассуждать.

— Я много времени не отниму. Можно я присяду?

— Да, конечно. — Она, снова поморщившись, посмотрела на потолок. — Каждый раз, когда я вспоминаю о случившемся, мне кажется, что это был кошмарный сон. Неужели все произошло на самом деле?

— Расскажите мне, как это было. Каждую деталь. Все, что помните.

— Ричард. Он застрелил Ричарда...

— Кто «он»?

— Не знаю. Не видела. Я видела только Ричарда. — Ее глаза наполнились слезами. — И теперь он мертв. Мне сказали, что он мертв. Я-то надеялась... Бедный Ричард.

— Как вы оказались наверху? Почему вы были с Ричардом?

— Я не была с ним. Я его искала. — Она смахнула слезы. — Ричард сказал, что уедет с банкета, как только я соберусь в гостиницу. Понимаете, он был не большим любителем шумных празднеств. Мы собирались вместе взять такси. Ну вот, как только я собралась уходить...

— Что, скучно было на банкете?

— Нет. — Она сделала попытку улыбнуться. — Выставка просто чудесная. Но... Впрочем, вы ведь сами все знаете. Мы с Эндрю раньше были женаты. Я не хотела мешать ему — ведь он был там не один, а с подругой.

— Извините, доктор Уорфилд, но, насколько мне известно, развод произошел по вашей инициативе.

— Это верно. Процесс закончился больше года назад. Но развод — это одно, а чувства — совсем другое. Я чувствовала себя неловко, мне было не по себе. Правила приличия требовали, чтобы я провела там хотя бы часа два. Элизабет очень добра ко мне, и я знаю, какое значение она придает этому событию. Да и с Мирандой у нас отношения довольно деликатные. Я не хотела, чтобы она подумала, будто я не ценю ее работу. А потом, когда мне показалось, что я уже могу уйти, я отправилась наверх.

— Чтобы найти Хоуторна?

— Да. У него там было мало знакомых, да и вообще он не любитель светских развлечений. Мы заранее договорились, что уедем где-то в половине одиннадцатого. Я думала, что он сидит где-нибудь в тихом уголке, уткнувшись в книгу или в карту. Поискала там-сям, в библиотеке. Его нигде не было. Тогда поднялась наверх... Извините, я очень долго рассказываю, но я боюсь, что сейчас что-то упущу, а потом уже не вспомню, как все это было.

— И очень хорошо. Не торопитесь.

Она закрыла глаза:

— Я увидела, что на третьем этаже, в кабинете Миранды, горит свет. Сначала я не собиралась туда заходить, но потом вдруг слышу — голос Ричарда. Он с кем-то разговаривал. Я отчетливо слышала, как он произнес: «С меня хватит!»

— А кому принадлежал другой голос? Это был мужчина? Женщина?

— Не знаю. — Она устало потерла лоб. — Не поняла. Говорили очень тихо, почти шепотом. Я постояла минуту, не знала, что делать. Я подумала, что там с Ричардом Миранда. Не хотела им мешать.

— Почему Миранда?

— Ну как же, кабинет-то ее. Решила, что дам им поговорить, а потом вернусь... И тут вдруг выстрел. Я была в шоке, бросилась в кабинет, закричала... Я плохо помню, что было дальше.

— Рассказывайте то, что помните.

— Я увидела, что Ричард лежит возле письменного стола. Повсюду кровь. И пахнет тоже кровью. Кровью и порохом. Кажется, я закричала. Потом повернулась, хотела убежать. Мне сейчас так стыдно говорить об этом, ведь я собиралась бросить Ричарда одного. И вот тут я и получила этот удар по голове.

Она осторожно дотронулась до бинтов.

— Я видела вспышку, а потом ничего не было. В себя я пришла уже в машине «Скорой помощи».

Она плакала, уже не пытаясь сдерживать слез. Кук протянул ей салфетку, подождал, пока она вытрет лицо.

— И долго вы искали Хоуторна?

— Минут десять-пятнадцать.

— Когда вы вошли в кабинет, вы там никого больше не видели?

— Только Ричарда... — Она закрыла глаза, но слезы все равно катились по ее щекам. — Я видела только Ричарда. А теперь он мертв.

ГЛАВА 29

Уже светало, когда Энни открыла входную дверь и увидела Эндрю. Он был бледен, под глазами легли темные тени. Эндрю так и не успел переодеться: он был в смокинге, бабочка сбилась на сторону, одна из запонок отсутствовала. На белой рубашке виднелись засохшие пятна крови.

— Как Элайза?

— С ней будет все в порядке. Ее пока оставили в больнице. Ей повезло — отделалась сотрясением и несколькими швами. Слава богу, кровоизлияния нет.

— Заходи, Эндрю.

— Мне нужно было прийти к тебе.

— Входи. Я уже и кофе приготовила.

Энни куталась в халат, лицо у нее было усталое.

— Ты хоть поспала?

— Пыталась. Ничего не вышло. Давай я лучше приготовлю завтрак.

Он проводил ее взглядом — Энни зашла на кухню и открыла маленький холодильник. Достала оттуда яйца, ветчину. Налила кофе в синие глиняные кружки.

В узкие окна проникал свет раннего утра, образуя причудливые узоры на полу.

Энни бросила ветчину на сковородку, и вскоре кухня наполнилась ароматом и шипением. «Славные утренние запахи, — думал Эндрю. — Пахнет домом».

— Энни...

— Присядь, Эндрю. Ты клюешь носом.

— Энни. — Он взял ее за плечи, развернул лицом к себе. — Мне нужно было провести эту ночь рядом с Элайзой.

— Естественно.

— Не перебивай меня. Я должен был убедиться, что с ней все в порядке. Ведь она была когда-то моей женой. Это мой долг. Я был ей плохим мужем, да и во время бракоразводного процесса вел себя не лучшим образом. Вот о чем я думал, пока сидел в больнице. Может быть, я неправильно себя вел? Существовал ли способ сделать наш брак счастливым? И ответ получился такой: нет, не существовал.

Он невесело рассмеялся.

— Раньше я чувствовал себя жалким неудачником. Теперь же я вдруг понял, что мы просто не созданы друг для друга. Она не создана для меня, я не создан для нее. — Он наклонился и поцеловал Энни в лоб. — Я дождался анализов, убедился, что с Элайзой все будет в порядке, и после этого приехал сюда. Я должен был тебе это сказать.

— Я знаю. — С легким нетерпением она похлопала его по плечу. — Давай-ка есть. Яичница подгорает.

— Я еще не все сказал.

— Ну, что еще?

— Меня зовут Эндрю. Я алкоголик. — Он вздохнул. — Уже тридцать дней не пил ни капли. Тридцать первый день тоже как-нибудь продержусь. Я сидел в больнице и думал о выпивке. Получается, что это не решение. Потом стал думать о тебе. Вот ты — решение. Я тебя люблю.

У нее на глазах выступили слезы, но все же Энни отрицательно покачала головой:

— Я не решение. Отнюдь.

Отвернувшись, Энни стала переворачивать яичницу, но Эндрю выключил плиту.

— Я люблю тебя. — Он обхватил ее сзади за плечи. — Собственно, я всегда тебя любил. Просто не сразу это понял. Теперь я знаю, что чувствую и что мне нужно. Если ты меня не любишь, скажи мне сразу. Не бойся, я не побегу за бутылкой. Просто мне нужно это знать.

— Что ты хочешь от меня услышать? — Она в отчаянии ударила его кулаком в грудь. — Ты — доктор искусствоведения. Я — прислуга. Ты — Эндрю Джонс из мэнских Джонсов, а я Энни Маклин ниоткуда. — Внезапно Энни почувствовала, что не может оторвать руку от его груди. — Ты руководишь институтом, я владею пивнушкой. Приди в себя, Эндрю, опомнись.

— Слушай, давай без твоих снобистских штучек.

— Моих снобистских штучек?! — Ее голос дрогнул. — Ах ты, нахал!

— Ты так и не ответила на мой вопрос. — Он прижал ее к себе так крепко, что Энни была вынуждена приподняться на цыпочки. — Любишь ты меня или нет? Чего ты хочешь?

— Я тебя люблю, и я хочу, чтобы произошло чудо.

Его лицо медленно расползлось в улыбке, на щеках образовались ямочки. В глазах у Энни все поплыло, а у Эндрю, наоборот, все прояснилось и встало на свои места.

— Не знаю, получится ли у меня чудо. Но я постараюсь.

Он подхватил ее на руки.

— Куда ты меня несешь?

— В кровать.

Энни в панике забилась:

— Разве я говорила, что согласна улечься с тобой в кровать?

— Нет, не говорила. Я действую по наитию.

Она вцепилась в ручку двери:

— По какому еще наитию? Не смей!

— А вдруг я тебе не понравлюсь? Я должен знать это заранее. Вдруг ты возьмешь и откажешься выходить за меня замуж?

Она почувствовала, что силы ее оставляют.

— Можешь сделать мне предложение прямо сейчас.

— Ну уж нет. — Он внес ее в спальню. — Не сейчас, а чуть позже.

Заниматься с ней любовью было как найти бесценное сокровище или же вернуться домой после долгих странствий. Все было просто, и все было восхитительно.

Они уже не были невинны, как тогда, много лет назад.

Прошло столько лет, они стали взрослыми, и все получилось по-другому.

У Эндрю было ощущение, что он пробует коллекционное вино.

Энни думала: какой он нежный, какой осторожный, какой умелый. У него большие руки, они всегда оказываются там, где им нужно быть в это мгновение.

Эндрю шептал ей на ухо всякие чудесные глупости, и слова перемежались тихими вздохами.

Небо пламенело яркими красками рассвета, предвещавшими бурю. Но на их ложе царили любовь и согласие. Каждое прикосновение приносило тихую радость.

— Мне так нравится, как ты это делаешь, Эндрю, — вздохнула Энни. — Ужасно нравится.

Он чувствовал себя исцеленным. Полноценным.

— А мне нравится твоя татуировка, — улыбнулся он.

— О господи, я совсем про нее забыла, — ахнула Энни.

— Отныне к бабочкам я буду относиться по-другому. Я буду их любить.

Энни засмеялась, и Эндрю тоже улыбнулся.

— Я долго не мог разобраться в том, что мне нужно. А нужно мне одно: чтобы ты была счастлива. Позволь мне сделать тебя счастливой. Я хочу с твоей помощью начать новую жизнь и создать семью.

— Да, с первой попытки ни у тебя, ни у меня ничего не вышло.

— Мы были еще не готовы.

— Надеюсь, мы готовы теперь. — Она погладила его по волосам.

— Будь моей. — Он поцеловал ей ладонь. — А я буду твоим. Хорошо, Энни?

— Да. — Она положила руку ему на сердце. — Да, Эндрю. Очень хорошо.

* * *

Райан стоял в кабинете Миранды, пытаясь восстановить картину того, что произошло здесь вчера. Конечно, он отлично помнил, как здесь все выглядело после преступления. Такого не забудешь.

На ковре осталось пятно крови. Повсюду белели пятна порошка, которым бригада полицейских осыпала все вокруг в поисках отпечатков пальцев. Даже оконные стекла и те были в порошке.

Откуда стреляли в Ричарда? Как далеко отлетело его тело? Какое расстояние было между Хоуторном и убийцей? Должно быть, стреляли в упор — на рубашке убитого остались крупицы пороха. Значит, Хоуторн смотрел убийце прямо в глаза и прочел там свой приговор.

Это уж наверняка.

Райан отошел назад, к двери, осмотрел комнату еще раз.

Письменный стол, стулья, подоконник, настольная лампа, картотека.

— Что вы здесь делаете, мистер Болдари?

— А что такого? Печать-то снята, — ответил Райан, не оборачиваясь. — Кажется, следователи свою работу здесь закончили.

— И все-таки ни к чему вам здесь находиться. — Кук подождал, пока Райан выйдет, и запер дверь. — Я уж закрою комнату. Доктор Джонс вряд ли захочет здесь работать, не правда ли?

— Пожалуй.

— А вот вы зачем-то сюда пришли.

— Хочу прояснить картину.

— Ну и как, удалось?

— Не вполне. По-моему, здесь нет никаких следов борьбы. А как по-вашему, детектив?

— Ни малейших. Все на своих местах. Только на письменном столе беспорядок.

— Расстояние между жертвой и убийцей было минимальным. Как сейчас между нами. Вы согласны?

— Да. Если и было, то всего в несколько дюймов. И Хоуторн знал человека, который спустил курок. Вы ведь были знакомы с Хоуторном, не правда ли?

— Очень коротко. Первый раз видел его в пятницу, когда он только прилетел, а второй раз уже после смерти.

— А прежде никогда?

— Никогда.

— Так спросил, на всякий случай. Все-таки вы занимаетесь искусством, и он тоже был по этой части.

— Мало ли людей занимается искусством. Я не могу быть знаком со всеми.

— Говорят, мир тесен. А вы вращаетесь в этих сферах давно.

— Вы тоже в своем деле не новичок, — негромко ответил Райан. — Вы считаете, что это я вчера всадил две пули в Ричарда Хоуторна?

— Нет, я так не считаю. У меня есть свидетели, которые видели вас внизу, когда прозвучали выстрелы. Я уже говорил с ними.

Райан прислонился спиной к стене. Ему было не по себе.

— Какое счастье, что я такой общительный.

— Да, у вас масса знакомых. Правда, свидетели в основном ваши родственники. Но, с другой стороны, есть и те, кто родственником не является. В общем, я вас на подозрении не держу. Проблема в том, что никто не видел, где находилась в момент убийства доктор Миранда Джонс.

Райан порывисто рванулся с места — глаза полицейского угрожающе сверкнули.

— Я вижу, вы с ней здорово подружились, — усмехнулся Кук.

— Настолько подружились, что я голову дам на отсечение: Миранда на убийство не способна.

Кук достал пачку жевательной резинки, предложил Райану. Тот отрицательно помотал головой.

— Вы себе не представляете, на что способны люди, если им чего-то очень хочется, — доверительно сообщил детектив.

— И чего же, по-вашему, может хотеться доктору Джонс?

— Я сам об этом думаю. Взять хотя бы бронзовую статуэтку — ту самую, которую так ловко стащили из музея. Я тут порылся в архивах, поизучал аналогичные кражи. Есть хороший специалист, отлично разбирающийся в искусстве и безукоризненно выполняющий свою работу.

— Значит, Миранда, по-вашему, еще и взломщица?

— Или же она знакома со взломщиком, — улыбнулся Кук. — Очень странно и то, что исчезла вся документация по статуэтке. И знаете, я тут наведался в одну литейную мастерскую, и выяснилось, что кто-то там уже был, причем по тому же самому поводу, что и я. Этот человек сказал, что учится в институте, ужасно интересовался одной бронзовой статуэткой, отлитой три года назад.

— При чем здесь все это?

— А при том, что студента с таким именем в институте нет. Да и статуэтка, которой он интересовался, — это «Давид с пращой». У «студента» даже рисунок с собой был.

— Очень возможно, что этот тип действительно связан с кражей, — задумчиво произнес Райан. — Наконец-то вы добились хоть какого-то прогресса.

— Да, дела движутся. Доктор Миранда Джонс, между прочим, в свое время вела спецкурс по бронзовой скульптуре Возрождения.

— Ничего удивительного. Она настоящий эксперт по этой теме.

— И один из ее студентов отлил бронзовую копию «Давида» в той самой литейной. Это было уже после того, как доктор Джонс провела тесты статуэтки.

— Очень интересно.

Кук проигнорировал сарказм, прозвучавший в голосе Райана.

— Да, здесь еще много неясностей. А тот студент, что сделал копию, вскоре после этого исчез, так и не доучившись. И вот ведь еще какая штука: совсем недавно некто звонил его матери, представился сотрудником института и очень хотел поговорить с этим парнем. Парень переехал в Сан-Франциско. А пару дней назад его выудили из залива.

— Господи, какой кошмар!

— У вас, кажется, в Сан-Франциско есть родственники?

Райан процедил:

— Полегче на поворотах, детектив.

— Да нет, я безо всякого намека. Парнишка-то был художник, а у вас там художественная галерея. Вот я и подумал, может, ваш родственник его знает? Гаррисон Мазерс, вот как его звали.

— Не знаю я никакого Гаррисона Мазерса. Но, если хотите, могу навести справки.

— Буду очень вам признателен.

— И этот Мазерс — еще одно звено в вашей цепочке?

— Да. Еще одна головоломка — так будет точнее. Я еще думаю про ту знаменитую находку во Флоренции, что оказалась липой. Наверное, доктор Джонс ужасно расстроилась. Да и на мамашу свою рассердилась — та нехорошо поступила, когда отстранила дочку от работы. Вот вам опять любопытное совпадение: кто-то забрался в кладовку Национального музея, где хранилась эта подделка, и стащил ее. Ну скажите на милость, кому могла понадобиться эта дребедень? Идти на такой риск из-за куска металла, который ничего не стоит!

— Искусство, детектив, полно тайн. А вдруг статуэтка кому-то понравилась?

— Может, и так. Только сделал это профессионал, а не любитель. А профессионалы на ерунду времени не тратят — во всяком случае, если на это нет веской причины. Вы ведь согласны со мной, мистер Болдари? Вы сами профессионал.

— Естественно. — Райан подумал, что этот детектив ему, пожалуй, нравится. — Терпеть не могу тратить время попусту.

— Именно. Возникает вопрос: кому и зачем понадобилась подделка?

— Если бы я видел эту штуковину, я мог бы ответить вам на этот вопрос. Но даже если бы статуэтка была подлинной и стоила миллионы, Миранда все равно не пошла бы из-за нее на убийство. Думаю, вы со мной согласитесь. Как профессионал.

Кук хмыкнул. «Что-то в этом парне не так, — подумал он. — Но обаяшка — этого у него не отнимешь».

— Я, конечно, не думаю, что она кого-то убила. Да и трудно представить, что доктор Джонс рыщет по миру, воруя картины и статуи. У нее на лбу написано, какая она высоконравственная. Но инстинкт подсказывает мне: она что-то скрывает. Знает больше, чем говорит. А если вы ей друг, то убедите ее — пусть расскажет мне всю правду. Пока не поздно.

* * *

Миранда сама не знала, что сказать полиции, а что утаить. Она сидела в Южной галерее, со всех сторон окруженная великими полотнами, и терзалась сомнениями.

Детектив Кук уже пришел, находился наверху. Она видела, как он вошел, но испугалась и, словно непослушный ученик от учителя, спряталась за дверь.

Когда появилась Элизабет, Миранда обреченно поднялась.

— Я так и знала, что найду тебя здесь, — сказала мать.

— Где же еще? — Миранда взяла бокал с выдохшимся шампанским. — Гуляю по местам боевой славы. Больше мне идти некуда.

— Я что-то не могу найти твоего брата.

— Надеюсь, он спит. У него была трудная ночь.

Миранда не стала добавлять, что Эндрю дома не ночевал.

— У нас всех была трудная ночь. Я еду в больницу, встречусь там с твоим отцом. Надеюсь, Элайза уже принимает посетителей. Говорят, во второй половине дня ее выпустят.

— Передавай ей привет. Я постараюсь заглянуть к ней — или в больницу, или в отель. Разумеется, она может остановиться у нас в доме. Если захочет.

— Это было бы не совсем удобно.

— Знаю. Но все-таки предложи ей это.

— Очень мило с твоей стороны. Я так рада, что ее травма оказалась не слишком серьезной. А ведь могло... она могла... как Ричард...

— Да, мне известно, как ты ее любишь.

Миранда аккуратно поставила бокал на то самое место, откуда взяла.

— Ты любишь ее больше, чем собственных детей.

— Сейчас не время выяснять отношения.

Миранда встрепенулась:

— Ты ведь меня ненавидишь, правда?

— Какая чушь! И еще раз скажу тебе — сейчас не время.

— А когда подходящее время для того, чтобы выяснить у собственной матери, ненавидит она тебя или нет?

— Если ты имеешь в виду ту историю во Флоренции...

— Нет, я имею в виду не только историю во Флоренции. Все это началось гораздо раньше. Но если хочешь — давай про Флоренцию. Ты отступилась от меня. Ты никогда не вставала на мою сторону. Я ждала этого всю свою жизнь. Но ты никогда, никогда меня не поддерживала.

— Я не желаю вести разговор в таком тоне.

Обдав дочь ледяным взглядом, Элизабет развернулась и направилась к выходу.

Миранда сама не поняла, что на нее нашло. Воспитание, привычки, выдержка — все пошло к черту. В несколько шагов Миранда пересекла комнату, схватила мать за руку и дернула изо всех сил.

— Нет уж, ты не уйдешь отсюда, пока я не получу ответа. Мне до смерти надоело, что ты все время поворачиваешься ко мне спиной. Почему ты не могла быть мне нормальной матерью?

— Потому что ты мне не дочь! — рявкнула Элизабет, и ее глаза вспыхнули холодным пламенем. — Ты никогда мне не принадлежала. — Она высвободилась, прерывисто дыша. — Не смей задавать мне никаких вопросов! Я стольким из-за тебя пожертвовала, я столько выстрадала! А все из-за того, что твой папочка навязал мне свою ублюдочную дочку.

— Ублюдочную? — Миранда пошатнулась. — Так я тебе не дочь?

— Нет! Но я дала слово, что ты никогда этого не узнаешь.

Элизабет, кажется, уже сожалела о своей откровенности, но голос ее по-прежнему звенел от ярости.

— Ничего, ты теперь взрослая женщина, имеешь право знать правду.

— Кто же моя мать? Где она?

— Умерла несколько лет назад. Она была так, никто.

Элизабет смотрела прямо в глаза Миранде. Солнечные лучи упали на ее лицо, а в этом возрасте женщинам лучше держаться подальше от прямого света. Миранда увидела, как сдала Элизабет за последнее время. Впрочем, в следующую секунду солнце скрылось за тучей, и морщины стали не так заметны.

— Она была одной из мимолетных подружек твоего отца.

— У него был роман?

— А как же! — горько усмехнулась Элизабет. — Ведь он — Джонс. Но в этом случае он увлекся, потерял осторожность, и женщина забеременела. Отвязаться от нее было непросто. Жениться на ней Чарльз, конечно, не собирался, однако она потребовала, чтобы он взял на себя воспитание ребенка. Ситуация была не из простых.

Миранда никак не могла опомниться от потрясения.

— Значит, родная мать тоже не хотела меня знать.

Элизабет равнодушно повела плечом:

— Я не знаю, чего она хотела. Но к Чарльзу она пристала с ножом к горлу: он должен был взять тебя к себе. Чарльз явился ко мне, изложил суть проблемы. Какой у меня был выбор? Развестись с ним, пойдя на скандал, и потерять институт? Ну уж нет!

— И ты предпочла с ним остаться. — В голосе Миранды прозвучало презрение. — Он тебя предал, а ты сделала вид, что ничего не произошло.

— Я поступила так, как считала нужным. Это была большая жертва с моей стороны. Несколько месяцев мне пришлось от всех скрываться, делая вид, что я беременна. — Лицо Элизабет исказилось от воспоминания об оскорблении. — Когда ты появилась на свет, я должна была выдавать тебя за свою дочь. Да мне было противно на тебя смотреть, — ровным голосом призналась Элизабет. — Возможно, жестоко так говорить, но это правда.

— Что ж, правда — это уже неплохо. — Миранда отвернулась. — Факты есть факты.

— Я никогда не пыталась быть идеальной матерью, — продолжила Элизабет. — С меня хватило Эндрю. Я вовсе не собиралась заводить другого ребенка. Но обстоятельства сложились так, что мне пришлось воспитывать чужую девчонку как родную дочь. Своим присутствием ты постоянно напоминала мне об оскорблении, о крахе моего семейного благополучия. Чарльзу тоже было тяжело на тебя смотреть, потому что ты была живым свидетельством совершенной им ошибки.

— Я — свидетельство ошибки, — тихо повторила Миранда. — Очень точное определение. Теперь понятно, почему вы оба относились ко мне так холодно. Вы меня не любили. Я думаю, вы вообще не способны на любовь.

— И тем не менее тебя воспитывали, о тебе заботились, тебе дали прекрасное образование.

— Но ни капли любви, — отрезала Миранда.

Она смотрела на эту жестокую, холодную женщину, пожертвовавшую всем на свете ради своего честолюбия.

— Я из кожи вон лезла, лишь бы заслужить твое одобрение. Получается, я тратила время впустую.

Элизабет, вздохнув, поднялась:

— Не надо делать из меня чудовище. Тебя никогда не обижали, все необходимое от нас ты получала.

— Ты ни разу не обняла меня!

— Говорю тебе, я делала то, что считала нужным. Я дала тебе все возможности для самоосуществления. У тебя было все, чтобы ты стала тем, кем ты стала. Бронза Фиезоле — всего лишь один из таких примеров.

Поколебавшись, она подошла к столу и налила себе воды.

— Я взяла твои отчеты и анализы домой. Немного успокоившись и оправившись от перенесенного унижения, я засомневалась — ведь прежде ты никогда не делала таких грубых ошибок. В конце концов, надо признать, честности и профессионализма тебе не занимать.

— Спасибо за комплимент, — сухо ответила Миранда.

— Я хранила всю эту документацию у себя дома, в сейфе. Кто-то забрался туда и все похитил. Я бы до сих пор не знала об этом, если бы перед самым отъездом не заглянула в сейф. Тут-то я и увидела, что документы исчезли. — Элизабет отпила воды. — Знаешь, зачем я туда заглянула? Хотела взять жемчужное ожерелье твоей бабушки, положить в местный банк. Это ожерелье предназначалось тебе в подарок.

— Мне в подарок?

— Да. Мне ты всегда была чужой, а вот бабушка тебя любила. Я не собираюсь перед тобой извиняться. Что сделано, то сделано. Не нуждаюсь я и в твоем понимании. Я ведь и сама тебя не понимаю.

— Значит, как жили, так и будем жить? — спросила Миранда.

Элизабет пожала плечами:

— Конечно. И то, о чем мы с тобой говорили, пусть останется между нами. Ты — Джонс, а стало быть, должна хранить честь семьи.

— Еще бы, — саркастически усмехнулась Миранда. — Я знаю, что такое долг.

— Еще бы ты этого не знала. А теперь мне пора. Нужно встретиться с твоим отцом. — Элизабет взяла сумочку. — Если хочешь, могу рассказать ему о нашей беседе.

— Не стоит. — Миранда внезапно почувствовала себя совершенно опустошенной. — Ведь, в сущности, ничего не изменилось, не правда ли?

— Правда.

Когда Элизабет вышла, как всегда прямая и уверенная в себе, Миранда печально рассмеялась и подошла к окну. В небе сгущались тучи, суля скорую бурю.

— Как ты?

Сзади подошел Райан и положил руки ей на плечи.

— Подслушивал? — устало спросила Миранда.

— Естественно.

— Все шныряешь вокруг на мягких лапах, — укорила она его. — Как, по-твоему, что я должна чувствовать после этого разговора?

— Что тебе хочется, то и чувствуй. Ты взрослая женщина. Сама себе принадлежишь.

— Это уж точно.

— С отцом разговаривать будешь?

— Какой смысл? Он никогда не обращал на меня внимания, никогда меня не слышал. Теперь я понимаю почему. — Она прижалась щекой к его руке. — Что они за люди, Райан? Мой отец, Элизабет, эта женщина, которая была моей матерью?

— Не знаю. — Он мягко повернул ее лицом к себе. — Но зато я знаю тебя.

— Если говорить о чувствах... — Она глубоко вздохнула. — Как ни странно, я сейчас ощущаю облегчение. Всю жизнь я боялась, что буду такой же, как моя мать. А теперь выясняется, что Элизабет мне никакая не мать. Я не яблоко, а она не яблоня. — Миранда передернулась и положила голову ему на плечо. — Значит, по крайней мере об этом я могу больше не беспокоиться.

— По правде говоря, мне жаль ее, — сказал Райан. — Она так много потеряла, отказавшись от твоей любви.

Миранда знала, что такое любовь: невыразимый восторг и неописуемый ужас. И была благодарна этому знанию. Ее сердце раскрылось навстречу любви. Правда, надо признать, что ключик к ее сердцу подобрал опытный взломщик.

— Мне тоже ее жалко. Но я знаю, что теперь нужно делать. Отнесу Куку записную книжку Ричарда.

— Дай мне время слетать во Флоренцию. Не хочу покидать тебя сегодня, ты слишком много перенесла. Но если ты так торопишься, вылечу на рассвете. Дай мне тридцать шесть часов. Этого будет достаточно.

— Хорошо, но не больше. Хочу поставить точку в этой истории.

— Хочешь — поставишь.

Она улыбнулась, и в самом деле чувствуя облегчение.

— Обещай, что не будешь шастать по чужим спальням, рыться в сейфах и сумочках.

— Ни в коем случае. Правда, у меня еще остался номер Картеров.

— Райан, ради бога!

— Красть ничего не буду, честное слово. Знаешь, чего мне стоило не спереть жемчуга твоей бабушки? А какое замечательное золото у Элайзы! Особенно мне понравился медальончик, я бы с удовольствием подарил его какой-нибудь из своих племянниц. Видишь, я вел себя как настоящий герой.

— Твои племянницы слишком маленькие для медальонов. — Миранда вздохнула и снова прижалась к его плечу. — Мне подарили медальон только на шестнадцатилетие. Хорошенький, в виде сердечка. В свое время бабушка получила его от своей матери.

— И ты, конечно, положила туда локон своего дружка.

— Не было у меня тогда никаких дружков. Бабушка вставила в медальон фотографию, на которой были она и дедушка. Имелось в виду, что я должна помнить свои корни.

— И как, помнишь?

— Как не помнить. Я ведь — Джонс из Новой Англии. Элизабет права. Ей я, возможно, и не принадлежу, но бабушка-то у меня была настоящая, родная.

— И теперь тебе достанутся ее жемчуга.

— Я буду бережно хранить их. Медальон я, к сожалению, потеряла. Несколько лет назад. Расстроилась ужасно. — Миранда расправила плечи. Теперь она чувствовала себя лучше. —

Пойду распоряжусь, чтобы здесь навели порядок. Надеюсь, уже завтра можно будет открыть выставку для публики.

— Вот-вот, займись делом. Я загляну к тебе позднее. Отправляйся домой, и без фокусов.

— Конечно, домой. Куда же еще?

ГЛАВА 30

Эндрю возвращался домой, весело насвистывая. На его лице застыла счастливая улыбка — она не покидала его весь день. И дело было не только в сексе, хотя, чего греха таить, после столь долгого поста радости плоти были еще как кстати. Доктор Эндрю Джонс слишком долго вел одинокую холостяцкую жизнь.

И все же главное было не в сексе. Энни его любит! Он провел в ее обществе великолепный день — мирный, счастливый, восхитительный. Душевная радость была не меньше, чем физическое наслаждение.

Они вместе приготовили завтрак и съели его в постели. Разговаривали обо всем. Мысли, слова, чувства текли рекой. Никогда в жизни Эндрю ни с кем не был так откровенен.

Разве что с Мирандой. Вот кому нужно поскорее все рассказать.

Например, о том, что в июне будет свадьба.

Не помпезное бракосочетание, как в прошлый раз, когда он женился на Элайзе. Простая, скромная церемония. Этого хочет Энни. Дома, в кругу близких друзей. Миранда будет подружкой невесты, ей это понравится.

Эндрю вошел к себе в спальню, чтобы снять измятый смокинг. Завтра они с Энни вместе пообедают, и он подарит ей кольцо. Правда, она говорила, что кольцо ей ни к чему, но тут уж он настоит на своем.

Ему не терпелось посмотреть, как кольцо будет сиять на ее пальце.

Он швырнул смокинг на кровать и скептически осмотрелся вокруг. Надо бы навести здесь порядок. Разумеется, они с Энни жить здесь не будут, но Миранда-то останется в доме.

Эндрю Джонс и его молодая супруга уедут в свадебное путешествие. В Венецию.

Улыбаясь, он снимал запонки. Внезапно он заметил боковым зрением какое-то быстрое движение, но так и не понял, что это. Перед глазами вспыхнул яркий свет, и у Эндрю подломились колени. От второго удара он рухнул лицом вперед — прямо в кромешную тьму.

Буря разразилась, когда Миранде оставалось до дома не больше мили. Потоки дождя обрушились на ветровое стекло, молния слепила глаза, а гром грохотал так, что крыша машины вздрагивала. Вот это гроза! Миранда уменьшила скорость, чтобы автомобиль не занесло на мокром шоссе. Поскорей бы домой, где светло, тепло и сухо.

Вдоль дороги стелился туман, обзор сузился. Миранда выключила радио, чтобы не отвлекаться, и покрепче взялась за руль.

Но мысли ее витали далеко.

Она вспоминала всю цепочку событий: телефонный звонок из Флоренции, ночное нападение, вынужденную задержку. Джон Картер вылетел в Италию один. Статуэтка в то время благополучно лежала в сейфе у Элизабет. Кто имел туда доступ? Разумеется, сама Элизабет. Однако благодаря знакомству с Райаном Миранда уяснила, что к любому замку можно найти отмычку.

Ричард провел первые тесты. Это значит, что у него уже тогда был доступ к статуэтке. Кто помогал Ричарду? Кто дал ему пистолет, а позднее воспользовался им?

Может быть, Джон? Миранда представила себе некрасивое сосредоточенное лицо своего помощника. Или Винсент? Говорливый, дружелюбный Винсент? Неужели возможно, что кто-то из них всадил две пули в Ричарда и ударил по голове Элайзу?

А главное — зачем понадобилось это делать у Миранды в кабинете, да еще в разгар многолюдного празднества? Зачем рисковать?

Все очень просто, внезапно поняла Миранда. Удар опять предназначался ей. Скандал должен был испортить все ее

труды, поставить крест на выставке, которую она так долго и старательно готовила.

Безусловно, этот удар предназначался персонально Миранде. Чем же она вызвала такую патологическую ненависть? Кого обидела?

Или нужно спросить иначе: кому это выгодно?

Джону Картеру. Если репутация Миранды окончательно погибнет, если ей придется уйти из института, освободившуюся должность займет Джон. Карьера, хорошая зарплата, власть, престиж.

Неужели все объясняется так просто?

А Винсент? Он так давно ее знает, их столько всего связывает. Может быть, она, сама того не зная, когда-то нанесла ему смертельную обиду? Или же ему отчаянно нужны деньги, чтобы покупать драгоценности и туалеты своей молодой жене?

Кто еще остается? Джованни и Ричард мертвы, Элайза в госпитале. Элизабет...

Неужто неприязнь может перерасти в жгучую ненависть?

Пусть в этом разбирается полиция, вздохнула Миранда. Самое страшное позади. Еще тридцать шесть часов, а потом она расскажет обо всем Куку.

Разумеется, сначала нужно будет все как следует обдумать. Нельзя же рассказывать детективу всю правду.

Она взяла портфель, в котором лежала записная книжка Ричарда. Надо будет изучить ее перед сном. Может быть, удастся вычитать еще что-нибудь важное между строк.

Зонтик остался в багажнике, доставать его было бессмысленно. Поэтому Миранда, прикрывшись портфелем, кое-как добежала по лужам до крыльца.

Ливень был такой, что за несколько секунд она вымокла до нитки.

Стряхнув с волос дождевую воду, она вошла в прихожую и громко позвала Эндрю. Миранда не видела брата с прошлого вечера, но он был дома — перед домом стоял его автомобиль. Нужно будет все рассказать Эндрю, он заслуживает этого.

Поднимаясь по лестнице на второй этаж, она снова окликнула брата. Скорей бы снять мокрую одежду, принять горячую ванну. Ну куда же подевался Эндрю? Почему не отвечает?

Наверное, уже уснул. Он вечно засыпает как убитый. Придется его разбудить. Надо поговорить с ним первой, пока не приехала мать.

— Эндрю, ты здесь?

Дверь спальни была приоткрыта, но Миранда на всякий случай постучала.

Внутри было темно. Зная, что Эндрю будет ругаться, Миранда все же щелкнула выключателем, однако свет почему-то не зажегся.

«У него перегорела лампочка, а он ее не заменил». Миранда решительно двинулась к кровати, собираясь растрясти спящего.

Внезапно она споткнулась о распростертое тело.

— Эндрю, что с тобой?

За окном вспыхнула молния, и Миранда увидела, что брат лежит на полу, даже не сняв смокинга.

Что ж, ей и раньше приходилось заставать его в таком виде. Только обычно от Эндрю несло спиртным.

Вспышка ярости охватила Миранду. Надо повернуться и уйти отсюда — пусть валяется, где упал. Но потом нахлынули разочарование и отчаяние.

— Как ты мог снова сделать это? — прошептала она и опустилась на корточки.

Все-таки нужно поднять его и перетащить на кровать.

Странно — от упавшего совсем не пахло перегаром. Миранда потрясла брата за плечи, потом приложила руку ему ко лбу и тут же отдернула.

Пальцы были мокрыми. Кровь!

— Господи, Эндрю, только не это!

Дрожащими пальцами она нащупала его пульс. И тут зажглась лампа, что стояла на столике у кровати.

— Он жив. Пока, — раздался тихий насмешливый голос. — Ты ведь хочешь, Миранда, чтобы он остался жив.

* * *

Вообще-то Райан не любил дважды повторять один и тот же трюк, но сегодня сделал исключение: проник к Элизабет в номер точно таким же манером, как накануне. Сейчас не время выпендриваться — нужен результат. В комнатах было тихо, обе женщины отсутствовали. И слава богу.

В комнате Элайзы он достал шкатулку с драгоценностями и вынул оттуда медальон.

Никаких определенных подозрений у него не было — Райан просто руководствовался интуицией. Но он привык доверять своему чутью. Откинул крышечку, посмотрел на фотографию. Вроде бы никакого особенного сходства. Разве что глаза? Да, в глазах женщины явно было что-то от Миранды.

Пинцетом он осторожно подцепил карточку, надеясь, что с обратной стороны будет надпись. Так оно и вышло. С замиранием сердца он прочел: «Миранда, поздравляю тебя с шестнадцатилетием. Не забывай о своих корнях. Бабушка».

— Вот ты, голубушка, и попалась, — тихо сказал Райан, опуская медальон в карман.

Быстро шагая по коридору, он набирал номер на мобильном телефоне.

* * *

— Элайза? — Миранда старалась говорить очень спокойно, смотреть Элайзе в лицо, а не на дуло пистолета. — Ему плохо. Нужно вызвать «Скорую помощь».

— Ничего, это подождет. — Элайза коснулась рукой своей забинтованной головы. — Ко мне «Скорая помощь» тоже приехала не сразу. Удар по голове — это ерунда. Приходишь в себя очень быстро. А ты подумала, что он опять напился? — Элайза расхохоталась. — Как здорово! Жалко, я сама до этого не додумалась, а то бы непременно облила его виски. Просто чтобы позабавиться. Ты не бойся, я стукнула его всего два раза. С Джованни мне пришлось повозиться гораздо больше. Но Джованни меня видел, а Эндрю нет.

Боясь, что Эндрю истечет кровью, Миранда подняла с полу валявшуюся майку и обмотала ее вокруг головы брата.

— Как ты могла убить Джованни? Ведь он был твоим другом!

— Ты сама меня принудила. Его кровь на твоих руках. И в том, что случилось с Эндрю, виновата тоже ты.

Миранда сжала пальцы в кулаки.

— И еще Ричард!

— Ну, Ричард сам загнал себя в гроб. — Элайза раздраженно махнула рукой. — После Джованни он был сам не свой. Просто распадался на куски. То рыдал, как ребенок, то требовал, чтобы я остановилась. Все твердил, что никто не должен был умереть. Ничего не поделаешь, планы меняются. Он подписал себе смертный приговор, когда отправил тебе дурацкое послание по электронной почте.

— Но ведь факсы посылала ты.

— Это другое дело. — Элайза свободной рукой повертела золотую цепочку на шее. — Надо было тебя запугать. Ты же испугалась? Ломала себе голову над тем, что это значит?

— Да. — Миранда осторожно потянула с кровати одеяло, накрыла брата. — И еще ты убила Ринальди.

— Он мне надоел. Все ходил, доказывал, что статуэтка была настоящей. Как будто водопроводчик может что-то понимать в подобных вещах! Он даже к Элизабет ворвался и устроил целую сцену. Очень некстати — она начала сомневаться. Я это сразу заметила.

— Статуэтка у тебя, но ты никогда не сможешь ее продать.

— Зачем мне ее продавать? Неужели ты думаешь, что деньги играют здесь хоть какую-то роль? Нет, милочка, дело не в деньгах. Дело в тебе. Есть ты и есть я. Все остальное несущественно.

За окном сверкнула молния, пронизав черное небо огненными зигзагами.

— Я никогда не делала тебе ничего плохого, — сказала Миранда.

— Достаточно того, что ты появилась на свет! Все остальное пришло к тебе само. Ах, ваше высочество! Прославленный искусствовед доктор Джонс из мэнских Джонсов! Такие родители, такая родословная, вокруг слуги, аристократичная бабушка в большом доме на холме!

Элайза яростно жестикулировала, размахивая пистолетом.

— А знаешь, где родилась я? В заштатной больнице. А выросла в паршивой двухкомнатной квартире, потому что родной отец от меня отказался. Я имела столько же прав на шикарную жизнь, как и ты. И я всего добилась, но мне пришлось потеть и унижаться. Я выпрашивала стипендию, я трудилась не покладая рук. Всю жизнь я следила за тобой. Я специально поступила в тот же колледж, в тот же университет. А ты меня даже не замечала.

— Я тебя никогда не видела.

— Еще бы, ведь ты вообще не смотрела по сторонам. У тебя было столько денег, но ты никогда не умела радоваться жизни. Ты жуткая зануда. Я работала, я во всем себе отказывала, ты же жила во дворце, ни в чем не нуждалась и только нежилась в лучах славы.

— Элайза, нужно вызвать «Скорую помощь».

— Заткнись! Я еще не закончила. — Элайза шагнула вперед, подняв руку с пистолетом. — Ты слушай, что я тебе говорю, иначе я сейчас пристрелю этого сукина сына!

Миранда инстинктивно заслонила собой брата:

— Успокойся! Я буду тебя слушать.

— И помалкивай. Не раскрывай рта. Господи, как же я ненавижу твой проклятый рот! Стоит тебе его раскрыть, и все слушают. Можно подумать, у тебя оттуда золотые монеты сыплются. — Элайза наподдала ногой валявшуюся на полу кроссовку. — Ты всю жизнь занимала мое место! Тот мерзавец, который обрюхатил мою мать, обещал ей золотые горы, но он врал, потому что уже был женат. На твоей бабке!

— На бабушке? — Миранда замерла на месте. — Ты хочешь сказать, что мой дед был твоим отцом?

— Старый ублюдок не мог пропустить ни одной юбки, хотя ему было уже за шестьдесят. А моя мать была молоденькой дурочкой. Она надеялась, что старик бросит свою мегеру и женится на ней. Дура, дура, дура!

Элайза схватила со стола агатовое пресс-папье и швырнула его в стену.

— Она позволила, чтобы о нее вытерли ноги! Он сделал свое дело и слинял, не дал ни цента. Как же мы бедствовали!

Охваченная дикой яростью, Элайза ударом ноги опрокинула столик.

Еще один представитель семейства Джонс, с ужасом думала Миранда. Снова внебрачная связь, снова незаконный ребенок. Она была уже готова броситься на сумасшедшую, но тут Элайза снова навела на нее пистолет и мечтательно улыбнулась:

— Я наблюдала за тобой. Я следила за тобой долгие годы. И план отрабатывала очень давно. Сколько я себя помню, ты все время была главной моей целью. Я выбрала ту же профессию. Достигла в ней таких же успехов. Нет, даже больших! Я стала работать в одной с тобой организации. Вышла замуж за твоего брата-идиота. Сделалась совершенно незаменимой для твоей мамаши. Ее настоящая дочь — я, а не ты.

— Это уж точно, — искренне сказала Миранда. — Можешь мне поверить, я для нее ровным счетом ничего не значу.

— Нет, ты всегда была в центре всего! Но я знала, что рано или поздно займу место, положенное мне по праву. Это ты будешь жрать объедки с моего стола! Помнишь «Давида»? Хороший был ударчик по твоей репутации, правда?

— Ты украла его, заставила Гарри сделать копию.

— Смешной мальчишка. Мужчинами очень легко манипулировать. Они смотрят на меня и думают: она такая нежная, такая беззащитная. Мужикам нужно только трахать баб и защищать их, вот и вся хитрость.

Она расхохоталась, взглянула на лежащего Эндрю.

— Что у твоего братца не отнимешь, в постели он был неплох. Но куда важнее было разрушить его жизнь. Приятно было смотреть, как он понемногу втягивается в пьянство. Бедняга все не мог понять, что́ у нас с ним не ладится.

Вообще-то я собиралась излечить его от пагубного недуга. Потом, когда покончу с тобой. — Она просияла улыбкой. — Но я еще своего добьюсь. Эта дешевка, с которой он сейчас спутался, исчезнет с горизонта. Вот перееду в Мэн и возьмусь за дело. Если, конечно, вообще оставлю его в живых.

— Оставь его в покое, ведь он ни при чем. Дай я вызову «Скорую». Держи меня на мушке, я никуда не денусь. Только наберу номер, и все.

— Что, не привыкла просить? Но получается у тебя неплохо. У тебя вообще все хорошо получается. Я подумаю над твоим предложением. — Она предостерегающе подняла пистолет, когда Миранда тронулась с места. — Осторожней! И учти: я не убью тебя с первой пули, а только искалечу.

— Чего ты хочешь? — спросила Миранда. — Какого черта тебе от меня надо?

— Я хочу, чтоб ты меня слушала! — заорала Элайза, целя пистолетом Миранде то в голову, то в грудь. — Стой и слушай все, что я говорю. А потом, когда я закончу, будешь ползать передо мной на коленях. Поняла?

— Ладно.

Миранда думала, сколько еще времени остается. Ведь рано или поздно у Элайзы не выдержат нервы и она начнет стрелять.

— Я тебя слушаю. «Давид» — это были еще цветочки, да?

— Ты такая умная! Такая разумная! Да, это была заготовка на будущее. Я знала, что рано или поздно мина замедленного действия сработает. Я очень терпелива. И я знала, что рано или поздно подвернется что-нибудь покрупнее. Твоя звезда восходила так быстро, что ты должна была оказаться в центре всеобщего внимания. И это произошло, когда появилась «Смуглая Дама». Как только Элизабет сказала, что посылает за тобой, я поняла: час пробил. Твоя мать доверяет мне. Еще бы — я потакала всем ее капризам столько лет! — Подумав, она небрежно добавила: — Кстати, «Станджо» тоже достанется мне. Я собираюсь стать директором института. Скоро — еще до того, как мне исполнится сорок.

Миранда незаметно озиралась по сторонам, прикидывая, нельзя ли что-нибудь использовать в качестве оружия.

— На меня смотри! — взвизгнула Элайза. — Смотри на меня, когда я с тобой говорю.

— Смотрю-смотрю. И слушаю. Ты говоришь, «Смуглая Дама»?

— Настоящий шедевр! Видела ли ты когда-нибудь что-нибудь подобное?

— Нет.

Дождь выколачивал на оконном стекле барабанную дробь.

— Я знаю, ты хотела ее заполучить, — сказала Миранда. — И не виню тебя. Но одна ты справиться не могла, тебе понадобился Ричард.

— Он был влюблен в меня. Я тоже испытывала к нему определенные чувства, — мечтательно произнесла Элайза. — Даже собиралась выйти за него замуж — на время. Очень полезный человек. Но исчерпал свою полезность. Мы вместе делали тесты по ночам. Все получилось проще простого. Я знала комбинацию сейфа Элизабет. Достаточно было лишь задержать твой приезд. Я распорядилась, чтобы тебя не слишком покалечили. Ты мне нужна была здоровенькой. Я сама бы с тобой расправилась.

— Это Ричард сделал копию?

— Я же говорю, он был очень полезным. Но я и сама поработала на славу. Нужно было, чтобы подделка выдержала первоначальные тесты. Иначе хитрость была бы слишком прозрачной. Ведь ты у нас само совершенство, Миранда. Тебе достаточно было взглянуть на статуэтку, и ты сразу поняла, какое сокровище держишь в руках. Ты почувствовала, какая от нее исходит мощь, какая энергия.

— Да, почувствовала.

Кажется, Эндрю пошевелился?

— Конечно, это ты проболталась журналистам?

— Еще бы! Я знала, как строго относится Элизабет к конфиденциальности. Все должно быть по правилам, все должно быть по инструкции. И она отреагировала именно так, как я ожидала. Конечно, без моей помощи тоже не обошлось. Хотя вслух я все время говорила, что ты ни в чем не виновата, что ты не нарочно и так далее. Ты сама вырыла себе яму. Так и светилась энтузиазмом. Все получилось просто идеально.

Тут зазвонил телефон. Элайза медленно улыбнулась:

— Пускай говорит автоответчик. Мы так мило болтаем, что не захотим прерываться, правда?

* * *

Почему она не отвечает? Райан мчался по дороге под проливным дождем, шины визжали на мокром асфальте. Ведь она уехала из института домой! Мобильный телефон молчит, домашний тоже. Держа руль одной рукой, Райан набрал телефон больницы.

— Мне нужно поговорить с Элайзой Уорфилд, — сказал он. — Она ваша пациентка.

— Доктор Уорфилд выписалась сегодня вечером.

Внутри у него все похолодело. Он нажал на газ, и машина понеслась еще быстрее, разбрызгивая воду из-под колес. Изменив своему неизменному принципу, Райан позвонил в полицию:

— Дайте мне детектива Кука.

* * *

— Мне нужны копии, Миранда. Где они?

— У меня их нет.

— Ты совсем не умеешь врать. Отдай их мне! — Элайза сделала шаг вперед. — Мы ведь с тобой хотим, чтобы все закончилось ко всеобщему удовольствию.

— С какой стати я буду тебе помогать? Ты все равно меня убьешь.

— Конечно, убью. Это логично. Но ведь ты не захочешь, чтобы я прикончила твоего братца. — Она кивнула головой в сторону Эндрю, и у Миранды сжалось сердце.

— Не надо! — Миранда подняла руки, словно капитулируя.

— Отдай мне копии, и я его не трону.

— Они спрятаны на маяке.

Только бы увести ее подальше от Эндрю!

— Просто фантастика! Попробуй-ка угадать, где я была зачата? — Элайза расхохоталась так, что у нее из глаз брызнули слезы. — Мамочка рассказывала, что именно туда он ее и отвел. Якобы хотел писать с нее картину. Как это символично — все закончится там, где и началось. — Она махнула пистолетом. — Иди вперед, Миранда. Веди свою добрую тетю.

В последний раз оглянувшись на брата, та пошла вперед. Всей спиной она чувствовала наставленное дуло пистолета. Ничего, когда они выйдут на улицу, появится шанс. Достаточно отвлечь внимание Элайзы хотя бы на секунду. Миранда сильнее, крупнее, а главное — у нее мозги на месте.

— Полиция идет по следу, — сказала Миранда, глядя перед собой. — Кук близок к цели. И он не отступится.

— Уже завтра дело будет закрыто. Все разъяснится само собой. Иди-иди, да побыстрей. Ты ведь всегда ходишь такой уверенной походкой.

— Как ты объяснишь мою смерть?

— Это не понадобится. На худой конец, суну Эндрю пистолет в руку и нажму спусковой крючок еще раз. Конечно, такая развязка не входит в мои планы, но зато все будет правдоподобно: брат прикончил сестру и застрелился сам. Ты ударила его по башке, он открыл пальбу. Ведь это твой пистолет.

— Да, я его узнала. Как тебе удалось самой разбить себе голову после того, как ты убила Ричарда?

— Ерунда. Зато все меня жалели, и я сразу вышла из круга подозреваемых. Неужели маленькое хрупкое создание вроде меня способно на такие фокусы? — Она ткнула пистолетом Миранде в спину. — Только ты да я знаем всю правду.

— Это верно. Нам понадобится фонарик.

— Так возьми его. Насколько мне известно, ты хранишь его в столике возле кровати. Второй ящик сверху. Ты ведь такая аккуратная.

Миранда взяла фонарик и прикинула его на вес. Он был тяжелый, вполне годился в качестве оружия. Только бы улучить момент.

Она вышла под проливной дождь. Что, если нырнуть в густой туман? Но нет, дуло пистолета упиралось ей прямо в спину. Не успеешь и шагу ступить.

— Кажется, мы промокнем до нитки, — сказала Элайза. — Топай вперед.

Сгибаясь под ветром, Миранда шла на свет маяка. Самое главное сейчас было — застать Элайзу врасплох. От скал доносился бешеный рев волн, небо то и дело пронзали молнии.

— Ничего у тебя не выйдет, Элайза.

— Иди-иди.

— Если ты сейчас меня застрелишь, все поймут, что меня убил не Эндрю. И тогда подозрение падет на тебя.

— Заткнись. Какая тебе разница? Ты все равно этого не увидишь.

— Тебе не заполучить того, о чем ты мечтаешь. Ведь ты хочешь мое имя, мою репутацию, мое положение. Никогда тебе этого не добиться.

— Ошибаешься! Я добьюсь всего! А ты не просто утратишь репутацию, ты лишишься жизни!

— Тебе известно, что Ричард вел записи? — Миранда светила перед собой фонариком. — Записывал все до мелочей, все свои поступки.

— Врешь!

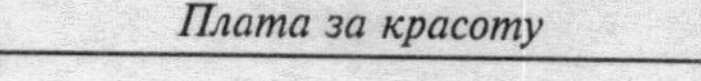

— Очень аккуратно записывал. Это улика. Я тебя достану и из могилы. И ты останешься с носом.

— Лживая сука!

— Ты ведь знаешь, что я никогда не лгу.

Стиснув зубы, Миранда резко обернулась и ударила Элайзу фонарем по руке. Пистолет отлетел в сторону, и Миранда бросилась за ним.

Оказывается, она ошиблась: безумие в драке — не помеха, а преимущество. Хрупкая Элайза дралась, как волчица — зубами, ногтями. Миранда судорожно вдыхала воздух разбитым ртом. Сцепившись не на жизнь, а на смерть, обе женщины покатились к самому краю обрыва.

* * *

Вбежав в дом, Райан позвал Миранду. Ни звука. Он пробежался по обоим этажам, а когда увидел лежащего Эндрю, то чуть не задохнулся от ужаса.

Грянул гром. Нет, то был не гром, а выстрелы! Обливаясь холодным потом, Райан выбежал из дома.

Он увидел на самом краю скалы две фигурки, катающиеся по земле. Бормоча молитвы, Райан побежал к берегу. Еще раз вспыхнула молния, и он увидел, как фигурки исчезли за кромкой обрыва.

* * *

Миранда задыхалась, ослепнув от боли, крови и страха. Из последних сил она держалась за скользкий ствол пистолета. Металл дернулся в ее руках, и один за другим грянули два выстрела.

Кто-то кричал у нее прямо над ухом. Миранда хотела встать на четвереньки, но поскользнулась, и ноги сорвались в бездну. Вспыхнула молния, и она увидела над собой искаженное злобой лицо Элайзы. В ее расширенных глазах отразилось лицо Миранды. Это было ужасно.

Кто-то звал ее по имени. Она так и не поняла, кто именно. Обе женщины висели на краю обрыва, пытаясь удержаться.

Элайза при этом заходилась безумным хохотом. А может быть, это была истерика.

Миранда мысленно твердила слова молитвы. Тысячи мимолетных образов возникали перед ее внутренним взором. Вцепившись пальцами в камень, она отчаянно пыталась нащупать ногой хоть какую-то опору. Задыхаясь, посмотрела на Элайзу, увидела, как та, находясь в точно таком же положении, отпускает одну руку, чтобы достать из-за пояса пистолет. Прицелиться Элайза не успела — ее пальцы разжались, и она рухнула вниз.

Сотрясаясь от рыданий, Миранда прижалась щекой к холодным камням. Мышцы ее онемели, пальцы горели огнем. Внизу нетерпеливо пенилось и ярилось море — то самое море, которое она всегда так нежно любила.

К горлу подступала тошнота. Миранда подняла лицо навстречу струям дождя, увидела вдали луч света, тянущийся от старой башни, и эта путеводная нить придала ей сил.

Нет, она не погибнет, не сдастся. Не отводя глаз от маяка, Миранда зашарила ногой по отвесной стене и, кажется, нащупала маленькую впадину. Ей удалось чуть-чуть приподняться, но потом нога соскользнула.

Миранда висела на одних пальцах, когда над обрывом возникло лицо Райана.

— Господи! Ради всего святого, Миранда, держись! Смотри на меня. Дай мне руку!

— Я сорвусь, — еле выговорила она.

— Дай руку! Тебе нужно дотянуться совсем чуть-чуть.

Он уперся ногами и протянул к ней обе руки.

— Не могу. Пальцы одеревенели. Если разжать, я упаду.

— Не упадешь! — По его лицу сбегали капли дождя и пота. — Вот моя рука, Миранда. — Хотя внутри у него все сжималось от ужаса, он улыбнулся. — Ну же, доктор Джонс. Доверьтесь мне.

Она судорожно всхлипнула, расцепила онемевшие пальцы и чуть-чуть подалась вверх. Был миг, когда ей казалось, что сейчас она не выдержит, но в ту же секунду его пальцы крепко ухватили ее за запястье.

— Теперь давай другую руку.

— Господи, Райан!

Зажмурив глаза, она отпустила камень.

Когда Миранда повисла на его руках всей тяжестью тела, Райан подумал, что не удержит. Проклиная дождь и сколь-

кую землю, он пытался тянуть, но ничего не получалось. И тогда Миранда стала ему помогать. Она упиралась ногами, цеплялась локтями — и понемножку, дюйм за дюймом, поднималась вверх.

Наконец ей удалось зацепиться локтем за край обрыва. Камень обдирал кожу, но Миранда этого не чувствовала.

И вот они лежали рядом, обессиленные и задыхающиеся. Сверху их поливал дождь.

— Я видел, как ты упала, — с трудом произнес Райан. — Думал, ты погибла.

— Я обязательно погибла бы, если бы не ты.

Она прижалась к его груди, слушая, как бешено бьется его сердце. Издали донесся вой полицейских машин.

— Если бы ты не появился, я бы долго не продержалась.

— Продержалась бы, как миленькая. — Он смотрел на ее окровавленное лицо. — Но теперь ты можешь расслабиться. Я тебя отнесу.

Он поднял ее на руки и пошел к дому.

— Ты держи меня, не отпускай, — попросила она.

— Не отпущу, — пообещал он.

ЭПИЛОГ

Она знала, что он все-таки ее обманет. Подлый ворюга.

Доверься мне, говорил он, и она доверилась. Сначала он спас ей жизнь, а потом разбил ее, безжалостно разбил.

Он долго выжидал своего часа, думала Миранда, мрачно расхаживая по комнате. Побыл рядом, пока она не выздоровела, пока не зажили царапины и синяки. Дождался, когда поправится Эндрю.

Все это время был рядом, обнимал, утешал, в сотый раз выслушивал ее рассказ о той страшной ночи.

Сидел, подлец, и держал ее за руку, когда они вместе давали показания детективу Куку — разумеется, в несколько измененном варианте. Миранда поддакивала, шла у Райана на поводу, сделала все для того, чтобы он не попал за решетку. В конце концов, он ведь спас ей жизнь. Мерзавец.

А потом он взял и исчез. Без слов, без прощаний. Просто сложил вещички и испарился.

О, она знала, куда он отправился. В некий гараж, расположенный возле Флоренции. За «Смуглой Дамой». Обе статуэтки наверняка уже у него. Загнал их какому-нибудь из своих поганых клиентов за кругленькую сумму, а теперь нежится на солнышке на тропическом острове, попивает ромовый пунш и похлопывает по заднице какую-нибудь шлюху-блондинку.

Если она еще когда-нибудь увидит этого типа... Но, разумеется, их пути больше не пересекутся. Все совместные дела, как денежные, так и представительские, ведет не сам Райан, а его менеджер. Выставка прошла со сногсшибательным успехом. Галерея «Болдари» заработала на этом неплохую рекламу, которой в немалой степени способствовала и вся эта уголовная история, выставившая Райана в столь выгодном свете.

Что ж, Миранда восстановила свою репутацию. Более того — вся пресса превозносила ее до небес. Храбрая, принципиальная, блестящая доктор Джонс!

Элайза хотела погубить свою соперницу, а вместо этого вознесла ее к вершинам славы.

Но Миранда была безутешна, потому что осталась без статуэтки и без Райана.

Видимо, ей никогда больше не увидеть ни «Смуглой Дамы», ни этого негодяя.

Она жила одна в большом пустом доме. Эндрю переехал к своей невесте, которая любовно ухаживала за выздоравливающим. Он был счастлив, дела его шли на поправку. Миранда безумно завидовала брату.

Чтоб ей провалиться, этой репутации, думала она. Да, ей достался институт, она заслужила если не любовь, то, во всяком случае, уважение родителей. Но разве это жизнь?

Ладно, говорила себе она, надо начать все с нуля.

Миранда решила, что последует совету друзей и отправится в отпуск. Между прочим, вполне заслуженный. Купит себе бикини, будет загорать под жарким солнцем и обязательно заведет интрижку. Во всяком случае, попробует.

Она рассерженно кивнула головой: вот именно, интрижку. Распахнула дверь террасы и вышла, чтобы вдохнуть аромат теплой весенней ночи.

В больших каменных кадках распустились цветы. Пахло фиалками, вербеной и лавандой. То, что она уловила эти запахи, свидетельствовало о том, что доктор Джонс понемногу учится радоваться жизни, наслаждаться мгновением.

Над морем сияла круглая белая луна, со всех сторон окруженная россыпью звезд. Загадочный, прекрасный, никогда не надоедающий пейзаж. Море тихо напевало свою нескончаемую песню.

Прошло уже две недели, как он уехал. Миранда знала, что он не вернется. В его жизни были вещи поважнее, чем любовь.

Это можно пережить. Сейчас уже легче, чем вначале. Отпуск, конечно, надо взять, но ехать никуда не нужно — можно отлично провести время и дома — превратить свое жилище в уютное гнездышко. Закончить работу в саду, покрасить стены, купить новые шторы.

Конечно, мужчине она никогда в жизни больше не поверит, но зато научилась верить в себя.

— Ты сейчас смотрелась бы гораздо лучше в длинном свободном платье, — раздался сзади знакомый голос.

Миранда проявила чудеса выдержки — повернулась медленно, с достоинством.

Он смотрел на нее с ухмылкой. Одет во все черное, элегантный и лживый тип. Стоит и скалится.

— Ну что это за наряд — джинсы и майка, — продолжил он как ни в чем не бывало. — Конечно, ты и в них выглядишь неплохо, но романтики никакой. Морской ветер, лунная ночь — такая красота! — Он шагнул на террасу. — Здравствуйте, доктор Джонс.

Его пальцы коснулись ее скулы, где еще желтел синяк.

— Сукин ты сын, — проговорила Миранда и со всей силы двинула ему кулаком в бок.

Райан согнулся пополам, из глаз у него посыпались искры. Но на ногах устоял. Осторожно выпрямился и, кряхтя, проговорил:

— Ну и манеры у тебя. По-моему, ты мне не рада.

— Я буду рада, когда ты сядешь за решетку, ворюга. Ты использовал меня, ты меня обманул! Сказал, чтобы я тебе доверилась, а на самом деле тебе нужна была только статуэтка!

— Ты не совсем точно излагаешь факты, — сказал он.

— Ты ведь отправился во Флоренцию? Сбежал отсюда, сел на самолет и полетел за статуэтками.

— Само собой. Я и не делал из этого тайны.

— Жалкий воришка!

— И вовсе не жалкий, а мастер своего дела. Вот и детектив Кук так считает, хотя доказать этого никогда не сможет. — Райан улыбнулся, пригладил густые темные волосы. — Но теперь я вор в отставке.

Миранда сложила руки на груди:

— Еще бы, продав наши статуэтки, ты можешь жить, ни в чем себе не отказывая.

— Да уж, на куш, полученный от продажи Микеланджело, можно было бы жить припеваючи лет сто, а то и двести. Статуэтка — настоящий шедевр, — сообщил он. — Копия тоже была ничего, но ни в какое сравнение не идет, не передает очарования, магии, мощи. Просто даже странно, как это люди могли принимать подделку за оригинал. «Смуглая Дама» просто поет. Она поистине бесценна.

— Это произведение искусства принадлежит итальянскому народу. Статуэтке место в музее, где с ней смогут общаться все.

— Странно, ты говоришь о ней как о живом существе.

Миранда отвернулась и стала смотреть в сад, ее сад, освещенный лунным светом.

— Как хочу, так и говорю.

— Ты отлично знаешь, что это не просто статуэтка.Ты не можешь не понимать, что искусство — оно живое.

Райан выпустил облачко дыма.

— Как дела у Эндрю?

— Что, теперь мы будем говорить о моей семье? Замечательно, давай поговорим. У Эндрю все в порядке. У Элизабет и Чарльза тоже.

Теперь Миранда называла родителей именно так — по имени.

— Они живут раздельно. Элизабет очень горюет по «Смуглой Даме», но со здоровьем у нее все в порядке. Из-за Элайзы, правда, ей пришлось попереживать. Не столько из-за самой Элайзы, сколько из-за ее вероломства. — Миранда вздохнула. — Я отлично понимаю, что должна чувствовать Элизабет. Это отвратительно — когда тебя сначала используют, а потом выбрасывают за ненадобностью.

Райан хотел было подойти к ней, но поостерегся и прислонился к стене. Извиняться, оправдываться, соблазнять — все это сейчас не годилось.

— Я использовал тебя, а ты использовала меня. И довольно неплохо.

— Все это в прошлом, — отрезала Миранда. — Я не понимаю, зачем ты сюда явился.

— Хочу предложить тебе сделку.

— Вот как? С какой стати?

— Причин несколько. Но сначала скажи мне, почему ты не сдала меня полиции?

— Потому что я привыкла держать слово.

— Только поэтому?

Она не ответила, и он пожал плечами.

— Хорошо, тогда переходим к делу. Позволь тебе кое-что показать.

Швырнув сигару в окно, Райан вышел в соседнюю комнату и вернулся с сумкой. Осторожно достал оттуда аккуратный сверток, и Миранда ахнула, догадавшись, что там внутри.

— Хороша, правда?

Райан горделиво и властно, словно возлюбленную, держал статуэтку в руках.

— Я в нее влюбился с первого взгляда. Это женщина, которая повергает мужчин к своим ногам, и отлично знает это. Не всегда добра, но всегда восхитительна. Неудивительно, что в свое время из-за нее шли на убийство.

Он взглянул на Миранду, на ее распущенные волосы, осененные лунным нимбом.

— Когда я нашел ее в ящике, спрятанную в пыльном гараже, когда я взял ее на руки впервые, я услышал звук арфы. Честное слово. Вы верите в подобные чудеса, доктор Джонс?

Миранда и сама слышала этот звук, во всяком случае, в снах.

— Зачем ты ее сюда привез?

— Подумал, что ты захочешь ею полюбоваться. Ну и потом чтобы ты убедилась в том, что я действительно ее нашел.

— Я знала это.

Миранда не могла удержаться. Она подошла и провела пальцем по его улыбающемуся лицу.

— Я знаю это уже две недели. Как только ты исчез, я поняла, в чем дело.

Какое у него подлое, прекрасное лицо, подумала она.

— Но я не думала, что ты вернешься.

— По правде говоря, я тоже так не думал. — Он поставил

статуэтку на стол. — В конце концов каждый из нас получил то, чего добивался. Ты вернула себе репутацию, стала настоящей знаменитостью. Хотела отомстить? Ты отомстила. Больше, чем отомстила. Насколько мне известно, и книжные издательства, и Голливуд наперебой предлагают тебе продать эту историю.

Миранда смущенно потупилась:

— Ты не ответил мне на вопрос.

— Сейчас дойдем и до этого. Я свое слово тоже сдержал. Вернуть тебе «Давида» я не обещал. Что же касается «Смуглой Дамы», то речь шла лишь о том, что я помогу тебе ее найти. Я ее нашел, и теперь она моя по праву. Предлагаю вступить в новый тур переговоров. Скажи мне, эта статуэтка тебе очень нужна?

Миранда чуть не ахнула:

— Ты собираешься мне ее продать? Продать мне то, что было у нас же украдено?

— Нет, не продать, а поменять.

— Поменять? На что?

Она вспомнила, что он мечтал о Челлини, а также о Донателло.

— Не на что, а на кого.

Она захлопала глазами:

— В каком смысле?

— Меняю одну даму на другую. По-моему, это честно.

Она прошлась по террасе и пришла к окончательному заключению, что он негодяй, каких мало.

— Итак, ты хочешь, чтобы в обмен на Микеланджело я занялась с тобой сексом.

— Не будь дурой. Ты, конечно, в постели хороша, но всетаки не настолько. Нет уж, Миранда, мне нужна вся партия оптом. Статуэтка принадлежит мне. В принципе я даже мог бы официально предъявить на нее претензии — как нашедший утраченный шедевр. Конечно, не факт, что этот номер у меня получился бы, но есть смысл попытаться. Однако вот какая штука: за последние дни я, к глубокому своему сожалению, обнаружил, что ты мне нужна еще больше, чем она.

— Я тебя не понимаю.

— Отлично понимаешь, ты ведь такая умница! Решай сама — можешь получить статуэтку и поступай с ней как хочешь. Поставь в шкаф или отправь во Флоренцию. Хоть выброси ее, мне все равно. Но сначала мы заключим сделку. Во-первых, я хотел бы жить в этом доме.

Ей стало трудно дышать.

— Ты хочешь здесь жить?

Он прищурился:

— Представь себе. И хватит изображать из себя идиотку. Это у тебя очень плохо получается. Я хочу жить в этом доме, хочу, чтобы здесь росли мои дети. Что это ты так побледнела? Честно говоря, мне ужасно нравится, что ты умеешь так замечательно бледнеть и краснеть. Должен тебе сказать, Миранда, что я ужасно, безрассудно тебя люблю.

Она хотела что-то сказать, но не смогла, потому что сердце так и выпрыгивало из груди.

Райану было весело на нее смотреть, страх уже прошел.

— И учти, Миранда, что насчет детей у меня самые серьезные намерения. Я ведь наполовину ирландец и наполовину итальянец. Семья должна быть многодетной.

— Ты делаешь мне предложение?

— Готовлю почву для этого. Ты мне не поверишь, но это дается мне с трудом. Итак, я уже сказал, что люблю тебя.

— Да, я слышала.

— Господи, какая же ты упрямая! — Он глубоко вздохнул. — Хочешь получить статуэтку? Тогда давай договариваться. Ты ведь меня любишь, я знаю.

Она нахмурилась, и он усмехнулся:

— Не ври. Иначе ты сдала бы меня полиции.

— У меня было такое намерение.

— Врешь. — Он слегка поцеловал ее в губы. — Соглашайся, Миранда. Не пожалеешь.

— Ты вор.

— В отставке.

Он сунул руку в карман, достал коробочку.

— Сейчас последует официальное предложение.

Она попыталась высвободить руку, но он уже надел ей на палец кольцо. То самое, так хорошо ей знакомое.

— Соглашайся, не валяй дурака, — повторил он.

Дышать ей было все так же трудно.

— Ты расплатился за кольцо? — спросила она.

— Ну конечно.

Миранда посмотрела, как камень играет на солнце гранями. Ничего, нужно подержать паузу, подумала она. Пусть понервничает.

— Я отвезу статуэтку в Италию. Правда, не знаю, как буду объясняться с властями.

— Что-нибудь придумаем. Ты, главное, скажи «да».

— Сколько детей? — строго спросила она.

Лицо Райана осветилось улыбкой.

— Пятеро.

Она саркастически фыркнула:

— Глупости. Максимум двое.

— Трое, а дальше как получится.

— Трое, и точка.

— Договорились.

— Мы еще не закончили, — сказала Миранда.

— Сейчас закончим. Вот только поцелую тебя.

Его голос звучал так нахально, что Миранда поневоле улыбнулась.

— Еще одно условие: никаких рецидивов. О прежней профессии ты забудешь раз и навсегда.

— Никаких? — поморщился он. — Ну, может быть, иногда, в виде исключения?

— Ни за что на свете.

— Ладно, — пробормотал он. — Отставка так отставка. Рецидивов не будет.

— Ты отдашь мне все фальшивые паспорта, которыми когда-либо пользовался.

— Что, все до одного? — Он махнул рукой. — Ладно.

В конце концов, достать новый паспорт не проблема.

— Еще какие-нибудь условия?

— Нет, хватит.

Она погладила его по щеке:

— Я тебя тоже безумно люблю. Условия приняты. Отныне ты мой, а я твоя. Но не забывай про проклятие семьи Джонс.

— Доктор Джонс, верьте мне. — Он поцеловал ей руку. — Отныне все в вашей жизни будет по-другому.

Литературно-художественное издание

Нора Робертс

ПЛАТА ЗА КРАСОТУ

Редактор *Н. Крылова*
Художественный редактор *С. Курбатов*
Технический редактор *О. Куликова*
Компьютерная верстка *Е. Попова*
Корректор *Е. Дмитриева*

Налоговая льгота — общероссийский классификатор продукции ОК-005-93, том 2; 953000 — книги, брошюры.

Подписано в печать с готовых диапозитивов 15.08.2000.
Формат 84×108 1/32. Гарнитура «Таймс».
Печать офсетная. Усл. печ. л. 23,52. Уч.-изд. л. 22,2.
Тираж 7 000 экз. Зак. № 2198.

ЗАО «Издательство «ЭКСМО-Пресс»
Изд. лиц. № 065377 от 22.08.97
125190, Москва, Ленинградский проспект,
д. 80, корп. 16, подъезд 3.
Интернет/Home page — www.eksmo.ru
Электронная почта (E-mail) — info@ eksmo.ru

Книга — почтой:
Книжный клуб «ЭКСМО»
101000, Москва, а/я 333. E-mail: bookclub@ eksmo.ru

Оптовая торговля:
109472, Москва, ул. Академика Скрябина, д. 21, этаж 2
Тел./факс: (095) 378-84-74, 378-82-61, 745-89-16
E-mail: reception@eksmo-sale.ru

Мелкооптовая торговля:
Магазин «Академкнига»
117192, Москва, Мичуринский пр-т, д. 12/1
Тел./факс: (095) 932-74-71

ООО «Унитрон индастри».
Книжная ярмарка в СК «Олимпийский».
г. Москва, Олимпийский проспект, д. 16, метро «Проспект Мира».
Тел. 785-10-30. E-mail: bookclub@cityline.ru

Всегда в ассортименте новинки издательства «ЭКСМО-Пресс»:
ТД «Библио-Глобус», ТД «Москва», ТД «Молодая гвардия»,
«Московский дом книги», «Дом книги на ВДНХ»

ТОО «Дом книги в Медведково». Тел.: 476-16-90
Москва, Заревый пр-д, д. 12 (рядом с м. «Медведково»)

ООО «Фирма «Книинком». Тел.: 177-19-86
Москва, Волгоградский пр-т, д. 78/1 (рядом с м. «Кузьминки»)

ГУП ОЦ МДК «Дом книги в Коптево». Тел.: 450-08-84
Москва, ул. Зои и Александра Космодемьянских, д. 31/1

Отпечатано в Тульской типографии.
300600, г. Тула, пр. Ленина, 109.